標準言語聴覚障害学

発声発語障害学 第3版

シリーズ監修

藤田郁代　国際医療福祉大学大学院教授・医療福祉学研究科
　　　　　言語聴覚分野

編集

城本　修　広島県公立大学法人

原　由紀　北里大学教授・医療衛生学部リハビリテーション学科言語聴覚療法学専攻

執筆〔執筆順〕

西澤典子	北海道大学病院客員臨床教授・耳鼻咽喉科・頭頸部外科	西脇恵子	日本歯科大学講師・附属病院言語聴覚士室
今村亜子	特定非営利活動法人ことばとリレーションシップの会（ことり）	長谷川賢一	国際医療看護福祉大学校言語聴覚士科
岩城　忍	神戸大学医学部附属病院・リハビリテーション部	椎名英貴	森之宮病院・リハビリテーション部
石毛美代子	杏林大学教授・保健学部リハビリテーション学科言語聴覚療法学専攻	佐藤亜紀子	帝京平成大学講師・健康メディカル学部言語聴覚学科
苅安　誠	ヒト・コミュニケーション科学ラボ	中村　文	県立広島大学講師・保健福祉学部保健福祉学科コミュニケーション障害学コース
柳田早織	北海道医療大学講師・リハビリテーション科学部言語聴覚療法学科	原　由紀	北里大学教授・医療衛生学部リハビリテーション学科言語聴覚療法学専攻
城本　修	広島県公立大学法人	小林宏明	金沢大学教授・人間社会研究域学校教育系
金子真美	京都府立医科大学・耳鼻咽喉科・頭頸部外科	前新直志	国際医療福祉大学教授・保健医療学部言語聴覚学科
飯野由恵	国立がん研究センター東病院・リハビリテーション科	酒井奈緒美	国立障害者リハビリテーションセンター研究所室長・感覚機能系障害研究部聴覚言語機能障害研究室
阿部千佳	東北文化学園大学助教・医療福祉学部リハビリテーション学科言語聴覚学専攻	坂田善政	国立障害者リハビリテーションセンター学院教官・言語聴覚学科
柴本　勇	聖隷クリストファー大学教授・リハビリテーション学部言語聴覚学科	北條具仁	国立障害者リハビリテーションセンター病院・リハビリテーション部言語聴覚療法副士長
今富摂子	目白大学准教授・保健医療学部言語聴覚学科	塩見将志	川崎医療福祉大学教授・リハビリテーション学部言語聴覚療法学科
小澤由嗣	県立広島大学教授・保健福祉学部保健福祉学科コミュニケーション障害学コース	飯村大智	筑波大学助教・人間系
緒方祐子	倉重こどもクリニック	宮本昌子	筑波大学教授・人間系
織田千尋	レソナンテ・代表	佐々木ゆり	海老名市教育支援センター
高倉祐樹	北海道大学大学院客員研究員・保健科学研究院高次脳機能創発分野	吉澤健太郎	北里大学病院・リハビリテーション部主任
大槻美佳	北海道大学大学院准教授・保健科学研究院		

医学書院

標準言語聴覚障害学		
発声発語障害学		
発　　　行	2010年 3月15日　第1版第1刷	
	2014年 5月 1日　第1版第5刷	
	2015年 1月15日　第2版第1刷	
	2019年 8月 1日　第2版第6刷	
	2021年 2月15日　第3版第1刷Ⓒ	
	2025年 1月15日　第3版第5刷	
シリーズ監修	藤田郁代	
編　　　集	城本　修・原　由紀	
発　行　者	株式会社　医学書院	
	代表取締役　金原　俊	
	〒113-8719　東京都文京区本郷 1-28-23	
	電話　03-3817-5600(社内案内)	
印刷・製本	三美印刷	

本書の複製権・翻訳権・上映権・譲渡権・貸与権・公衆送信権(送信可能化権を含む)は株式会社医学書院が保有します.

ISBN978-4-260-04289-5

本書を無断で複製する行為(複写, スキャン, デジタルデータ化など)は, 「私的使用のための複製」など著作権法上の限られた例外を除き禁じられています. 大学, 病院, 診療所, 企業などにおいて, 業務上使用する目的(診療, 研究活動を含む)で上記の行為を行うことは, その使用範囲が内部的であっても, 私的使用には該当せず, 違法です. また私的使用に該当する場合であっても, 代行業者等の第三者に依頼して上記の行為を行うことは違法となります.

JCOPY〈出版者著作権管理機構　委託出版物〉
本書の無断複製は著作権法上での例外を除き禁じられています. 複製される場合は, そのつど事前に, 出版者著作権管理機構(電話 03-5244-5088, FAX 03-5244-5089, info@jcopy.or.jp)の許諾を得てください.

＊「標準言語聴覚障害学」は株式会社医学書院の登録商標です.

刊行のことば

　ことばによるコミュニケーションは，人間の進化の証しであり，他者と共存し社会を構成して生きる私たちの生活の基盤をなしている．人間にとってかけがえのないこのような機能が何らかの原因によって支障をきたした人々に対し，機能の回復と獲得，能力向上，社会参加を専門的に支援する職種として言語聴覚士が誕生し，その学問分野が言語聴覚障害学（言語病理学・聴能学）としてかたちをなすようになってからまだ100年に満たない．米国では1925年にASHA（American Speech-Language-Hearing Association：米国言語聴覚協会）が発足し，専門職の養成が大学・大学院で行われるようになった．一方，わが国で言語聴覚障害がある者に専門的に対応する職種がみられるようになったのは1960年代であり，それが言語聴覚士として国家資格になったのは1997年である．

　言語聴覚障害学は，コミュニケーション科学と障害学を含み，健常なコミュニケーション過程を究明し，その発達と変化，各種障害の病態と障害像，原因と発現メカニズム，評価法および訓練・指導法などの解明を目指す学問領域である．言語聴覚障害の種類は多彩であり，失語症，言語発達障害，聴覚障害，発声障害，構音障害，口蓋裂言語，脳性麻痺言語，吃音などが含まれる．また，摂食・嚥下障害や高次脳機能障害は発声発語機能や言語機能に密接に関係し，言語聴覚士はこのような障害にも専門的に対応する．

　言語聴覚士の養成教育がわが国で本格化してから10年余りであるが，この間，養成校が急増し，教育の質の充実が大きな課題となってきた．この課題に取り組む方法のひとつは，教育において標準となりうる良質のテキストを作成することである．本シリーズはこのような意図のもとに企画され，各種障害領域の臨床と研究に第一線で取り組んでこられた多数の専門家の理解と協力を得て刊行された．

　本シリーズは，すべての障害領域を網羅し，言語聴覚障害学全体をカバーするよう構成されている．具体的には，言語聴覚障害学概論，失語症学，高次脳機能障害学，聴覚障害学，言語発達障害学，発声発語障害

学，摂食・嚥下障害学の7巻からなる[注1]．執筆に際しては，基本概念から最先端の理論・技法までを体系化し，初学者にもよくわかるように解説することを心がけた．また，言語聴覚臨床の核となる，評価・診断から治療に至るプロセス，および治療に関する理論と技法については特にていねいに解説し，具体的にイメージできるよう多数の事例を提示した．

本書の読者は，言語聴覚士を志す学生，関連分野の学生，臨床家，研究者を想定している．また，新しい知識を得たいと願っている言語聴覚士にも，本書は役立つことと思われる．

本シリーズでは，最新の理論・技術を「Topics」で紹介し，専門用語を説明するため「Side Memo」を設けるなどの工夫をしている．また，章ごとに知識を整理する手がかりとして「Key Point」が設けてあるので，利用されたい[注2]．

本分野は日進月歩の勢いで進んでおり，10年後にどのような地平が拓かれているか楽しみである．本シリーズが言語聴覚障害学の過去，現在を，未来につなげることに寄与できれば，幸いである．

最後に，ご執筆いただいた方々に心から感謝申しあげたい．併せて，刊行に関してご尽力いただいた医学書院編集部に深謝申しあげる．

2009年3月

シリーズ監修
藤田郁代

注1) 現在は『地域言語聴覚療法学』『言語聴覚療法 評価・診断学』が加わり，全9巻となっている．
(2020年12月)

注2) 本シリーズでは全体の構成を見直した結果，「Topics」「Side Memo」欄を「Note」欄に統一，また章末の「Key Point」を廃止し新たに言語聴覚士養成教育ガイドラインに沿った「学修の到達目標」を章頭に設けることとした．
(2020年10月)

第3版の序

　早いもので，本書第2版の刊行から6年が，初版からは10年が経過した．この間に多くの編者や執筆者が勇退された．そこで，この10年を契機に，第3版では執筆体制を思い切って刷新し，内容も体裁も一新することにした．

　その大きな特徴は，まず第1章で発声発語障害学に必要な解剖生理学的知識と音声学的知識について頁を割いて解説し，音声障害などの各発声発語障害について新しく学修しながらも，常に解剖生理学的基盤や音声学的基盤に立ち返ることができるように構成を工夫したことである．さらに各章や節ごとに学修の到達目標を掲げたので，重要なポイントもおわかりいただけると思う．

　また，この10年の間に発声発語障害の評価法や治療法も飛躍的な発展を遂げた．したがって，この新しい評価法や治療法を実際に展開している第一線の臨床家と指導者にこの第3版では執筆をお願いした．どの章でもこれまでよりも頁数を割いて具体的な手順を加筆していただいており，少しでも臨床に役立つように心がけた．

　そして，すべてが新しく難しい知識ばかりではなく，最低限，覚えておいてほしい基礎知識についてもしっかり理解したうえで学んでいけるように，各執筆者には丁寧な解説をお願いした．このように編者が欲張ったせいか，各執筆者にはかなりご負担をおかけすることとなった．しかしその分，基礎知識と最新知識をバランスよくコンパクトにまとめていただけたと自負している．

　さらに各章の末尾には，障害ごとの事例報告の執筆をお願いした．学生諸君には，実物大の発声発語障害の事例を活き活きとイメージしてもらいたいと考えている．また，臨床実習などで事例報告を作成する際にもぜひ参考にしてもらいたいと思う．

　また第3版では，これまであまり取り上げられていなかった脳性麻痺や発語失行，クラタリングなどについても新しく項目を設けることにした．新しい知識にぜひとも触れてもらいたい．

以上のように，わかりやすく丁寧な解説というだけでなく，各執筆者の臨床や研究にかける熱き思いも汲み取っていただける内容にもなったのではないかと期待している．編者の自画自賛といわれるかもしれないが，何度も編集会議や執筆者とのやりとりを重ねることで，学生の視点で理解できるか，検討を重ねたつもりである．学生諸君の忌憚のないご意見をうかがえれば望外の喜びである．

2020年12月

編集
城本　修
原　由紀

初版の序

　本書は当初,「発声発語・嚥下障害学」として1冊にまとめる企画であった. しかし, それではかなりの大部となることもあり,「音声障害」「運動障害性構音障害」「機能性構音障害」「器質性構音障害」「吃音」を小児から成人までの領域を含めてくくり「発声発語障害学」とした. 標準言語聴覚障害学シリーズで「摂食・嚥下障害学」は, 別に1冊企画されている.

　基本的に, 本書は言語聴覚士をめざす学生のテキストとなることを念頭に置いて執筆されている. 内容は障害別に書かれており, それぞれの障害の定義, 発症のメカニズム, 症状, 評価の方法, 訓練・指導などの項目を立て, 領域によっては, 事例を通して具体的に理解しやすいように配慮した.「診断/評価」,「訓練/指導/治療」ということばをめぐっては, これまでにいろいろな議論がなされているが, ここでは執筆者の用いる表現をできるだけ尊重した. ほかにも, 原語(英語)の日本語訳について統一が取れていない点などもあるが, これらは今後の課題としたい.

　さて, 言語聴覚士の教育をめぐってはさまざまな議論がなされているが, そのうちの1つに,"養成課程で何を, どこまで, どのように教えるべきか", ということがある. 発声発語障害領域に限らないが, その研究や教育は, 縦割りに単一のものとして扱われることが多い. しかし, 臨床現場を見てみると, 単一の障害の患者は多くないことに気づく. むしろ言語聴覚士が実際に対応しなければならないのは, 複数の障害にまたがる応用問題ばかりと言ってもよい. いくつかの成人の例をあげれば, 運動障害性構音障害と嚥下障害や音声障害, 反回神経麻痺による音声障害と嚥下障害, 口腔がん術後の器質性構音障害と嚥下障害などである. これに高齢者, 意識障害, 認知症などの問題が重複すると, 評価, 診断はもちろんのこと, 訓練, 治療は一筋縄ではいかない. こういった応用問題は日に日に増えており, 単一の障害について学んだ後に, あるいは同時に, 患者を広い視野で診ることを学生に教える必要性が増しているのではないかと思われる. しかし, 時間的な制約があり, どこまでやっても切りのない話なので, 卒後教育や現場での臨床教育も含めて考えな

ければならないが，現場ではさらに時間的制約は厳しく，ゆとりのないのが実態であろう．そういう意味で，本シリーズでテキストは終わることなく，アドバンス・シリーズが必要と考えられる．

それに，発声発語障害の臨床は言語聴覚士の目と耳によって鑑別診断，評価され，特殊な検査機器によって測定されるものが多く含まれているため，文字を読んだだけでは習得できない特殊なスキルが数多く含まれている．これらのスキルを習得するには，audio-visualな教材も必要であり，それらのことも含めて考えると，並大抵の時間の教育ではすまされない．いずれにしても，学生には膨大な量の情報処理能力が要求され，教える側には効率的かつ効果的な教育方法が求められているのは間違いない．われわれに課せられた大きな宿題である．

いずれにしても，本書の執筆者は，音声障害，運動障害性構音障害，機能性構音障害，器質性構音障害，吃音に関する臨床や研究に第一線で取り組んでこられた医師，言語聴覚士，研究者である．特に言語聴覚士の養成，教育に携わっている方々も多く含まれており，長年の教育経験も執筆に際して加味されている．紙数の関係もあって，十分に紹介し尽くせない理論や治療法に関しては，引用文献や参考図書を示してあるので是非参照し，先に進んでいただきたい．

最後になるが，忙しい臨床・教育の時間を割いてご執筆いただいた方々に心から感謝申し上げたい．同時に本書の刊行にご尽力いただいた医学書院編集部の方々に深謝申し上げる．

2010年3月

編集
熊倉勇美
小林範子
今井智子

目次

第1章 発声発語障害学の基礎知識 ……… 1

1 発声発語器官の基本構造と機能
……………………………………（西澤典子） 2
- Ⓐ 呼吸器の基本構造と機能 …………………… 2
  1. 呼吸器系の基本構造 ……………………… 2
- Ⓑ 基本的な呼吸機能検査（肺気量と呼吸調節） 4
  1. 肺気量分画 ……………………………… 4
  2. 呼吸調節 ………………………………… 5
- Ⓒ 喉頭の基本構造と機能 …………………… 5
  1. 喉頭の生理的機能「呼吸」「嚥下」「発声」… 5
  2. 喉頭の基本構造 ………………………… 6
- Ⓓ 基本的な喉頭の検査 ……………………… 9
  1. 喉頭のひだ構造 ………………………… 9
  2. 喉頭像の観察 …………………………… 9
- Ⓔ 鼻腔・咽頭の基本構造と機能 …………… 11
  1. 附属管腔としての鼻腔・咽頭 ………… 11
  2. 鼻腔の構造 ……………………………… 12
  3. 咽頭の構造 ……………………………… 12
- Ⓕ 基本的な鼻腔・咽頭の検査 ……………… 14
- Ⓖ 口腔の基本構造と機能 …………………… 14
  1. 附属管腔としての口腔の機能 ………… 14
  2. 口腔の構造 ……………………………… 14
- Ⓗ 基本的な口腔の検査 ……………………… 17

2 発声発語器官の病態と医学的診断
……………………………………（西澤典子） 18
- Ⓐ 呼吸器の病態と医学的診断 ……………… 18
  1. 肺換気と呼吸不全 ……………………… 18
  2. 肺気量からみた呼吸器疾患の分類 …… 19
- Ⓑ 喉頭の病態と医学的診断 ………………… 19
  1. 声帯の運動障害，喉頭調節障害 ……… 19
  2. 声門閉鎖不全 …………………………… 20
  3. 声帯振動障害 …………………………… 21
- Ⓒ 鼻腔・咽頭の病態と医学的診断 ………… 22
  1. 鼻咽腔閉鎖機能不全 …………………… 22
  2. 閉鼻声 …………………………………… 22
  3. 共鳴腔の形態異常による構音障害 …… 23
- Ⓓ 口腔の病態と医学的診断 ………………… 23
  1. 構音運動の障害 ………………………… 23
  2. 口腔の器質的異常 ……………………… 23
  3. 顎の形態異常 …………………………… 23
- Ⓔ 発声発語器官に関与する先天性疾患とがん
  …………………………………………… 23
  1. 発声発語器官に関与する先天性疾患 … 23
  2. 発声発語障害に関与するがん ………… 24

3 発声発語器官に関与する神経系の基本構造と機能 ……………………（西澤典子） 27
- Ⓐ 発声発語器官に関与する神経系の基本構造と機能 ……………………………………… 27
  1. 末梢の運動系 …………………………… 27
  2. 運動核よりも上位の伝達系 …………… 28

- Ⓑ 発声発語器官に関与する基本的な神経学的検査 ... 32
  1. 筋電図検査 ... 32
  2. 神経系の画像診断 ... 33
- Ⓒ 発声発語器官に関与する神経疾患の病態 ... 34
  1. 発声発語障害と神経系の病態 ... 34

4 音声の産生と知覚 ... 39
- Ⓐ 音声の産生と知覚，加齢変化 ....（西澤典子）39
  1. 音声の産生と知覚 ... 39
  2. 音声の加齢変化 ... 42
- Ⓑ 日本語の音韻・構音と音声知覚 ....（今村亜子）42
  1. 日本語の音韻 ... 42
  2. 日本語の構音 ... 45
  3. 音声知覚 ... 50
- Ⓒ 音韻発達と構音発達および加齢変化 ....（今村亜子）52
  1. 音韻発達 ... 52
  2. 構音発達 ... 55
  3. 構音の加齢変化 ... 55

第2章 音声障害 ... 57

1 音声障害の症状とその原因（発症メカニズム） ....（岩城 忍）58
- Ⓐ 声の高さ，強さ，質，持続の異常 ... 58
  1. 声の高さの異常 ... 58
  2. 声の強さの異常 ... 58
  3. 声の質の異常 ... 58
  4. 声の持続の異常 ... 58
- Ⓑ 声の特殊な異常（二重声，声のふるえ）... 59
  1. 二重声 ... 59
  2. 声のふるえ ... 59
- Ⓒ 声帯組織の器質的病変 ... 59
- Ⓓ 声帯運動の異常 ... 59
- Ⓔ 声帯組織の著変のない音声障害 ... 59
- Ⓕ その他の音声障害 ... 59
  1. 気管切開 ... 59
  2. 無喉頭音声 ... 59

2 音声障害の病態 ....（岩城 忍）61
- Ⓐ 声帯組織の器質的病変 ... 61
  1. 声帯結節 ... 61
  2. 声帯ポリープ ... 62
  3. 声帯嚢胞 ... 62
  4. ポリープ様声帯（Reinke 浮腫）... 62
  5. 声帯溝症 ... 63
  6. 喉頭肉芽腫 ... 63
  7. 声帯瘢痕 ... 64
  8. 喉頭横隔膜症 ... 64
  9. 喉頭軟弱症 ... 64
  10. 加齢性声帯萎縮 ... 64
  11. 喉頭白板症 ... 64
  12. 喉頭がん ... 65
  13. 喉頭乳頭腫 ... 65
  14. 急性喉頭炎 ... 65
  15. 喉頭外傷 ... 66
  16. 内分泌異常に伴う音声障害 ... 66
  17. 喉頭結核 ... 66
- Ⓑ 声帯運動の異常 ... 66
  1. 声帯麻痺 ... 66
  2. 披裂軟骨脱臼症 ... 67
- Ⓒ 声帯組織の著変のない音声障害 ... 67
  1. 中枢神経障害に伴う音声障害 ... 67
  2. 心因性発声障害 ... 68
  3. 過緊張性発声障害 ... 69
  4. 低緊張性発声障害 ... 69
  5. 変声障害 ... 70
  6. 仮声帯発声 ... 70
  7. その他の音声障害 ... 70

3 音声障害の関連障害 ....（石毛美代子）71
- Ⓐ 発話障害 ... 71

1. 無言症 …………………………………… 71
Ⓑ 呼吸障害 ……………………………………… 71
　　1. 拘束性換気障害 ………………………… 72
　　2. 閉塞性換気障害 ………………………… 72
Ⓒ 聴覚障害 ……………………………………… 72
　　1. 言語習得前失聴 ………………………… 72
　　2. 言語習得後失聴 ………………………… 73
Ⓓ 内分泌異常 …………………………………… 73
　　1. 類宦官症 ………………………………… 73
　　2. 甲状腺機能低下症 ……………………… 74
　　3. 甲状腺機能亢進症（Basedow 病） …… 74
　　4. 先端巨大症（末端肥大症） …………… 74
　　5. 副腎性器症候群 ………………………… 74
Ⓔ 精神疾患など ………………………………… 74
　　1. 心因性精神疾患 ………………………… 74
　　2. その他の精神疾患 ……………………… 75

4 音声障害の評価診断 ……………………… 76
Ⓐ 評価診断の原則と流れ ………（苅安 誠）76
　　1. 評価診断の原則 ………………………… 76
　　2. 評価診断の流れ ………………………… 78
Ⓑ 医師が行う音声障害の評価診断とその意味
　　……………………………（柳田早織）78
　　1. 内視鏡検査（声帯・声帯運動・声帯振動の
　　　 観察） …………………………………… 78
　　2. 喉頭筋電図 ……………………………… 80
　　3. 喉頭画像検査（CT, MRI） …………… 80
Ⓒ 言語聴覚士が行う音声障害の評価診断
　　……………………………（柳田早織）81
　　1. 聴覚心理的評価（GRBAS, CAPE-V）… 81
　　2. 音声障害の自覚的評価と心理検査 …… 82
　　3. 発声機能検査（声の高さ、強さ） …… 85
　　4. 空気力学的検査（MPT, MFR） ……… 88
　　5. 音響分析 ………………………………… 89
Ⓓ 音声障害の評価診断の解釈 …（柳田早織）90
　　1. 音声障害の鑑別と重症度 ……………… 90
　　2. 音声障害の予後 ………………………… 91
　　3. 音声治療の適応と訓練計画の立案 …… 91

5 音声障害の治療 …………………………… 94
Ⓐ 音声障害の治療（医学的治療と行動学的
　　治療） ……………………………（城本 修）94
　　1. 医学的治療 ……………………………… 94
　　2. 行動学的治療 …………………………… 94
Ⓑ 行動学的治療 ………………………………… 95
　　1. 間接訓練 ………………………（金子真美）95
　　2. 直接訓練 ………………………（金子真美）102
　　3. 気管切開の管理と指導 ………（飯野由恵）113
　　4. 無喉頭音声の指導 ……………（飯野由恵）117
Ⓒ 事例報告と報告書の作成 ……（阿部千佳）122

第3章 発話障害（構音障害と発語失行） …………… 127

1 発話障害の概念と分類 …………………… 128
Ⓐ 発話障害の基本概念 …………（柴本 勇）128
　　1. これまでの経緯 ………………………… 128
　　2. 言語音産生のプロセス ………………… 129
　　3. 直接的要因による発話障害の分類 …… 129
Ⓑ 小児の発話障害の原因と分類
　　……………………………（今富摂子）130
　　1. 小児の発話障害 ………………………… 130
　　2. 小児の発話障害の原因と分類 ………… 130
　　3. 小児の発話障害の原因と分類から臨床へ… 136
Ⓒ 成人の発話障害の原因と分類
　　……………………………（小澤由嗣）137
　　1. 運動性発話障害 ………………………… 137
　　2. 器質性構音障害（口腔・中咽頭がん）… 142

2 発話障害の評価と訓練 …………………… 144
Ⓐ 小児の発話障害の評価と訓練
　　……………………………（緒方祐子）144
　　1. 小児の発話障害とは …………………… 144
　　2. 小児の発話障害の評価 ………………… 155
　　3. 小児の発話障害の介入 ………………… 162

Ⓑ 成人の発話障害の評価と訓練……………… 177
1. 運動障害性構音障害…………（織田千尋）177
2. 発語失行…………（高倉祐樹・大槻美佳）201
3. 器質性構音障害（口腔・中咽頭がん）
　………………………………（西脇恵子）211
Ⓒ 歯科補綴装置の利用…………（西脇恵子）219
1. 歯科補綴装置とは……………………………219
2. 歯科補綴装置の種類…………………………219
3. 歯科補綴装置と構音障害……………………219
4. 補綴装置を使った構音障害のリハビリ
　テーション……………………………………222
Ⓓ 拡大・代替コミュニケーション
　………………………………（長谷川賢一）223
1. 拡大・代替コミュニケーション（AAC）とは
　…………………………………………………223
2. 支援対象と支援方法…………………………223
3. 導入時の評価と留意点………………………224
Ⓔ 脳性麻痺による発話障害………（椎名英貴）225
1. 脳性麻痺による運動障害性構音障害の特徴
　…………………………………………………226
2. 評価診断………………………………………227
3. 発声発語訓練―具体的な練習方法…………232
Ⓕ 事例報告と報告書の作成……………………235
a 小児………………………（佐藤亜紀子）235
b 成人…………………………（中村 文）238

第4章 流暢性障害（吃音）………………………………………………………………………245

1 流暢性障害（吃音）の概念と分類…………246
Ⓐ 流暢性障害の基本概念…………（原 由紀）246
1. 定義と特徴……………………………………246
Ⓑ 吃音の発症と進展のメカニズム
　………………………………（小林宏明）249
1. 原因論の歴史的変遷…………………………249
2. 吃音の進展段階と出現メカニズム…………253
3. 臨床への示唆…………………………………255

2 流暢性障害の評価診断………………………258
Ⓐ 評価診断の原則と流れ………（前新直志）258
1. 流暢性障害の評価診断における基本的な
　概念……………………………………………258
2. 各種流暢性障害間における鑑別要点および
　主要な鑑別評価………………………………258
3. 主要な症状間の鑑別評価……………………259
4. 吃音・流暢性障害の包括的評価……………259
Ⓑ 評価の実際………………（酒井奈緒美）264
1. 発話を中心とした観察可能な吃音症状の
　評価……………………………………………264
2. 心理・認知面の評価…………………………267
3. 環境面の評価…………………………………269
4. 関連領域の評価………………………………271
5. 進展段階………………………………………272
6. 吃音の全体像の把握と評価の解釈…………272

3 流暢性障害の治療……………………………277
Ⓐ 治療の原則と流れ………………（原 由紀）277
1. 幼児期…………………………………………277
2. 学童期…………………………………………278
3. 思春期（中高生）……………………………278
4. 青年期・成人期………………………………278
Ⓑ 幼・小児期の発達性吃音の治療
　………………………………（坂田善政）278
1. 環境面へのアプローチ………………………278
2. 発話面へのアプローチ………………………281
3. 心理面へのアプローチ………………………286
4. 併存する問題へのアプローチ………………287
Ⓒ 思春期・成人期の吃音の治療………………288
1. 直接訓練……………………（北條具仁）288
2. 間接訓練………………………………………293
　a 認知行動療法………………（北條具仁）293
　b 自然で無意識な発話への遡及的アプロー
　　チ（RASS）………………（塩見将志）297
3. 環境面へのアプローチ………（北條具仁）299

D セルフヘルプグループなどとの連携
　　　　　　　　　　　　　　（飯村大智）301
1. セルフヘルプグループとは …………… 301
2. 吃音の自助グループ …………………… 302
3. 自助グループの意義 …………………… 302
4. 吃音の自助の効果 ……………………… 302
5. 自助グループと言語聴覚士，医療機関との連携 ………………………………… 303

E クラタリングの評価と治療 ……（宮本昌子）303
1. クラタリングとは ……………………… 304
2. クラタリングの評価 …………………… 305
3. クラタリングの治療 …………………… 307

F 事例報告と報告書の作成 ……………… 308
　a 小児 ………………………（佐々木ゆり）308
　b 成人 ………………………（吉澤健太郎）310

参考図書　315
索引　317

Note 一覧

1. 食道入口部（西澤典子）　6
2. 音声（西澤典子）　20
3. 喉頭麻痺（西澤典子）　20
4. 頭頸部がん切除後の再建（西澤典子）　26
5. 「音」の記録（今村亜子）　45
6. 知覚バイアス（今村亜子）　51
7. 音声障害診療ガイドライン 2018 年版（城本 修）62
8. 胃食道逆流症（岩城 忍）　64
9. 心因性（音声）発声障害，心因性失声症，ヒステリー性失声症の違い（城本 修）　69
10. 音声治療のエビデンス（城本 修）　96
11. messa di voce（金子真美）　109
12. リハビリテーション職種による気道吸引（飯野由恵）　114
13. カフ圧によるトラブル（飯野由恵）　116
14. 喉頭摘出者の会（飯野由恵）　117
15. 笛式人工喉頭（飯野由恵）　120
16. 構音障害と音韻障害の英語圏における経緯（今富摂子）　129
17. 発話運動のプランニングと発話運動のプログラミング（今富摂子）　133
18. 口蓋裂児の構音発達（緒方祐子）　151
19. 22q11.2 欠失症候群（緒方祐子）　151
20. 口蓋形成術の一期法と二期法（緒方祐子）　151
21. 鼻咽腔閉鎖機能不全の分類（緒方祐子）　152
22. 口唇口蓋裂の多職種連携における言語聴覚士の役割（緒方祐子）　154
23. 省略，置換，歪みの記載方法（緒方祐子）　158
24. 口腔内圧（緒方祐子）　160
25. 標準的口蓋裂言語評価（緒方祐子）　160
26. 口腔筋機能療法（oral myofunctional therapy；MFT）（緒方祐子）　167
27. 患者側からの評価（緒方祐子）　175
28. ICF と運動障害性構音障害（小澤由嗣）　189
29. PD Café（織田千尋）　196
30. 言語聴覚士のための講習会（織田千尋）　197
31. 患者会（友の会）（織田千尋）　198
32. 最近の発語失行研究─脳血管障害と神経変性疾患における発語失行の相違（高倉祐樹・大槻美佳）204
33. 脳性麻痺のタイプ（椎名英貴）　226
34. 脳性麻痺児の機能評価（椎名英貴）　228
35. 口腔運動の随意性と分離性（椎名英貴）　232
36. 吃音の最新研究（脳研究）（小林宏明）　251
37. 吃音の最新研究（遺伝）（小林宏明）　257
38. 併存する問題の評価（前新直志）　260

第 1 章

発声発語障害学の基礎知識

発声発語器官の基本構造と機能

> **学修の到達目標**
> - 呼吸・発声発語器官の基本構造が説明できる．
> - 呼吸・発声発語器官の機能について説明できる．
> - 呼吸・発声発語器官の主な検査について説明できる．

発話のエネルギー源となるのは，肺からの呼気流である．肺から呼出された気流は喉頭に達して声門を通過する際に声帯を振動させ，音のエネルギーに変換される．呼気エネルギーの数千分の一程度が音響エネルギーに変換されるといわれる[1]．声帯で生成されるのは発話の音源(喉頭原音)である．音響的には基本周波数から徐々に減衰する倍音構造をもったブザー音に近いものである．これに言語音としての音響的特性を与えるのは声門から口唇にいたる共鳴腔(**声道**)の役割である．声道は共鳴腔として働くとともに，破裂音，摩擦音，破擦音など雑音を伴う非共鳴性子音の音源ともなる．すなわち，発話を行うためには，エネルギー源としての呼吸器，喉頭原音生成器としての喉頭，構音器官としての声道が直列的に連結し，時間軸上で互いに協調しながら働かなければならない(図1-1)．

A 呼吸器の基本構造と機能

1 呼吸器系の基本構造

呼吸器系は，空気の吸入，呼出を行いながら，細胞の代謝に必要な酸素を吸気から血中に取り入れ，代謝産物である二酸化炭素を血中から呼気中に排出するための器官系である．

 気道の構造

呼吸器系は**上気道**(鼻腔，口腔，咽頭，上部喉頭)と，**下気道**(下部喉頭，気管，気管支，肺胞)に分けられる(図1-2)．

下気道は声門下腔から徐々に細分化し肺胞に終止する導管-腺房系である．喉頭に連結する気管は第4～5胸椎の高さ付近で左右に分岐して主気管支となる*1．主気管支はさらに右で3つ，左で2つの**肺葉**に向かって分岐する(葉気管支)．さらに次々に分岐を繰り返し，区域気管支，終末気管支を経て**肺胞**にいたる(図1-3)．気道の終末腺房である肺胞の集合体が肺である．分岐の繰り返しにより，肺胞の数は約3億個となり，肺胞の表面積は合計で60～80 m^{2}に達する[2]．肺胞の周囲は毛細血管によって覆われている．上気道から肺胞に吸入された空気は血液との間でガス交換(血液への酸素の供給と血液からの二酸化炭素の拡散)を行ったあと，下気道から上気道を通って呼出される．

b 胸郭と呼吸筋

肺は，胸壁と横隔膜からなる**胸郭**のなかに容れられている．**胸壁**の枠組みは胸椎，肋骨，胸骨で構成される骨格である(図1-4a)．**横隔膜**は胸郭の底面を形成する膜で，横紋筋とこれに連なる筋

---
*1 気管に対して主気管支がなす角度は心臓が存在するため左のほうが上方に傾いている．したがって気管支異物はより下向きに傾く右方に迷入することが多い．

1 発声発語器官の基本構造と機能　3

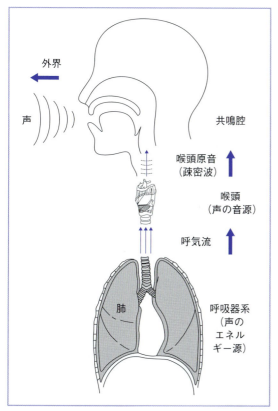

図1-1　ヒトの発話モデル
発話のエネルギー源は肺から呼出される呼気である．呼気エネルギーの一部が喉頭において音響エネルギー（喉頭原音）に変換される．喉頭から口唇に至る構音器官は喉頭原音に共鳴と雑音音源を付加する．
〔新美成二：音声障害の原因．新美成二（編）：CLIENT21 15巻音声・言語．p37, 中山書店, 2001 より〕

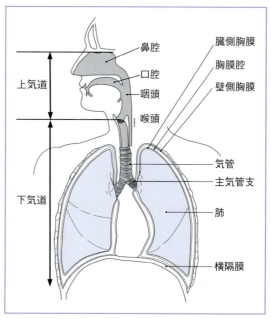

図1-2　気道の構造

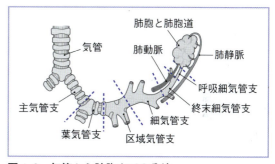

図1-3　気管から肺胞までの分岐
〔丸中良典：肺の換気．本間研一（監修）：標準生理学，第9版．p712, 医学書院, 2019 より〕

膜からなる．胸郭の内側は二層の**胸膜**で覆われる．外側の壁側胸膜は胸郭に，内側の臓側胸膜（肺胸膜）は肺表面に密着している．壁側，臓側胸膜は辺縁で連続し，その間にある**胸膜腔**（図1-2）は陰圧になっているため，肺は大気圧によって広がり，胸郭に押しつけられるように密着している．したがって肺は胸郭が拡大縮小の運動を行うことによって受動的に拡大，縮小する．肺が拡大して外気を吸入する相が**吸息相**，縮小して空気を排出する相が**呼息相**である．肺の拡大に作用する筋肉を**吸気筋**，縮小に作用する筋肉を**呼気筋**という．

　胸骨と脊柱の位置関係は肋骨の動きによって変化する．図1-4bのように，胸郭の前後径ならびに横径は脊柱に対して胸骨を挙上すると拡大し，胸骨を下制すると縮小する．胸骨の挙上，下制に関係する筋肉は，内外**肋間筋**である．これに加えて，肋骨や横隔膜と脊柱との関係に影響する背筋群が呼吸調節に関与する．

　横隔膜は胸郭の底面を形成する膜で，胸部内臓である肺，心臓の底面を支え，腹部内臓と分離する．中心部は筋膜で形成され，横隔膜の周辺部は横紋筋で形成される．横隔膜筋は胸郭を下方に拡大させる機能により吸気筋に分類される．その高

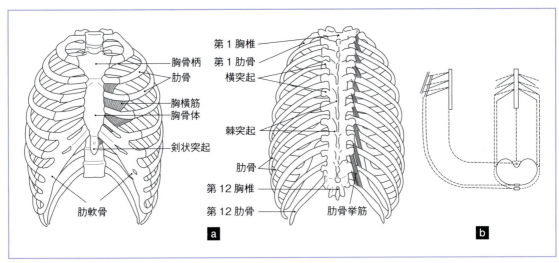

図 1-4　胸郭の枠組み(a)と, その運動による肺気量の変化(b)
胸骨と脊柱の位置関係は肋骨の動きにより変化する. 脊柱に対して胸骨を挙上すると胸郭の前後径, 横径が拡大し肺気量が増加する.
〔澤島政行:発声の生理. 日本音声言語医学会(編):声の検査法. p3, 医歯薬出版, 1979 より〕

表 1-1　主な呼吸筋

区分	筋名	起始	停止	神経支配	作用
胸郭の筋	肋骨挙筋	第6頸椎～第11胸椎横突起	第1～12肋骨	脊髄神経	肋骨挙上, 吸気
	上後鋸筋	第6頸椎～第2胸椎棘突起	第2～5肋骨	肋間神経	肋骨挙上, 吸気
	外肋間筋	各肋骨と肋骨の間に張る		肋間神経	肋骨挙上, 吸気
	胸横筋	胸骨	中位肋骨	肋間神経	肋骨下降, 呼気
	下後鋸筋	第11胸椎～第2,3腰椎棘突起	第9～12肋骨	肋間神経	肋骨下降, 呼気
	内肋間筋	各肋骨と肋骨の間に張る		肋間神経	肋骨下降, 呼気
横隔膜		腰椎, 肋骨弓, 胸骨剣状突起	横隔膜腱中心	横隔神経	横隔膜下降, 吸気
腹壁の筋	腹直筋	第5～7肋軟骨	恥骨	肋間神経	腹圧上昇, 横隔膜上昇, 呼気
	外腹斜筋	第5～12肋骨	腹直筋鞘	肋間神経＋腰神経叢	腹圧上昇, 横隔膜上昇, 呼気
	内腹斜筋	胸腰筋膜, 腸骨, 鼠径靱帯	腹直筋鞘	肋間神経＋腰神経叢	腹圧上昇, 横隔膜上昇, 呼気
	腹横筋	下位肋骨, 胸腰筋膜, 腸骨, 鼠径靱帯	腹直筋鞘	肋間神経＋腰神経叢	腹圧上昇, 横隔膜上昇, 呼気

〔澤島政行:発声発語系の構造・機能・病態. 廣瀬 肇(編):CLIENT21 11巻 言語聴覚リハビリテーション. p5, 中山書店, 2000 より〕

さは呼吸相によって変化する. 最大呼気位では横隔膜筋の弛緩ならびに腹圧の上昇によって, 第4肋間膜の位置まで達し, 最大吸気位では腹圧に抗して収縮し, 第12肋骨のレベルまで下降する.

澤島[3]による主な呼吸筋の分類を表1-1に挙げる.

B 基本的な呼吸機能検査 (肺気量と呼吸調節)

1 肺気量分画

肺内にある空気の量(**肺気量**)は, 吸気において増加し, 呼気において減少する. 呼吸によって増

減する空気の量を測定する装置がスパイロメータである．スパイロメータ出力の経時変化と肺気量との関係を図1-5に示した．

最大限に吸気を行ったとき（**最大吸気位**）と，ゆっくり呼出を行い最大限に息を吐ききったとき（**最大呼気位**）の肺気量の差が1回の呼吸で換気される最大量となり，これを**肺活量**という．最大吸気位からできるだけ早く呼出を行い（強制呼出）1秒間に呼出された気量の肺活量に対する割合を**1秒率**といい，正常値は70%以上とされる．近年の統計によれば，健常成人の肺活量平均値は男性で約4L，女性で約3Lとされるが，肺活量は性別，年齢，体格によって大きく異なり，正規分布を示す値ではないことが知られているため，正常，異常を判断するための基準値は統計に基づいた予測値を用いることが推奨されている[4]．

2 呼吸調節

安静時の自発呼吸において，吸息相は，横隔膜の収縮による胸郭底面の下降と，肋骨・胸骨の挙上による胸壁の拡大によって行われるが，呼息相は受動的であり，脱力した横隔膜が腹圧によって押し上げられるとともに，胸郭，肺が弾性的に収縮することによって行われる．吸息相と呼息相の時間的比率はおおよそ2：3であり，1回に500mL程度が換気される（**1回換気量**）．一方発声では，左右声帯が近接し，呼気によって振動することで，発話の音源（喉頭原音）がつくられる〔1章4節A項（→39頁）を参照〕．声帯振動を維持する気流生成のために，健常成人の定常発声においては声門上下におよそ6～10 cmH$_2$Oの圧差が生じている[5]．発話の呼吸は，ことばの間（ポーズ）のタイミングで短い吸気を行いながら呼気による発声を続けていくため，吸息相に対する呼息相の時間的比率は安静呼吸よりも大きくなる．また，呼気筋，吸気筋の活動も発話のリズムによって一様ではなく，例えば間を置かずに長い持続発声を行う場合には，安定した呼気圧を維持するた

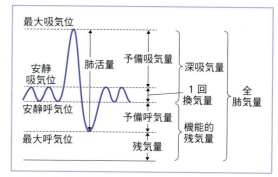

図1-5 肺気量分画
安静呼吸を2回行った後に，最大吸気から最大呼気までの新呼吸を行い，安静呼吸に戻ったときの肺内に存在する気体量の変化．

めに，吸気直後に起こる発声の冒頭で，胸郭・横隔膜の弾性による受動的復位のスピードを抑制するために，呼息相において吸気筋の活動が観察されることがある．安静呼気位よりも肺容量が減少し，発声終了に至るまでに，徐々に呼気筋の活動を強めていくような調節[*1]も行われる．

C 喉頭の基本構造と機能

1 喉頭の生理的機能 「呼吸」「嚥下」「発声」

喉頭は，咽頭と気管の境界に位置する気道消化管系の一部である．喉頭を境に気道と食道は分離される．生命維持の観点からみた喉頭の機能は，下気道の入口に位置して呼吸経路を確保する**呼吸機能**と，気道と食道の分岐部に位置して食塊の気道内流入（誤嚥）を防止しつつ円滑な食道への移送に協調する**嚥下機能**である．これらは，内喉頭筋による声門ならびに声門上構造の開大閉鎖と，外喉頭筋による喉頭枠組み全体の挙上下降により行

[*1] 発声時の空気力学的環境を安定させるための呼吸調節を呼気保持（呼気のささえ）という．適切な呼気のささえは，特に舞台芸術の領域で発声の技術として重視されるとともに，音声治療における訓練目標とされることがある．

われる．喉頭の開大閉鎖機能を微妙に調節し，呼吸と協調させることで，**発声機能**が成り立つ．

発話において，喉頭は音源（喉頭原音）の生成器として働くとともに，発声の開始停止を制御して発話の間（ポーズ）や語音の無声・有声性という弁別素性の付与，さらに声の高さの制御による韻律の調節に関与する．

2 喉頭の基本構造

a 喉頭の枠組み

喉頭機能の中核をなす声帯の運動ならびに物理的特性は，輪状軟骨，甲状軟骨，披裂軟骨の位置関係によって調節される．これらに喉頭蓋軟骨，舌骨を加えた軟骨・骨の構造を**喉頭の枠組み**という．**輪状軟骨**は気管上端に連なる輪状の軟骨であり，食道入口部の高さにある（➡ Note 1）．**甲状軟骨**は喉頭前面を覆う板状の軟骨であり，輪状甲状関節によって輪状軟骨と連結する．甲状軟骨上縁正中の上甲状切痕は，男性で 2 次性徴発現にともなって隆起し，喉頭隆起（のど仏*1）として前頸部に明らかになり，変声（声変わり）の指標とされる．**披裂軟骨**は左右二対からなり，輪状軟骨上で輪状披裂関節によって輪状軟骨と連結する．披裂軟骨の声帯突起から甲状軟骨内面に向かうひだ状の構造が声帯である．**喉頭蓋軟骨**はその基部が甲状軟骨内面正中に靱帯によって連結する．喉頭の枠組みは，甲状舌骨靱帯によって**舌骨**に連なっている．舌骨を含めた喉頭の枠組みの構造を**図1-6**に示した．

披裂軟骨および甲状軟骨は，輪状軟骨と関節により結合している．これらの関節を介して 3 つの軟骨は互いに位置関係を変化させる．輪状披裂関節を介して披裂軟骨が輪状軟骨上を移動すること

---
*1 欧米では喉頭隆起を「アダムの林檎（Adam's apple）」とよぶ習慣がある．この名称の起源は諸説あり，アダムが楽園において禁断の木の実である林檎を食した際にのどに詰まらせたことによる，ともいうが，聖書には林檎をのどに詰まらせたという記載はない．

> **Note 1. 食道入口部**
> 咽頭，食道における食物の通過経路は後方では椎骨に接する．食道の前方にある構造は，下顎，舌骨，甲状軟骨，気管軟骨のいずれもが前が閉じた U 字型で食物の通過を保障しているのに対して，輪状軟骨の後面は軟骨で，頸椎と前後から食道入口部を挟み込むように狭めている．この部位が咽頭と食道の境界（食道入口部）であり，食道において最も狭い部位（第 1 狭窄部）となる．

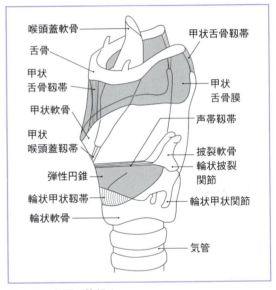

図1-6　喉頭の枠組み
〔澤島政行：発声発話系の構造と機能．医療研修推進財団（監修）：言語聴覚士指定講習会テキスト，第 2 版．pp97-102，医歯薬出版，2001 より改変〕

によって，左右声帯突起間の距離が変化し，声門の開大閉鎖が起こる．披裂軟骨の形状は底面を輪状軟骨に接した三角錐と形容されることがあるが，実際にはその底面は輪状軟骨上面に沿って弯曲しており，関節面は長軸を前方内側に向けた楕円をなす．関節運動の主体は関節の長軸に沿って披裂軟骨が前方へ内転することによる左右声帯突起の近接（声門の閉鎖）と，後方へ外転することによる離開（声門の開大）であるが，これに加えて関節包内での廻旋や後内方から前外方への滑りが許容されている[6]．**輪状甲状関節**は，これを介して甲状軟骨が輪状軟骨に対して前転することで，声

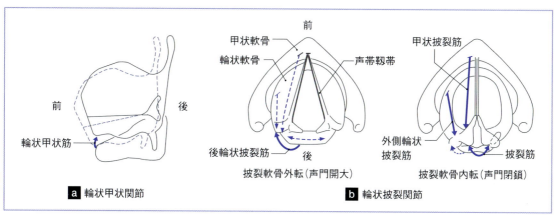

図 1-7　内喉頭筋と喉頭関節の運動
〔日本音声言語医学会（編）：声の検査法．p8，医歯薬出版，1979 より改変〕

帯が伸長し緊張する（図 1-7）．

　舌骨と甲状軟骨は関節を介さず，舌骨下縁と甲状軟骨上縁を結ぶ**甲状舌骨靱帯**ならびに甲状舌骨膜によってつながる．さまざまな発声調節や嚥下の際には，舌骨上・下につく筋群の活動によって舌骨が前上方〜下後方に移動し，喉頭はこれに伴うように頸部組織内を移動する．したがって，喉頭軟骨の枠組みは舌骨によって前頸部につり下げられていると考えることもできる．

b 喉頭筋

　喉頭運動を司る筋肉は，内喉頭筋と外喉頭筋に分類して考えるのがわかりやすい．内喉頭筋は，甲状軟骨，輪状軟骨，披裂軟骨の 3 つの軟骨に起始および終止をもつ筋肉で，声門の開大閉鎖，声帯の物理的性質の調整に関わる．外喉頭筋は，甲状軟骨，輪状軟骨，披裂軟骨以外に起始，終止をもつ筋肉で，喉頭調節に関係するものの総称であり，主に舌骨の運動に主導される喉頭の枠組み全体の，頸部組織内での粗大な運動を司る．

(1) 内喉頭筋

　内喉頭筋は起始および終止が甲状軟骨，輪状軟骨，披裂軟骨に存在する筋肉で，輪状甲状筋，甲状披裂筋，外側輪状披裂筋，後輪状披裂筋，披裂筋からなる．これらは，甲状披裂関節，輪状甲状関節の運動を制御し，声門の開大閉鎖，声帯の物

表 1-2　内喉頭筋の機能と神経支配

名称	機能	神経支配（すべて迷走神経枝）
輪状甲状筋	声帯伸長	上喉頭神経外枝
甲状披裂筋	声帯短縮，声門閉鎖	反回神経
外側輪状披裂筋	声門閉鎖	
後輪状披裂筋	声門開大	
披裂筋	声門閉鎖	

内喉頭筋が声帯の物理的特性と声門開大閉鎖に及ぼす作用は，ほかの筋の活動との関係によって相対的に決まる．それぞれの筋が単独で収縮したときの代表的な機能を記載した．

理的性質の調整にかかわる[7]（図 1-7，表 1-2）．

- **輪状甲状筋**

　輪状軟骨前面から起こり，甲状軟骨下面に至る．輪状甲状関節を介した甲状軟骨の前転を起こすことで，声帯が伸長し薄くなるとともに，緊張が増す．声を高くするときに活動が増強する．

- **甲状披裂筋**

　披裂軟骨前面，声帯突起から甲状軟骨内面正中に至る．披裂軟骨を前転させることで左右声帯突起を近接させ，声門閉鎖筋として働く．この筋の内側部（声帯筋）は，声帯の芯（body）として，表層にある粘膜固有層ならびに粘膜上皮（cover）とともに発話の音源となる振動体を構成する．本筋の活動により，声帯は短縮し，厚みを増す．張力

は，bodyの部分では高まり，coverは弛緩する傾向にある．これらの作用が声の高さに及ぼす影響は，ほかの内喉頭筋，特に輪状甲状筋の活動との相対的関係により定まる．

・外側輪状披裂筋

輪状軟骨外側面より披裂軟骨筋突起に至る．披裂軟骨を前転させることにより声門閉鎖筋として働く．

・後輪状披裂筋

輪状軟骨後面より披裂軟骨筋突起後面に至る．筋突起を後下方に牽引することで声帯突起は上外方に転回する．内喉頭筋のなかでただ1つの声門開大筋である．

・披裂筋

左右披裂軟骨の後面をつなぐ．披裂軟骨を互いに近接させることで声門閉鎖筋として働く．

(2) 外喉頭筋

外喉頭筋は，喉頭調節に関与する筋肉で内喉頭筋に属さないものの総称である．輪状軟骨，甲状軟骨，披裂軟骨は，舌骨に連動して頸部組織内を移動するので，外喉頭筋は舌骨の運動を制御する舌骨上筋群，舌骨下筋群に分類して考えるのがわかりやすい（図1-8）．舌骨上下筋群に加えて後方から喉頭に付着する咽頭収縮筋群も外喉頭筋に含まれる．

・舌骨上筋群

舌骨と下顎，頭蓋を結ぶ舌骨舌筋，顎二腹筋，茎突舌骨筋などで，三叉神経，舌下神経，顔面神経などの脳神経支配である．舌骨を挙上することによって喉頭挙上に働く．喉頭挙上の効果は嚥下における食塊の咽頭食道移送の際に顕著であり，喉頭蓋が舌根に押されて水平方向へ後転することで下気道入口の閉鎖が促進され，誤嚥を防止することに加え，輪状軟骨を前上方に牽引して食道入口部を開大する．

・舌骨下筋群

舌骨と喉頭，胸骨，肩甲骨などを連結し，舌骨を下方へ引き下げる作用を有する．頸部脊髄神経支配である．舌骨下筋群の活動によって喉頭が下

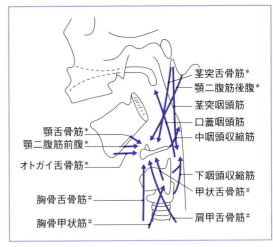

図1-8 外喉頭筋
＊舌骨上筋，＃舌骨下筋，ほかは咽頭筋．
〔日本音声言語医学会（編）：声の検査法．p9，医歯薬出版，1979より〕

降することは，頸椎の前弯に沿って輪状軟骨を前方に移動させ声帯の緊張を低下させて声を低くする作用があると推察され，さまざまな言語の発話における韻律制御で，特に胸骨舌骨筋の活動と声を低くする調節の関係が報告されている[8]．

・咽頭収縮筋〔1章1節E項（➡13頁）を参照〕

咽頭の側壁を取り囲むように走行し，咽頭後壁正中の結合組織（咽頭縫線）に至る筋群で，嚥下に際して咽頭腔を上から徐々に絞扼することで食塊の移送を促す．運動ニューロンは疑核に所属し，迷走神経枝を主体とする**咽頭神経叢**の支配である．上・中・下咽頭収縮筋に分かれ，このうち下咽頭収縮筋は甲状軟骨に付着する部分（甲状咽頭筋）と，輪状軟骨に付着する部分（輪状咽頭筋）＊1が喉頭を後方に牽引する作用をもつ．

C 喉頭の神経支配

内喉頭筋への運動指令は大脳皮質の1次運動野に発し，皮質延髄路を経由して下位脳幹の疑核に

＊1 輪状咽頭筋は輪状軟骨を頸椎に向かって牽引して食道入口部を閉鎖する機能（ピンチコック作用）を有し，食塊の咽頭食道移送に際しては喉頭の挙上に同期して一過性に弛緩し，食道入口部開大に協調する．

達する．疑核は内喉頭筋だけでなく，舌咽・迷走神経核として咽喉頭，食道に運動枝を送る[9]．疑核より中枢の神経支配は両側性である．脳幹に存在する呼吸中枢，嚥下中枢と疑核の間には密接な連絡があり，発声や嚥下における反射的協調を行っている．疑核より末梢では，同側の内喉頭筋支配神経が迷走神経に含まれて頸静脈孔から頭蓋外に出る．上頸部で迷走神経第1枝として**上喉頭神経**が分岐し，その外枝が輪状甲状筋支配枝となる．輪状甲状筋以外の内喉頭筋は，迷走神経とともに胸部まで下行した後に分岐した**反回神経**に支配される．反回神経は胸部で左は大動脈弓，右は鎖骨下動脈を前方から後方に反回して気管と食道の間を上行し，甲状腺の裏側から喉頭内に入り，それぞれの内喉頭腺に至る．

喉頭内腔の知覚神経は上喉頭神経の内枝である．披裂喉頭蓋ひだを境に，喉頭より外側の咽頭知覚は舌咽神経に支配されている．

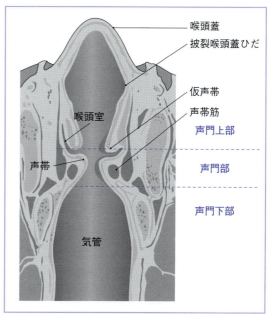

図 1-9　喉頭のひだ構造（前額断）
声帯ひだの位置での頸部断面を後から観察している．
〔土師知行：発声の仕組みと声の障害．藤田郁代（監修）：標準言語聴覚障害学　発声発語障害学，第2版，p5, 医学書院，2015より改変〕

D 基本的な喉頭の検査

喉頭は，咽頭腔から前方に分かれて下気道の入口となる構造で，軟部組織の凹凸が披裂喉頭蓋ひだ，仮声帯ひだ，声帯ひだを形成する．観察には光学系の工夫が必要である．

1　喉頭のひだ構造

喉頭と咽頭の境界は**披裂喉頭蓋ひだ**である．披裂喉頭蓋ひだは喉頭蓋軟骨頂部から左右にのび，披裂部の軟骨を覆う．喉頭内腔には，前後に走る**仮声帯ひだ**と**声帯ひだ**がある．気流によって振動し，発話の音源を生成するのは声帯ひだである．喉頭を含めた頸部の前額断を模式的に示した（図1-9）．

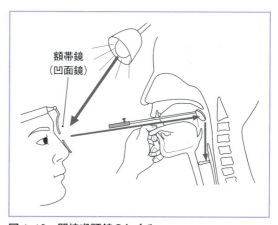

図 1-10　間接喉頭鏡のしくみ

2　喉頭像の観察

喉頭，下咽頭は口腔から直視できないので，臨床では間接喉頭鏡，軟性ならびに硬性内視鏡，直達喉頭鏡などの光学的手段で光を当てつつ咽頭方向から喉頭像を観察する〔2章4節B項（➡78頁）を参照〕．**間接喉頭鏡検査**（図1-10）は，観察眼の

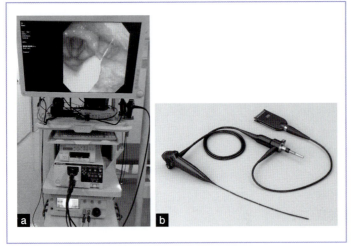

図1-11　電子内視鏡システムと電子スコープ
a：電子内視鏡システム（オリンパス　ビデオシステムセンター OTV-SI2），
b：電子スコープ（オリンパス　ビデオスコープ ENF-VH）
画像は電子スコープ先端の撮像素子からディスプレイに送られる．

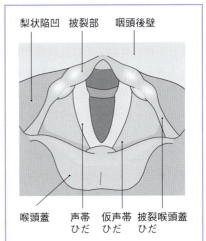

図1-12　喉頭内視鏡像
経鼻軟性内視鏡でみた喉頭像．像の上が患者の後方，右が患者の左方になる．前額断（図1-9）に示した喉頭のひだ構造が平面に重畳された画像となるので，これが上下に厚みをもつ立体であることを念頭において評価する必要がある．

前に凹面鏡（額帯鏡）を置き，中央の穴から光軸に一致した視線で，軟口蓋に当てた小鏡（間接喉頭鏡）に映った喉頭を観察する．凹面鏡を光源で照らすと，光は額帯鏡に反射し，光軸の先にある間接喉頭鏡を経て喉頭を照らすので，光で照らされた喉頭像をみることができる．簡便に行うことができるため現在でも臨床で広く用いられている反面，喉頭蓋を起こして広い視野を得るために舌を前に引き出す必要があり，軟口蓋に鏡を当てるために，嘔吐反射を誘発しやすい．口腔内に器具が入るため，構音や嚥下における喉頭運動の観察には適さない．**経鼻軟性内視鏡**（図1-11）は，鼻腔から上咽頭を経て喉頭直上まで軟性の細管を通し，高出力の光源から光学ファイバーで導出した光で喉頭を照らす．画像は，光学ファイバーの束によって接眼部のレンズに送られる方式と，内視鏡先端にとりつけた極小の撮像素子から信号としてディスプレイに送られる方式があり，前者を**ファイバースコープ検査**，後者を**電子内視鏡検査**という．現在は径が3mm以下の装置も開発されており，挿入が容易で，反射を誘発しにくい．また，嚥下や構音などにおける喉頭運動を録画で記録することができる．経鼻軟性内視鏡で観察した喉頭像を模式的に図1-12に示した．

発声時に声帯は100Hz以上の周期で開閉を繰り返している．発声障害の評価では，声帯振動の様子を周期ごとに精査して，音響と照合することが必要である．臨床では**喉頭ストロボスコピー**によりスローモーションで声帯振動を観察する．原理を図1-13に示した．喉頭ストロボスコピーでは，振動周期ごとの左右声帯の動きを観察することができるので，対称性，規則性，声門閉鎖，振幅，粘膜波動などを評価することができる．特に，声門がん，声帯嚢胞，瘢痕性声帯などで声帯粘膜に可動性が低下した部分がある場合，感受性の高い検査となる．喉頭ストロボスコピーでは周期ごとにわずかにずれた位相の静止画を連続させて錯視による動画を構成しているため，振動周期が検出可能な程度に規則的であることが必要で，周期性のない振動ではスローモーション画像を観察することができない．このような場合には，毎秒4,000コマ以上の撮影が可能な**ハイスピードカメラ**で振動周期ごとの声帯振動を詳細に検討する必要がある．

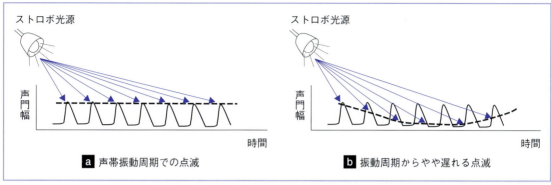

図1-13 喉頭ストロボスコピーの原理
a：観察用の光源を声帯振動と同一周期で点滅させると，声帯は振動周期の一点で停止して見える．
b：声帯振動から少し遅れる周期での点滅では，光が声帯を照らすタイミングは位相を少しずつずらしていくので，振動周期が引き伸ばされたような錯視動画が観察できる．

E 鼻腔・咽頭の基本構造と機能

1 附属管腔としての鼻腔・咽頭

　発話の音源は声帯で生成される喉頭原音である．喉頭原音は，基本周波数から高域に向かって単調に減衰する倍音からなるパルスであり，言語音として弁別しえない音響信号である．この信号が，咽頭，口腔，鼻腔などからなる附属管腔に放射する際に共鳴特性を付与され，非共鳴性子音の音響特徴である雑音を付加されて，音韻の弁別素性が完成する[10]．声門に連なる附属管腔は，咽頭から口腔に向かう管腔に，上咽頭，鼻腔に至る管腔が連結する（図1-14）．これら喉頭から上方に向かう含気腔をまとめて**声道**とよぶ[11]．附属管腔から鼻腔へ至る経路を除外して，下・中咽頭から口腔，口唇に至る経路のみを声道とする考え方もある[12]．

　上咽頭・鼻腔が共鳴腔と遮断されて呼気が口腔のみに導かれる様式で発話される語音を**口音（口腔音）**，逆に口腔への気流が遮断され，呼気が鼻腔のみに導かれる様式で発話される語音を**鼻音**という．呼気を口腔，鼻腔両方に導く様式で発話される語音も存在する（鼻母音など）．口音は軟口蓋

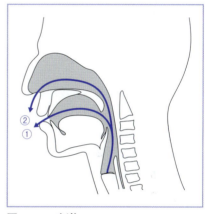

図1-14 声道
共鳴腔としての声道の構造は，下・中咽頭から口腔を経て口唇に向かう管腔①に，上咽頭から鼻腔を経て前鼻孔に向かう管腔②が連結している．鼻咽腔閉鎖が起こると，②の管腔は声道から遮断される．

のレベルで上咽頭と中咽頭の交通を遮断して生成される．軟口蓋の挙上と咽頭側壁の収縮によって，上・中咽頭の交通を遮断する機能を，**鼻咽腔閉鎖**という．発話において鼻咽腔の閉鎖・開放は語音に鼻音性の有無に関する弁別素性を与えるための条件である．また，声道を狭くし，いわゆる「せばめ」としてつくられた気流への抵抗部（構音点）で破裂音，摩擦音を生成するためには，構音点の尾側で口腔内圧が上昇することが必要で，鼻咽腔閉鎖が起こっていることが条件となる．

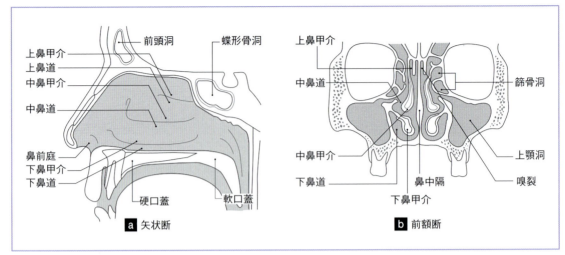

図1-15 鼻腔，副鼻腔，鼻甲介，鼻道
a：鼻中隔が除かれ，右鼻腔側壁がみえている．

2 鼻腔の構造

鼻腔は大鼻翼軟骨で支持され皮膚に覆われる**鼻前庭**と，その尾側で粘膜に覆われる**固有鼻腔**に分かれる．固有鼻腔の尾側端は**後鼻孔**で，硬口蓋ならびに鼻中隔の後端に一致し，気道はここから**上咽頭**に連なる（図1-15a）．

固有鼻腔の外側壁から**鼻甲介**という棚状の構造が複数張り出す．鼻甲介に挟まれた通気路を**鼻道**という．鼻甲介によって鼻腔が階層化されている構造は，鼻腔を通る空気の整流を行い，また，粘膜表面積を増すことで下気道に送られる吸気を加湿，濾過する作用がある．鼻腔を取り巻く顔面，頭蓋骨には複数の含気腔があり，それぞれ鼻腔と交通している．**上顎洞**，**篩骨洞**，**前頭洞**，**蝶形骨洞**で，これらを**副鼻腔**とよぶ（図1-15a, b）．鼻腔・副鼻腔粘膜は咽頭腔，気管などの気道系粘膜と同様，多列線毛上皮で覆われ，分泌腺を有する．副鼻腔で産生された粘液は上皮の線毛運動によって鼻腔に運ばれ，さらに鼻汁として排出される．健常な状態では，副鼻腔が含気を保ち，粘液の排出が滞りなく行われるために，すべての副鼻腔が鼻腔と交通している．これら鼻腔，副鼻腔の複雑な構造が，鼻音発話時に共鳴腔として働く．

鼻腔共鳴[*1]の特徴は，高域の吸収（**反共鳴**）と，中域の共鳴負荷（**鼻腔共鳴**）が行われることで，語音に鼻音性が付与される．

3 咽頭の構造

咽頭は，気道消化管系において，鼻腔・口腔の後方に位置し，喉頭ならびに食道入口部に連なる管腔である．頭蓋底から輪状軟骨下縁の高さにあり，**上咽頭**，**中咽頭**，**下咽頭**に分かれる．上・中咽頭の境界は硬口蓋と軟口蓋の接合部の高さ，中・下咽頭の境界は舌骨上縁（喉頭蓋谷底部）の高さとされる．咽頭後壁は咽頭収縮筋を隔てて頸椎に接する．咽頭の前にある鼻腔，口腔，喉頭腔との関係についてはおおまかに，上咽頭は鼻腔の後方，中咽頭は口腔の後方，下咽頭は喉頭の後方ならびに側方（**梨状窩**）の管腔と考えてよい．頭頸部腫瘍など，局在を厳密に記述する必要がある場合には，鼻腔と咽頭の境界を後鼻孔後端，口腔と咽

[*1] 音声学的に鼻腔共鳴は鼻咽腔が開放され，文字通り音声が鼻腔に共鳴することを指す．一方，舞台芸術の領域で行われる発声指導において，「鼻腔共鳴」あるいは「声を前頭洞に当てる」などの表現が使われることがあるが，これは，歌唱において喉頭における発声と声道における共鳴を良好に調節する感覚をつかむために比喩的に使われることばで，音声学的な鼻腔共鳴そのものを指すのではない．

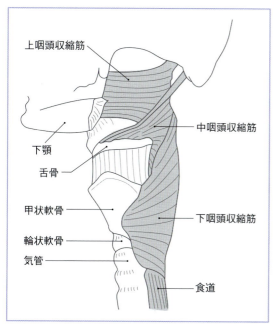

図 1-16　咽頭収縮筋

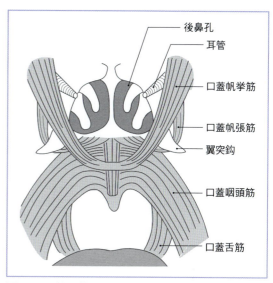

図 1-17　軟口蓋に入る筋肉
上・中咽頭を後方から見た図.

頭の境界を舌根の有郭乳頭(舌の後 1/3 のライン), 咽頭と喉頭の境界を披裂喉頭蓋ひだの稜線と定める[13]. 一方発声発語障害を論じる場合は, 管腔構造のつながりに即して共鳴腔を分けるほうが合理的なので, 口腔, 咽頭の境界を口蓋弓のライン(口峡)とする記述もある[11].

咽頭の形態変化は語音の共鳴を調節する. これにかかわる筋肉を以下にまとめる.

- **咽頭収縮筋群**〔1 章 1 節 C 項(➡ 8 頁)を参照〕(図 1-16)

上・中・下咽頭収縮筋に分かれ, 下から重なって, 咽頭の側壁を取り囲むように走行し, 咽頭後壁正中の結合組織(咽頭縫線)に至る. 上咽頭収縮筋は翼状突起, 下顎, 舌根に, 中咽頭収縮筋は舌骨に, 下咽頭収縮筋は甲状軟骨, 輪状軟骨に起始をもつ. 嚥下に際して咽頭腔を上から徐々に絞扼することで食塊の移送を促す. 咽頭収縮筋群の活動により, 共鳴腔としての咽頭腔は狭くなる. また, 上咽頭収縮筋は口蓋帆挙筋と協調して鼻咽腔閉鎖に働く. 神経支配は舌咽・迷走・副神経からの枝で構成される咽頭神経叢である.

- **口蓋帆挙筋**(図 1-17)

頭蓋底から前下方に向かって起こり, 左右から軟口蓋に入って正中で筋束を交える[*2]. 活動によって, 軟口蓋は後上方へ引き上げられる. 発話, 嚥下における鼻咽腔閉鎖機能の主体となる. 神経支配は咽頭神経叢である. 口蓋帆挙筋と同様に頭蓋底から軟口蓋に向かう筋肉に口蓋帆張筋があるが, この筋は鼻咽腔閉鎖には関与せず, 活動によって耳管を開放する. 神経支配は三叉神経である.

- **口蓋舌筋, 口蓋咽頭筋**(図 1-17)

舌, 咽頭から軟口蓋に入る筋肉で, 軟口蓋を下制する.

---

*2 口蓋裂, 粘膜下口蓋裂では, 左右口蓋帆挙筋が正中で接合せず, 軟口蓋を前方に向かい, 硬口蓋後端に付着するという走行異常が起こる. 本疾患に対する口蓋形成手術においては, 粘膜の裂けを閉鎖するだけでなく, 口蓋帆挙筋の走行異常を正して正中で接合させる操作を行うことが, 術後の構音機能再建のために重要とされる.

F 基本的な鼻腔・咽頭の検査

患者音声の聴覚的・音響分析的評価によって開鼻声あるいは鼻漏出による音韻の歪みが検出された場合，これが，構音器官の形態異常，運動障害によるのか，習慣的な構音操作の異常によるのかを鑑別することが必要となる．これは，治療介入を手術あるいは補綴的手段の適応とするのか，構音訓練の適応とするのかを決定するうえで重要である．患者音声の聴覚評価によらない鼻咽腔閉鎖機能の検査には，以下の手段がある．

- 視診

口腔から軟口蓋，咽頭後壁の形態と運動を観察する．光源を用いて口腔・中咽頭を明視し，安静時，発声時ならびに絞扼反射誘発時の様子を観察する．軟口蓋，咽頭運動の左右差などからおおまかな鼻咽腔閉鎖機能の評価が可能である．内視鏡や画像検査による確認を行うことがのぞましい．

- 経鼻軟性内視鏡検査（電子内視鏡，ファイバースコピー）

鼻孔から挿入した軟性内視鏡を上咽頭まで挿入し，安静時，発話，ブローイング，嚥下動作などにおける鼻咽腔閉鎖を観察する〔機器の詳細については1章1節D項（→9頁）を参照〕．安静時では，軟口蓋正中部の筋層欠損による非薄化に留意する．また，咽頭扁桃（アデノイド）の肥大によって，鼻咽腔閉鎖不全が代償されている可能性を確認する．さらに，発話において適切な鼻咽腔閉鎖が行われているか，中咽頭からの粘液逆流など閉鎖不全を示唆する所見がないかをみる．また，嚥下，ブローイングなど発話以外の動作での閉鎖を見ることで，発話における閉鎖不全が構音操作上のものか，器質的なものかに関する情報を得ることができる．スピーチエイドなどの補綴的治療や咽頭弁形成術による鼻咽腔閉鎖改善を確認するにも有用な検査である．軽度ではあるが痛みや異物感を伴うので，小児など発話・動作課題への協力が得られない場合，診断の精度は著しく低下する．

- 画像検査

X線写真，造影動画，CTなどで鼻咽腔閉鎖をはじめとする構音の静的・動的評価を行うことができる．側面頭部X線規格写真（セファログラム）では，口蓋咽頭間距離の絶対値を計測することが可能である．口蓋咽頭間距離とは，鼻咽腔閉鎖時に軟口蓋が咽頭後壁に届くために必要な後方移動距離であり，「咽頭の深さ」とも表現される．長すぎる口蓋咽頭間距離は，軟口蓋，咽頭の運動機能とともに鼻咽腔閉鎖不全の発症因子の1つとされる[14]．

G 口腔の基本構造と機能

1 附属管腔としての口腔の機能

口腔は咽頭の吻側に連なり，発声発語においては共鳴腔ならびに非共鳴性子音（破裂音，摩擦音）の音源として機能する．顎の開閉による容積変化，口唇の運動による声道開口端の形状変化，ならびに舌の運動によるせばめの形成などによって口腔の形態は変化し，構音の中核的役割を担う．

2 口腔の構造

口唇，頬粘膜，舌，口蓋に覆われ，尾側は中咽頭に接する．歯列と口唇または頬の間を口腔前庭，歯列より尾側を固有口腔とよぶ．

a 骨の構造

口腔の容積は**顎関節**（図1-18）を介した下顎骨と頭蓋骨の位置関係によって変化する．顎関節は，側頭骨の外側，外耳道の直前にあり，下顎骨関節突起を容れる．開口に際して下顎骨関節突起は顎関節窩から亜脱臼するほどに前下方に移動す

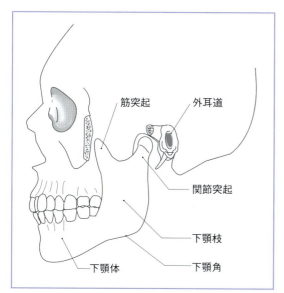

図 1-18　下顎骨と顎関節
頬骨弓を取り除いた側面図.

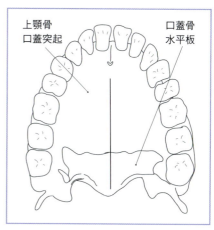

図 1-19　硬口蓋を構成する骨

る．顎関節の運動は咀嚼にかかわるため，下顎は頭蓋に対して回転運動による開閉のみではなく，前後，左右への水平運動が可能で，歯列による食物の切断に加えて，破砕ならびに口腔内での食塊形成を可能にしている．

口腔の天蓋は口蓋である．前半は骨で形成される**硬口蓋**である（図 1-19）．硬口蓋は，前 2/3 が上顎骨口蓋突起，後 1/3 が口蓋骨水平板で構成される．

b　軟部組織

構音運動の類型別にこれにかかわる筋肉をまとめた．

1）顎関節の運動にかかわる筋肉

顎関節を介した下顎の上転により下顎を上顎に近接させ，閉口を行う筋肉には以下のものがある（図 1-20）．神経支配はいずれも三叉神経の運動枝である．

- **咬筋**[*1]

頬骨弓に起始し下顎角，下顎枝に停止する．

- **側頭筋**[*1]

側頭骨から下顎骨筋突起に至る．

- **内側翼突筋，外側翼突筋**[*1]

蝶形骨翼状突起から下顎枝，下顎骨関節突起に至る．下顎の挙上による閉口に働くほか，下顎の側方移動にもかかわる[15]．

顎関節を介した下転により，下顎を頭蓋骨に対して引き下げると開口が起こる．ここで働くのは，1章1節C項図 1-8（→ 8 頁）において，外喉頭筋と定義された舌骨上筋群，舌骨下筋群である．各筋群が喉頭の枠組みを上下させるために働くか，下顎の下制に働くかは，相対的な問題である．つまり，閉口筋の活動により下顎が閉口位に固定されていれば，舌骨上・下筋群の活動は舌骨の挙上，下制により喉頭の枠組みの挙上，下制に働くが，下顎が固定されていなければ，舌骨上筋群のうちで下顎に付着するものならびに舌骨下筋群は，下顎を引き下げて開口を行うために働く．

2）口唇の形状変化に関わる筋肉

声道の最吻側端にある口唇の形態変化によって口音の共鳴特性が変化する．これには顔面表情筋

[*1] 外側翼突筋は上頭と下頭に分かれ，上頭（顎関節関節包に停止）は咬筋，側頭筋と同期して閉口時に活動するが，下頭（下顎骨関節突起に停止）は上頭と相反的に開口時に活動するという報告がある．

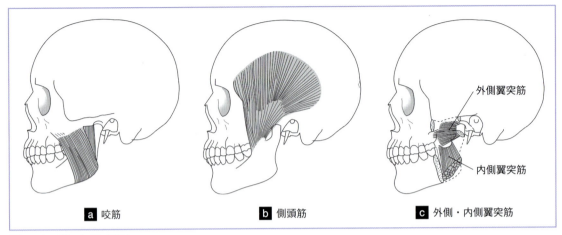

図1-20 閉口に働く筋肉

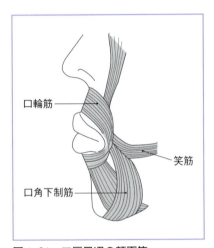

図1-21 口唇周辺の顔面筋

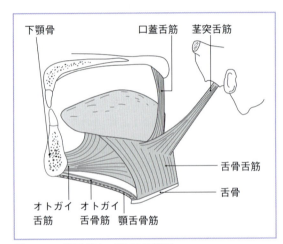

図1-22 外舌筋と口腔底の筋群

に属する口唇周囲の筋肉が関与する(図1-21).これらの筋群は顔面骨から起こり,顔面の軟部組織内に停止する.支配は顔面神経である.構音に関係する主な筋肉を挙げる.

- **口輪筋**

  口唇を輪状に取り巻く.上下唇を近接させ閉口するほか,唇を突出させる際に活動する.

- **笑筋**

  頰部に起こり,口角に停止する.口角を外側に引く.

- **口角下制筋**

  下顎骨に起こり,口角に停止する.口角を下げる.

3) 舌運動に関わる筋肉

舌は**口腔底の筋群**(オトガイ舌骨筋,顎舌骨筋)に支えられて口腔内に盛り上がる筋性の運動器官である.舌の運動を司る筋肉は,舌外から入り,舌全体の位置を粗大に動かす**外舌筋**と,舌の軟部組織内に終始し,舌尖の挙上や舌の丸め,平坦化など,舌の形状変化を担当する**内舌筋**(固有舌筋)に分けられる.

(1) 外舌筋

外舌筋[*1](図1-22)の支配は舌下神経である.

[*1] 軟口蓋下制筋として1章1節E項(➡13頁)に挙げた口蓋舌筋(咽頭神経叢支配)を外舌筋に含める場合がある.

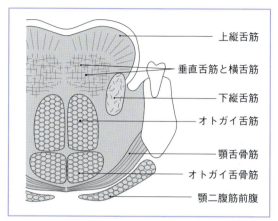

図1-23 内舌筋と外舌筋，口腔底筋群（前額断）

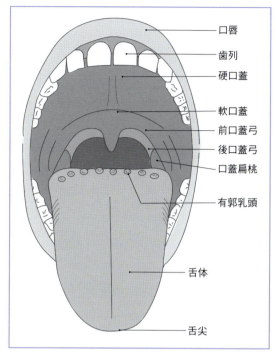

図1-24 口腔の構造

- 茎突舌筋

  茎状突起から起こり，前下方に向かって外側から舌の側面に至る．舌の後方移動，舌根挙上に働く．

- 舌骨舌筋

  舌骨から起こり前上方に向かって外側から舌の側面に入る．舌の下制に働く．

- オトガイ舌筋

  下顎内側から起こり，後方に向かって扇状に舌実質に入る．舌の前突，下制に働く．

(2) 内舌筋

内舌筋（図1-23）は舌のなかで筋線維が交錯し，機能的な単位を分離できない場合があるが，おおむね下記のように整理されている．支配は舌下神経である．

- 上縦舌筋，下縦舌筋

  前後方向に舌を縦走し，舌の短縮とともに，舌尖の挙上，下降に働く．

- 横舌筋

  舌の正中から外側縁に至る．舌を伸ばし，幅を短縮する．

- 垂直舌筋

  舌背から舌の下層に至る．舌を平らに広げる．

基本的な口腔の検査

口腔は光源を用いて明視し，直接観察ができる器官である．口唇方向から見た口腔の様子を図1-24に示した．発話明瞭度の低下を認める発声発語障害においては，口腔内の視診によって，形態の異常や運動障害の有無を確認し，構音の異常との関連を明らかにする必要がある．口唇，歯槽弓，硬口蓋，軟口蓋，舌に関する形態異常の有無とともに，萎縮や脱力，偏倚や巧緻性の異常を観察する．特に構音操作に関係した運動課題（構音類似運動[16]）の遂行に注目する．

構音操作を時系列で追跡することが必要となる場合がある．舌と口蓋の接触を電極によって検知し追跡する目的で電気パラトグラム〔3章2節A項（→149頁）参照〕が用いられる[17]．また，超音波断層法を用いれば，舌表面の形状変化を，矢状断，前額断でリアルタイムに追跡できる[18]．

引用文献

1) van den Berg J, et al：Results of experiments with human larynxes. Pract Otorhinolaryngol（Basel）21：425-450, 1959
2) 丸中良典：肺の換気．本間研一（監修）：標準生理学，第9版．pp711-719, 医学書院, 2019
3) 澤島政行：発声発話系の構造・機能・病態．廣瀬 肇（編）：言語聴覚リハビリテーション．pp3-20, 中山書店, 2000
4) Kubota M, et al：Reference values for spirometry, including vital capacity, in Japanese adults calculated with the LMS method and compared with previous values. Respir Investig 52：242-250, 2014
5) 岩田義弘，他：空気力学的検査―各パラメーターの臨床評価．音声言語医 40：249-259, 1999
6) von Leden H, et al：The mechanics of the cricoarytenoid joint. Arch Otolaryngol 73：541-550, 1961
7) Hirano M：Clinical examination of voice. Springer, Verlag, 1981
8) Sawashima M, et al：Interaction between articulatory movements and vocal pitch control in Japanese word accent. Phonetica 39：188-198, 1982
9) 吉田義一：発声・嚥下を司る中枢神経支配―疑核を中心として．音声言語医 41：95-110, 2000
10) 藤村 靖：声道の音響特性．音声言語医 7：5-10, 1966
11) 廣瀬 肇（訳）：母音の構音とその音響学．Raphael LJ, 他（著），廣瀬 肇（訳）：新ことばの科学入門．pp89-107, 医学書院, 2008
12) 本多清志：発声と構音．本間健一（監修）：標準生理学，第9版．pp401-408, 医学書院, 2019
13) 日本頭頸部癌学会（編）：頭頸部癌取扱い規約，第6版補訂版．金原出版, 2019
14) 宮之下靖子，他：口蓋裂児の術前口蓋咽頭の形態および動きと術後鼻咽腔閉鎖機能．日口蓋誌 15：171-177, 1990
15) 日比野和人，他：ヒト外側翼突筋上頭・下頭の機能的相違について―1-各種基本運動時の活動様式ならびに解剖学的考察．補綴誌 36：314-327, 1992
16) 日本音声言語医学会言語委員会，他：構音検査法に関する追加報告．音声言語医 30：285-292, 1989
17) 今井智子，他：パラトグラフィによる構音の評価．音声言語医 41：159-169, 2000
18) 石毛美代子，他：側音化構音の構音動態の観察―超音波断層法による観察（第二報）．音声言語医 41：342-351, 2000

2 発声発語器官の病態と医学的診断

学修の到達目標
- 呼吸・発声発語器官の病態について説明できる．
- 呼吸・発声発語器官の病態に対する医学的診断について説明できる．

A 呼吸器の病態と医学的診断

1 肺換気と呼吸不全

生命維持に必要なガス交換（**呼吸**）を成立させるためには，吸気と呼気によって肺内と外気の空気の出入りを行う過程（**換気**）が正常に推移することとともに，ガス交換に直接関与する肺胞の有効容積と機能が正常に保たれることが必要である．

安静自発呼吸における1回換気量（約500 mL）のうち，口腔，気管，気管支など肺胞以外の組織で，ガス交換に関与しない領域の容積を**解剖学的死腔量**という．正常値は約150 mLである．変性や血流の低下によって肺胞組織であってもガス交換に関与しえない領域があれば，これを**機能的死腔量**とする．正常では0である．これらの死腔量を1回換気量から差し引いた値が，1回の呼吸においてガス交換に用いうる有効な容積（1回肺胞換気量）となる[1]．1回肺胞換気量に1分間当たりの呼吸数を乗じた値（分時肺胞換気量）が肺におけ

る有効なガス交換能力となり，この値が維持できなければ，血中酸素濃度の低下をきたし，組織における細胞レベルでの酸素供給，二酸化炭素除去（内呼吸）に支障をきたす．この状態を**呼吸不全**という[2]．

2 肺気量からみた呼吸器疾患の分類

肺活量と1秒率を正常基準値と比較することにより，呼吸障害を閉塞性肺疾患，拘束性肺疾患ならびに両者が合併する混合性肺疾患に区分けすることができる（図1-25）．**閉塞性肺疾患**は，気道平滑筋の収縮や気道分泌の増加に伴う気流抵抗の増加によって起こり，1秒率が低下する．気管支喘息，慢性閉塞性肺疾患（chronic obstructive pulmonary disease；COPD），上下気道の腫瘍による狭窄などがこれにあたる．**拘束性肺疾患**は，肺の弾性低下，肺容量の減少，胸郭・胸膜の変形などにより，肺活量が低下する疾患である．間質性肺炎，胸膜肥厚，肺線維症などが分類される．

正常な自発呼吸の周期的パターンは下位脳幹におけるパターン生成器によって制御されており，末梢・中枢の化学受容器や運動皮質からの影響下に，呼吸深度，頻度が決定され，生命維持に必要な血中ガス分圧の恒常性が確保される．閉塞性肺疾患，拘束性肺疾患のいずれにおいても，気道抵抗の増加や肺・胸郭のコンプライアンス（膨らみやすさ）の低下が換気障害を引き起こす．このような状態で血中ガス分圧を正常に維持し呼吸不全を回避しようとすれば，呼吸深度と呼吸数を増加させるためにより多くの負担が呼吸筋に負荷される．

B 喉頭の病態と医学的診断

喉頭で生成される発話音源（喉頭原音）生成の障害を**音声障害（発声障害）**という．しかしその原因

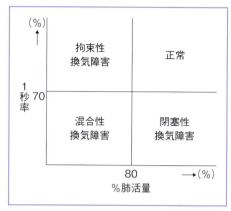

図1-25　肺疾患の換気分類
肺活量が予測値に対して80%以上，かつ1秒率が70%以上の場合を正常と判定する．肺活量の低下を拘束性換気障害，1秒率の低下を閉塞性換気障害，双方の低下を混合性換気障害と分類する．

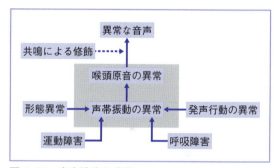

図1-26　音声障害の病態
喉頭に起こる形態，運動の異常のほかに，声帯振動の駆動力である呼吸機能の障害や，神経疾患や心因に起因する発声行動の異常によっても，声帯振動の異常は起こりえる．また，声として出力される異常な音声は声道共鳴による修飾を受けている．

をすべて喉頭の病態に求めることは適当でない（図1-26）．喉頭の形態，運動の異常のほかに，呼吸を含めた発声行動全体の問題が声帯振動の異常を引き起こし，音声障害の原因となりうる（➡ Note 2）．

1 声帯の運動障害，喉頭調節障害

声門の開大閉鎖ならびに振動体としての声帯の物理的特性の調節を行う内喉頭筋は，延髄疑核に発する上喉頭神経運動枝ならびに反回神経の支配を受ける．内喉頭筋の運動麻痺による喉頭運動障

> **Note 2. 音声**
>
> 　一般に，「音声」という用語は，話しことばの音という意味で用いられ，例えば「音声学」「音声波形」などというときの「音声」は，発声と構音の要素を包括した発話の音を指す．ただし，「音声障害」という用語については，喉頭で生成される声の障害を指し，声道を中心に行われる構音の障害とは区別する．しかし喉頭における音源生成機能は，発話機能の一部として，構音操作と不可分の関係にあり，協調しながら働いていることを臨床家は常に意識すべきである．実際のところ，発声発語障害患者が発することばは，語音生成過程の最終出力であり，障害のレベルを発声，構音，言語のいずれに求めるかは，臨床家にとってそれほど簡単な問題ではない．

> **Note 3. 喉頭麻痺**
>
> 　喉頭麻痺は，疑核に発し，声帯運動を支配する筋への遠心性ニューロンがいずれかのレベルで障害され，その結果として声帯運動障害を起こした状態といえる．障害のレベルは，肺がんや甲状腺がんなど反回神経の走行経路だけでなく，核，頭蓋底，迷走神経本幹などを含む下位運動ニューロン全般にわたる．同様の病態に反回神経麻痺，声帯麻痺という呼称を用いることがあるが，これらの名称は必ずしも迷走神経枝としての反回神経や，声帯筋の支配枝という意味で障害レベルを特定しているものではなく，いずれも神経原性の声帯運動障害を総称したものと考えてよい．

害を**喉頭麻痺**という（→ Note 3）．下位運動ニューロン障害では障害と同側の片側性喉頭麻痺が起こるが，その原因は走行経路に沿って多岐にわたる．頭蓋内（延髄梗塞，頸静脈孔腫瘍など），頸部迷走神経障害（手術，腫瘍など），胸部迷走神経・反回神経障害（心・肺手術，胸部腫瘍など），頸部反回神経障害（甲状腺がん，食道がんなど）の可能性を念頭に検索が行われる．運動核よりも中枢では，両側の1次運動野からの投射が疑核に至る．したがって核上性の障害においては，披裂部が開大閉鎖を停止する，という意味での喉頭麻痺は両側の皮質延髄路が左右対称性に障害されるという特殊な場合を除いて起こらない．内喉頭筋の調節，協調には，皮質延髄路とともに錐体外路系，小脳系からの出力が影響しており，これら核上性の神経障害は，さまざまな形で発声発語に必要な**喉頭調節の障害**を引き起こす．

　声帯運動障害による発声発語の障害は以下のようなものがある．

- **声門閉鎖不全**

　声門閉鎖筋の麻痺による片側あるいは両側声帯の内転障害によって起こる．披裂部内外転運動は，声帯突起の上下移動を伴うため，水平面だけではなく，上下方向の声帯位に差ができることにも注意が必要である．症状は次項を参照されたい．

- **声の高さの調節障害**

　上喉頭神経支配の輪状甲状筋が麻痺した場合に，高音発声の障害が起こることがある．

- **発声発語協調障害**

　運動核より中枢の神経障害においては，必ずしも声の音質の異常（嗄声）を伴わず，発語における発声の開始停止，強さ高さの調節が適切に行われないという症状が出現する．例えば小脳障害における強さ高さの爆発的な変動，運動低下性の錐体外路障害〔Parkinson（パーキンソン）病など〕における小声で抑揚に乏しい発声などである．これらの調節障害は通常構音協調の異常も引き起こし，運動障害性構音障害（dysarthria）に伴う発声協調障害の様相を呈する．

　発声発語障害以外の症状として，両側喉頭麻痺での開大制限による呼吸困難や，嚥下協調障害による誤嚥などが起こりうる．

2　声門閉鎖不全

　前述した喉頭麻痺によるもののほかにも，声門閉鎖不全をきたす病態がある．関節の運動障害によるものとして，悪性腫瘍の関節への浸潤や，輪状披裂関節の脱臼，関節リウマチなどがあり，いずれも喉頭麻痺に類似した声帯運動障害が起こる．また，加齢や脱神経による声帯の萎縮，あるいは声門に挟まるように発生した腫瘍やポリープなどが，閉鎖不全の原因となる．

　声門閉鎖不全では以下のような発声発語障害が

起こる.

- **声の能率の低下**

発声時の声帯は呼気流との相互作用によって閉鎖開大を繰り返し，気流を断続的に遮断している．これによって作り出される体積速度の変化分（交流成分）が声の有響成分（周期性をもつ音響）の強さに相応する．声門閉鎖不全がある場合，声帯振動によってつくられる交流成分に加えて，声門の閉鎖開大に関係なく声門間隙を通過する直流成分が増加する（図1-27）．その結果，声の能率[*1]の低下が起こり，同じ強さの声を出すにもより多くの呼気を使わなければいけないことになる．

- **嗄声**〔2章4節C項（➡81頁）も参照〕

声の能率が低下する結果，発語に必要な声の強さを保てない場合，無力性（asthenic）と形容される声の音質の障害（嗄声）が起こる．また，交流成分に含まれない呼気流がある程度以上存在すれば，乱流の生成による雑音が声に混じり，**気息性**（**breathy**）と形容される音質となる．臨床場面での病的音声について，聴覚心理的に気息性嗄声が知覚される条件は，必ずしも声門閉鎖不全の程度に相応せず，有響成分と雑音成分の比率や，声門以外（仮声帯など）で生成される雑音の影響などで修飾される[3]．

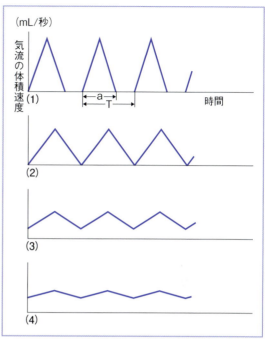

図1-27 声の能率の考え方

発声時の体積速度平均値（直流分）で，体積速度の振幅（交流分実効値）を除したものを声の能率と定義する．体積速度が同じでも，声門閉鎖の程度によって，有響成分の生成に関わる交流成分の比率が変化する．図では下段のグラフほど，気流に対する声の強さは減少している．

(1) 振動周期（T）に開放期（a）と閉鎖期がある場合
(2) 振動周期は開放期に等しいが，完全な声門閉鎖が起こる場合
(3, 4) 完全な閉鎖が起こらない場合

〔一色信彦：喉頭機能外科—とくに経皮的アプローチ. p83, 京都大学医学部耳鼻咽喉科同窓会, 1977より改変〕

3 声帯振動障害

正常な音声を生成するためには，先に述べた声門閉鎖と呼気調節によって駆動力たる呼気圧が適正に声門下に生成されることだけでなく，振動体としての物理的特性が正常に保たれなければならない．これには，筋層，声帯靱帯からなる**body**と粘膜上皮，粘膜固有層浅層からなる**cover**から構成される声帯の**層構造**〔1章4節A項図1-37（➡40頁）を参照〕が正常に維持され，粘弾性を保ちつつ，左右対称かつ全長にわたって均質性を保つことが必要である．この条件が破綻をきたす病態には以下のようなものがある[4]．

- **対称性，均質性の破綻**

声帯の物理的特性は，ほぼ左右対称で，前後軸に沿っても均質である．これによって，正常な声帯振動は，左右方向に対称で，前後方向にもほぼ同位相で行われる．対称性，均質性が破綻をきたすと，左右の振動非対称や，同一声帯内の部位によって異なるパタンの振動が生じる結果，聴覚心理的には**粗糙性**（**rough**）と形容される音響の周期性の破綻や不規則なゆらぎを伴う嗄声を生じる．病態としては，喉頭麻痺による声帯の萎縮，脱力や，ポリープ，腫瘍などが声帯の一部を占拠した場合の均質性の変化などが挙げられる．

[*1] 一色による定義は発声時の体積速度平均値（直流分）で，体積速度の振幅（交流分実行値）を除したもの，となる．

- 層構造の破綻

　声帯は薄い粘膜上皮と軟らかい粘膜固有層浅層で構成されるcoverの深部に，声帯靱帯で覆われた筋肉で構成されるbodyを有するという層構造をもつ．2層構造からなる声帯の振動の様子は，ストロボスコピーやハイスピードカメラでみると，単なる水平面上の開大閉鎖の繰り返しではなく，声門下から声帯縁へさらに声門上を外方へと移動する**粘膜波動**がみられる．声帯の層構造が破綻すると，このように3次元的に推移する粘膜波動の規則性，左右対称性が損なわれ，粗造性嗄声をきたすとともに，喉頭音源の調節にも支障をきたす．病態としては，bodyとcoverの境界を侵して浸潤する悪性腫瘍や，声帯溝症などによる粘膜固有層浅層の部分的消失などがある．

- 硬さ（スチフネス）の異常

　body，coverにわたる声帯の硬化は，粘膜波動を低下させ，十分な閉鎖期の維持に必要な粘弾性を失わせる．そのために声門閉鎖不全や乱流を生じる結果，雑音成分の多い気息性嗄声の原因ともなる．病態としては組織の硬化を引き起こす病変である悪性腫瘍や瘢痕などがある．また，cover部分（粘膜固有層浅層）に起こるびまん性の浮腫〔Reinke（ラインケ）浮腫〕では，柔らかさが増す結果，粘膜波動の増大がみられ，これが左右対称性，均質性の低下につながることが多い．

C 鼻腔・咽頭の病態と医学的診断

　鼻腔・咽頭は声道の一部として語音の共鳴の調節に関与する．

1 鼻咽腔閉鎖機能不全

　発話において鼻咽腔の閉鎖・開放は語音に鼻音性の有無に関する弁別素性を与える．また，声道にせばめとしてつくられた気流への抵抗部（**構音点**）で破裂音，摩擦音などの**非共鳴性子音**を生成するためには，構音点の尾側で口腔内圧が上昇することが必要で，鼻咽腔閉鎖が起こっていることが条件となる．発話において適切な鼻咽腔閉鎖が行えない状態を，**鼻咽腔閉鎖機能不全**という．鼻咽腔閉鎖機能不全の状態での発話は，母音の高域共鳴が鼻腔に吸収され（**反共鳴**），**開鼻声**となるとともに，破裂，摩擦音系の子音において，雑音のエネルギーが弱まる，あるいは鼻音に置換されるなどの歪みが起こる．また，鼻咽腔閉鎖機能不全のために生成不能な語音を類似の音響で代償しようとして，誤った構音操作が定着することがある（**異常構音習慣**）．

　鼻咽腔閉鎖不全による構音障害をきたしうる病態としては，**口蓋裂**〔病態の詳細は3章2節A項（→151頁）を参照〕など顎顔面の形成異常が代表的なものである．また，神経筋疾患に由来する構音障害（運動障害性構音障害）において，鼻咽腔閉鎖不全を呈するものがある．下位運動ニューロンの障害では，水痘・帯状疱疹ウイルスの再活性化などによる根神経炎，重症筋無力症が代表的なものであり，核上性の障害をも伴うものでは脳血管疾患や筋萎縮性側索硬化症などの運動ニューロン疾患によるものがある．

2 閉鼻声

　発話における鼻音の生成は，鼻咽腔の開放と鼻孔への通気が必要である．これが適切に行われない場合におこる発話の共鳴異常を**閉鼻声**といい，鼻音の口音化による歪みが起こる．

　閉鼻声をきたす病態としては，上咽頭を占有する腫瘤形成疾患である腫瘍，咽頭扁桃（**アデノイド**）の肥大などがある．咽頭扁桃の肥大は，小児の成長過程でみられる変化であり，4～5歳をピークとする．閉鼻声に加えて，鼻呼吸障害が長期にわたるために起こる口呼吸の持続が，咬合異常（**開咬**）による構音障害の原因となる場合がある．閉鼻声は鼻咽腔の病変だけでなく，鼻腔病変によ

る鼻閉によって鼻腔共鳴が遮断されることによっても起こりうる．

3 共鳴腔の形態異常による構音障害

鼻咽腔閉鎖不全，閉鼻声以外にも，声道を構成する鼻副鼻腔・咽頭に外傷・腫瘍やその手術的治療による形態異常が生じた場合，共鳴異常による構音の歪みが起こりうる．これについては3章1節C項(➡142頁)を参照されたい．

D 口腔の病態と医学的診断

口腔において行われる構音運動は，喉頭音源の調節と協調して発語機能の主要な役割を担う．運動障害，器質的障害について，概略を述べる．疾患論〔3章1節C項(➡137頁)〕も参照されたい．

1 構音運動の障害

構音を司どる神経筋系の障害により発症する発話行動遂行過程の障害を，**運動障害性構音障害**という．脳血管疾患，中枢神経系の変性疾患〔運動ニューロン疾患，Parkinson（パーキンソン）病など〕，末梢神経障害〔Guillain-Barré（ギラン-バレー）症候群など〕，筋・シナプス疾患（重症筋無力症，進行性筋ジストロフィーなど）などが原因となる．背景にある運動障害は，担当筋の脱力，皮質延髄路障害による痙性麻痺，小脳失調，錐体外路系障害による寡動あるいは運動過多などさまざまであり，構音障害の様態も多様である．しかし，運動障害のそれぞれのタイプが特異的に現れる場合，語音の歪み，話速やイントネーションの異常は，原疾患の運動障害の特徴を反映するものであることが，仮性球麻痺，Parkinson病，小脳性運動失調，筋萎縮性側索硬化症などの疾患について報告されている[5]．一方多くの変性疾患や脳血管疾患では，これらの病態が混在するため，構音症状は複雑である．

2 口腔の器質的異常

口蓋裂とその類縁疾患による鼻咽腔閉鎖不全については，前項を参照されたい．

• 頭頸部がん術後の組織欠損

舌がんに代表される頭頸部がんの手術的治療では，構音器官に切除が及ぶことが多い．組織欠損が大きい場合は筋皮弁，遊離皮弁による再建が行われるが，移植組織のサイズ，可動性と，術後の瘢痕による萎縮などにより，正常構音機能の補償に至らないことがある．咀嚼嚥下障害の合併もみられる．発話では，変形，可動制限の生じた部位が担当する音に特異的な歪みが固定的に出現する．外傷による形態異常も同様である．

3 顎の形態異常

上顎，下顎の形成異常（**顎変形症**）により構音障害が起こることがある．特に，下顎前突による咬合障害では，口唇閉鎖が妨げられる結果口唇破裂音/p//b/の歪みが起こる．また，下顎前突に伴って舌の位置も上顎に対して前方に偏倚する結果，歯茎音/s/や/t/などの生成が困難となり，場合によっては代償的な異常構音習慣に移行する．また，咬合の左右対称性が障害された場合には，構音における舌位の対称性が保たれないために歪みが起こることがある（側音化構音）．

E 発声発語器官に関与する先天性疾患とがん

1 発声発語器官に関与する先天性疾患

口唇口蓋裂に代表される**頭蓋顔面の形成異常**は，在胎2か月頃に顔面骨格および耳介を形成す

る**第1，第2鰓弓**の発生異常の結果として生じる．構音障害を起こす形態異常として，口唇口蓋裂を含む各種顔面裂，Crouzon（クルーゾン）病など頭蓋骨早期癒合症，Pierre Robin症候群など小顎症を伴うもの，後鼻孔閉鎖症などがある．このなかで，口蓋裂とその類縁疾患を合併する遺伝性症候群の代表的なものについて述べる．

a Pierre Robin（ピエール・ロバン）症候群

小顎症に伴う舌根沈下により，気道狭窄をきたす先天異常の総称である．発症率は8,500～14,000出生分の1とされる[6]．本症候群に合併する先天性異常は，**神経**，**耳鼻**，**心血管**，**顔面**，**呼吸器**，**眼**など多岐にわたり，知的発達障害を伴う場合もある．口蓋裂の合併が13.0～27.7％にみられる[7]．小顎症による気道狭窄が重篤な呼吸障害を引き起こす場合があり，乳幼児期の呼吸管理が必要になるとともに，口蓋裂などに関する手術的介入の際に，挿管困難の問題が起こる．

b Treacher Collins（トリーチャー・コリンズ）症候群

下眼瞼欠損，睫毛欠損を伴う眼裂の異常，頬骨形成不全，小顎症，外耳形成異常を特徴とする．40～50％に中耳伝音系の形成異常による難聴を合併する．口蓋裂の合併が20～30％にみられる．発症率は50,000出生に1例程度である[8]．乳幼児期には，小顎と頬骨形成不全のために，呼吸，栄養障害に対する管理が必要となる．口蓋裂をはじめとする器質的構音障害の治療は，形成外科による整容目的をも含めた長期的な手術的介入の枠組みのなかで進められる．また，伝音系形成異常は耳小骨奇形や外耳道閉鎖による高度伝音難聴を伴うことが少なくない．聴覚補償，聴能言語訓練と両輪で進行する構音訓練が必要となる．

c 22q11.2欠失症候群

発声発語障害の領域では，細く長い目，幅広い鼻根，扁平な頬，下顎の後退などの特徴的顔貌をもつ鼻咽腔閉鎖不全症例が早期から注目されてきた[9]．これは22番染色体長腕の部分欠失による先天異常症候群（**22q11.2欠失症候群**）の表現型の1つである．本症候群は欠失の起こる部位と範囲によって，さまざまな表現型が現れる．主な症候として，**心血管系**，**口蓋**，**泌尿生殖器系**，**頭蓋顔面など全身に及ぶ形成異常**，**知的発達障害**，**学習障害**，**発達障害**，**免疫異常**，**低カルシウム血症**などが挙げられる．症候の組み合わせにあわせてこれらを velo-cardio-facial 症候群（VCFS），DiGeorge（ディジョージ）症候群，conotruncal anomaly face（円錐動脈幹異常顔貌）症候群などとよんでいたが，遺伝子解析の結果，22番染色体の微細欠失によるものとされ，症候群として認知された．発症率は4,000出生に1例と，知的発達障害を伴う先天疾患のなかで多数を占める[10]．発声発語障害の観点からみた本疾患の特徴は，構音障害の発症率が高いことである．北野ら[11]は遺伝子解析によって確診された本疾患73例について，27例に口蓋裂，粘膜下口蓋裂，先天性軟口蓋麻痺などによる鼻咽腔閉鎖不全を認め，鼻咽腔閉鎖不全を合併しない群でも11例に声門破裂音，口蓋化構音などの構音障害がみられたとしている．手術あるいは補綴的治療によって，鼻咽腔閉鎖機能が成立したのちにも，正常構音の獲得には長期を要することが報告されている．この原因には，本疾患が単なる形態的異常のみでなく，神経筋系の運動障害や知的発達障害など認知面の障害を合併しうることから，形態，運動，認知領域を含む多様な問題が複合していると考えられている[12]．

2 発声発語障害に関与するがん

発声発語障害に関与するがん[*1]は，主に**頭頸部領域**に発生し，救命のために放射線治療，化学

[*1] 悪性腫瘍は，上皮系組織から発生する癌腫，非上皮性組織から発生する肉腫に分類されるが，ここでは癌腫，肉腫を含む悪性腫瘍を「がん」と総称する．

療法，さらに手術的切除が行われる．治療後の瘢痕による運動障害，切除による欠損と再建による組織形態の変容，さらに高齢の患者が多いことによる加齢と全身合併症など，発声発語障害の治療に関して考慮すべき問題は複雑である．個々のがんに関する診断治療学は他書にゆずり，本項では頭頸部のがん診療に関する概説を述べる．

a がんとは何か

体を構成する細胞は，組織固有の分化を遂げ増殖を適切に制御されて，器官を形成している．これは器官ごとに細胞がもっている**遺伝子の発現**の仕方がコントロールされているからである．**腫瘍**とは，遺伝子が適切に働かずに，器官を構成する組織にあるべき細胞にはみられない形質をもつ**腫瘍細胞**が増殖してできるものである．腫瘍は宿主である個体の生存に必要な増殖能力の制御を逸脱して勝手に増える（**自律性増殖**）結果，多くの場合腫瘍細胞の塊（**腫瘤**）をつくる．**悪性腫瘍**（がん）と**良性腫瘍**の区別は自律性増殖の程度の強さによるといってよい．がんは，自律性増殖の程度が強く，無限に増殖を繰り返す腫瘍と考えることができる．その結果，①腫瘍がどんどん大きくなり，腫瘍塊の中心にまで栄養が行き届かずに腫瘍組織の死滅が始まっても，さらに増殖を続ける，②組織の境界を越えて隣接する組織に**浸潤**するように広がっていく，③血管内に浸潤した場合，血流によって遠隔臓器に運ばれ，そこでまた増殖する（**遠隔転移**），こととなる．

上記の性質から，がんが致命的な病気である理由がいくつか挙げられる．まず，無限の増殖によって，宿主の生存に必要な栄養が奪われ，体が衰弱する（**がん性悪液質**）．また，組織への浸潤の結果，大血管破綻による出血や気道閉塞による窒息など，生命危機に直結する組織破壊が起こる．さらに，脳，肝，肺など生命維持に必須の機能をもち，血行が豊富で転移を起こしやすい臓器に遠隔転移が起これば，これらの臓器の障害による**臓器不全**が致命的な問題となる場合がある．

b がんの重症度分類

このように，がんは放置すれば生命をおびやかす疾患なので，その治療は根拠に基づいて慎重に計画され，検証を行いながら，標準治療を効果的なものにしていくとともに，より正確な予後判定を行うシステムをつくる，いわゆる evidence based medicine（EBM）が発達し，世界的なレベルで情報交換が行われる領域である．このために，がんの原発部位ごとに重症度分類を行い，国際的な統一基準で治療効果の統計処理が行われることが必要である．

TNM 分類は，国際対がん連合（Union Internationale Contre le Cancer）によって提唱され，世界で標準的に用いられているがんの病期分類である．非常に種類の多いがんを部位ごとにグループ化し，簡明にステージ分類を行えるように設計されている．腫瘍の原発部位ごとに，原発巣の大きさと浸潤の程度（**T 分類**，tumor），所属リンパ節への転移の有無（**N 分類**，regional lymph node），遠隔転移の有無（**M 分類**，distant metastasis）を評価し，総合的に病期（**ステージ**）を判定する．

c 頭頸部がんの分類

頭頸部がんの原発巣は，口腔，鼻・副鼻腔，咽頭，喉頭，大唾液腺，甲状腺などに及ぶ．これらはいずれも，腫瘍の増殖と治療による組織の変化によって，発声発語障害を起こす可能性が高いものである．また摂食嚥下器官，気道に近接して発生するものであるから，**摂食嚥下障害**に対するリハビリテーションや，気管切開を含めた**気道の管理**が並行されなければならない．

d 頭頸部がんの治療

根治目的には，**外科的治療**，抗がん剤による**化学療法**，**放射線治療**を組み合わせた**集学的治療**が行われる[13]．特に，抗がん剤の放射線治療における増感効果を利用した**化学放射線併用療法**や，手術前の腫瘍縮小を目的とした**導入的化学療法**の進

歩が，組織温存，機能温存への道を大きく進展させ，喉頭・舌がんなどで術後の機能廃絶を免れる例が多くなっている．

　手術によって切除された組織の再建は，切除範囲が小さい場合は切除端を縫い合わせて創を閉鎖する(**一期縫縮**)だけでよいが，広範な切除では，自家組織の移植によって創の閉鎖ならびに機能再建を行わなければならない．例えば**舌がん**の切除において，舌半切以上の切除範囲については，欠損部の再建に皮弁による自家組織の移植が行われる(➡ Note 4)．再建舌に必要とされるのは，可動性と口腔内での隆起性の確保とされるが，この2条件はしばしば相反する[13]．舌半切程度の切除であれば，薄い皮弁を緊張させることなく用いれば，残存組織の可動性を妨げることなく構音，嚥下機能の再建に有効である一方，舌亜全摘以上の症例では，残存舌の可動制限は大きく，口腔内の組織欠損が大きいため，筋皮弁など容積の大きい移植片を用いた隆起型の再建舌を形成することが勧められる[14]．**喉頭がん**では，集学的治療の進歩に伴い，喉頭全摘出術を受ける症例は減少した．しかし，進展例の拡大手術で，**遊離空腸**による食道再建を行う症例や，**喉頭部分切除**の適応となって，喉頭機能は部分的に温存されるものの形態，機能が大きく変化する症例が増えてきている．

> **Note 4. 頭頸部がん切除後の再建**
>
> 　頭頸部がんの切除で広範囲な組織欠損ができたときには，自家組織の移植による再建が行われる．通常，皮膚の移植(**皮弁**)が用いられるが，骨の再建が必要な場合は骨とともに移植片をつくる骨皮弁を用いたり，食道管腔を再建するために，腸の移植が行われたりする．自家組織移植で皮弁を生着させるためには，移植片への血流確保が必須となる．古典的な方法としては，皮膚つきの大胸筋や広背筋などで，血流のある有茎弁を作成し，基部を採取部に残したまま皮弁を回転させて移植部に縫着する方法(**有茎筋皮弁**)が用いられたが，移植片と移植部の位置関係による制限が大きかった．現在は，形成外科による微細血管吻合の技術が発達し，離れた部位から必要なサイズの組織を血管柄つきで採取して移植部の血管を用いた血流確保を行う方法(**遊離皮弁**)が主体となっている．皮膚とその下層の筋肉を一体として移植する方法(**遊離腹直筋皮弁**など)では，厚みのある血流の安定した移植片をつくることが可能である．また，皮膚と皮下組織のみを移植する方法(**遊離前腕皮弁**など)では，薄く，移植部に合わせて細工しやすい移植片となる．

引用文献

1) 丸中良典：肺の換気．本間研一(監修)：標準生理学，第9版．pp711-719，医学書院，2019
2) 日本緩和医療学会緩和医療ガイドライン作成委員会(編)：がん患者の呼吸器症状の緩和に関するガイドライン2016年版，第2版．pp18-21，金原出版，2016
3) 一色信彦：喉頭機能外科—とくに経皮的アプローチについて．pp52-62, 82-84，京都大学医学部耳鼻咽喉科同窓会，1977
4) 平野 実：正常発声に必要な条件とその病態．日本音声言語医学会(編)：声の検査法．pp24-26，医歯薬出版，1979
5) 日本音声言語医学会言語委員会運動障害性(麻痺性)構音障害小委員会：「運動障害性(麻痺性)構音障害dysarthriaの検査法—第一次案」短縮版の作成．音声言語医学 40：164-181, 1999
6) Gomez-Ospina N, et al：Clinical, cytogenetic, and molecular outcomes in a series of 66 patients with Pierre Robin sequence and literature review：22q11.2 deletion is less common than other chromosomal anomalies. Am J Med Genet A 170A：870-880, 2016
7) Marques IL, et al：Etiopathogenesis of isolated Robin sequence. Cleft Palate Craniofac J 35：517-525, 1998
8) Guo P, et al：Prevention methods for Treacher Collins syndrome：A systematic review. Int J Pediatr Otorhinolaryngol 134：110062, 2020
9) 道 健一：口腔 疾患による言語障害の診断と治療に関する臨床的研究．口科誌 35：1035-1076, 1986
10) Rump P, et al：Central 22q11.2 Deletions. Am J Med Genet Part A 164A：2707-2723, 2014
11) 北野市子，他：22q11.2欠失症候群に関する検討—臨床症状，合併症，言語機能を中心として．日口蓋誌 29：1-7, 2004
12) 今井智子，他：染色体22q11の欠失を示した先天性鼻咽腔閉鎖不全症例について—顔面鼻咽腔症候群との関連．日口蓋誌 23：287-299, 1998
13) 日本頭頸部癌学会(編)：頭頸部癌診療ガイドライン2018年版，第3版．金原出版，2017
14) Kimata Y, et al：Analysis of the relations between the shape of the reconstructed tongue and postoperative functions after subtotal or total glossectomy. Laryngoscope 113：905-909, 2003

3 発声発語器官に関与する神経系の基本構造と機能

> **学修の到達目標**
> - 呼吸・発声発語器官に関与する神経系の基本構造が説明できる.
> - 呼吸・発声発語器官に関与する神経系の神経学的検査について説明できる.
> - 呼吸・発声発語器官に関与する神経系の病態と医学的診断について説明できる.

A 発声発語器官に関与する神経系の基本構造と機能

　話しことばを用いた意思の伝達，すなわち「思考」が「ことば」として発せられる過程では，まずその内容が言語的に整えられた形をとらなければならない．具体的には単語を選び，活用・変換し，文法規則に従って正しく並べたうえで，音の単位に変換して時間軸上に構成することが必要である．脳内で行われるこれらの過程を**言語機能**とよぶ．言語プロセスを経て時系列上に一時保存された情報は，同じく時系列上で連続的，並行的に進む発声発語器官の運動プログラミングとして再構成され，末梢神経系への神経指令，筋収縮によって発声発語運動へと帰結し，話しことば（音信号）として実現される．この過程が**話しことば（スピーチ）の機能**であり，本書で取り上げる発声発語機能に相当する[1]．

　発声発語を実現するための運動は，呼吸，発声，調音などのレベルに分類され，いずれも筋肉の収縮と弛緩により実現される．筋肉の収縮は，脳からの運動指令伝達の最終出力とみることができる．損傷を受けていない運動系では，運動神経細胞の興奮は神経軸索を経て神経筋接合部から筋肉に伝達され，筋収縮を引き起こす．すなわち筋肉が収縮することと，脳幹あるいは脊髄に存在する運動核内の神経細胞（運動ニューロン）の発火とは同義である．運動を実現するためのシステムを，運動核から神経を経て筋肉に至る系（末梢の運動系）と，運動核よりも上位の伝達系に分けて考える．

1 末梢の運動系

a 筋肉

　筋肉の機能は収縮することである．多くの場合，骨格筋はその両端で腱を介して骨に付着しており，収縮することで，**起始と停止**[*1]を近接させる．すなわち，骨格を動かして運動を起こすのが筋肉である．起始と停止の間に関節を介する場合，単一方向への移動ではなく，関節をめぐって屈伸，回転，回旋などの3次元的な運動が実現される．

　筋肉は，同じ方向に束ねられた細長い**筋線維**の複合体である．筋線維は1個の細胞（**筋細胞**）であり，末梢神経からの指令が神経筋接合部（シナプス）を介して伝達されることによって収縮を起こす．多数の筋線維の収縮が筋肉全体の収縮につながる．

---

*1 筋の付着部のうち，体幹に近いほうを起始といい，体幹から遠位にあり収縮によって動きが大きいほうを停止という．

b 運動核

運動核は，筋肉に収縮の指令を送る神経細胞（**運動ニューロン**）の集団であり，脊髄神経では脊髄前角に，脳神経では脳幹に存在する．1つの例を挙げると，内喉頭筋群を支配する運動核は筋と同側の延髄にある疑核である．疑核内において，それぞれの内喉頭筋に指令を送る神経細胞は，核内でばらばらに混ざりあっているのではなく，筋肉ごとにまとまったサブグループ（**運動ニューロンプール**）を形成していることが知られている[2]．脳神経においても脊髄神経においても，個々の筋の支配は核内の近接した位置にまとまったニューロンプールの構造がみられる．

c 軸索と神経筋接合部

核内に存在する1個の神経細胞からは1本の**軸索**（神経線維）が伸びて支配筋に至り，**神経筋接合部（シナプス）**を介して複数の筋線維（筋細胞）を支配する．神経細胞の興奮が神経軸索を経て神経筋接合部に伝達されると，軸索終末から神経伝達物質（骨格筋の場合は**アセチルコリン**）が分泌される結果，神経筋接合部付近で膜の透過性が高まり細胞内外の電位勾配が逆転する（**脱分極**）ことで，筋線維の収縮を惹起する．脱分極の部位は神経筋接合部の膜上から次第に遠位に移動するとともに脱分極を終えた部位は過分極の状態に戻る．1個の神経細胞につながる筋線維の数（神経支配比；innervation ratio）は，骨格筋においては100〜1,000以上ともなるが，顔面筋や内喉頭筋では著しく小さく，微細な運動調節に対応できるようになっている[3]．

d 神経筋単位

核に存在する1個の神経細胞から発する1本の軸索とそれが分岐して支配する複数の筋線維をまとめて，**神経筋単位**あるいは**運動単位**とよぶ（**図1-28**）．それぞれの単位は機能的に独立している．すなわち，損傷を受けていない末梢神経筋

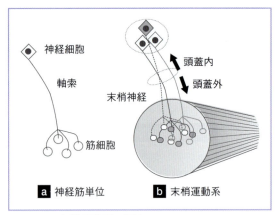

図1-28 末梢運動系の概念
a：神経筋単位は核内に存在する1個の神経細胞とここから発する1本の神経軸索，軸索につらなる複数の筋線維（筋細胞）で構成される．
b：筋肉は，核内で運動ニューロンプールを構成する神経細胞が個々に支配する筋線維群の複合体である．図は筋肉の断面に現れる筋線維の断面を表している．筋肉内では複数の神経筋単位に属する筋線維が混在しているが，個々の単位は機能的に独立している．

では，単一の運動ニューロンが興奮することはその支配する神経筋単位に属する筋線維群が同期的に収縮することと同義であり，ほかの神経筋単位に属する筋線維に興奮が伝達されることはない．筋肉は核内の運動ニューロンプールを構成する神経細胞が個々に支配する筋線維群の複合体であり，筋収縮の強さは筋肉を構成する神経筋単位の何割が収縮に参加しているかで決まる．

2 運動核よりも上位の伝達系

末梢神経系の運動ニューロンに指令を送るために，中枢からは複数の伝達経路が相互に情報を交換しながら目的に合った円滑な協調運動を実現している．中枢からの伝達系のうちで，大脳の中心前回に位置する**1次運動野**に発し，皮質脊髄路あるいは皮質核路を通じて脊髄，脳幹の運動核に達するルート（**錐体路系**）が運動系の伝達の中核となる．皮質から運動核への下降性投射は，錐体路系以外に赤核や網様体での介在ニューロンを経る経路が存在する．これらの下降投射による指令伝

達を調整し，制御し，また運動学習によって成熟させるために，**大脳基底核**，ならびに**小脳**をめぐる運動制御系が存在する．これらは互いに連絡しながら筋緊張や反射を制御したり，体性感覚のフィードバックを介した補正や運動学習機能を多層的に実現する．末梢神経系が単シナプスで構成される独立した神経筋単位の複合体として成立しているのに対して，中枢運動系は多数のシナプスの連絡によって構成される複雑な神経ネットワークである．

a 大脳皮質運動野

Penfield ら[4]は，脳外科手術の際に大脳皮質の表面を電気刺激し，口腔顔面，上肢，下肢などに運動を誘発することができる部位が中心前回に局在することを明らかにした．これらは効果器となる体の部位を再現するように整然と配列されており（**体部位局在性**，somatotopic representation）（図 1-29），脊髄，脳幹の運動ニューロンへの投射を通じて随意運動の制御を行うものと考えられた．**1次運動野**とよばれるこの領域は Brodmann によって行われた大脳皮質の領野分類では第 4 野にあたる（図 1-30）．1 次運動野が体部位局在を体現した筋収縮の中枢であるとしても，発話など多器官が複雑に関与する運動がどのように実現されるかを考える場合，運動野あるいはこれより上位に形成されたプログラムが，運動の様式ごとに運動ニューロン個々の発火を直接制御するという仮説だけでは，用意しなければならないパターンの膨大さからみても，すべての協調運動とくに習得的な運動の説明としては不足である．実際は，1 次運動野のみではなく，前頭葉の中心溝から前方に，随意運動に際して活動し，微小電極刺激によって運動を誘発することができる領域が複数存在する．代表的なものとして**運動前野**（Brodmann 6 野外側面），**補足運動野**（6 野内側面）がある．これらの運動野の間には双方向性の線維連絡があり，段階的に情報を整理して最終的に 1 次運動野に送ることによって，的確かつ効率的な随意

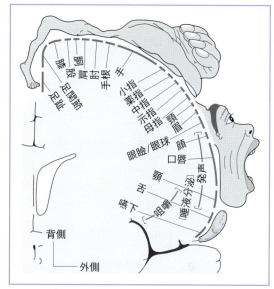

図 1-29　1 次運動野の体部位局在
〔Penfield W, et al：The cerebral cortex of man：A clinical study of localization of function. Macmillan, New York, 1950 より〕

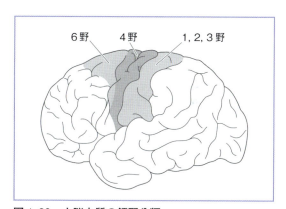

図 1-30　大脳皮質の領野分類

運動の制御を行っていると考えられている．また，後述する小脳，大脳基底核群，さらに 1 次運動野と中心溝を挟んで隣接する**1 次体性感覚野**（1～3 野，特に Brodmann 2 野）の間にも豊富な相互連絡があり，運動の成就をモニターしながら精密な調節が行われ，運動の企画選別，運動学習の成立にも関与するとされる．

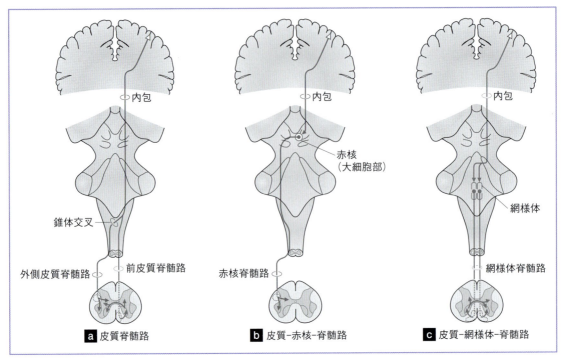

図 1-31　運動野から運動核への下行投射
1次運動野に発する下降伝達経路は，内包を経由したのち脳内では介在ニューロンを経ないで運動核に至る皮質脊髄路（錐体交差を経由）のほかに，赤核，あるいは網様体の介在ニューロンを経て錐体交差を経由しない伝達路が存在する．
〔南部 篤：大脳皮質運動野と大脳基底核．本間研一（監修）：標準生理学，第9版，p371，医学書院，2019 より〕

b　末梢神経系への下行投射

　前述のとおり，皮質運動野から運動核へは，体部位局在性を保ち，運動核直前までは介在ニューロンを介さずに直達する伝達系が投射している．ただしこの投射は運動ニューロンそのものに直結するのはむしろ少数で，脳幹，脊髄に達したのち，促通系あるいは抑制系の複数の介在ニューロンを経るものが多く，筋緊張の円滑性を保った効率的な制御に寄与する．皮質運動野から脊髄前角に至る系を**皮質脊髄路**，脳神経核に至る系路を**皮質核路**といい，皮質脊髄路，皮質核路をまとめて**錐体路系**とよぶ．これは運動野に直接の起源をもたない伝達系（いわゆる**錐体外路系**）の対語として用いられることばであり，皮質脊髄路の軸索群が延髄の腹側で**延髄錐体**とよばれる隆起を形成することに由来する．脳神経への下行投射は延髄錐体を経由しないが，その構造は脊髄運動ニューロンへの投射と同様に理解できる．一方，皮質から下位運動ニューロンへの下行投射には赤核，網様体などの介在ニューロンを介し，錐体を通らない経路（**赤核脊髄路，網様体脊髄路**）*1 が存在することにも注意を要する（図 1-31）．臨床場面では，1次運動野とこれに発する下降伝導路の障害が想定される脳血管疾患などの症例に，筋緊張と深部反射の亢進を伴う**痙性麻痺**がみられることが多く，これを**錐体路症候群**とよぶが，実験的には錐体を通過する経路のみの遮断ではこの徴候は起こらず[5]，1次運動野そのものあるいは下降経路のうちで錐体を通らない経路の障害によって起こることが明らかになっている．

＊1 赤核脊髄路，網様体脊髄路については，錐体路以外の運動制御系という意味で，大脳基底核を中心とする伝達系とともに錐体外路系に含める考え方もある．

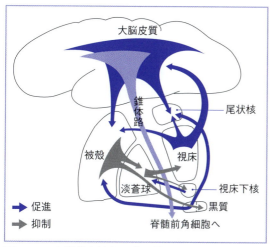

図1-32 大脳基底核をめぐる神経回路と錐体路の関係
〔馬場元毅：絵でみる脳と神経―しくみと障害のメカニズム，第4版．p23, 医学書院，2017より〕

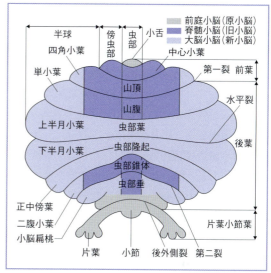

図1-33 発生学的に見た小脳の区分
〔馬場元毅：絵でみる脳と神経―しくみと障害のメカニズム，第4版．p31, 医学書院，2017より〕

c 大脳基底核

大脳基底核群は終脳の基底部にある神経核群で，線条体，淡蒼球，視床下核，黒質から構成される．大脳基底核群を介する伝達系は，大脳皮質から入力を受け，基底核相互の連絡を経て処理された情報の多くを視床を介して大脳皮質に還元するループ（**大脳皮質-大脳基底核ループ**）によって，錐体路系の出力に対する修飾を行う（図1-32）．**線条体**は尾状核，被殻からなり，大脳からの入力部として機能する．皮質から興奮性の入力を受け，これを抑制入力として視床への出力部である**淡蒼球内節**に送る（**直接路**）とともに，**視床下核**を経た**間接路**が出力部に促通性の入力を送る．出力部である淡蒼球内節からは抑制性の出力が視床へ送られているが，この抑制出力が直接路，間接路を介して二重に促通，抑制されることによって，目的とする運動の選択的増強や不必要な運動の抑制が行われるとされる．また，**黒質**に発する**ドーパミン作動性ニューロン**が線条体に興奮性，抑制性の出力を送っており，大脳皮質から線条体への伝達強度を調整することによって，運動学習に関与すると考えられている．黒質緻密部のドーパミン作動ニューロンが欠落することで**Parkinson（パーキンソン）病**が発症する〔1章3節C項（➡36頁）参照〕．

大脳基底核群からの出力は，大部分が視床を介する上行経路であり，手や指などの学習された運動（**習得的運動**）の制御にかかわるが，脳幹の運動領域に下行する経路も存在する．下行経路は眼球運動，歩行，咀嚼などの**生得的運動**を制御していると考えられている．これら複雑な伝達系の障害を，臨床的には**錐体外路障害**と総称する．その病態は損傷経路によってさまざまである．

d 小脳

小脳は，大脳の後下部，脳幹の背側に位置し，小脳体（**半球**と**虫部**）ならびに**片葉小節葉**からなる（図1-33）．発生学的に最も古いのは片葉小節葉で，体のバランスをつかさどる前庭神経系からの入力を受ける．小脳虫部は主に脊髄からの入力を受ける．小脳半球は発生学的には最も新しく，ヒトではよく発達しており，大脳皮質からの入力を受ける．また，半球と虫部に存在する中継核（**小**

脳核)から前庭神経核，大脳皮質，赤核などに遠心性の出力が送られる．これらの入出力系の多くは，小脳と脳幹を連結する**小脳脚**を経由する．

このように，小脳は末梢，中枢との複雑な入出力系を介して，平衡，運動，さらに認知機能にさまざまな影響を及ぼしていると考えられている．小脳の機能を以下に大まかにまとめる．

- 片葉小節葉(**前庭小脳**)を中心とした，平衡器からの入力と，眼運動系や前庭神経核を経由する脊髄への出力を介する，眼運動と平衡の調節．
- 小脳虫部(**脊髄小脳**)を中心とした，脊髄からの体性感覚入力と，1次運動野，赤核脊髄路への出力を介する，体幹，四肢筋の緊張の調節．
- 小脳半球(**大脳小脳**)を中心とする，大脳皮質からの多様な入力と，大脳運動皮質への出力，さらに小脳半球から小脳核，赤核，下オリーブ核を介するフィードバックループなどによる，**運動のプランニング**と脳内の**運動モデル**の形成．特に発声発語を含めた熟練運動では，運動のプランニングにより遂行された結果をフィードバックループによって補正する過程が，小脳半球と大脳の相互連絡によって繰り返される結果，脳内に運動モデルが形成され，これが巧緻な協調運動の習得と成熟(**運動学習**)の本質であると考えられている．また，実際に脳機能イメージングを用いた研究から小脳半球が認知機能に関する課題遂行に際して賦活するという研究結果が報告されており，小脳が言語を含めた認知機能に関与していることが推察されている[6]．

B 発声発語器官に関与する基本的な神経学的検査

ここでは，神経疾患の診断で用いられる**筋電図検査**と**画像診断**について述べる．

1 筋電図検査

筋の活動は時系列上にプログラムされ，中枢から末梢に到達する指令の最終出力とみなすことができる．**筋電図検査**は，筋活動に伴う**膜電位**の変化を，筋肉内あるいはその近傍に設置した電極によって記録する検査である．発声発語に関わる多くの筋肉について，電極の刺入と同定の方法が記載されている[7]．喉頭筋をはじめとするこれらの筋肉は，多くが体表から深い部分に存在するため，針電極を使用して目的筋以外の筋電図の誤入を避ける必要がある．また，発話を持続的に行って動作と筋活動の関係を見るためには，有鈎針金電極を用い，電極の位置を安定させたうえで痛みを軽減した導出を行うことが勧められる．

a 導出のしくみ

静止位にある筋線維は細胞内電位が細胞外電位に対して陰性(**過分極**)の状態にある．神経軸索から興奮が伝達され，**神経伝達物質**(アセチルコリン)が放出されると，神経筋接合部付近で膜の透過性が高まり細胞内外の電位勾配が逆転する(**脱分極**)．脱分極の部位は神経筋接合部の膜上から次第に遠位に移動するとともに脱分極を終えた部位は過分極の状態に戻る．筋電図検査は筋肉内に刺入された電極，あるいは皮膚を介して筋の表面近くに設置された電極が，その近傍にある複数の筋線維あるいは複数の神経筋単位の活動を複合電位として記録する．単一の神経筋単位由来の活動が記録される場合は，同期的に興奮する筋線維群の活動が不応期を経て同じパターンで反復する．随意収縮時の筋電図は，多くの場合筋活動に参加する複数の神経筋単位の活動が重複して記録される**干渉波形**となる．

b 臨床適応

末梢運動系で，核における運動細胞の障害，軸索の損傷あるいは断裂，神経筋接合部における伝達物質の枯渇やレセプターの障害，筋組織の変性

などが起こると，障害筋の動作筋電図は，振幅減少や巨大電位といった神経筋単位の波形異常，干渉電位の変化などとして記録される．さらに，顔面神経，反回神経など，体表近くを走行する神経では，刺激に対する**誘発筋電図**によって**神経伝導速度**の計測が行われ，損傷部位の同定，脱神経の程度，予後判定などに利用される．また，上位の伝導路までを含んだ協調運動障害における不随意運動の記録にも筋電図検査は有用である．**図1-34**に深堀ら[8]によって記録された喉頭筋の筋電図所見を示した．2章4節B項（➡80頁）に喉頭筋電図検査の施行法と意味づけが記載されているので，参照されたい．

2 神経系の画像診断

いわゆる単純X線画像診断は，照射方向に沿った物質の放射線吸収率（**減衰率**）の差をコントラストとして表すが，前後に重なる構造を減衰しながら透過するX線の総和が平面上に画像化されるため，内部構造の観察は困難であった．1970年代にコンピュータ断層撮影（computed tomography; **CTスキャン**）が発明されて以来[9]，脳実質の形態や性状を断層画像で表現することが可能になった．CTスキャンでは，多方向からの照射で得られる減衰率をコンピュータ処理することによって，内部にある場所ごとの減衰率を2次元画像上に再構築することができる．CTが内部構造のX線減衰率を画像化するのに対して，磁気共鳴撮像（magnetic resonance imaging; **MRI**）は静磁場下に置かれた水の水素原子が磁場の変動によって電磁波を発生させる現象（**核磁気共鳴**）をコイルで受信するものである．被曝を伴わないこと，さらにX線の減衰率が大きい骨組織で囲まれている神経組織の画像化を精密に行える点では，CTスキャンよりも有利である[10]．

静的な脳の形状，組成だけでなく，活動している脳機能を画像化することを目的として，SPECT（single photon emission computed tomo-

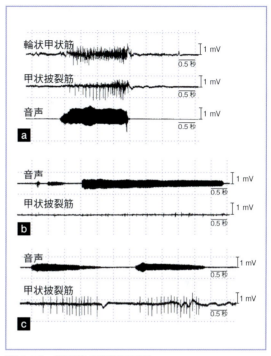

図1-34 喉頭筋の筋電図所見
a：正常波形（甲状披裂筋，輪状甲状筋）：高音の発生に伴って活動し，多くの神経筋単位からの放電が干渉波形を構成する．
b：完全麻痺（甲状披裂筋）：反回神経麻痺により運動ニューロンからの伝達が完全に遮断され，発声による神経筋単位の発射がみられない．不規則で微小な電位は軸索の変性を示すもので，筋線維性電位といわれる．
c：神経再生後（甲状披裂筋）：反回神経麻痺発症1か月後．軸索損傷後の再生による筋線維の再支配がおこることにより，1mV以上の高振幅電位がみられる．高振幅電位は，核レベルでの運動ニューロンの同期的興奮によっても認められることがある．
〔深堀光緒子，他：喉頭筋電図検査．耳喉頭頸 89：383-384, 2017 より〕

graphy），PET（ポジトロン CT；positron emission tomography），機能的MRI（fMRI）などの手法が用いられる．活動状態にある脳組織での血流の局所的増加，あるいは血流増加組織における還元型ヘモグロビンの局所的減少を検出し，CTスキャン，MRI断層画像上に表示するものである．例えば，発話などの課題遂行時に脳のどの部位が活性化しているかを安静時，あるいは病的状態と比較することにより，画像による脳の機能局在が明らかになってきている．

C 発声発語器官に関与する神経疾患の病態

1 発声発語障害と神経系の病態

　構音を司どる神経筋系の障害により発症する発話行動遂行過程の障害を**運動障害性構音障害**[*1]という．運動障害性構音障害の発話の特徴を神経学的病態から記述説明するためにはDarleyら[11]の提唱した運動障害分類に基づいたものが用いられることが多い（表1-3）．すなわち，運動核以下の伝達系ならびに筋の障害を想定したものとして**弛緩性麻痺性障害**，両側あるいは片側運動野からの下行投射の損傷を想定したものとして**痙性麻痺性障害**，大脳基底核群とこれに関連する上行・下行投射の損傷を想定したものとして**運動低下性・運動過多性障害**，小脳とこれに関連する上行・下行投射の損傷を想定したものとして**失調性障害**とする．痙性麻痺性障害の病因を**錐体路障害**，運動低下性・運動過多性構音障害の病因を**錐体外路障害**と包括することが通例である．それぞれの伝達系の障害が単独に近い形で現れるような病態は特定の系統的神経変性疾患などを除いて稀であり，脳血管疾患に代表される多くの神経障害は，複数の病態が混在した**混合性障害**の様相を呈する．以上の分類は，Darleyらの流れをくむメイヨークリニックの学派による「運動障害性構音障害は神経原性の運動障害に由来し，その発話の特徴は，原疾患の病態を反映する」[12]という考えに基づくものであり，発話特徴を原疾患の運動障害から説明しようとする場合には一応の実用性をもつ．しかし前述のとおり，いわゆる錐体路系，錐体外路系，さらに小脳系の運動制御は，相互の情報交換，大脳，末梢への双方向性の投射，さらに感覚系や高次脳機能との関連により成立しており，範疇化したパタンとして個別には記述しきれないものであることに注意する必要がある．以上を念頭においたうえで，表1-3の分類に従ってこれらの障害の症状を整理する．

表1-3　運動障害性構音障害をきたす疾患の種類とその病変部位

障害のタイプ	障害部位
弛緩性麻痺性障害 　核性：球麻痺 　末梢性：重症筋無力症を含む	二次（下位）運動ニューロン
痙性麻痺性障害 　両側性：偽性球麻痺 　片側性：一側性上位運動ニューロン性構音障害	一次（上位）運動ニューロン
運動低下性障害 　パーキンソン症候群 運動過多性障害 　急速型（舞踏病） 　緩徐型（ジストニアほか）	錐体外路系 　黒質あるいは連絡路 錐体外路系
失調性障害	小脳あるいは小脳路
混合性障害 　痙性＋弛緩性障害 　　筋萎縮性側索硬化症 　痙性＋失調性＋運動低下性 　　多系統萎縮症ほか 　不定型 　　多発性硬化症	複数の系 上・下位運動ニューロン 線条体・黒質・小脳・脳幹 視神経などに脱髄の多発

Darleyら[11]の提唱に基づいて廣瀬[13]が整理したもの
〔廣瀬 肇：運動障害性構音障害の分類．廣瀬 肇，他：言語聴覚士のための運動障害性構音障害学．pp86-87，医歯薬出版，2001より改変〕

a 末梢の運動系の障害（弛緩性麻痺性障害を起こす病態）

　1章3節A項（→27頁参照）でまとめた，運動核とこれに支配される運動単位（軸索，神経筋接合部，筋肉）の損傷による運動障害について述べる．表1-3では，これを**弛緩性麻痺性障害**とまとめている．核，軸索，筋肉の障害が含まれているが，これらが一括して範疇化される理由は，損

[*1] 運動障害性構音障害に相当する英語はdysarthriaである．本邦でこの病態の呼称については過去に混乱があり，学派によって運動障害性構音障害，麻痺性構音障害，dysarthria，ディサースリアなど，さまざまによばれている．いずれも，神経筋系の異常による運動遂行過程の障害を指すことばであり，運動プログラミングのレベルの障害である発語失行とは区別される．

傷を受けていない運動系において，運動核にある神経細胞の興奮は，その支配する神経筋単位に属する筋線維群の同期的収縮と同義だからである．以下の病態が考えられる．

- **核における運動神経細胞の障害**

ポリオや水痘・帯状疱疹ウイルスなどの神経向性ウイルスが運動核の限局性障害を起こすことがある．その他脳神経については脳幹部の微細な梗塞により核内の運動ニューロンプールが障害された場合（球麻痺），脊髄神経については，外傷などによる脊髄損傷で前核が障害される場合などがこれに当たる．

- **軸索の損傷あるいは断裂**

外傷や悪性腫瘍の浸潤による損傷，断裂がある．脳神経については，核を出たあと，支配筋までの走行経路に，頭蓋内，頭蓋外でさまざまな損傷の可能性がある．特に頭蓋底で走行経路の近接する神経根が腫瘍などの局在性病変により圧迫，浸潤を受ける場合には，片側性の多発性根神経障害の病像を呈する．発声構音にかかわる病態では頸静脈孔腫瘍などによる舌咽・迷走・副神経障害（頸静脈孔症候群）が有名である．さらに，神経向性ウイルスでは軸索とその吻合を介し，上行性下行性の伝播による障害が起こる．以上は左右の軸索が解剖学的に離れて走行することから片側性の場合が多いが，Guillain-Barrè症候群のように神経アレルギーを背景とする多発性の神経炎では，複数の神経根の関与する両側性障害が起こりうる．

- **神経筋接合部の障害**

重症筋無力症は神経筋接合部のレセプターが自己抗体により攻撃される自己免疫疾患で，運動の持続により脱力が増悪する**易疲労性**が特徴である．頭頸部の筋にみられる初発症状として眼瞼下垂が有名であるが，鼻咽腔閉鎖不全による開鼻声で初発する例がある．

- **筋疾患**

筋ジストロフィーは遺伝性の進行性筋変性症の総称で，さまざまなタイプに分けられる．そのほかに，薬剤性ミオパチーや甲状腺疾患など内科疾患に伴うもの，自己免疫機序による筋炎などがある．

末梢の運動系の障害で特徴的なのは，障害された運動系に属する筋の脱力である．この結果，運動範囲や速度の制限，筋緊張の低下，反射の減弱などが起こる[13]．症状は障害筋が所属する運動系に限局して出現し，脱力筋のかかわる発声構音動作に特異的な動作の弱化による音の歪みに帰結する．脱力が広範にわたり高度であれば，音の省略，話速低下，韻律障害が顕著となる．

b 運動野から下行投射の障害（痙性麻痺性障害を起こす病態）

1章3節A項（→ 29，30頁参照）でまとめた伝達系の損傷による運動障害について述べる．**表1-3**ではこれを**痙性麻痺性障害**とまとめている．

呼吸筋などを支配する脊髄神経では，運動野からの投射は片側性で，頭蓋内で交差したのち対側の脊髄前角に達する．これに対して，発声発語運動に多くかかわる脳神経については，運動野からの投射は多くが両側性であり，わずかに下部顔面と舌のみが，対側の運動野から優位の支配を受ける．脊髄神経支配領域において，1次運動野あるいは1次運動野からの出力が多く通る内包の障害では，障害の反対側で随意収縮時の脱力とともに筋緊張の増加と深部反射の亢進を伴う運動障害が起こる．これを**痙性麻痺**という．痙性麻痺における筋緊張の増加と深部反射の亢進は臨床的には**錐体路徴候**とよばれるが，これに関与するのは運動野に発し内包を通る線維のうちで，錐体を通らない伝達系である〔1章3節A項（→ 30頁）参照〕．翻って，脳神経支配領域ではどうだろうか．核上性の障害で起こる支配筋の脱力を想定した病態を，**仮性球麻痺**という．脳神経核は多くが両側運動野からの投射を受けていることから，核よりも中枢の障害で支配筋が脱力し運動を停止するためには，両側運動野からの投射が左右対称性に遮断されなければならない．このように運動野の体部

位限局性を再現した支配筋の脱力が純粋な形で起こる状況は，両側皮質運動野の該当領域に限局した左右対称性の損傷を想定する以外では難しい．多くの場合，いわゆる仮性球麻痺とされる病態は，脳血管疾患などによる多発性の中枢神経障害でみられ，運動野からの投射経路が左右で障害されることによる脳神経領域の両側性で広範な運動障害と過緊張に加えて，損傷部に包含された大脳基底核ループや小脳系伝達路障害をも合併し，複雑な様相を呈する．また，片側運動野からの投射のみが障害された場合にも，その支配は両側に達することから，同様に両側脳神経領域の過緊張と深部反射亢進を伴う運動障害が起こりうる．この場合，優位性支配のある反対側の下部顔面と舌が対称性を逸脱して片側性に脱力する．Duffy[12]は片側障害による痙性麻痺性構音障害を仮性球麻痺と分けて，**一側性上位運動ニューロン性構音障害（unilateral upper motor neuron dysarthria；UUMND)** として記述したが，その本質はやはり両側に至る皮質核路の障害であり，痙性麻痺の病態として矛盾しない．

痙性麻痺性構音障害をきたす病態としては，脳血管疾患のほかに，筋萎縮性側索硬化症などの運動ニューロン疾患に代表される神経系の変性疾患がある．運動ニューロン疾患は，運動野から末梢神経までの運動ニューロンが系統的に障害される疾患で，多くの場合弛緩性麻痺と痙性麻痺の混合した運動障害を呈するが，核上性の障害に限局するタイプがある（原発性側索硬化症）．

痙性麻痺性障害の構音の特徴は，脱力よりもむしろ，筋緊張亢進を伴う協調運動の障害として特徴づけられる．すなわち多器官にわたり時系列上に組み上げられた精密な発話協調運動の調節がうまくいかなくなる．多くの場合開鼻声を伴うが，弛緩性麻痺による鼻咽腔閉鎖不全と異なり，軟口蓋の萎縮はみられず，嚥下動作などの生得的な運動では鼻咽腔閉鎖が保たれている場合が多い．喉頭においても披裂軟骨の運動停止はみられず，刺激に対する過緊張が，強すぎる声門内転として現れたり，発声時の努力性発声がきかれたりする．目的とする構音動作が適切に行えないことによる音の歪みに加え，話速の低下や韻律，リズムの障害が起こる．刺激によって情動に反した急な泣き，笑いの発作が誘発される**感情失禁**は，仮性球麻痺に合併する症状として報告されるが，これは皮質核路の遮断に直接由来する症状ではなく，大脳基底核などから皮質への上行投射が関与する随伴症状であると考えられている[14]．

C 大脳基底核（錐体外路）疾患（運動低下性・運動過多性障害を起こす病態）

1章3節A項（→31頁参照）でまとめた伝達系の損傷による運動障害について述べる．表1-3ではこれを**運動低下性障害**ならびに**運動過多性障害**としており，本項ではまとめて**大脳基底核疾患**とよぶ．大脳基底核疾患は，臨床的には**錐体外路疾患**とよばれることが多い．これは，錐体路に代表される皮質から運動核への下行投射とおなじように，大脳基底核からも下行性運動伝達経路が活動しているという想定に基づいたものであるが，前述のように，大脳基底核からの出力の多くはループをつくって大脳皮質にもどることがわかってきた．したがって，錐体外路疾患ということばを臨床で用いる際には，その伝達系が実体としては存在しないことを理解しながら，損傷部位と症状を考えることが必要である．運動低下性障害にはParkinson（パーキンソン）病とその類似疾患（パーキンソニズム），運動過多性障害には，ジストニア，アテトーゼ，Huntington（ハンチントン）病，ヘミバリズムなどが含まれる．これらを運動量の低下，亢進と併せ，筋緊張の低下，亢進の軸を加えて分類すると，図1-35のようになる[15]．このなかで，発声発語障害の臨床と関連の深いParkinson病とジストニアについて解説する．

1）Parkinson病，パーキンソニズム

Parkinson病は黒質緻密部のドーパミン作動性ニューロンが脱落し，線条体へ向かう促通性，な

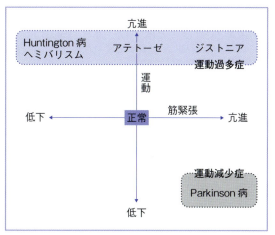

図 1-35 大脳基底核疾患の分類
縦軸は運動量を，横軸は筋緊張を表す平面状に，大脳基底核疾患をプロットして分類した．
〔南部 篤：大脳皮質運動野と大脳基底核．本間研一（監修）：標準生理学，第 9 版．p387，医学書院，2019 より〕

表 1-4 ジストニアの臨床症状

臨床症状	特徴
定型性	運動のパターンは患者ごとにさまざまだが，個々の患者では一定で変転しない
動作特異性	特定の動作や環境によって症候が出現したり増悪したりする
感覚トリック	特定の感覚刺激によって軽快，増悪する
共収縮	ある動作の担当筋と同時に動作拮抗筋が収縮する

らびに抑制性の入力が減弱することにより起こる〔1 章 3 節 A 項図 1-32（➡ 31 頁）参照〕．代表的な運動症状は，**無動**，**寡動**（運動開始ができない，運動の大きさ，速さが減少する），**振戦**（安静時の周期的なふるえ），**固縮**（筋緊張の亢進）などである．姿勢や歩行の異常，抑うつなどの精神症状を伴う．特発性の Parkinson 病のほかに，向精神薬をはじめとするさまざまな薬剤で Parkinson 病類似の症状が誘発されることが知られており，**パーキンソニズム**と総称される[16]．

Parkinson 病による発声発語障害では，発話の音量低下と，発話持続とともに音量がさらに小さくなっていく**デクレッセンド発声**などに代表される声の障害が特徴である．声の強さ高さの変化幅が減少する結果，抑揚に乏しい発話の印象を与える．話速の低下は顕著ではなく，むしろ早口の印象を与えることが多い．これらは，寡動，固縮による発話運動の制限を反映しており，表情の乏しさ（**仮面様顔貌**）とあいまって，無表情で単調と表現される本疾患の発話特徴を形成している．

2）ジストニア

ジストニアは「中枢神経系の障害に起因する不随意で持続のやや長い筋収縮で生じる症候」[17]と定義される不随意運動を特徴とする．表 1-4 に示すとおり，ある動作や環境に特異的に（**動作特異性**），定型的なパタンをもった（**定型性**）非合目的的な動作筋の不随意収縮が反復する．特定の感覚刺激によって症状が軽快したり増悪したりする（**感覚トリック**）．場合によっては動作拮抗筋の**共収縮**を伴う．喉頭筋を標的として発声障害を起こす場合を**痙攣性発声障害**という．発話に際して声のつまり，途切れ，ふるえ，失声などが正常な音声に混在して現れ，発話明瞭度が低下する．また，構音器官，特に舌筋を標的とし，発話中に不随意に舌が突出してくる病態を，**舌突出症（口舌ジストニア）**という．いずれも，特定の動作以外では症状に乏しいことや，情動や環境で症状が変動することから，この疾患に対する理解をもって評価にあたらなければ心因性の反応と誤診される可能性がある．標的筋が両下肢とそれ以外の体部位を巻き込む**全身性ジストニア**では，体幹四肢の緩徐でねじれるような不随意運動による姿勢異常をきたす．

d 小脳疾患（失調性障害を起こす病態）

1 章 3 節 A 項（➡ 31 頁参照）でまとめた伝達系の損傷による運動障害について述べる．小脳の機能欠落によって起こる臨床症状を**小脳性運動失調**（表 1-3 における**失調性障害**）と総称する．片葉

小節葉の障害を反映した眼球運動と身体バランスの障害(**平衡障害**),小脳虫部,特に小脳核からの興奮性出力の障害を反映した**筋緊張低下**とともに,小脳を含む神経回路によって形成される**運動モデル**の障害により,習得的な熟練運動の障害が起こる.発話を含めた巧緻性を要する運動の協調障害は,その遂行レベルだけでなく,学習によって成立する運動モデルの障害が背景にあると説明されている[18].つまり時間的,空間的な到達目標への**測定障害**に加えて,プランニングされた運動に対する感覚フィードバック(発話行動を例にとれば体性感覚や聴覚を介するフィードバック[19])を利用した**誤差補正の不良**によって,円滑で正確な運動が妨げられるものである.

失調性障害の発話は,構音動作の協調障害による語音の歪みが浮動性をもって現れるとともに,抑揚,リズム,話速などの**超分節的特徴**(**プロソディ**)の異常に特徴づけられるとされてきた.古典的には,声の強さの過剰な変動とともに,単語ごと,音節ごとに区切って「韻を踏むような」発話(**断綴性発話**,**scanning speech**)[20]と記載されている.発話における音節長,単語長の乱れや,単音節繰り返し課題におけるリズムの不整が顕著で,話速は低下しているという報告が多い.これら,発話のタイミングに関する異常は,やはり単に運動調節の障害と考えるよりは,運動プランニングと感覚フィードバックを用いた誤差補正の障害と考えるほうが説明しやすい.失調性構音障害を呈する病巣の局在については,脳機能画像や,神経回路シミュレーションを用いた発話モデル研究からさまざまな仮説が提唱されているが,確定的なものはなく,おそらく多元的な病態であり,症状にもサブタイプが想定できると考えられている[18].

引用文献

1) 廣瀬 肇(訳):ことば,言語,思考.Rahael LJ,他(著),廣瀬 肇(訳):新ことばの科学入門,第2版.pp3-16,医学書院,2008
2) 吉田義一:発声・嚥下を司る中枢神経支配—疑核を中心として.音声言語医 41:95-110, 2000
3) Leonard CT, et al:The neuroscience of human movement. Mosby, 1997
4) Penfield W, et al:Somatic motor and sensory representation in the cerebral cortex of man as studied by electrical stimulation. Brain 60:389-443, 1937
5) Lawrence DG, et al:The functional organization of the motor system in the monkey. 1. The effects of bilateral pyramidal lesions. Brain 90:1-14, 1968
6) Nagahama Y, et al:Cerebral activation during performance of a card sorting test. Brain 119:1667-1675, 1996
7) Hirose H:Electromyography of the articulatory muscles:Current instrumentation and technique. Haskins Laboratories Status Report on Speech Research SR 26:73-86, 1971
8) 深堀光緒子,他:喉頭筋電図検査.耳鼻咽喉頭頸 89:380-385, 2017
9) Hounsfield GN:Computerized transverse axial scanning(tomography). 1. Description of system. Br J Radiol 46:1016-1022, 1973
10) 定藤規弘:非侵襲的脳機能画像法の歴史と原理.日生誌 65:132-138, 2004
11) Darley FL, et al:Differential diagnostic patterns of dysarthria. J Speech Hear Res 12:246-269, 1969
12) Duffy J:Motor speech disorders. Mosby, St Louis, 1995
13) 廣瀬 肇:運動障害性構音障害の分類.廣瀬 肇,他(著):言語聴覚士のための運動障害性構音障害学.pp86-100,医歯薬出版,2001
14) Wang G, et al:Clinical Features and Related Factors of Poststroke Pathological Laughing and Crying:A Case-Control Study. J Stroke Cerebrovasc Dis 25:556-564, 2016
15) 南部 篤:大脳皮質運動野と大脳基底核.本間研一(監修):標準生理学,第9版.p387,医学書院,2019
16) 厚生労働省:重篤副作用疾患別対応マニュアル 薬剤性パーキンソニズム.厚生労働省,2006
17) 目﨑高広:ジストニアの病態と治療.臨神経 51:465-470, 2011
18) Spencer KA, et al:The neural basis of ataxic dysarthria. Cerebellum 6:58-65, 2007
19) Guenther FH:Cortical interactions underlying the production of speech sounds. J Communic Disord 39:350-365, 2006
20) Charcot JM:Lectures on the diseases of the nervous system. New Sydenham Society, London, 1877

4 音声の産生と知覚

学修の到達目標
- 音声の生成と知覚および加齢変化について説明できる．
- 日本語の音韻・構音の産生と知覚について説明できる．
- 日本語の音韻・構音の発達と加齢変化について説明できる．

A 音声の産生と知覚，加齢変化

1 音声の産生と知覚

ことばとしての音響的特徴をもった音声が産生される過程では，肺からの呼気流を駆動力とした声帯振動による喉頭原音の生成と，構音器官による共鳴や雑音の付与が連結的に働く．これは，呼気エネルギーを音響エネルギーに変換し，さらに構音操作によって周波数特性を変化させるというエネルギー変換の過程である．母音生成を例にとって，声帯音源が変容する様子を図示した[1]（図1-36）．図の流れに沿って，音声の産生機構と音響の関係を考える．

a 声帯音源の生成

振動体としての声帯の構造は，**声帯靱帯**に包まれた甲状披裂筋内側部（**声帯筋**）を芯（**body**）として，その表層を薄い粘膜上皮と柔らかい粘膜固有層浅層〔Reinke（ラインケ）腔〕が覆う（**cover**）という層構造をなしている[2]（図1-37）．声門閉鎖筋の活動によって左右声帯が近接した状態にあるとき，呼気流が狭い声門間隙を通過すると，ここで速度を増した気流と，粘弾性をもつ声帯との相互作用によって，声帯は互いに引き寄せられるように閉鎖し，閉鎖に伴う気流停止で声門下圧が上昇することによって再び吹き広げられるように開大するという周期を繰り返す．振動している声帯の開大閉鎖は，振り子のように平面を行き来する単純な振動ではなく，bodyの表面に，声門下から上昇して声門上を外側に向かう**粘膜波動**が重なる（図1-38）．気流のエネルギーにより励振される声帯の振動特性は，内喉頭筋によって調節される声帯の物理的特性（緊張度，有効質量，弾性など）に，呼気流が作用することによって決定される．生成された喉頭音源は，**基本周波数**とその整数倍の**倍音**から構成され，高域に向かって約12 dB/octの割合で減衰する特性をもつ周期的複合音（パルス音）であり，語音として弁別しえない音響信号である．聴覚的に知覚される「声の高さ」は，声帯振動の基本周波数によって定まる．

b 附属管腔の作用

喉頭から口唇，鼻孔に向かって連なる附属管腔（**声道**）は，共鳴腔として作用するとともに，破裂音，摩擦音などの非共鳴性子音で雑音音源の生成を行う．

共鳴腔としての附属管腔の働きは，顎，口唇の開きと舌の位置形状の変化によって，音声にそれぞれの形状特有の共鳴ピークを与えること，鼻咽腔の閉鎖，開放によって，鼻腔共鳴の調節を行うことなどである．その生理的なしくみは1章1節E項（➡11頁），1章1節G項（➡14頁）に述べた．これを音響的にみると，高域に向かって単純に減衰する倍音構造をもつ喉頭原音が，共鳴特性をもつ声道という音響フィルタに放射されることに

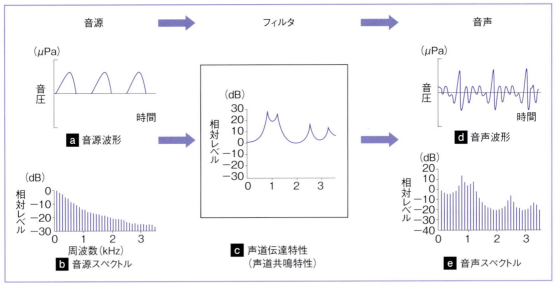

図 1-36 母音生成の音響的過程
喉頭音源は，基本周波数とその整数倍の倍音から構成され，高域に向かって約 12 dB/oct の割合で減衰する特性をもつ．これが声道に放射すると，声道の形態によって決定される伝達特性が付加される結果，母音の音響を特徴づける共鳴ピーク（フォルマント）をもつ音響となる．詳しくいえば，母音生成までの伝達特性には，附属管腔による共鳴と鼻腔による反共鳴，口唇からの放射特性が重畳されている．
〔今泉 敏：音声の音響的特徴．今泉 敏（編）：言語聴覚士のための基礎知識 音声学・言語学．p48-60，医学書院，2009 より〕

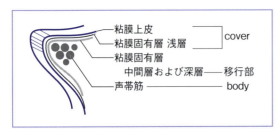

図 1-37 声帯の層構造（body-cover theory）（断面図）
声帯の構造は表層から，粘膜上皮，粘膜固有層，甲状披裂筋内側部（声帯筋）が重なる組織である．振動体としてのふるまいを考えた場合，深層にある声帯筋が声帯の芯（body）として振動し，粘膜上皮とその直下にある粘膜固有層浅層は声帯を覆う cover として，body とは別の様式で振動する．cover では，振動周期ごとに声門下から上昇して声門上を外側に向かう粘膜波動が起こる．粘膜固有層中間層ならびに深層は膠原線維に富む声帯靱帯を構成し body と cover の移行部となる．このような層構造をもつ声帯が振動による開閉で気流を断続させることによって喉頭音源が生成される．
〔Hirano M：Morphological structure of the vocal cord as a vibrator and its variations. Folia Phoniatr 26：89-94, 1974 より改変〕

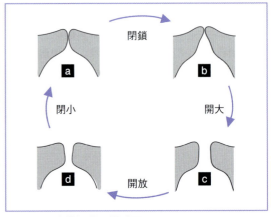

図 1-38 声帯振動の模式図
a, b：閉鎖期：両声帯は閉鎖したまま声門下圧によってその接触部分が上昇し，水平方向に開きはじめる．
c：最大開大期：遊離縁上端（上唇）が開大を続け，遊離縁下端（下唇）は開大をやめて閉小に転じる．
d：閉小期：下唇が上昇しながら近づいて接触，閉鎖に向かう一方，上唇は，下唇より遅れて閉小しはじめる．
〔本多清志：発声と構音．本間研一（監修）：標準生理学，第 9 版．p402，医学書院，2019 より〕

よって，フィルタの共鳴ピークに近い周波数帯は増強され，反共鳴ピークに近い周波数帯が吸収されるということである．母音の種類によって異な

る声道の形状と，これによって決定される共鳴の変化を図 1-39 に示した[3]．結果として音声は，声道の伝達特性を反映したピークをもつことにな

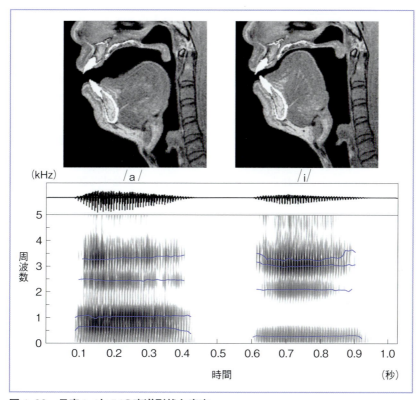

図 1-39　母音/a/と/i/の声道形状と音声
上段はMRI画像による声道の正中矢状断面./a/では，顎が開き，舌が後ろ下に位置するため，口腔が広く，咽頭が狭くなる./i/では/a/に比べて顎の開きは小さく，舌は前方で高い位置にあるため，口腔が狭く，咽頭が広くなる．中段は音声波形，下段は縦軸に周波数をとり，共鳴の強い周波数を濃い帯で示したスペクトル表示（サウンドスペクトログラム）./a/では 500～1,000 Hz に第1，第2フォルマントが近接しているが，/i/では，第1フォルマントは/a/より低く，第2フォルマントは 2,000 Hz 付近の高い位置にある．このような音響的特徴は，声道形態の変化による伝達特性の変化によってもたらされ，聴覚的弁別の手がかりとなる．
〔本多清志：発声と構音．本間研一（監修）：標準生理学，第9版．p406，医学書院，2019 より〕

る．声道の共鳴周波数を**フォルマント周波数**という．フォルマント周波数は，低域から順に第1，第2……とよばれ，特に第1～3フォルマントの相対的な関係が，母音の識別に重要な聴覚的手がかりを与える．また，3 kHz 以上の比較的高域のフォルマントは，下咽頭腔の共鳴特性を反映して，歌声の響きなどに関与するといわれる[4]．

破裂音，摩擦音などの非共鳴性子音は，声道のせばめを通過する気流によってつくられる雑音が音源となる．非共鳴性子音を音韻体系のなかで範疇化する手がかりは，どこで（**構音点**），どのような操作を行って（**構音様式**）音がつくられるのかという点と，子音構音のタイミングで声帯音源が発生しているか，停止しているか（**有声性，無声性**）にある．構音点は声道内で最も狭くなる場所と考えてよく，子音構音では気流に対する抵抗となる．構音様式については，構音点を閉ざしていったん気流を停止させてから開放する（**閉鎖**または**破裂**），せばめの間に気流を持続的に通過させる（**摩擦**），破裂の直後に摩擦を続ける（**破擦**）などがある．声帯振動とのタイミングの例を挙げると，例えば口唇破裂音から始まる音節/pa//ba/では，口唇の閉鎖と開放によって，破裂音がつくられるが，子音生成と声帯振動開始の時間的関係によって，無声，有声の出し分けが行われる．

2 音声の加齢変化

声帯の加齢変化については比較的よく調べられている．加齢によって声帯は，粘膜ならびに粘膜下組織の萎縮，筋肉の萎縮，弾性線維の減少などが起こり，高度の場合には，声帯全体の痩せが起こる結果，弓なり状に弛緩し声門閉鎖不全を呈する．このような状態を**加齢性声帯**(presbilarynx)とよび，男性に起こりやすいといわれる．一方女性では浮腫性の変化が起こる傾向があるといわれ，高齢者の話声位は，男性ではやや高めに，女性では低めに変化する傾向がある．声帯の加齢性変化の背景については，Satoら[5]によれば，声帯膜様部の前端と後端に存在する**黄斑**という構造が，声帯の層構造を維持するための声帯の細胞外マトリクスの代謝に深くかかわっており，加齢によって，機能低下が起こるという．また，女性では閉経に関連した女性ホルモンの変化が声帯の浮腫性変化につながるといわれる[6]．

発話の加齢については，声帯よりも複雑である．呼吸，発声，構音筋の筋力低下，構音器官の萎縮変性，さらに，末梢中枢神経系の変性や血管性変化などの影響が加重されて「老人のしゃべりかた」を形づくっているものであろう．

B 日本語の音韻・構音と音声知覚

1 日本語の音韻

日本語には，どのような音声が観察されるか，そしてその音声には，どのような機能やしくみがあるのか．この章ではこうした音声や音韻に関する基本的な知識を「音声学」や「音韻論」に関連づけて解説する．

音声学や**音韻論**は，言語音について詳しく研究する学問であり，両者は密接な関係をもっている．音声学は，あらゆる自然言語を通して，ヒトが声道を使って作り出せる音全体を研究する．音声学からみた音の研究には，主に3つの分野がある．話し手が，声道という限られた空間を使ってどのように音声を産生するかについては**調音音声学**(**生理音声学**)，音声の音響特性の物理的分析は**音響音声学**，そして音声がどのように聞き手に知覚されるかについては**知覚音声学**(**聴覚音声学**)で取り扱われる．調音音声学は，発声発語器官を動かして音声を発する**調音**(articulation)について研究する．言語障害など医学的分野では**構音**という．

これに対し音韻論は，音声学的に観察された音声をもとに，言語メッセージを構成する音の機能的単位やしくみ，体系といった抽象的なレベルを研究する．「音韻」とはこうした音のしくみや単位の総称である．日本語や中国語，英語など個別の言語(以下，個別言語)にはそれぞれの音韻体系がある．

a 言語の単位と「音」の記録

発話は時間軸に沿って順次，実現していく連続的な音声現象であるため，それを区切って観察するにはなんらかの切れめに注目する必要がある．発話全体の構成要素をどのように区切るかという視点によって区切られる単位が変わってくる．発話を統語や意味のまとまりで区切ると，文や句のような**言語単位**に分けられる．文や句は，さらに小さな単語や形態素といった要素で構成されている．**形態素**とは，これ以上小さく分けると意味をもたなくなる最小の言語単位のことである．また，視点を変えて音韻的な区切り方をすると，音節やモーラといった単位が観察される．これらは，**韻律単位**とよばれる．このように言語を，ある基準に基づいて区切ることを**分節化**といい，分けられた単位を「**分節レベルの単位**」という．

音声学的に分節化される最小の単位とは，母音や子音のような**単音**(sound)である．

これに対して音韻論では最小の分節レベルの音韻的な単位として**音素**(phoneme)を仮定してい

る．音素は，それ自体では意味をもたないがほかの音素との差異によって意味の違いをもたらす働きをもつ．個別言語はそれぞれ音素体系をもっている．音声学的に観察された2つの音が，日本語では区別されても，ほかの言語（例えば英語）では区別されない場合もあるし，その逆もある．音声学では，音の違いについて詳しく書き分けていくが，音韻論的な見方をすれば，意味の違いにかかわらない音の違いについては区別せずに1つの音素としてとらえる．

こうした音のとらえ方の違いに基づき，音声を表記するときには[　]に入れて表し，音素を表記するときは/　/に入れて表す．音声学では必要に応じて異なる音は異なる記号で書きとめるのに対して，音素は互いに意味を区別する働きのない音をひとまとめにして書き表す．

ある言語で，複数の音が観察されたとする．音声学的には違う音でも別々の音素とは限らない．日本語の例では「ハ」「ヒ」「フ」に現れる[h][ç][ɸ]という単音は調音点が異なる無声摩擦音で音声学的には異なる音だが，後続母音との関係でそれぞれ現れ方が決まっている．違う音だが似ていて，現れ方も決まっていることから，これらの音のもとは同じだろうと推論される．つまり音声学的に異なった音だが，音韻論的には同じ音素と考え，音素/h/と表現される．[h][ç][ɸ]は出現する条件が決まっているので，音素/h/の**条件異音**と呼ばれる．異音には，ほかにも出現する条件が決まっていない**自由異音（自由変音）**とよばれるものもある．音素/h/の具体音には[h][ç][ɸ]の3つの単音だけでなく[ɦ][x][χ]なども現れる．このように音声は，実際にはさまざまな具体音が観察される．

臨床で「音」を記録するときには，分節音であれば，後述する**国際音声記号**（International Phonetic Alphabet；IPA）[7]など体系化された音声記号を使用することが多い．記録の仕方は約束事なのでさまざまな書き方があってもいいが，ここで述べたような音声と音素の書き分けに沿うとしたら，無声口唇摩擦音[ɸ]の産生を目標とした訓練の記録であれば，目標音/ɸ/と書くのではなく目標音[ɸ]と書くことになる[8]．

b 日本語の音素

日本語には日本語の音素体系がある．日本語の音素の数はいくつかの見解があるが，ここではその一例として，母音音素，子音音素，半母音音素，特殊音素があるという立場のものを紹介する．

- 母音音素　　/a/　/i/　/u/　/e/　/o/
- 子音音素　　/k/　/s/　/t/　/n/　/h/　/m/
　　　　　　/r/　/g/　/z/　/d/　/b/　/p/
- 半母音音素　/y/　/w/
- 特殊音素　　/N/　/Q/　/H/

特殊音素とは，撥音/N/，促音/Q/，長音/H/（引き音）に該当し，単独では現れない．

引き音は/R/で表されることもある．

音素は抽象的な音韻単位であり，それぞれの音素はほかの音素との差異によって意味の対立を生み出す働きをもっている．例えば，/sai/（差異）と/tai/（鯛）という2つの単語は，1か所/s/と/t/が違うだけで意味の違いをもたらしている．このようなペアを**最小対（ミニマルペア）**といい，個別言語にどのような音素があるのか調べる手立てとして活用される．また，/tai/（鯛）と/kai/（貝）という最小対もあることから，日本語には/k/という音素もあるだろうと考える．音素はほかの音素との違いによって網の目のように関係しあう体系をつくっている．個別言語にどのような音素があるのか調べるには，このような最小対を調べたり，観察された音声が出現する分布や音声的類似をもとに分析される．

c 日本語の韻律単位（音節，モーラ，フット）

音節（syllable）は，母語話者がひとまとまりに認識する韻律単位である．1つの母音が，中心となりその前後にいくつかの子音を従えてまとまりをなす．聞こえやすさの程度から音節をとらえる

考え方や，調音器官の緊張と弛緩の繰り返しから音節をとらえる考え方などがある．子音で終わる音節を**閉音節**，母音で終わる音節を**開音節**という．短母音をV(vowel)，子音をC(consonant)と記号化すると，音節は，V，CV，CVCのように表記できる．日本語の音節構造は，CVが基本であり開音節言語といわれる．

現代日本語ではCV以外の構造も許容している．撥音「ン」，促音「ッ」，長音「ー」などがVやCVに続く場合は1音節とみなされる．音節としてまとまって聞いたときに感じる重さの印象から，軽音節，重音節，超重音節という区別もできる．

モーラ(mora)とは長さを基準とした感覚的で時間的な**韻律単位**である．モーラは拍と訳されることがある(同義ではないという指摘もある)．1モーラは，短母音Vまたは，子音Cと短母音Vからなる短い音節1つ分の長さに相当する．物理的に測定した場合には等価ではない．前述した音節の解説ではVとCのみに単純化して構造を見やすくしたが，ここでは説明のために次のような記号で表す．

- 短母音V，子音C，半母音S
- 拗音y
- 撥音N，促s音Q，長音H

自立モーラは単独で現れて1モーラ1音節として数えられる．自立モーラには4つの組み合わせパターンがある．例えば「お役所(オヤクショ)」/oyakusyo/[ojakuɕo]という語には4つのパターンが含まれている．

「オ」/o/[o]；短母音V，
「ヤ」/ya/[ja]；半母音S＋短母音V，
「ク」/ku/[ku]；子音C＋短母音V，
「ショ」/syo/[ɕo]；子音C＋拗音y＋短母音V

自立モーラに接続した促音Q，撥音N，長音Hは，それぞれ自立モーラと同じ長さをもつが単独では現れず，自立モーラに連結して現れるため**付属モーラ**とよばれる．

- 自立モーラ＋促音Q，「はっぱ」
- 自立モーラ＋撥音N，「パン」
- 自立モーラ＋長音H，「プール」

これらは，例に挙げた単語の下線部のように1音節で2モーラ分の長さをもつ．このことからわかるように，ことばの音節数とモーラ数は同じではない場合も多い．

フット(foot)はリズムに関連した韻律単位である．強勢リズムの言語には，ストレスのある音節がほぼ等間隔で繰り返される音韻現象がある．このようにストレスのある音節とストレスのない音節とからなる等時的なひとまとまりをフットという．日本語の東京方言はモーラリズム言語といわれているが，数字を10まで数えるときに，「いち，にー，さん，しー，ごー」のように，1モーラの数字を引き伸ばして発音する様子が観察される．こうした2モーラでひとつのまとまりのような音韻現象があることから，モーラ，音節とは別に，フットという韻律単位があるのではないかといわれている．

d 日本語の韻律(プロソディ)

分節音が連なって，文や単語や音節を作り出すときに起こる**抑揚**，**リズム**，**アクセント**，**ポーズ**，**テンポ**，**強調**などの要素のことを**韻律**(プロソディ)という．これらはすべての発話に含まれている要素であり，モーラ，音節，形態素，語，文に影響を及ぼす．このように分節にまたがって働く韻律には，話しことばを自然に感じさせる多くの特徴があり，発声発話障害の評価においても重要な観察項目となっている．

ここでは，韻律のなかで，アクセントについて述べる．**アクセント**は大別してストレスアクセントとピッチアクセントというタイプがあり，現代共通日本語(東京方言)はピッチアクセントであり，高低が「語」ごとに決まっている．語をモーラに分けて発音してみると高低が観察できる．アクセント核は次のモーラの高さを低くする働きがある．その働きがない語は，無核である．「歯」と「葉」は1モーラ語で単独で発音したときにはわからないが，「歯がいたい」「葉がしげる」のように

「が」をつなげて音の高低を観察すると「歯が」は高低，「葉が」は高高という違いがある．そこで「歯」はアクセント核があり，「葉」にはないとわかる．

言語聴覚士が評価や訓練を担当する方々はさまざまな方言を話しているはずである．多様な方言がもつ韻律に関心をもつことは，相手の話しことばの自然さを知る手がかりとなる．

2 日本語の構音

a 音声記号

話し手は，音韻知識に基づいた音韻情報を，**運動指令**(motor command)に変換し，声道の形を変えたり発声発語器官を協調して動かすことによって調音する．心的で抽象的な音韻知識や，運動指令への変換といった過程は，直接観測することはできないが，実際に語音として運動実行された調音は，**調音音声学的視点**から観察された母音や子音，撥音，促音，長音などとして記述することができる．それらの音の記述に用いられるのが**音声記号**である．音声分析では，音声が分節の連なりとして記述できること，そして個々の分節は調音操作(位置や様式など)によって特徴づけられることを前提としている．音声記号を用いることで，実際には複雑で動的な変化をする音声現象を非常に簡便に記述することができる．

国際音声記号(IPA)はあらゆる言語の音声を文字で表すために国際音声学会が定めた記号で，1888年に設定されてから，改正されながら現在に至る．IPAでは，言語音を「**分節音**」と「**超分節音**」に分ける．「分節音」は「**母音**」と「**子音**」に分けられる．「子音」は「**肺気流音**」と「**非肺気流音**」に分かれる．

子音は，①発声の種類(有声音/無声音，息もれ音，きしみ音)，②調音の位置(空気の流れを妨害する場所)，③気流の通路(真ん中か脇か)，④接近の度合い(摩擦音と接近音のみに関係する．口腔内の真ん中を通る中線的か，口腔内の脇を通る

> **Note 5.「音」の記録**
> 音の記録は多様性を書き分けることと，適度に捨象することの両方が必要である．音声学の専門家から，言語聴覚士にとって日本語に現れないIPAの母音の記号を覚えたり精密な表記がどこまで必要なのかと問われることがある．言語聴覚士は発声発話障害がある対象者の音声について，声道の形状がどうなっているのか，呼気流が音色にどう影響しているかなどを推測して書き取る必要がある．記号は試験のために丸暗記するのではなく臨床記録をつけるための手段なので，どの現象を詳しく記録し，どの現象を捨象するかという判断は，訓練方針や経過といった臨床的観点からその都度行われる．音声記号の知識をもつことは，こうした判断の支えになる．

側面的か)，⑤口蓋帆の状態による気流の流れ(気流が鼻に抜ける「鼻音」か，抜けない「音」か)によって記述される．①は発声，②は調音点(調音位置)，③〜⑤は調音方法(調音様式)である．

IPAには，ある程度の音の違いを捨象して表記する**簡略表記**と，より詳しく表記する**精密表記**がある．現実の音声の多様性を表すための補助記号も多数用意されている．記述したい音声現象に応じて使い分ける(➡ Note 5)．

「超分節的要素」とは，複数の分節にまたがって種々のパターンを形成する要素であり，声の高さ，声の大きさ，知覚される時間的長さなどがこれにあたる．IPAには，これらの音声現象を表す記号もある．

このように音声転記はとても便利で臨床上不可欠だが，ふだん話しことばを聞き取るときには**母語**の音韻体系の影響を受けている．母語とは，ヒトが生まれて最初に自然に獲得する言語のことである．この影響を受けずにIPAの音声転記ができるようになるには訓練が必要である．

また，言語障害の発音分析を行うために定められた拡張IPA(Extensions to the International Phonetic Alphabet)があり，臨床への適応が期待される．

b 日本語の母音

母音とは，声道において調音器官の接近の度合いが低く，声帯振動させた音が，下顎の開閉度合い，舌の形，唇の形など声道全体の形状変化によって出される音である．

日本語の短母音には，「ア」「イ」「ウ」「エ」「オ」の5つの短母音があり下顎の開きの程度，舌の位置，唇の丸めによって記述される．短母音のそれぞれは，1音節，1モーラである．簡略記号では[a][i][u][e][o]と書ける．日本語の「ウ」は非円唇であることから[ɯ]が使用されることも多い．日本語の母音は，IPAの母音チャート（図 1-40）の記号が表す音よりも，舌の位置が前寄り，後ろ寄り，上寄り，下寄り，中舌寄りであったり口唇の丸めが少し緩めであったりする[9]．補助記号を用いた例を表 1-5 に示す．特別な理由がない場合は，[a][i][u][ɯ][e][o]を使用して書く．

日本語は，母音の長さによって語の意味が区別される．長母音は，日本語の5つの短母音がそれぞれ長く引き伸ばされたもので音色は変わらない．音声記号は[ː]を用いて[aː][iː][uː][ɯː][eː][oː]のように書く．1つの単語にある開音節に母音が連接する「とけい」や「ひこうき」では文字表記と違って，「トケー」[tokeː]，「ヒコーキ」[çikoːkʲi]のように ei → eː，ou → oː という長母音として音声表記される現象も多くみられる．

二重母音（diphthlong）は[ai][oi][ui][ae][au]など，ある音色から別の音色に移行するときに調音器官の移動がなめらかで1つの母音としてみなされる．調音器官の移動が急激な場合は，**母音連続**（連母音）という．

[ai][oi][ui][ae][au]などを含む語について，同じ語でも丁寧に発話する場合では，母音連続となり，そうでない場合では二重母音のように発音されることもある．前者は2音節2モーラで，後者は1音節2モーラとなる．意味の切れ目があると二重母音にはなりにくい．

有声で発せられる母音と，同じ構えで，声を伴

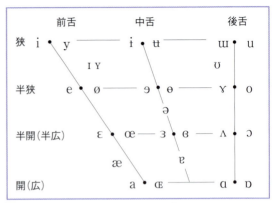

図 1-40　IPA 母音チャート（2015）
記号が対になっている場合，右側の記号は円唇母音である．
〔国際音声学会（編），竹林 滋，他（訳）：国際音声記号ガイドブック—国際音声学会案内．p281，大修館書店，2003 より〕

表 1-5　日本語母音（表記例）

	前舌	中舌	後舌
狭（高）	[i][i̠]	[ü]	[ɯ][ɯ̜][u][u̜]
半広（中）	[e][e̞]		[o][o̞]
広（低）	[a][a̠][a̙]		[ɑ][ɑ̠][ɑ̙]

わないことを**母音の無声化**という．補助記号[̥]が用いられる．母音の無声化は母音の狭母音「イ」「ウ」，母音の前後が無声子音，母音の直後でのアクセント下降がない語などで起こりやすい．例外もあり個人差もある．同じ話者でも発話速度を変えても起こり方が変化する．

母音直前の発音「ン」は**鼻音化した母音**として現れる．その母音に鼻音化の補助記号[˜]をつけて表す．

例：「簡易」[kaĩː]，「検温」[keõ.on]

c 日本語の子音

子音は，声道の1か所，または複数の箇所において，全面的あるいは部分的な閉鎖や狭めによってつくられる音である．

IPAの子音（肺気流音）（表 1-6）とその他の記号（表 1-7）を示す．日本語の音声として現れない音もあるが，日本語の音声として高頻度に現れる

表 1-6 IPA 子音(肺気流音)

調音位置 調音様式	唇音		舌頂音				舌背音			咽頭音	声門音
	両唇音	唇歯音	歯音	歯茎音	後部歯茎音	そり舌音	硬口蓋音	軟口蓋音	口蓋垂音		
破裂音	p b			t d		ʈ ɖ	c ɟ	k ɡ	q ɢ		ʔ
鼻音	m	ɱ		n		ɳ	ɲ	ŋ	ɴ		
ふるえ音	ʙ			r					ʀ		
はじき音		ⱱ		ɾ		ɽ					
摩擦音	ɸ β	f v	θ ð	s z	ʃ ʒ	ʂ ʐ	ç ʝ	x ɣ	χ ʁ	ħ ʕ	h ɦ
側面摩擦音				ɬ ɮ							
接近音		ʋ		ɹ		ɻ	j	ɰ			
側面接近音				l		ɭ	ʎ	ʟ			

対で表記されている記号は,右が有声子音,左が無声子音を表す.グレーのセルは調音不能と思われるもの.
IPA(2015)をもとに,調音位置の上段に能動的な調音器官について追加した.
〔国際音声学会(編),竹林 滋,他(訳):国際音声記号ガイドブック―国際音声学会案内.p280,大修館書店,2003 より改変〕

表 1-7 IPA その他の記号

ʍ	無声唇軟口蓋摩擦音	ɕ ʑ	歯茎硬口蓋摩擦音
w	有声唇軟口蓋接近音	ɺ	歯茎側面はじき音
ɥ	有声唇硬口蓋接近音	ɧ	同時に発した ʃ と x
ʜ	無声喉頭蓋摩擦音	k͡p t͡s	破擦音と二重調音は,必要があれば 2 つの記号をタイで結んで表すことができる.
ʢ	有声喉頭蓋摩擦音		
ʡ	喉頭蓋破裂音		

〔国際音声学会(編),竹林 滋,他(訳):国際音声記号ガイドブック―国際音声学会案内.p282,大修館書店,2003 より〕

音が IPA の子音(肺気流音)としては記載されていないものもある.そこで日本語の子音として現れる音について最も近い音声記号を当てはめて表 1-8 に示した.なお,近似した音として使用される別の音声記号もあるため,それらは( )に入れて記載した.縦軸は調音様式,横軸は調音位置を示し,交わるセルのなかで,有声音と無声音を左右に配した.調音様式には破擦音 [tɕ] [ts] [dz] [dʑ] を加えた.また,拗音や母音 [i] に先立つ音が硬口蓋方向に移動する硬口蓋化がみられるため硬口蓋化音の欄を設けた.硬口蓋化は,単音に補助記号 [ʲ] を付ける.[k] [ɡ] は軟口蓋破裂音だが,カ行音ガ行音の後続母音が [i] の場合,調音位置が硬口蓋方向へ移動して [kʲi] [ɡʲi] となる.硬口蓋化は母音生成の舌の形状から説明できる音声学的に動機づけられた音の変化であり**中舌化**ともいわれる.

音声学における「**口蓋化**」は硬口蓋化,軟口蓋化という音声現象を指し,単に「口蓋化」という場合は硬口蓋化を表す.

[s] の硬口蓋化は [sʲ] と書くこともできるが,この音と [ɕ] との厳密な区別は難しい.構音発達過程の幼児が [s] 音を [ɕ] 音のように発音することを硬口蓋化とよぶこともある.これらは後述(➡168 頁)の口蓋化構音とは異なるので注意する.また日本語の「ワ」音は,口唇がわずかに接近してつくられる.IPA(表 1-7)と一致しないが,通常 [w] を用いる.日本語の「シ」「ジ」の子音は,[ʃ] [ʒ] よりも [ɕ] [ʑ] に近いことから,調音位置の欄に,歯茎・硬口蓋音を加えた.

表 1-9 に,現代日本語の自立モーラ[10]と子音の音声記号の関係を示した.表の平仮名は直音系列のモーラ,拗音系列のモーラ,カタカナは擬声語や外来語などにみられる音連続(周辺的モーラ)である.なお,破擦音は IPA では 2 つの記号を連結するタイが用いられるが,構音の記録などでは

表1-8 日本語の子音

調音様式＼調音位置	両唇音	歯茎音	後部歯茎音	歯茎・硬口蓋音	硬口蓋音	後部硬口蓋音	軟口蓋音	口蓋垂音	声門音
破裂音	p b	t d					k g		ʔ
硬口蓋化音	pʲ bʲ				kʲ gʲ				
破擦音		t͡s d͡z	(t͡ʃ) (d͡ʒ)	t͡ɕ d͡ʑ					
鼻音	m	n			ɲ		ŋ	N	
硬口蓋化音	mʲ	nʲ					ŋʲ		
はじき音		ɾ							
硬口蓋化音		ɾʲ							
摩擦音	ɸ β	s z	(ʃ) (ʒ)	ɕ ʑ	ç		x ɣ	χ	h ɦ
硬口蓋化音	βʲ	(sʲ) (zʲ)					ɣʲ		
接近音	w				j		ɯ		
側面接近音		(l)							

対で表記されている記号は，右が有声子音，左が無声子音を表す．（　）は，近似した音として使用されることのある音声記号．

簡略されることが多い．表1-5で示した母音の音声記号と表1-8, 9の子音の記号，および後述する表1-10の撥音「ン」として現れる音声記号を合わせると，日本語に現れる単音レベルの分節音のほとんどを記録できる．発声発語障害で観察される音の記録は，臨床的観点から必要に応じて精密さと簡略化を使い分けて書くようにする．日本語の子音音素は，14個であると紹介したが，表1-8や表1-9で挙げた子音の記号はそれ以上ある．日本語の音素の数に対して，音声として現れる音の数がこのように多いのは，前述したように音素によって複数の音が条件異音や自由異音（自由変音）として現れるからである．

d 撥音，促音，長音について

モーラの解説で述べたように，はねる音（撥音），詰まる音（促音），伸ばす音（長音）はモーラ1つ分の長さをもっているが単独では現れない付属モーラである．

「ン」と表記される撥音は音声学的にみると，次に続く音の調音点に同化した逆行同化による鼻音である．語頭に現れることはほとんどない．撥音として認識される音を表1-10に挙げる．この表にある[˜]は鼻音化を表す．

「ッ」と表記される促音は，後続モーラの子音に同化した1モーラ分の長さをもつ．母音に短母音と長母音があるように，子音にも短子音，長子音があり促音は長子音とみる見方もある．鼻音，はじき音，半母音，母音が続いたり，語頭に現れることはほとんどない．

破裂音子音の場合は閉鎖時間が長くなるので[ː]を付けたり，前の子音に閉鎖を開放しないことを表す[˺]を付けることもある．

例：舌骨-[d͡zekkotsɯ]/[d͡zeːkotsɯ]/
　　　[d͡zek˺kotsɯ]

長音とは，日本語の音節で，短母音を通常の倍に伸ばしたもの．仮名文字では，「ー」で表される．1音節で2モーラをもつ．音声学的には前述した長母音にあたり短母音のあとに[ː]をつけて表す．

e 調音結合，二重調音，2次的調音，同化

調音器官は質量があり慣性が働くため，音声生成においてある状態から別の状態へは滑らかにし

表 1-9 現代日本語の自立モーラと音声記号

	母音の音声記号					子音の音声記号
	[a]	[i]	[u] [ɯ]	[e]	[o]	
あ行	あ	い	う	え	お	
か行	か きゃ クァ	き	く きゅ	け キェ クェ	こ きょ クォ	[k] [kʲ] [kʷ]
が行	が ぎゃ グァ	ぎ	ぐ ぎゅ	げ ギェ グェ	ご ぎょ	[g] [ɣ] [ŋ] [gʲ] [ɣʲ] [ŋʲ] [gʷ]
さ行	さ しゃ	スィ し	す しゅ	せ シェ	そ しょ	[s] [ɕ] ([ʃ]) ([sʲ])
ざ行	ざ じゃ	ズィ じ	ず じゅ	ぜ ジェ	ぞ じょ	[d͡z] [z] [d͡ʑ] ([d͡ʒ]) ([d͡zʲ]) [z] ([ʒ]) ([zʲ])
た行	た ツァ ちゃ	ティ ツィ ち	トゥ テュ つ ちゅ	て ツェ チェ	と ツォ ちょ	[t] [tʲ] [t͡s] [t͡ɕ] ([t͡ʃ]) ([t͡sʲ])
だ行	だ	ディ	ドゥ デュ	で	ど	[d] [dʲ]
な行	な にゃ	に	ぬ にゅ	ね ニェ	の にょ	[n] [ɲ] ([nʲ])
は行	は ひゃ ファ	ひ フィ	ひゅ ふ フュ	へ ヒェ フェ	ほ ひょ フォ	[h] [ɦ] [x] [χ] [ç] [ɸ] [ɸʲ]
ば行	ば びゃ	び	ぶ びゅ	べ ビェ	ぼ びょ	[b] [β] [bʲ] [βʲ]
ぱ行	ぱ ぴゃ	ぴ	ぷ ぴゅ	ぺ ピェ	ぽ ぴょ	[p] [pʲ]
ま行	ま みゃ	み	む みゅ	め ミェ	も みょ	[m] [mʲ]
や行	や		ゆ	イェ	よ	[j]
ら行	ら りゃ	り	る りゅ	れ リェ	ろ りょ	[ɾ] [ɾʲ]
わ行	わ	ウィ		ウェ	ウォ	[w] ([ɰ]) [wʲ]

〔前川喜久雄：日本語音声学．今泉敏，他（編）：言語聴覚士のための基礎知識　音声学・言語学，第2版，pp47-63．医学書院，2020を参考に筆者作成〕

か移れないことや，可動範囲も限られていることなどから，近くにある音韻の調音は互いに影響しあう[10]．このように，音声を生成する過程で，前後の音韻から影響が及ぼされることを**調音結合**という．ある音韻を発話するときに，その音韻の調音が完成しないうちに次の音韻の発話に移ることはよくある．発話時には，単音を単独で注意深く構音するときほどの構音操作を行っていない．それにもかかわらず，聞き取って意味がわかるのは後述する不完全な音響的特徴から目標値の推定を行う**音韻修復**という知覚機構による．調音結合は聞き手の解読を助ける働きがある．

また，調音するとき2か所で操作が行われることがある．同時に操作が起こることを**二重調音**，

表1-10 撥音として現れる音声

後続する音	具体音
語尾	[ɴ]
歯茎の破裂音, 破擦音, 鼻音 [t] [d] [t͡s] [d͡z] [n]	[n]
そり舌破裂音[ɖ]	[ɳ]
歯茎硬口蓋破擦音および鼻音[t͡ɕ] [d͡ʑ] [ɲ]	[ɲ]
両唇音[p] [b] [m]	[m]
軟口蓋音[k] [g] [ŋ]	[ŋ]
歯茎側面接近音[l]	[ĩ]
歯茎摩擦音および歯茎硬口蓋摩擦音 [s] [ɕ] [z] [ʑ]	[ĩ]
硬口蓋摩擦音[ç], 硬口蓋接近音[j], 前舌狭母音[i]	[ĩ]
後舌母音[o] [ɯ]および[ho] [ɯa] [ɸɯ]	[ɯ̃]
[e] [he]	[ẽ]
[a] [ha]	[ã]

〔益子幸江:音声記号と分節音.今泉 敏, 他(編):言語聴覚士のための基礎知識 音声学・言語学,第2版. pp21-41, 医学書院, 2020より改変〕

操作の程度が異なる場合は低いほうを**2次的調音**(副次的調音)という.

同化は音のもつ特徴が音声連続のなかで別の位置にある音に影響を与える現象である.ある音の影響で,全く同じ音になることを**完全同化**,一部の特徴だけ同じにあることを**部分同化**という.また位置関係から前にある音の影響を受ける場合を**順行同化**,後の音の影響を受ける場合を**逆行同化**という.ほかにも相互同化,遠隔同化などがある.先にみた撥音は部分同化,逆行同化の例である.会話のなかでみられる音の誤りには,こうした同化現象として説明できるものも多い.言語発達途上では,子どもが「ポケット」[poketto]を「ポペット」[popetto]という順行同化や「ポテット」[potetto]という逆行同化のような誤りがみられる.

3 音声知覚

a 知覚音声学

知覚音声学は知覚メカニズムを解明していく分野である.聞き手は,話し手が発する連続する発話の音声を,母語に即した方法で,音韻,統語,意味などの言語的な処理をして理解する.連続する音声は空気振動として聞き手の耳に届き,聴覚機構で処理され,その音声情報が脳に送られる.内耳の蝸牛には,周波数分析をする機能があるが,分析された音を解釈するのは脳である.脳では,連続的な音声を母語の音韻の知識によって有限個の音韻単位に分けている.音声が連続的であるのに対して,音素は離散的であるといわれる所以である.音響的な違いをもつ2つの音について,その違いが同量であったとしても,意味の区別にかかわらなければ同じ音としてまとめるような聞き方をしている.このように語音としてある範囲の境界をまたぐような音の違いには敏感,その範囲内での音の違いには鈍感であるような処理のことを音声の**カテゴリー知覚**といい,多様性のある音声を処理するのに有効な方法である[11].聞き手は,不完全な音声を聞いたときに補って意味づけようとして聞くことがある.これは**音韻修復**(phonemic restoration)[12]といわれる.また,聴覚には,何かの影響を受けて聞こえ方が変わる知覚バイアスという現象がある.バイアスとは偏りという意味である.言語聴覚士が行う構音の評価では聴覚判定の比重が大きい.評価を適正に行うためにも,音を聴取するときに生じるさまざまな知覚バイアスについて知っておく必要がある(➡Note 6).

b 母音の知覚

ヒトの声道は音響的な共鳴管にたとえられる.**共鳴周波数**(formant;以下,**フォルマント**)とは,声道のフィルター特性によってエネルギーが通過しやすい周波数帯域のことである.サウンド

> **Note 6. 知覚バイアス**
>
> 単音の聞き取りよりも語など意味のある単位に当てはめて聞こうとする傾向を **Ganong（ギャノン）効果**[1]という．実験の1つとして[k]から[g]に変化する連続体に対して，刺激音に-issか-iftをつけることによる聞き取りの傾向を調べたところ，-issをつけると[g]であっても[k]として，-iftをつけると[k]であっても[g]として聞き取られやすいことが報告された．
>
> **McGurk（マガーク）効果**[2]とは，ある音韻を発音するときの映像に対して別の音韻の音声を組み合わせた場合，視聴者に第3の音韻が知覚される現象のことである．
>
> Ganong効果では意味が音声知覚に影響し，McGuerk効果では発音の様子を見るという視覚刺激が音声知覚に影響を与えている．聴覚判定を適切に行うために，知覚バイアスの影響をうけていないかといった点からもチェックする必要がある．
>
>
>
> 引用文献
> 1) Ganong WF 3rd : Phonetic categorization in auditory word perception. J Exp Psychol Hum Percept Perform 6 : 110-125, 1980
> 2) McGurk H, et al : Hearing lips and seeing voices. Nature 264 : 746-748, 1976

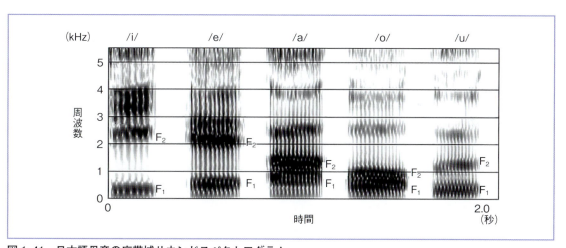

図 1-41　日本語母音の広帯域サウンドスペクトログラム
〔今泉 敏：言語音の音響分析．言語聴覚士のための基礎知識　音声学・言語学，第2版．pp175-181, 医学書院, 2020 より改変〕

スペクトログラムでみると水平方向に色の濃い部分で確認される．低いほうから第1フォルマント（F1），第2フォルマント（F2），第3フォルマント（F3）のように識別する．母音は，このフォルマントのうち，F1とF2でおおよそ区別できる．F1は下顎がどのくらい降りているか，つまり口腔内の広さ，F2は舌の前後の位置が影響する．図1-41に日本語の母音のサウンドスペクトログラムの一例を挙げる．F1は開口度が広いほど高くなり，F2は舌が前方にあるほど高くなる．そこで縦軸にF1の周波数を下に行くほど高い順で，F2の周波数を左にいくほど高い順になる配置にして，図1-41のF1とF2のおよその値をプロットしてみると[13]，図1-42のようになる．ヒトの声道の長さは，性別，年齢による違いがあるので，フォルマントも発話者によって違う．それにもかかわらず母音の知覚ができることを**母音の正規化**という．

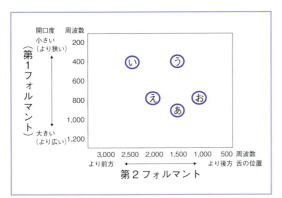

図 1-42　図 1-41 をもとに F1 と F2 の関係をプロットしたもの
〔川原繁人：ビジュアル音声学．p143，三省堂，2018 を参考に筆者作成〕

c 子音の知覚

　連続的な信号である音声において，子音は後続する母音があって知覚され，その母音も次に続く子音の準備を始めている．このように連続発話のなかで「単音」だけを取り出すことはたいへん困難である．子音ではフォルマントの変化が大きい．母音と子音の組み合わさった音声を音声分析で観察すると，ほぼ時間軸に平行な部分と時間軸に急激な立ち上がりがある部分がある．急な立ち上がりは**フォルマント遷移**とよばれる．子音の多くはフォルマントの変化によって特徴づけられている．

C 音韻発達と構音発達および加齢変化

1 音韻発達

　音韻発達は，音韻の知覚と，音韻の表出という両面から理解する必要がある．林[14]は，音声知覚の発達について「人の声が意味を担う言語記号として理解されるためには，連続的で話者や発話状況によって変動の大きい音響信号を，有限個の音韻の連鎖として範疇的に知覚できること，さらにそれらの系列である形態素や語のまとまりとして分節化して知覚できることが前提となる」と述べている．

　母語の獲得は，このような音韻の知覚に支えられている．Kuhl[15,16]をもとに生後 1 年間の音声知覚と産出能力の発達過程を図 1-43 に示す．

a 音韻知覚の発達

　音声知覚研究のレビューは，梶川[17]，麦谷[18]，今福[19]などに詳しい．以下，これらをふまえて解説する．

　乳児期は言語普遍的な初期状態から母語の音韻体系に即したさまざまな手がかりを使って連続音声から単語を切り出す．聴覚機構は，胎児期の約 20 週齢より機能しはじめる．在胎 33〜34 週でも音声全体への反応と母親の声への反応に違いがある．新生児は周囲から聞こえてくるさまざまな音のなかでも，特にヒトの音声に対して選好性がある．また話しかけられていることばの音韻的な区切りに同期して体を動かすことも観察されている．

　生後間もない乳児は，さまざまな言語にも対応できる言語普遍的な**音声知覚**があり，母語に触れることで，母語に特化した音韻的な差異を弁別する能力が育っていく．生後数か月ですでに音韻・韻律的な特徴にも気づいているようで 4〜5 か月頃は，韻律に基づく節境界に反応する．

　また**対乳児向け音声**（child directed speech；CDS）への選好性もみられる．CDS は，言語を問わず養育者が乳児に話しかけるときの音声で，単純な文型を頻繁に使用，短くゆっくり繰り返される，声の調子が高い，抑揚が誇張されるといった傾向がある．また養育者が音韻の差異をはっきり区別するようにして行う声かけは，乳児の音韻対の弁別能力を促進させる．音韻知覚は，乳児期のある時期まで母語でも母語以外でも言語音の対を聞いたときに弁別的な知覚ができるが生後 6 か月頃になると母語の音韻体系に即した知覚ができは

4 音声の産生と知覚

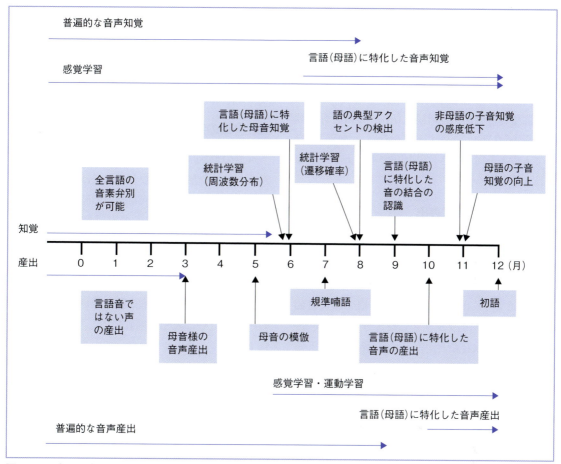

図1-43 生後1年の音声知覚—産出能力の発達過程
〔Kuhl PK：Early language acquisition：cracking the speech code. Nat Rev Neurosci 5：831-843, 2004, クールパトリシア K, 他：スピーチ・コードを解読する—乳児はどのように言語を学習するか. 日本音響学会誌 63：93-108, 2007を参考に筆者作成〕

じめ，母語の母音についての弁別ができてくる．
　9か月頃には母語に特化した音の連結の認識ができるようになる．また母語の子音知覚の感度が上がる一方で，母語以外の子音の聞き分けに関する**感度の低下**(decline)が起こる．子音の音声知覚は生後半年以降，10〜12か月齢までの間に母語の体系に適したものに再構造化されていく．このような音声知覚によって語の切り出し方のパターンを認識するようになり，10〜12か月には単語境界にも気づき，対象との関連づけが行われる．初語はこのような音韻発達のもと出現する．
　母語の音韻に必要な対立だけを弁別して非母語の音の違いを聞き分ける感度が低下することを**音**

韻知覚の最適化という．これは，語彙を獲得していく基盤となる．
　乳幼児のカテゴリー知覚を調べる実験では，成人が違う音として認識する音響的な境界をもとに，「カテゴリー間の音の対」と「カテゴリー内の音の対」という刺激音をつくり，乳幼児が弁別しているかどうかを調べる．どちらも弁別しているのであれば，音響特性に反応している可能性が高く，カテゴリー間を弁別し，かつカテゴリー内を弁別しない場合は，非母語への感受性が低下している可能性が高いと推察される．日本語学習幼児の知覚変化過程の研究[18]によると，5か月頃では「促音-非促音」および「促音-促音」という刺激対の

弁別が難しかったが，12か月では「促音-非促音」が弁別できるようになった．音節間の無音区間長に基づく促音・非促音の音韻カテゴリーを形成する時期は生後半年以降12か月齢までの間との考察が報告されている．

初語獲得の時期には母語に存在する言語音の対立のみを「弁別」できるようになるが，「弁別」はできても成人と同じように「同定」できるようになるのは4歳頃とされる[20]．

b 前言語期の音韻表出

前言語期の音韻表出は，質的な変化によって段階づけられる[21, 22]．報告によっては月齢期間の幅が広いものや重なりがあるものもある．新生児の産声に始まり，0～1か月頃の発声期では反射的発声，叫喚音，リラックスしたような非叫喚音，母音様発声，喉音などがみられる(**発声期**)．2～3か月には，喉の奥でつくられるような音(クーイング音)，笑い声や，発声と構音が結びつくような呼吸システムがみられる(**クーイング期**)．4～6か月は，喉頭の下降によって咽頭部が広がり，音声の種類も拡大する．いろいろな発声や音の表出を楽しんでいるような様子や，母音の音声模倣もみられる(**拡大・拡張期**)．6～8か月頃にかけて母語の音韻体系に即した音節構造をもつ規準喃語，反復喃語がみられる(**規準喃語期**)．この時期にはリズミカルな手の動きなどと発声が頻繁に同期する．9～12か月には大人と会話しているかのような音声でのやりとりがリズミカルに繰り返されたり，多様化した非反復性の喃語でおしゃべりをしているような抑揚をもった長い表出(ジャーゴン)が増える．ピッチや音量が多様化し，単音表出のピッチには意図の関連もある(**多様な喃語期**)．こうやって1歳前後に初語(有意味語)が表出される．16か月くらいまでの有意味語への移行期には喃語様の表出もみられる．初語出現までの乳児期の表出については，養育者との関係性も大きくかかわっている．前述した対乳児向け音声(CDS)は乳児と養育者とのやりとりを促進させ，乳児も早い段階から音声模倣を試みている．音声模倣行動は，音声知覚と構音を結びつける重要な役割をもっている．音韻と構音との関係は，その後の音韻ループと構音リハーサルなど音韻貯蔵にもかかわっている．

c 声道の発達

声道の形状は音声に音色を与える空間となる．声道の長さや形，容量などの成長は部位によってその速度や成長過程が異なり，口腔の水平方向成分が早く成熟する．成人の声道が約17cmであるのに対して，新生児は約8cmで，声道長は最初の1年間で2cm程度伸びる[23]．図1-44 に，乳児，成人の声道の模式図を示す．乳児は喉頭の位置が成人よりも高く喉頭蓋と軟口蓋，口蓋帆との距離が近い．乳児は哺乳に際して吸着，吸啜，嚥下という一連の動作を行っている．成人は嚥下時に喉頭蓋が気道のほうに倒れて気道の入り口を塞いで，食塊を食道に流し込むが，乳児期の喉頭蓋は軟口蓋方向に接近する．これによって乳児は，呼吸しながら嚥下を行うことができる．成長に伴い喉頭の位置は下降し，嚥下の様式も変化する．舌骨と喉頭の位置の咽頭降下は生後数年に起こり，口腔と咽頭腔が直角の配置になる．男性においては思春期に咽頭や舌骨が大きく降下し，咽頭が伸長する．

このような構造上の違いから生後2か月くらいまでは，音声は鼻音化して聞こえるが，喉頭蓋と軟口蓋(口蓋帆)が離れることによって鼻音化しない音声が増える．口腔と鼻腔を分離する口蓋帆と咽頭による閉鎖の機能も，成長とともに変化する．舘村[24]によれば，乳児の軟口蓋の挙上はわずかで，呼吸，嚥下，発声は舌や咽頭壁が相対的に大きく動くことで行われている．成長に伴って頭蓋顔面は前下方に成長し，硬口蓋も同方向に移動する．その結果，上・中咽頭は前後上下的に拡大し，それに応じて軟口蓋運動の方向も前後上下的に変化すると解説されている．

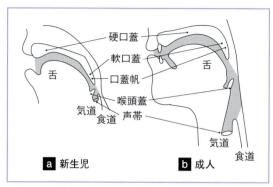

図1-44　新生児と成人の声道の模式図

2 構音発達

構音とは，発話を作り出すために，全体的な音韻表象のもと，音韻意識に支えられた音声表出として口腔領域を区切りながら発声発語器官を使って産生されたものである．

a 音韻意識の発達

1歳前後の初語出現のあと，語彙10語くらいのレベルでは「同音節の反復」の2音節表出がみられる．語彙が増加し，語結合がみられる1歳半頃には，3音節表出も増えていく．2歳前半には，形態素の種類の増加もみられ表現が多様化していく．幼児期後期になると，話しことばの意味的側面だけでなく，音韻的側面であるモーラや音節などの韻律単位に意識を向けられるようになる．「あ」のつくことば集めや，「しりとり」，「たぬき」ことばで「た」を取り除く，「たまご」をさかさまからいうなど，ことば遊びを行うには，一連のことばの単位から，意味をもつ塊と，単独では意味をもたない音の粒のような要素に気づいて，その粒を取り出し，組み合わせたり，消去したり，入れ替えたりする操作が必要である．このような操作のことを**音韻操作**という．

日本語の音節やモーラという韻律単位に気づき，意図的に操作できるようになるのは4歳代といわれている．

b 構音の発達

構音の発達は，個人差もあるが，一定の順序性も報告されている．中舌母音から分化する母音は3歳頃に明瞭になる．子音は4歳前半までに，d, s, ɕ(ʃ), ts, dz, r以外のほとんどの子音を90％以上獲得し，d, ts, dzは5歳後半まで，s, ɕ(ʃ), rは，6歳後半までにほぼ完成する[25]．

中村[26]は2〜6歳までの健常児116名（2歳代：11名，3歳代：23名，4歳代：25名，5歳代：29名，6歳代：28名）に新版 構音検査[27]を実施した．50枚の絵カードを呼称する単語検査で，90％以上正しく構音された音は，2歳代では両唇音，接近音[w][j][p][b][m][ɸ]であった．3〜4歳代では，加えて[t][d][g][k][n][tɕ][dʑ][h]を獲得し，[s][ɕ][r][ts][dz]など舌先の巧緻な操作が必要な音や，[ki][ke]にある[k]などが未完成だった．5歳代で[s][ɕ][r][k]が完成で[ts][dz]が未完成，6歳代ではほぼすべての単音が獲得されていた．この調査でも従来の報告とほぼ同様の傾向が確認された．

同研究の音韻プロセスに基づく分析では，音素の省略が2歳代，3歳代までで，それ以降はみられなかった．「子音の調和・同化」は，舌端の細かい運動が続く場合に同化するパターンが多いなどの特徴が明らかになった．

3 構音の加齢変化

加齢に伴い発声発語器官の形態，機能の変化で運動機能や発話速度が低下し声や構音に影響を及ぼす．また筋力など運動面だけでなく，口腔内の歯列や，老人性難聴など聴覚機構，および認知機能も含めた複雑な要因が絡んでいる．児嶋[28]は高齢者の[k]に着目した音響音声学的研究で，先行母音の影響と[k]の弱音化を確認し，舌・軟口蓋・咽頭の運動性の低下とそのための咽頭圧低下がまずあって，これにより声門開大の不良が惹起されたと考察している．

また口腔機能低下症の指標としてはオーラル・ディアドコキネシス(oral diadochakinesis；ODK)が活用されている．これは[pa][ta][ka]を1秒間にそれぞれ何回発音できるかを数える方法で，「舌口唇運動機能低下」の基準値は6回/秒とされている．原ら[29]の報告では，高齢者の平均値はほぼ5～7回，加齢に伴い75歳以上の高齢者で低下しやすく，[pa]よりも[ka][ta]に低下がみられた．口唇運動よりも舌運動の巧緻性のほうが低下しやすいことがうかがわれる．

また杉本ら[30]は[pa][ta][ka]の反復産生を促すODKにおいて，測定値が高いほど「発話明瞭度」「発話の自然度」が高い者が多く，ODKの結果と「最長呼気持続時間」および「最長発声持続時間」の持続時間が長いという結果を報告している．

健常高齢者の構音については文レベルなど実用的な発話や韻律など総合的な調査が少ないため，今後も検討が必要である．

引用文献

1) 今泉 敏：音声の音響的特徴．今泉 敏(編)：言語聴覚士のための基礎知識 音声学・言語学．pp48-60, 医学書院，2009
2) 平野 実，他：声帯の層構造と振動．音声言語医 22：224-229, 1981
3) 本多清志：発声と構音．本間研一(監修)：標準生理学．第9版．pp401-408, 医学書院，2019
4) Sundberg J：Level and center frequency of the singer's formant. J Voice 15：176-186, 2001
5) Sato K, et al：Age-related changes of the macula flava of the human vocal fold. Ann Otol Rhinol Laryngol 104：839-844, 1995
6) Honjo I, et al：Laryngoscopic and voice characteristics of aged persons. Arch Otolaryngol 106：149-150, 1980
7) 国際音声学会(編)，竹林滋，他(訳)：音声記号ガイドブック—国際音声学会案内．大修館書店，2003
8) 今村亜子：構音訓練に役立つ音声表記・音素表記記号の使い方ハンドブック．pp7-17, 協同医書出版，2016
9) 福盛貴弘：基礎からの日本語音声学．p205, 東京堂出版，2010
10) 前川喜久雄：日本語音声学．今泉敏，他(編)：言語聴覚士のための基礎知識 音声学・言語学，第2版．pp47-63. 医学書院，2020
11) Ryalls JH(著)，今富摂子，他(監訳)：音声知覚の基礎．pp44-46, 海文堂出版，2003
12) 柏野牧夫：音韻修復—消えた音声を修復する脳．日音響会誌 61：263-268, 2005
13) 川原繁人：ビジュアル音声学．p143, 三省堂，2018
14) 林安紀子：音声知覚の発達．音声言語医 46：145-147, 2005
15) Kuhl PK：Early language acquisition：cracking the speech code. Nat Rev Neurosci 5：831-843, 2004
16) Kuhl PK(著)，藤崎和香，他(訳)：スピーチ・コードを解読する—乳児はどのように言語を学習するか．日音響会誌 63：93-108, 2007
17) 梶川祥世：乳児の言語音声獲得．日音響会誌 59：230-235, 2003
18) 麦谷綾子：乳児期の母語音声・音韻知覚の発達過程．ベビーサイエンス 8：38-49, 2009
19) 今福理博：乳児期における発話知覚の機能およびメカニズムとその定型・非定型発達．京都大院教育学研紀 62：1-13, 2016
20) Strange W：Speech input and development of speech perception. In Kavanagh JF(ed)：Otitis media and child development. pp12-26, York Press, Parkton, 1986
21) 市島民子：日本語における初期言語の音韻発達．コミュニケーション障害 20：91-97, 2003
22) 江尻桂子：初期言語発達のランドマークとしての喃語の発達．コミュニケーション障害 35：13-16, 2018
23) 麦谷綾子，他：子どもの声道発達と音声の特性変化．日音響会誌 68：234-240, 2012
24) 舘村 卓：口蓋帆・咽頭閉鎖不全—その病理・診断・治療．p22, 医歯薬出版，2012
25) 今村亜子：構音障害—基礎知識．平野哲雄，他(編)：言語聴覚療法 臨床マニュアル，改訂第3版．p386 協同医書出版，2014
26) 中村哲也：音韻プロセス分析を用いた小児における機能性構音障害のサブグループ分類—英語圏における音韻プロセス分析の日本語への適用．聖隷クリストファー大学大学院リハビリテーション科学研究科 博士論文，2014
27) 今井智子，他：新版 構音検査．千葉テストセンター，2010
28) 児嶋久剛：高齢者の喉頭(発声)機能．日気食会報 45：360-364, 1994
29) 原 修一，他：高齢期の地域住民における構音機能と誤嚥リスクとの関連性．老年歯学 30：97-102, 2015
30) 杉本智子，他：オーラルディアドコキネシスを用いた構音機能の評価と発声発語器官障害との関連．口腔衛生会誌 62：445-453, 2012

第 2 章

音声障害

1 音声障害の症状とその原因（発症メカニズム）

> **学修の到達目標**
> - 音声障害の原因と発症メカニズムを説明できる．
> - 音声障害の症状（声の高さ，強さ，質，持続の異常）について説明できる．

A 声の高さ，強さ，質，持続の異常

声は一般的に高さ，強さ，質，持続の4つの要素をもっており，「音声障害」とはこれらの要素になんらかの変化や不都合が生じることを指す．

1 声の高さの異常

声帯の質量が増大した場合，あるいは声帯粘膜や粘膜下組織が厚くなったり硬くなったりすると話声位や声域上限が低下する．例えば，声帯粘膜が薄くなると話声位が上昇する．また，声帯辺縁部に病変が存在すると高音発声時の振動に影響を及ぼし声域上限が低下する．輪状甲状筋と甲状披裂筋の筋緊張のバランスが崩れた場合にも異常が生じる．呼気流率や声門下圧の異常も影響を与える．

2 声の強さの異常

声の強さ[*1]には主に声門閉鎖と声門下圧が関与している．したがって，声門閉鎖不全や，十分な声門下圧を保てなくなる呼吸器疾患がある場合に異常が生じる．

[*1] 声の「強さ」は感覚レベルでは「大きさ」ともいう．

3 声の質の異常

a 粗糙性嗄声

左右の声帯の質量や緊張度に差が生じ，声帯の振動が不規則となった場合に生じる．過度な声門閉鎖によっても生じる．

b 気息性嗄声

発声時に声門閉鎖不全があると，呼気が声門を通過する際に乱流が起こり気息性嗄声となる．声帯粘膜の硬化などにより，声帯が振動しにくくなった場合にも生じる．

c 無力性嗄声

声帯の筋緊張が低下した場合，あるいは声帯が薄く質量が軽くなった場合に生じる．呼吸器疾患でも生じることがある．

d 努力性嗄声

発声時に喉頭中心の発声器官が過度に緊張した場合に生じる．仮声帯の内転や声門上部の前後方向の短縮などとして観察される．**声門閉鎖不全のある場合の代償的な発声**で生じることもある．

4 声の持続の異常

声門閉鎖不全をきたすと発声時に声門を通過す

る呼気量が増加するため持続困難となる．肺活量が低下した場合や，呼吸・喉頭調節運動の中枢神経レベルでの異常が起こった場合にも持続困難となる．

B 声の特殊な異常（二重声，声のふるえ）

1 二重声

左右の声帯の質量，長さ，緊張に違いが生じると非対称的で不規則な振動となる．すなわち，おのおのが別の周期で振動する．そのために音源が2つあるように聞こえる状態を指す．

2 声のふるえ

声の高さや大きさが一定でなく，周期的に変化する状態を指す．母音の持続発声で顕著になる．喉頭レベルで規則的なふるえが起こり，ほかにも舌，軟口蓋，咽頭，横隔膜や腹直筋の規則的なふるえにより声のふるえが生じる．高齢者は生理的な軽度のふるえを手足や音声にきたすことも多い．

C 声帯組織の器質的病変

音声の症状と病態，症状に該当する主な疾患について表 2-1 にまとめた．

D 声帯運動の異常

声帯運動の異常を引き起こす疾患は声帯麻痺と披裂軟骨脱臼である．いずれも声門閉鎖不全となるため，主に声の強さの異常（大きな声が出ない），気息性嗄声，最長発声持続時間（maximum phonation time；MPT）の短縮をきたす．また声帯の質量や緊張度に左右差が生じるため，粗糙性嗄声や二重声をきたすこともある．また，代償性に声門上部が過度に収縮している場合には努力性嗄声をきたす（表 2-1）．

E 声帯組織の著変のない音声障害

音声の症状と病態，症状に該当する主な疾患について表 2-1 にまとめた．

F その他の音声障害

1 気管切開

気管切開の適応は，①上気道閉塞や声門下狭窄がある，②嚥下障害や気管支，肺などへの分泌物貯留の処置あるいは予防をする，③呼吸不全に対する呼吸管理，の3つである．上気道閉塞や声門下狭窄をきたしやすい急性喉頭蓋炎，両側声帯麻痺，喉頭がん，下咽頭がん，急性声門下喉頭炎（仮性クループ），慢性呼吸器疾患，重症胸部外傷など長期の人工呼吸器管理を要する場合に気管切開を行うことが多い．

2 無喉頭音声

無喉頭とは**喉頭全摘出術**によって喉頭を喪失した状態を指す．喉頭全摘出術は，気管，咽頭と喉頭の連絡を切断して，舌骨を含んだ枠組みごと喉頭組織全体を摘出する術式である．適応となる代表的疾患は保存的治療による治癒が見込めない進行した**喉頭がん**である．喉頭がんは年間およそ5,300例（2017年時点）が罹患しているが，近年，

表 2-1 音声の異常を引き起こす病態と主な疾患

	声の症状	病態	声帯組織の器質的病変	声帯運動の異常	声帯組織の著変のない音声障害
高さの異常	高い声が出ない,声域の縮小,歌えない	声帯の質量の増大	声帯ポリープ,声帯囊胞,ポリープ様声帯,急性喉頭炎		
		声帯粘膜や粘膜下組織の肥厚や硬化	声帯瘢痕		
		声帯辺縁部に病変が存在	声帯結節,声帯ポリープ		
		呼気流率や声門下圧の異常	加齢性声帯萎縮	声帯麻痺,披裂軟骨脱臼症	呼吸器疾患
		輪状甲状筋と甲状披裂筋の筋緊張のアンバランス			過緊張性発声障害
		微細な器質的異常	器質的歌声障害		
		歌唱時の喉頭調節不良			機能的歌声障害
	話声位の低下	声帯の質量の増大	ポリープ様声帯,性ホルモン障害による音声障害		
		生物学的性別と反対の性の音声を希望			性同一性障害による音声障害
	話声位の上昇	声帯辺縁部に病変が存在	喉頭横隔膜症		
		声帯粘膜が薄くなる	声帯溝症,加齢性声帯萎縮		Parkinson(パーキンソン)病による音声障害
		呼気流率や声門下圧の異常	加齢性声帯萎縮		
		輪状甲状筋と甲状披裂筋の筋緊張のアンバランス			変声障害
強さの異常	大きな声が出ない	声門閉鎖不全	声帯結節,声帯ポリープなどの隆起性病変,加齢性声帯萎縮	声帯麻痺,披裂軟骨脱臼症	Parkinson病による音声障害
		呼気の不足	加齢性声帯萎縮		拘束性肺疾患や肺切除などの呼吸器疾患
質の異常	粗糙性嗄声	左右の声帯の質量や緊張度の差	声帯結節,声帯ポリープ,声帯囊胞,ポリープ様声帯,声帯溝症(代償性に声門上部の過収縮がある場合),喉頭横隔膜症,喉頭白板症,喉頭がん,喉頭乳頭腫	声帯麻痺,披裂軟骨脱臼症	
		過度な声門閉鎖			上位ニューロン障害による音声障害,過緊張性発声障害,仮声帯発声
	気息性嗄声	声門閉鎖不全	声帯結節,声帯ポリープ,ポリープ様声帯,声帯瘢痕,声帯溝症,喉頭肉芽腫,喉頭横隔膜症,喉頭白板症,喉頭がん,急性喉頭炎,性ホルモン障害による音声障害	声帯麻痺,披裂軟骨脱臼症	外転型SD,Parkinson病による音声障害,神経変性疾患,心因性発声障害(失声タイプ),低緊張性発声障害
	無力性嗄声	声帯の質量・筋緊張の低下		声帯麻痺,披裂軟骨脱臼症	外転型SD,Parkinson病による音声障害,神経変性疾患による音声障害,低緊張性発声障害
		呼気の不足			呼吸器疾患
	努力性嗄声	喉頭を中心とした発声器官の過緊張	声帯溝症,加齢性声帯萎縮(代償性に声門上部の過収縮がある場合)	声帯麻痺(代償性に声門上部の過収縮がある場合),披裂軟骨脱臼症	内転型SD,上位ニューロン障害による音声障害,心因性発声障害(過緊張性発声障害に類似したタイプ),過緊張性発声障害,仮声帯発声
持続の異常	声が続かない	声門閉鎖不全	声帯結節,声帯ポリープなどの隆起性病変,声帯瘢痕,声帯溝症,加齢性声帯萎縮,喉頭がん,急性喉頭炎	声帯麻痺,披裂軟骨脱臼症	神経変性疾患
		肺活量の低下			呼吸器疾患
		呼吸・喉頭調節運動の中枢レベルの異常			内転型SD,外転型SD,脳血管障害による音声障害,神経変性疾患
その他の特異的異常	二重声	左右の声帯の質量の差	声帯ポリープ	声帯麻痺,披裂軟骨脱臼症	
	声のふるえ	発声器官のさまざまな筋の振戦			内転型SD,音声振戦,Parkinson病による音声障害

SD:痙攣性発声障害(spasmodic dysphonia)

放射線治療や化学療法，部分切除などの機能温存を目的とした治療の発達により，喉頭全摘出術を行う症例は減少傾向にある．一方，**下咽頭がん**に対しては，過去30年ほどの間に遊離組織移植による再建の技術が進歩したため，手術を行う症例は増加傾向にある．下咽頭がんのうち進行がんに対しては咽頭喉頭全摘出術を行い，下咽頭から頸部食道の欠損部には遊離空腸移植などにより再建することが多い．

少数ではあるが，進行性神経筋疾患などに基づく嚥下障害や，口腔がん，中咽頭がんの術後で度重なる誤嚥により経口摂取が困難になっている症例に対して，誤嚥防止術の1つとして喉頭全摘出術が行われて無喉頭となる場合もある．

喉頭全摘出術後，再建を行わない場合は残存した咽頭粘膜を一期的に縫合する．そのため，食道発声やシャント発声の場合の新声門は食道入口部の粘膜となる．一方，再建を行った場合，遊離組織（遊離空腸粘膜など）が新声門となることがあり，発声のしやすさ，声質や習得率は食道入口部の粘膜を新声門とする場合よりも劣ることが多い．

2 音声障害の病態

> **学修の到達目標**
> - 音声障害の病態と症状を説明できる．
> - 声帯組織の器質的病変について説明できる．
> - 声帯運動の異常について説明できる．
> - 声帯組織に著変のない音声障害について説明できる．

これまでに国内で広く認識されている音声障害の分類は，喉頭内視鏡所見をもとにして運動障害を含めた器質異常があれば器質性音声障害，器質的な異常がなければ機能性音声障害として2つに大別されていた．本項では音声障害を引き起こす原因別に，声帯組織の器質的病変による音声障害，声帯運動の異常による音声障害，声帯組織の著変のない音声障害の3つに分類した．各分類項目は「音声障害診療ガイドライン2018年版」（➡Note 7）で分類されており，臨床上遭遇するであろう疾患を取り上げた．

A 声帯組織の器質的病変

1 声帯結節（図2-1）

声帯膜様部の前1/3から中央に，通常両側性に生じる隆起である．両声帯膜様部に機械的刺激が加わることで声帯の粘膜固有層浅層に肥厚性変化をきたしたものとされ，一種の「ペンだこ」である．初期では軟らかいが，声の濫用など音声酷使が持続すると線維性に硬化して増大する．学童男児と成人女性に好発する．原因は慢性的な**音声酷使**で，音声を多用する職業（保育士，教師，スポーツインストラクターなど）に多くみられる．

> **Note 7. 音声障害診療ガイドライン 2018 年版**
>
> 　2018 年 3 月に日本音声言語医学会と日本喉頭科学会による共編として，上記のガイドラインが刊行された〔日本音声言語医学会の web サイト(http://www.jslp.org/gl/index.htm)からもダウンロードが可能である〕．執筆者は，耳鼻咽喉科医師 11 名と言語聴覚士 2 名からなる音声障害診療ガイドライン委員会である．音声障害診療ガイドライン委員会は，日本音声言語医学会および日本喉頭科学会のガイドライン委員会として発足し，2014 年 10 月 10 日に第 1 回委員会が開催され，初版の作成作業が開始された．
>
> 　このガイドラインの内容は，音声障害の定義と分類，疫学，検査と診断法，治療を示し，日本国内の音声障害診療の現状を考慮して，文献的エビデンスに基づき音声障害診療ガイドライン作成委員会のコンセンサスが得られた診療が推奨されている．音声障害の分類は，American Speech-Language-Hearing Association(ASHA)の Classification manual for voice disorders-Ⅰを基にして，本邦の診療に即した音声障害の分類表が新たに作成された．
>
> 　さらに，音声障害診療ガイドライン委員会では，現在考えうる Clinical Question(CQ)を作成し，各 CQ ごとに文献を検索し，2014 年までに収集された文献のエビデンスに基づいて推奨レベルを作成した．検索対象としたデータベースは，PubMed，医学中央雑誌 Web に収載されている英文または和文論文だった．それによって，音声障害診療ガイドライン委員会では CQ ごとに推奨文を作成し，推奨度も決定した．推奨度は，収集された個々の文献の評価とエビデンスの総括，益と害のバランス，コスト・医療資源・現行の保険制度の適用，患者の価値観や選好などを考慮した．推奨度は「強く推奨する」と「推奨する」の 2 通りで示した．また，推奨度を決めることが困難な場合には，提示しないこととした．また，本ガイドラインで述べられる推奨度は，一般論として，既存の文献と音声障害診療のエキスパートであるガイドライン委員の経験をもとに，ガイドライン委員会としての見解をまとめている．推奨の目的は医療従事者個々の臨床的判断を拘束するものではなく，判断が困難な場合の意思決定を支援することにある．
>
> 　エビデンスレベルの分類については，Minds 2007 年版に従った．今後，さらに新しい知見の報告やエキスパートによる議論の方向性によっては，推奨される事項が変わりうる可能性がある．したがって，本ガイドラインは約 5 年を目途に更新を行う予定となっている．
>
> 　本ガイドラインは耳鼻咽喉科医師や言語聴覚士など，音声障害診療に関わるすべての医療従事者を利用者として想定し，執筆されている．したがって，ガイドラインを利用する際に，ガイドラインに記された診療行為が医療者の専門領域や経験によっては実施困難な場合もあることも想定されている．その場合，ガイドラインを利用する際には，利用者自身で実施可能性を適宜判断し，適応することが求められる．さらに医師や言語聴覚士以外の医療従事者(看護師，検査技師など)にとっても，本ガイドラインは音声障害に関する知識を深めるために有用である．

2　声帯ポリープ (図 2-2)

　声帯膜様部中央に，多くは片側性に生じる赤色あるいは白色の表面平滑な隆起である．慢性の音声酷使により声帯の粘膜固有層に血液循環障害が起こり，声帯粘膜上皮下結合組織層に出血を起こし，血腫を生じることで形成される．病理組織学的には浮腫または血腫型のものと線維型のものが混在している．原因は音声酷使である．上気道炎などにより声帯に炎症がある状態で機械的刺激が加わったり，一過性の強度の発声(スポーツの応援，カラオケなど)により生じることもある．

3　声帯嚢胞 (図 2-3)

　粘膜固有層浅層内に片側性に生じ，粘膜内に透けて見える白色あるいは黄色で球状の隆起である．喉頭ストロボスコピーで病変部の**粘膜波動**が起こらないことが特徴的である．組織学的には類表皮嚢胞(先天性・後天性)と貯留嚢胞に分類される．前者は外傷や炎症により上皮成分の一部が粘膜固有層に迷入して生じるもので，後者は喉頭内の分泌腺の閉塞により生じるものである．

4　ポリープ様声帯〔Reinke(ラインケ)浮腫〕 (図 2-4)

　声帯粘膜固有層〔Reinke(ラインケ)腔〕の浮腫性変化により，両側声帯膜様部のほぼ全長にわたって腫脹をきたしたものである．40 歳以上の喫煙者や女性に多いという報告が多数みられる．重症度分類は米川の病型分類が用いられており，

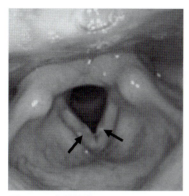
図 2-1　声帯結節

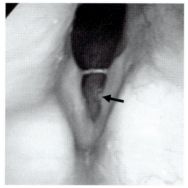
図 2-2　声帯ポリープ

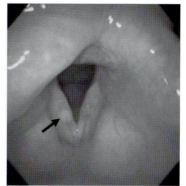
図 2-3　声帯嚢胞
右声帯粘膜内に白色の球状隆起がみられる．

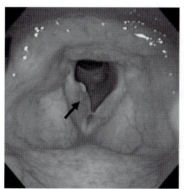
図 2-4　ポリープ様声帯

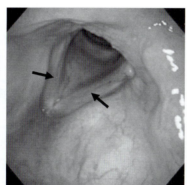
図 2-5　声帯溝症

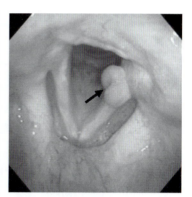
図 2-6　喉頭肉芽腫

浮腫様腫脹はあるものの声門は十分開いているⅠ型から，高度な浮腫で両側声帯の大部分が接しているⅢ型までの3つに分類されている．長期間の喫煙が最も関連の深い原因とされている．音声酷使にも関連があるとされている．

5　声帯溝症（図2-5）

声帯膜様部のほぼ全長にわたって遊離縁に沿って前後に走る溝状の病変で，多くは両側性である．溝の深さは粘膜固有層浅層内にとどまる．上皮が粘膜固有層の中間層あるいは深層に付着した状態とされている．喉頭内視鏡検査では，声帯が弓状弛緩しており，発声時に紡錘状の声門間隙が認められることが多い．代償性に声門上部の過収縮がみられることもある．中高年男性に多くみら

れる．先天性と後天性がある．原因は不明であるが，後天性は加齢や炎症の反復，嚢胞と関連があるとされている．

6　喉頭肉芽腫（図2-6）

披裂軟骨の声帯突起付近に，主に片側性に生じる淡紅色あるいは白色の表面平滑な有茎性腫瘤である．腫瘍ではなく，声帯突起部の強い接触による炎症性病変である．原因は①全身麻酔や人工呼吸器の使用に伴う気管挿管（挿管性肉芽腫），②**胃食道逆流症**，③過度な発声や咳・咳払いなどによる声帯への強い刺激（接触性肉芽腫）の3つに大別される．喉頭肉芽腫全体では男性に多いが，挿管性肉芽腫では女性に多い．女性は声門が小さく挿管の際に声帯突起部が傷害されやすいためとされ

> **Note 8. 胃食道逆流症**
> 胃食道逆流症（gastroesophageal reflux disease；GERD）は，主に胃酸が食道へ逆流することにより引き起こされる胸やけや呑酸（胃液が口や喉まで上がってきて，口の中に酸っぱさや苦さを感じること），食道の炎症などの症状を指す．その影響は多岐に及ぶが，特に耳鼻咽喉科領域の問題を生じるものを咽喉頭酸逆流症（laryngopharyngeal reflux disease；LPRD）とよぶ．主に咽喉頭異常感症，嗄声・発声障害，慢性咳嗽，喉頭肉芽腫などがある．

ている．病変が声帯突起部に限局することが多いため，嗄声を生じないことが多く，嗄声よりも咽喉頭異常感を訴える場合が多い（→ Note 8）．

7 声帯瘢痕

手術や外傷による損傷，繰り返す炎症などにより声帯の粘膜固有層が線維性組織に置き換わり，硬く変性したものである．喉頭ストロボスコピーで，声帯振動や粘膜波動の減弱や消失，両側声帯振動の位相差や声門閉鎖不全などが観察される．原因は声帯手術後の過度な発声，繰り返す炎症，声帯粘膜への物理的外傷，放射線治療などである．

8 喉頭横隔膜症（図2-7）

両側声帯の前方が癒着して膜状の隔膜が張り，水かき状になったものである．声門が最も多いが，声門上，声門下にみられる場合もある．先天性のものと後天性のものがある．先天性の場合，嗄声は喘鳴などの症状はみられるが，重度の呼吸困難を呈することは少ない．先天性は喉頭の発育異常によるもので原因は不明である．無症状のまま経過し，成人になってから偶然発見されることもある．後天性は外傷や喉頭手術後に生じる．気管挿管に伴い損傷を受けた場合は声帯後方に生じることもある．

9 喉頭軟弱症

出生後まもなく，あるいは数週間で発症し，喘鳴あるいは吸気性雑音を主症状とする．乳児の喘鳴として最も多い疾患である．号泣時にはチアノーゼが起こり吸気性雑音が著明となることがあり，哺乳障害，体重増加不良を認めることもある．筋緊張が弱い未熟児や神経疾患を有する児などにみられることが多いが，基礎疾患のない児にもみられる．喉頭が小さいことと，喉頭上部組織が軟弱であるために，吸気時にこれら組織が喉頭腔内に落ち込み喘鳴や異常な振動音を引き起こす．成長に伴って2歳頃までに喘鳴，吸気性雑音は自然消失することが多い．

10 加齢性声帯萎縮（図2-8）

加齢変化による声帯の萎縮・弓状弛緩により，発声時に声帯突起が突出して接触し，紡錘状の声門間隙がみられる．60歳以降の男性に多い．一方，女性の加齢変化としては，声帯粘膜に浮腫状変化が多くみられる．原因は加齢による声帯粘膜の菲薄化，声帯筋の萎縮，弾性線維の減少である．そのほかに，加齢による肺の弾性収縮力の低下，呼吸筋の筋力低下などもあわさって音声障害をきたす．声の異常のほかに音声疲労を訴える場合もある．

11 喉頭白板症（図2-9）

片側性または両側性に生じる境界明瞭な白色病変である．多くは炎症に伴い粘膜上皮が増生，肥厚したものである．病理組織学的には，異形成上皮あるいはがんであることもあり，前がん病変として扱われる．病変の肥厚が顕著な場合には部分的，あるいは全長にわたる声門閉鎖不全があることが多い．増生した上皮が突出すると対側の声帯振動を妨害する．一方，声帯上面に限局した病変では声門閉鎖は完全となる．男性に多い．主な原

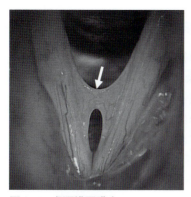
図2-7 喉頭横隔膜症

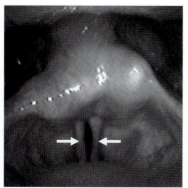
図2-8 加齢性声帯萎縮
両声帯に萎縮，弓状弛緩（矢印）があり，発声時に声帯突起だけが接触する．

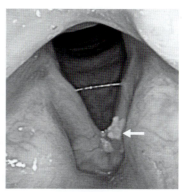
図2-9 喉頭白板症

因は喫煙である．そのほかに声の濫用が誘因となることもある．

12 喉頭がん（図2-10）

上皮細胞から発生する悪性腫瘍．表面が粗で境界不鮮明な白色の腫瘤である．病理組織学的にはほとんどが扁平上皮がんである．声帯に発症した場合（声門がん），嗄声が出現するため早期に発見されることが多い．喉頭ストロボスコピーで，声帯粘膜の硬化した部位の粘膜波動が消失している．声帯の上部（声門上がん），下部（声門下がん）に発症した場合は，自他覚症状に乏しく，発見が遅れる．中高年齢層に多く，70歳代でピークを迎える．性差は**男性が女性の10倍以上**である．原因は**喫煙**と飲酒である．

13 喉頭乳頭腫

粘膜上皮に生じる．喉頭では声帯下唇が好発部位である．乳幼児期に多い若年型と成人型に大別される．乳幼児期の乳頭腫は音声障害だけでなく呼吸困難もきたしやすく，再発傾向が強く難治である．若年型，成人型ともに多発性は喉頭以外に発症することも多く，軟口蓋鼻腔面，喉頭蓋喉頭面正中付近，喉頭室〔Morgani（モルガーニ）室〕の上・下縁などが好発部位である．稀にがん化す

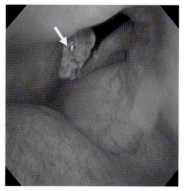
図2-10 喉頭がん

ることがある．原因はヒトパピローマウイルス（human papillomavirus；HPV）の特に6型と11型の感染である．

14 急性喉頭炎

感冒の部分症状であることが多い．感冒などで炎症が声帯に及ぶと嗄声や失声となることもある．喉頭所見は，両側声帯のびまん性発赤，腫脹，充血，浮腫，血管拡張である．一側の声帯のみに限局した粘膜下出血や，声門下から気管までの高度の浮腫が起こることもある．急激な声帯腫脹のため粘膜が過度に伸展され，粘膜の余裕がなくなり移動性が低下し，粘膜波動が低下あるいは消失する．原因はウイルス感染やそれに引き続く細菌感染であることが最も多い．過度な発声や歌

唱，強い咳・咳払い，くしゃみの連続などの機械的刺激，煙や刺激性ガスによる化学的刺激，喉頭がんの放射線治療の副作用によるものもある．

15 喉頭外傷

喉頭外傷には外損傷と内損傷がある．外損傷は，その原因として交通事故やスポーツなどの外力があげられ，皮膚損傷のある開放性外傷と，皮膚損傷のない閉鎖性外傷に分けられる．内損傷は，手術，内視鏡，経鼻胃管，挿管チューブによる喉頭への障害や，喉頭異物，喉頭熱傷などによる内腔からの損傷である．受傷後の経過期間によって，受傷後2週間以内は骨・軟骨に対する一時的処置が可能であることから新鮮例として，受傷後2週間以降は陳旧例として区別される．症状は呼吸困難，狭窄音，音声障害，血痰，吐血，頸部腫脹，皮下気腫，嚥下時痛，嚥下障害などであるが，外傷の部位と程度により病態は異なる．

16 内分泌異常に伴う音声障害

甲状腺機能低下症，甲状腺機能亢進症，性ホルモン障害，成長ホルモン分泌亢進症などの原因による声帯の器質的変化が音声障害を引き起こすことがある．これらの疾患では音声障害が主訴となることは稀であるが，性ホルモン障害では音声障害を主訴として医療機関を受診することがある．性ホルモン障害による音声障害は女性における音声の男性化であるが，**男性化作用のある薬剤**(男性ホルモン，蛋白同化ステロイド)を乳がん術後，更年期障害，月経困難症などに投与した場合に起こる．薬剤投与により声帯筋筋線維の肥大が起こることが原因である．喉頭内視鏡検査では声帯の発赤，分泌物の増加などの炎症所見や後部声門間隙などが認められることがある．そのため気息性嗄声，発声困難感などが生じる．

17 喉頭結核

高齢者では肺結核に続く二次感染が多いが，若年者では初感染からの発病である一次結核が多く，結核の活動性が高いとされている．60〜80%には肺結核を合併しているという報告もある．主要な症状としては，嗄声，咽頭違和感，嚥下時痛がある．喉頭所見では，声帯の発赤，腫脹，潰瘍，肉芽病変など多彩である．胸部X線検査，ツベルクリン検査などの免疫学的検査，喀痰検査などの細菌学的検査により診断される．

B 声帯運動の異常

1 声帯麻痺

声帯の運動を支配する反回神経が種々の部位で種々の原因により障害を受けることで内喉頭筋の麻痺が生じ，声帯運動に異常をきたす．発症の**左右差**はおよそ4：1であり，神経の走行のより長い左側に生じやすい．両側声帯麻痺の場合，両側とも正中位に近い位置で固定することが多い．そのため，音声障害よりも気道狭窄による呼吸困難が問題となる．重症筋無力症などの筋疾患や披裂軟骨脱臼症との鑑別が重要であり，**喉頭筋電図検査およびCT**による評価が有用である．声帯麻痺の分類として，①術後性麻痺(頭蓋内，頭蓋底，頸胸部の手術や気管挿管によって神経を損傷または圧迫したことによるもの)，②非術後性麻痺(脳腫瘍，脳血管障害，頭頸部がん，食道がん，肺がん，胸部大動脈瘤などによる神経への浸潤または圧迫によるもの)，③特発性(原因不明のもの)，の3つに大別される．少数だがウイルス感染や薬物による中毒性神経炎によるものもある．片側声帯麻痺では麻痺側声帯の固定位置により気息性嗄声の程度はさまざまで，開大位固定(図2-11)では失声となる．両側声帯麻痺では吸気性喘鳴が主

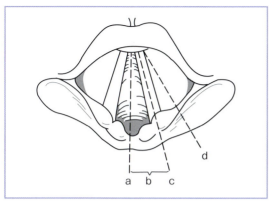

図 2-11　声帯麻痺固定位置
発声時の声帯の位置を正中位(a)，深吸気時の声帯の位置を開大位(d)，開大位と正中位の間で安静呼吸時の位置を中間位(c)，さらに中間位と正中位の間を副正中位(b)とよぶ．
〔田山二朗：喉頭の運動・知覚障害．切替一郎（原著）：新耳鼻咽喉科学，改訂11版．pp554-564，南山堂，2013より〕

な症状となる〔Note 3（➡20頁）参照〕．

2　披裂軟骨脱臼症

　気管挿管や手術，内視鏡の挿入などによる内腔からの外傷，交通事故やスポーツによる頸部打撲などによる外側からの外傷により，披裂軟骨の脱臼をきたし，声帯の内転・外転運動が障害された病態である．披裂軟骨の位置により，前方脱臼と後方脱臼に分類される．前方脱臼では患側声帯が弛緩し，発声時に声帯突起が内腔に突出する．後方脱臼では声帯の幅が狭く，発声時もあまり運動性がみられない．特に前方脱臼では声帯麻痺との鑑別が重要であり，喉頭筋電図検査や3DCTが有用である．ほとんどの症例で気息性嗄声がみられる．嚥下困難感や嚥下時痛などを伴う場合もある．特に嚥下時痛は後方脱臼で生じやすいという報告がある．

C 声帯組織の著変のない音声障害

1　中枢神経障害に伴う音声障害

a 痙攣性発声障害（spasmodic dysphonia；SD）

　局所性のジストニアが喉頭を標的として現れたものである．局所性ジストニアの特徴は，特定の動作によって誘発され，その動作時にのみ出現することである．すなわち喉頭運動の障害は発声動作に限定され，呼吸，嚥下，咳など発声動作を意図しない喉頭機能について異常は認められない．音声症状は，話しにくい特定の語がある．精神的緊張やストレスを伴う場面で悪化する．また発話を通じて持続するのではなく，正常音声に混在して現れる．笑い声，泣き声，囁き声，裏声，歌声では症状が軽減あるいは消失する．鑑別すべき疾患は，本態性音声振戦症，過緊張性発声障害，心因性発声障害，吃音である．

1）内転型痙攣性発声障害

　SDの90〜95％を占めるとされている．20〜30歳代の女性に多くみられる．喉が締めつけられる，息苦しいなどの症状を訴える．喉頭内視鏡検査にて，発声時に仮声帯の過内転，前後径の短縮，喉頭絞扼などがみられることもある．責任筋は甲状披裂筋である．特徴的な音声の症状は**声のつまり**，**途切れ**，**ふるえ**，努力性発声である．

2）外転型痙攣性発声障害

　SDの約5％を占める．声が抜ける，声が出ないなどと訴える．喉頭内視鏡検査にて，発声時に声門が開大し声門閉鎖不全がみられる．責任筋は後輪状披裂筋であることが多い．少数だが輪状甲状筋や外喉頭筋が関与している例も報告されている．特徴的な音声の症状は**間欠的な無声化**，気息

性嗄声，失声である．無声子音に続く母音の発声開始遅延〔**有声開始時間（voice onset time；VOT）の延長**〕が高率に見られる．

3）混合型痙攣性発声障害

極めて稀である．内転型 SD と外転型 SD の特徴をあわせもっている．

b 音声振戦

喉頭をはじめとする発声器官のさまざまな筋に振戦が生じ，声の大きさや高さが律動的に変動し，声がふるえているように聞こえる病態である．音声振戦をきたす代表的な疾患は Parkinson（パーキンソン）病，小脳疾患などが挙げられる．原因不明のものは**本態性音声振戦症**とよばれ，身体各部位における振戦を主症状とする本態性振戦症の部分症状とされている．本態性振戦症の有病率は年齢が高くなるほど高くなり，65 歳以上では約 4％ である．症状が最も多いのは上肢，ついで頭部の振戦であり，本態性音声振戦症を呈する患者の割合は全体の 10〜20％ であるという報告がある．女性に多い．喉頭内視鏡検査にて，舌，軟口蓋，咽頭にも振戦がみられる．腹部，胸部などにも同様に振戦がみられることがある．音声振戦の周期は 4〜5 Hz で母音持続発声時に最も著明である．会話ではそれほど目立たないこともある．内転型 SD と異なり，裏声発声でも振戦は消失しない．

c Parkinson 病による音声障害

Parkinson 病の発症早期から音声障害を呈する．音声障害がほかの身体症状に先行して発症することもしばしばみられる．喉頭内視鏡検査にて，軽度の弓状弛緩，声門閉鎖不全がみられ，喉頭ストロボスコピーにて粘膜波動の低下，声門閉鎖時間の短縮がみられることが多い．大きな声が出ない，声に力が入らない，声が小さくなった，歌えなくなったなどの訴えが多い．また，声のふるえや発話中に徐々に声量が小さくなることも特徴的である．Parkinson 病による姿勢反射障害により前屈姿勢が強くなり，頸部筋群の筋緊張が高まると，声量はさらに低下し，音域も狭小化し，会話時の抑揚も乏しくなる．

d その他の中枢神経障害

脳梗塞，脳出血などの脳血管障害のほかに，筋萎縮性側索硬化症，Wallenberg（ワレンベルグ）症候群，多発性硬化症，ミオクローヌス，多系統萎縮症，進行性核上性麻痺，Huntington（ハンチントン）病などにより音声障害を呈する．脳血管障害の場合，喉頭の運動神経核である疑核とその入力の障害が原因とされている．上位ニューロンの障害（痙性麻痺）では，喉頭内視鏡検査にて声帯の弓状弛緩がみられることがあるが，発声時には仮声帯の過内転，声門前後径の短縮，喉頭絞扼などが多くみられる．疑核そのものの障害（弛緩性麻痺）では声門閉鎖不全がみられる．体幹の麻痺がある場合には腹筋の麻痺により音圧が低下する．神経変性疾患の場合，疾患に伴う喉頭および腹部の筋力および筋緊張の低下が原因とされており，声帯の弓状弛緩や声門間隙がみられる．

2 心因性発声障害

従来は「ヒステリー性失声症」といわれていた．心理的に負担となるなんらかの身体的なできごと（心理的ストレス）を契機として，意図的な発声ができなくなった状態である（➡ Note 9）．米国精神医学会の診断基準である「DSM-5 精神疾患の診断・統計マニュアル」における「身体症状症および関連症群」のうちの「変換症/転換性障害（機能性神経症状症）」であることが大多数である．精神葛藤に基づく不安防衛としての声帯の随意運動の欠陥と考えられている．成人では女性に多い．小児では性差はない．発症は急であることが多い．発症の原因となった心因を初診時に自覚している場合もあるが，自覚がなく特定困難であることも少なくない．喉頭内視鏡検査では声帯に器質的病変

> **Note 9. 心因性（音声）発声障害，心因性失声症，ヒステリー性失声症の違い**
>
> 精神科医の鈴木[1]は，有響性の声が出ない状態で，声帯に器質性の病変がなく，嗄声で話をする状態と，音声なく動作のみで話をする失声を心因性発声障害と定義している．さらに，この失声のみ，あるいはこの症状を主訴とする病態を「失声症」とよび，ほかの手指の麻痺症状，失立，失歩など運動症状を併発している場合は解離性障害の一部分症状として「失声」とし，気分障害や統合失調症に罹患している場合にもその疾患の一症状として「失声」とよぶことを提案している．もともとヒステリーという用語は古代ギリシャ時代に「子宮」を語源とし，女性特有の疾患と考えられていた．その後，ヒステリーは神経症の1つとされ，さらにフロイトが精神分析学の立場から，現実の受け入れがたい欲求あるいは願望が抑圧され生じた無意識的心理的葛藤が身体症状として現れた症状をヒステリー症状とした．彼はこの身体症状への表出メカニズムを「転換」とよんだ．しかし，その後ヒステリーには，その表現型から身体表現型の転換性障害と精神表現型の解離性障害の2つの意味が混在するようになった．したがって，どちらを意味するのかがわかりにくいことからその使用を避けられるようになり，DSM-Ⅲからはヒステリーや神経症という用語は廃され，身体表現性障害のなかの転換性障害と位置づけられた[2]．
>
> 引用文献
> 1) 鈴木二郎：心因性発声障害の臨床精神医学的研究. 外来精神医療 14：45-55, 2014
> 2) 三村 將（編）：DSM-5を読み解く 不安症群, 強迫症および関連症群, 心的外傷およびストレス因関連障害群, 解離症群, 身体症状症および関連症群. pp30-231, 中山書店, 2014

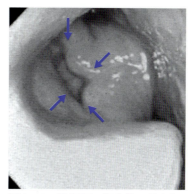

図2-12 過緊張，仮声帯の過内転，声帯前後径の短縮
仮声帯の過内転と声帯前後径の短縮の双方がみられる．

がなく，意図的な発声を促しても有響音が生成されず声門間隙を認め，**咳払い**をさせると声門が十分閉鎖し，吸気時に両声帯が十分外転する．このような場合，失声となり囁き声で話すが，口だけを動かし囁き声も出さない場合や，口さえも動かさず筆談で話すこともある．過緊張性発声障害に類似した音声症状を呈する場合には，声門前後径の短縮や喉頭絞扼がみられる．いずれも泣いたり笑ったり歌を歌うときには声が出ることもある．一般的には予後は良好であるが，若年，心理的要因の関与が深い場合，病悩期間が長い場合，ほかの精神医学的疾患や心因性の体調不良がある場合や日常生活でそれほど困っていない場合などは治療期間が長くなりやすい．

3 過緊張性発声障害

喉頭およびその周辺の筋が過度に緊張するために**喉詰め発声**あるいは，いかにも力を込め過ぎた発声となる．喉頭所見では発声時に声帯および仮声帯の過内転，喉頭蓋と披裂部が接近することによる声帯前後径の短縮像などがみられる（図2-12）．粗糙性嗄声，気息性嗄声，努力性嗄声のほかに，ピッチの異常，声のふるえや音声の途絶などさまざまな症状がみられる．喉頭筋のみではなく，頸部，肩などにも過緊張がみられることがあり，発声時に喉頭が挙上することも多い．発声に伴う喉頭部の痛みや易疲労性が認められる場合もある．音声酷使や喉詰め発声などの誤った発声法が習慣化して生じたものと，その背景に心理的要因が関与しているものとがあり，後者の場合は女性に多い．胃酸逆流が関与している場合もあり，男性に多い．鑑別すべき疾患は内転型SDである．

4 低緊張性発声障害

声帯の内転運動が弱いため発声時に十分な声門閉鎖が得られない状態である．発声時の呼気努力

も小さい，大きい声が出せない，声が通らないなどと訴える．発声に伴う易疲労性，喉頭部痛，喉の異物感などを訴えることもある．音声酷使により筋が疲労した結果生じるとの報告もあるが，心理的要因が関与している例が多い．

5 変声障害

変声（声変わり）は2次性徴の1つであり，日本人男性では12歳頃が最も多く，女性ではこれより早期に始まる．変声期に男性では喉頭の上下および前後径が急激に増大し喉頭隆起（いわゆるのど仏）が目立って前方に突出する．喉頭内視鏡検査では，軽度の充血や浮腫などの炎症性変化がみられ，さまざまな程度の嗄声を呈する．このような状態はおよそ3〜12か月以内に消失し，成人の声に移行するのが普通である．変声が正常に経過した場合，男性では話声位が約1オクターブ低下する．女性でも話声位は低下するが，男性ほど明瞭ではない．

変声期の経過が正常でなくさまざまな症状が現れた状態を変声障害とよび，2つの型がある．1つは遷延性変声といい，長期にわたって変声が長引く状態である．もう1つは持続性変声といい，変声期を過ぎているにもかかわらず，成人の話声位に低下せず，裏声発声を続けている状態である．喉頭内視鏡検査では発声時に声門閉鎖不全や仮声帯の過内転がみられることもある．音声症状は裏声発声，話声位の上昇，**声の翻転**（地声と裏声が不随意に混じる）などである．原因は変声期における喉頭の急速な発育に際して筋の調節が追従できないために起こる喉頭の協調運動障害とされている．心理的要因が関与している場合もある．

6 仮声帯発声（図2-13）

発声時に声門上部，特に仮声帯に過緊張が生じている状態である．喉頭内視鏡検査では，発声時に仮声帯の過内転が起こり，左右の仮声帯が高度

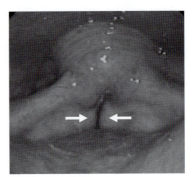

図2-13 仮声帯発声
両側の仮声帯が接触している．

に接近または接触している．仮声帯が振動源の場合もあれば，声門上部の過緊張から生じる気流雑音が音声症状の原因となっていることもある．原因は習慣的な声の濫用や心理的要因の関与とされている．

なお，声帯麻痺や声帯萎縮，声帯溝症などにより声門閉鎖不全をきたし，代償的に仮声帯発声を行っている場合は，声帯に異常のない仮声帯発声と区別し，治療法も異なる．

7 その他の音声障害

a 歌声障害

会話時の音声に異常はなく，歌声にのみ障害がみられる．患者の多くは歌唱で主に生計を立てている職業歌手である．特定の声域（高音域，中音域，低音域など）の歌声が出しにくいと訴えることが多い．器質的歌声障害と機能的歌声障害の2種類に分類される．前者は急性喉頭炎の軽微なものや微小な声帯結節や声帯ポリープなど，日常会話では問題にならない程度のわずかな器質的異常が原因で生じる．後者は器質的異常がないが歌唱時の喉頭調節が不適切であったり，求められているレベルの喉頭調節ができないことが原因で生じる．

b 性同一性障害による音声障害

性同一性障害（gender identity disorder；GID）は，「生物学的には完全に正常であり，しかも自分の肉体がどちらの性に属しているかはっきりと認識しながら，その反面で，人格的には自分が別の性に属していると確信している状態」と定義されている．近年，性転換手術を行ったり戸籍上の性を変更する例が増加している．さらに人格的な性にかなった音声の獲得を希望して医療機関を受診する例も少なからず存在する．

3 音声障害の関連障害

> **学修の到達目標**
> ● 音声障害の関連障害について説明できる．

本項では発話障害，呼吸障害，聴覚障害，内分泌異常，精神疾患などといった関連障害の徴候もしくは症状として生じる音声障害のうち代表的なものについて述べる．

A 発話障害

発話障害（speech sound disorders）は発語障害と同義である．ここには運動障害性構音障害，器質性構音障害，機能性構音障害，吃音といった多種多様な障害が含まれ，程度の差はあるが，その多くに音声障害が認められる．機能性構音障害，器質性構音障害，運動障害性構音障害，吃音については詳細を本書の各章，各項目にゆずり，ここではやや特殊な発話障害である無言症について述べる．

1 無言症

特殊な発話障害に無言症（mutism）がある．**緘黙**ともよばれている．発声発語運動に障害が認められないにもかかわらず発声も発語もない病態である．コミュニケーションは筆談で行えることが多い．中枢神経系と関連するものでは，急性期の運動障害性構音障害や失語症で一時的にみられることがあり，損傷部位として小脳，大脳の帯状回および補足運動野などが挙げられる．また，脳梁切断術後の急性期に出現することもある[1]．さらに，Parkinson（パーキンソン）病や進行性核上性麻痺でもみられる．精神疾患では，統合失調症の陰性症状として生じるほか，不安障害の一症状として生じることがある．後者では「緘黙」という用語が使われることが多い．

B 呼吸障害

ここでは呼吸障害のうち換気障害を取り上げる．換気障害とは，吸気と呼気を繰り返し，外気と肺との間で空気の出し入れを行う過程の障害を指す．声は肺からの呼気の力（呼気圧）で声帯が振動することによってつくられるので，換気障害と音声障害とは密接に関連している．

1 拘束性換気障害

肺，胸郭あるいは腹部の損傷により肺の容積が減少するか，または肺のコンプライアンス(＝膨らみやすさ)が障害されることによって**肺活量**が減少する病態である．原因として，気胸，間質性肺炎，じん肺，肺切除後などがある．

発声に必要な呼気量は，普通の会話では肺活量の約25％，大きい声で話すときは約45％といわれている[2]．これは安静呼吸時の呼気量である肺活量の約10％と比べると多いが，それでも発話に必要な呼気量は肺活量の半分程度にすぎない．したがって，拘束性換気障害があり肺活量が多少減少しても音声障害を生じることは多くない．ただし，肺活量が大幅に減少し，例えば病前の半分以下になった場合は，発声持続時間が短縮する，息継ぎが多くなるといった異常とともに，発声に伴う疲労感や息切れを生じることがある．

2 閉塞性換気障害

気道の内腔が狭くなり息が吐きにくくなる病態である．原因に，**慢性閉塞性肺疾患**(chronic obstructive pulmonary disease；COPD)，肺気腫，慢性気管支炎，気管支喘息などがある．閉塞性換気障害では呼吸が浅くなり，また発声に必要な呼気調節を行うことが困難であることから，発声持続時間が短縮する，息継ぎが多くなる，大きい声が出せないといった音声の異常を生じる．また，病状が進行すると発声に伴う疲労感や息切れを生じる．

閉塞性換気障害の代表的な原因疾患であるCOPDは，従来，慢性気管支炎や肺気腫とよばれてきた疾患の総称である．原因の多くは喫煙であり，初期には無症状，もしくは咳，痰がみられるのみであるが，徐々に歩行や階段昇降など，身体を動かしたときに生じる労作時の息切れが顕在化し，進行すると会話や安静時でも息切れが起こるようになる．

COPDの患者数は40歳以上の人口の8.6％，約530万人存在すると推定されている[3]．肺がんや心血管疾患の高リスクであることから，これらの疾患で通院・入院している患者のなかに潜在している可能性が高い．疾患の認知度がまだ低く，初期には症状が軽いため患者自身も罹患を自覚しにくく，未受診，未治療状態で喫煙を続け重症化してしまうケースも多いと考えられている．音声または言語障害を主訴とすることは少ないが，言語聴覚士の日常臨床でもCOPD症例を経験することは珍しくない．したがって，その病態を理解しておくことは有用である．

C 聴覚障害

発声機能は，外界からの音声を聴覚的に知覚し，これを模倣して発声し，さらに自分の声の聴覚的フィードバックにより発声運動を調節するという一連のプロセスを繰り返すことにより習得される．したがって，発声機能を習得する前に重度の聴覚障害を発症すると発声機能の習得が阻害され，音声障害を生じることがある．一方，発声機能の習得後に聴覚障害を発症した場合，音声障害を生じることは少ない．

1 言語習得前失聴

発声発語機能を習得する前(2歳未満)に話しことばの使用に必要な聴力を失った，あるいは先天的にもたない聴覚障害を**言語習得前失聴**または言語獲得前失聴とよぶ．

言語習得前失聴があっても，健聴児と同様，生後2か月頃から泣くとき以外に「あー」「うー」といった発声が出現する．しかし，重度～最重度の聴覚障害ではその後に発声量や音の種類が増えにくい．また健聴児では生後6か月頃に出現する喃語が重度～最重度の聴覚障害児では出現しないと

表 2-2　言語習得前失聴における音声障害

聴覚障害の程度	聴力(平均聴力レベル)	音声障害
軽度	25～39 dB	障害なし.
中等度	40～69 dB	声質, 話声位に障害は認められない. 声が大き過ぎることがある. 構音障害(サ行音, チ, ツなど)が主である.
高度	70～89 dB	補聴器を装用して聴覚活用すれば音声障害は生じにくい. 話声位の上昇, 抑揚の減少, 母音の鼻音化などがみられることがある.
重度	90～99 dB	補聴器を装用しても音声障害が目立つ. ただし, 個人差が大きい. 話声位の上昇, 声の強さの変動, 抑揚の減少, 母音の鼻音化や歪みが認められる. 「ろう児声」(本文参照)がみられることがある. 早期から人工内耳によって聴覚活用すれば, 音声障害を軽減させることができる.
最重度	100 dB以上	

いわれている.

　言語習得前失聴にみられる音声障害としては, 話声位の上昇または下降, 抑揚の減少または過剰な変化, 持続時間の調整の誤り, 爆発的な声の強さの変動などがあげられる. また重度～最重度聴覚障害では「ろう児声」といわれる, 「こもって緩慢な印象を与える声質, 高さの調整が不適切であり極端に変動したり, 突然裏声になる」といった音声障害を呈することがある[4,5](表2-2).

　音声障害の程度は, 主に聴力の程度, 型によって決まるが, 聴覚障害の発症時期・発見時期, 発見後の治療・(リ)ハビリテーション・療育などによってもかなり異なる. 一般に, 音声障害が目立つのは重度(平均聴力レベル 90 dB 以上)以上の聴覚障害であるが, 個人差も大きい. 高度(同 70～89 dB)聴覚障害では補聴器を装用して聴覚活用すれば音声障害を生じにくいが, 適切な介入がなされなければ音声障害を生じることがある. 中等度(同 40～69 dB)聴覚障害では時に声が大きすぎることがあるが, 声質や声の高さの異常は認められない. また, 軽度(同 25～39 dB)聴覚障害で音声障害は生じない[6,7](表2-2).

　近年では聴覚障害の早期発見とともに人工内耳手術, 高出力補聴器の開発, および(リ)ハビリテーション・療育・教育介入が進み, 音声障害を呈する聴覚障害児は減少している.

2　言語習得後失聴

　言語習得前失聴とは異なり, 大多数では音声障害を生じないが, 重度の聴覚障害では自分の声に対する聴覚的フィードバックが適正にかからず, 声が大きすぎることがある.

D　内分泌異常

　内分泌系は, **ホルモン**を血中に分泌することによって喉頭を含む全身のさまざまな器官における細胞の活動を制御している. ここでは内分泌異常のうち音声障害を引き起こすことが知られている病態を挙げる. いずれも身体症候が病態の中核であり音声障害が主訴になることは少ない. また, 薬物治療や外科的治療の適応であり音声治療の対象となることは稀である.

1　類宦官症

　性腺機能低下症の一部であり, 男性ホルモンが分泌されない, あるいは異常に低下しているために起こる病態である. 陰毛やひげが生えてこない, 陰茎や精巣が小さい, 変声が起こらないといった2次性徴の異常が特徴的である. 音声所見としては話声位が異常に高いことが認められる.

原因は，精巣に障害があるもの（原発性）では，性腺腫瘍，精巣への放射線治療および化学療法，睾丸の外傷や去勢，Kleinfelter（クラインフェルター）症候群などがある．また，脳下垂体から性腺刺激ホルモンが分泌されないことによるもの（続発性）では，脳の器質的疾患，脳への放射線治療の影響，Kallmann（カルマン）症候群などがある．男性ホルモン剤の投与が有効である．

2 甲状腺機能低下症

甲状腺機能の低下に伴い，血中の甲状腺ホルモン濃度の低下が起こることによる病態である．新生児期に発症するクレチン症と成人期に発症する粘液水腫とに分けられる．クレチン症では全身的な成長障害に伴い喉頭の発育も未熟となる．話声位が高い，声域が狭い，男子では変声が起こらないなどの音声障害を生じる．粘液水腫は食物中のヨードの不足，甲状腺炎，甲状腺摘出あるいは橋本病などにより生じ，声帯粘膜の浮腫により嗄声や話声位の低下をきたす．いずれに対しても薬物治療が行われる．

3 甲状腺機能亢進症〔Basedow（バセドウ）病〕

甲状腺ホルモンの過剰分泌による病態であり，基礎代謝の亢進，甲状腺腫，手指のふるえなどとともに，声の易疲労性，軽度の気息性嗄声，発声持続時間の短縮といった音声障害がみられる．

4 先端巨大症（末端肥大症）

脳下垂体前葉からの成長ホルモンの過剰分泌により身体の変化や代謝異常が起こる病態である．以前は末端肥大症とよばれていた．原因の大多数は成長ホルモン産生下垂体腺腫である．主症候として手足の容積の増大（以前入っていた指輪や手袋が入らなくなる，足のサイズが大きくなる），先端巨大症様顔貌（眉弓部膨隆，鼻・口唇の肥大，下顎の突出など），巨大舌がある[8]．この他に喉頭隆起の突出，声帯や披裂部の肥大が観察される．音声では話声位の低下や声域の狭小化が起こる．

5 副腎性器症候群

過剰な副腎アンドロゲンが男性化を引き起こす病態で，原因は先天性副腎過形成または副腎腫瘍である．男女ともに発症するが，影響は女性の場合により大きく，成人女性では，無月経，子宮萎縮，陰核肥大，乳房縮小，ざ瘡，多毛，頭部脱毛，性欲亢進などとともに声の低音化を生じる．

E 精神疾患など

精神疾患は病因により「内因性」「心因性」「器質性」の3つに大別することができる．このうち，心理的要因の関与が大きい心因性精神疾患では音声障害を生じることが比較的よくあり，音声治療の対象となることも少なくない．

1 心因性精神疾患

心因性精神疾患のうち転換性障害で音声障害を生じることはよく知られている．転換性障害とは，歴史的にはヒステリーとよばれていた病態に該当し，心理的葛藤が身体症状として現れるものを指す．転換性障害の症状としては，脱力または麻痺，異常運動（振戦，ジストニア，ミオクローヌス，歩行障害），嚥下障害，発話障害（失声，構音障害など），発作または痙攣，知覚麻痺または感覚脱失，感覚障害（視覚，嗅覚，聴覚の障害）などがある[9]．音声障害としては失声が最も多く，**心因性失声症**とよばれている〔Note 9（➡ 69頁）参照〕．転換性障害では失声以外にも多種多様な

声質異常，ピッチ障害，声の大きさの障害(大きい声が出せないなど)を生じることがあり，また，1人の患者のなかで，音声異常の程度が大きく変動したり，失声と嗄声とが混在することがある[10]．

なお，「転換性障害」という用語は世界保健機関(World Health Organization；WHO)による「国際疾病分類 第10版」(International Classification of Diseases 10th edition：ICD-10)では「神経症性障害，ストレス関連障害および身体表現性障害」中の「解離性[転換性]障害」に記載されている．一方，米国精神医学会による「DSM-5 精神疾患の診断・統計マニュアル」(Diagnostic and Statistical Manual of Mental Disorders, 5th edition)では「身体症状症および関連症群」の中の「変換症/転換性障害(機能性神経症状症)」に記載されている．

2 その他の精神疾患

統合失調症や気分障害(うつ病，双極性障害など)といった内因性精神疾患でもさまざまな音声の異常(声が高すぎる/低すぎる，大きい声が出せない，声質の異常，抑揚の乏しさ/過剰な抑揚)が生じることが知られている[10]．特定の音声異常が特定の疾患に生じることは確認されていないことから，病的な意識状態あるいは人格ないし性格，感情(喜び，悲しみ，抑うつ，恐怖，不安など)が声に反映されたものと解釈するのが妥当である．

ほかに，性同一性障害における音声障害があり，音声治療の対象となることがある．性同一性障害は，DSM-5では「性別違和」に記載され，「その人により経験または表出されるジェンダーと，指定されたジェンダーとの間の不一致に伴う苦痛を意味する」とされている．一方，ICD-10では「成人の人格及び行動の障害」中の「性同一性障害」に記載されている．

引用文献

1) Duffy JR(著)，苅安 誠(監訳)：運動性構音障害—基礎・鑑別・マネージメント—．pp266-281，医歯薬出版，2004
2) Hixon TJ：Respiratory function in speech. In Minifie FD, et al(eds)：Normal Aspects of Speech, Hearing and Language. p115, Prentice-Hall, Englewood Cliffs, NJ, 1973
3) 日本呼吸器学会COPDガイドライン第5版作成委員会(編)：COPD(慢性閉塞性肺疾患)診断と治療のためのガイドライン2018，第5版．メディカルレビュー社，2018
4) 廣田栄子：難聴による言語障害．野村恭也，他(編)：聴覚．pp253-265，中山書店，2000
5) 教師養成研究会：聞こえの障害とはなしことば．教師養成研究会特殊教育部会(編)：聴覚・言語障害児教育．pp292-297，学芸図書，1972
6) 廣田栄子：聴覚障害幼児の指導と音声言語発達．有馬正高，他(編)：発達障害医学の進歩5．pp25-35，診断と治療社，1993
7) 山口 忍：小児聴覚障害学．大森孝一，他(編)：言語聴覚士テキスト，第3版．pp349-356，医歯薬出版，2018
8) 先端巨大症及び下垂体巨人症の診断の手引き．厚生労働省科学研究費補助金難治性疾患等政策研究事業「間脳下垂体機能障害に関する調査研究」班：間脳下垂体機能障害の診断と治療の手引き(平成30年度改訂)．日本内分泌学会雑誌 95 Supple：ii-60, 2019
9) 日本精神神経学会(日本語版用語監修)，髙橋三郎，他(監訳)：DSM-5 精神疾患の診断・統計マニュアル．pp305-322，医学書院，2014
10) Aronson AE, et al：Clinical voice disorders, 4th ed. pp193-203, Thieme, New York, 2009

音声障害の評価診断

> **学修の到達目標**
> - 音声障害の評価診断の基本概念と方法が説明できる．
> - 医師が行う音声障害の評価診断について説明できる．
> - 言語聴覚士が行う音声障害の評価診断について説明できる．
> - 音声障害の鑑別診断と重症度が説明できる．
> - 音声障害の予後に関連する要因と訓練適応について説明できる．

評価診断の原則と流れ

　音声障害（voice disorders）は，発声困難が持続した状態である．個人の社会生活が声の問題により損なわれている場合がよくある．その評価と診断には専門性が求められ，適切な患者理解により治療の方針が示される．

　本項では，評価診断の原則を記し，その流れを示す．

1　評価診断の原則

　評価診断の原則を，以下に6つ記す．次項の評価診断の流れとあわせて，原則をふまえて臨床に取り組んでほしい．医師と言語聴覚士（ST）のチームでの医療，相互のコミュニケーションが肝要である．

原則①　声の問題を感じて病院を訪れる患者には，丁寧な問診（interview）が欠かせない．聴取した内容は評価の一部をなし，鑑別診断に貴重な情報を与える．

　初診では，患者と対面で話すなかで，発症にあたってのエピソード（出来事），自分の声についての自覚的状態，場面や状況別の声の使用とその状態，声のニーズと希望を聴取する．評価と鑑別診断のために，問診は大切な過程である．大きな声での異常，特定場面で起こる違和感，他者に指摘された気づきなど，患者の言葉，説明された状況をそのまま書き留めておきたい．患者が語る際にどのように声を出しているのか，その声の印象も記録しておく．

原則②　声については，自覚的な症状（元来の自分の声との対比）と他覚的な徴候（年齢性別で対応する集団との比較）の2側面で評価を行う．

　音声障害は，話声と歌声に関して，声が正常範囲を逸脱した状態，あるいは本人が声に関して問題と感じている状態である．したがって，評価には，自覚的困難を問う質問紙，音声課題（母音発声だけでなく，高さや大きさの変化，発話や歌唱）での声と発声の観察記録（音響・生理検査を含む）が必須となる．もし，自覚的困難が大きいわりに声の評価が正常範囲内かわずかな逸脱である場合においては，発声困難を顕在化させる課題で見い出すか，医療者と患者の歩み寄りが必要となる．

原則③　発声・構音時の観察，喉頭・声帯の内視鏡的観察を基本として，空気力学的測定を行うことで，合理的な病態説明を試みる．

　声の不良や発声困難を訴える人に対しての治

図 2-14 ヒトの音声行動の起源と病態理解の枠組み

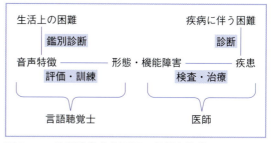

図 2-15 言語聴覚士と医師の役割と協働（コラボレーション）

療・リハビリテーションは，発声を実現させる身体（喉頭・声帯と姿勢・呼吸）と，その扱い方の修復となる．声の異常や発声困難の背景にあるもの（病態）を理解することで，治療の標的が定まる．構造運動の病理によって普遍的に生じる機能的な問題に個人によって異なる音声行動が加味されることを認識しておきたい（図 2-14）．安静時と発声・構音時の患者の状態を注意深く観察することが重要となる．喉頭の内視鏡的観察，空気力学的測定を踏まえて，合理的な病態説明を試みるよう常に臨みたい．

原則④　鑑別診断は，医師と言語聴覚士の協働で行われる（図 2-15）．医師の行う診察には言語聴覚士が立ち会い，言語聴覚士の評価を医師に伝えることが肝要である．

　医師の診察と検査，言語聴覚士の評価に基づいて，鑑別診断が行われる．疾患の確定と病態の理解から治療法が導かれるので，診断に間違いのないようにしたい．器質的異常を見出すのが得意な医師と機能性の問題（行動特性）をとらえる言語聴覚士がチームで行う診察と意見交換が重要である．医師が内視鏡的に喉頭を観察する際には，言語聴覚士が同席することで，声帯の病理が共有される．言語聴覚士が適切な音声課題を提示することで，構音の影響，発話内容による声の違いを医師が知ることもできる．

原則⑤　発声のしくみを知り，そこからの逸脱がないのか，観察をしていくなかで考える．負荷試行や試験的治療により，病態をもっとわかること

ができる．

　評価の過程で，音声と身体の観察が行われる．なにが起こっているのかを考えながら進めていく．所見を記し，あとでまとめて解釈をするのでは，せっかくのその場での試行（試験的治療）の機会を失ってしまう．例えば音声課題の実施で，異常がなかった場合に声の大きさを変えるなどの負荷試行を，異常があった場合に姿勢変化などの試験的治療を行っておきたい．

原則⑥　音声学の基本的事項を声の評価・鑑別診断に活用すべきである．音声障害の問題は，発声だけでなく発話にも及ぶので，生成する母音や子音，発話での喉頭調節も知らなければならない．

　母音の発声で声の異常がなくても，発話での声に支障があることがある（治療後でも）．話しことばでの発声と喉頭調節を理解するためには，音声学の基本が重要となる．言語音（母音と子音）の構えと狭窄・閉鎖に伴う気流・圧の変化は，喉頭の位置や声帯の振動に影響を与えることがある．すなわち，母音の持続発声の課題で，広母音と狭母音で発声をさせる意義，文再生の課題で母音や有声子音を多く含む文（adductor 文）と無声子音を多く含む文（abductor 文）を用いる価値，発話での抑揚やアクセントでのピッチ変化と喉頭調節の関係性を認識しておきたい．

2 評価診断の流れ

声の異常(嗄声，小声，低すぎる・高すぎる声，声のふるえ，声の途切れなど)の原因は，喉頭・声帯だけではない．呼吸や姿勢，発声や構音を制御する神経系の問題を背景とする場合(脳神経疾患)がよくある．

患者は，外来か入院で，医師の診察を受ける．主治医が耳鼻咽喉科・頭頸部外科(ear-nose-throat：ENT)の医師であれば，内視鏡検査を行い，器質的異常がないか，声帯運動障害がないかを調べる．主治医が他科(内科，脳神経内科・外科，小児科)であれば，神経学的評価のうえでSTに評価を依頼することになる．

STは問診を行い，患者の声の印象をもち，発声行動の観察を行う．質問紙による自覚的困難の評定，呼吸と姿勢の観察，音声発話課題，音響分析，空気力学的検査を行い，評価をまとめる．主治医には検査所見と評価の報告をする．

主治医は必要に応じて，病院内あるいは近隣のENT医師の診察を依頼する．医師の診察での所見とSTの評価をあわせて，鑑別診断が行われる．カンファレンスを行い，評価診断と治療方針が示される．

B 医師が行う音声障害の評価診断とその意味

1 内視鏡検査(声帯・声帯運動・声帯振動の観察)

音声障害の診療において，声帯の器質的病変や運動障害の有無を確認し，診断を確定するうえで喉頭観察は極めて重要である．喉頭内視鏡検査に用いられる内視鏡には，①硬性鏡(側視型喉頭鏡，前方斜視型喉頭鏡)，②軟性鏡〔ファイバースコープ，電子内視鏡(ビデオ電子スコープ)〕，③曲達鏡があり，音声障害を専門に取り扱う耳鼻咽喉科の外来でよく用いられるのが**硬性鏡**と**軟性鏡**である．喉頭内視鏡検査の種類と特徴を表2-3にまとめる．

喉頭内視鏡にストロボ光源装置を組み合わせることにより，声帯の基本周波数とわずかにずらしたストロボ光を声帯にあてて声帯の疑似振動をスローモーションのように観察することができる．**喉頭ストロボスコピー**を用いることで硬化性病変の有無と範囲を観察することや，発声時の振幅や位相の左右対称性，規則性，粘膜波動の有無や大きさ，不動部分の有無についてより詳細に観察することができる．また喉頭内視鏡に**狭帯域光観察(narrow band imaging；NBI)**を組み合わせることで，血管情報が強調して表現される[1]．NBIシステムにより腫瘍組織に特徴的な血管異常を描出でき，白色光の観察では認識しにくい悪性腫瘍や喉頭乳頭腫などの診断が可能となる．喉頭内視鏡検査の観察項目は表2-4のとおりで，鼻咽腔から下咽頭にかけて系統的に観察するとよい[2]．

喉頭内視鏡検査は器質的病変の診断だけでなく，機能性発声障害における**病態把握**という意味でも非常に有用である．なかでも音声障害の臨床で遭遇することが多い**筋緊張性発声障害(muscle tension dysphonia；MTD)**には主として4タイプの喉頭所見がある[3](表2-5)．MTDについては，音声障害診療ガイドライン[4]の分類表における過緊張性発声障害におおむね相当すると考えてよい．タイプ1は発声時に声門後部の閉鎖が不完全で間隙を認める．タイプ2は声門，声門上部における側方からの過収縮が認められ，声門レベルでの過剰閉鎖(サブタイプa)と声門上部レベルにおける側方からの閉鎖いわゆる仮声帯発声(サブタイプb)に分類される．タイプ3は発声時の声門上部における声帯前後径の短縮が認められる．タイプ4は咳払いや笑い声では正常な声帯の内転がみられるが，発話時にスリット状の声門全長にわたる間隙を認める．

喉頭内視鏡検査は通常，音声障害患者の初診で行われることが多い．言語聴覚士も可能なかぎり

表2-3 喉頭内視鏡検査の種類と特徴

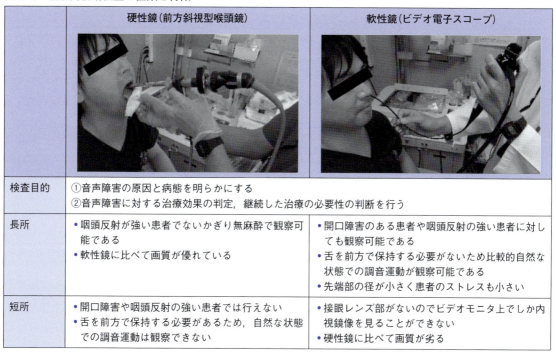

	硬性鏡(前方斜視型喉頭鏡)	軟性鏡(ビデオ電子スコープ)
検査目的	①音声障害の原因と病態を明らかにする ②音声障害に対する治療効果の判定, 継続した治療の必要性の判断を行う	
長所	・咽頭反射が強い患者でないかぎり無麻酔で観察可能である ・軟性鏡に比べて画質が優れている	・開口障害のある患者や咽頭反射の強い患者に対しても観察可能である ・舌を前方で保持する必要がないため比較的自然な状態での調音運動が観察可能である ・先端部の径が小さく患者のストレスも小さい
短所	・開口障害や咽頭反射の強い患者では行えない ・舌を前方で保持する必要があるため, 自然な状態での調音運動は観察できない	・接眼レンズ部がないのでビデオモニタ上でしか内視鏡像を見ることができない ・硬性鏡に比べて画質が劣る

表2-4 喉頭内視鏡検査の観察項目と関連する疾患

観察部位	観察項目	関連する疾患
鼻咽腔 ※軟性鏡のみ	・鼻咽腔閉鎖不全や鼻咽腔腫瘍の有無	・鼻咽腔閉鎖不全, 鼻咽腔腫瘍
喉頭全体	・病変のおおまかな把握 ・声帯の運動性	・声帯麻痺 ・痙攣性発声障害, 本態性音声振戦症
舌根部, 喉頭蓋(谷)	・舌根部や喉頭蓋の腫瘍の有無 ・喉頭蓋嚢胞の有無(喉頭蓋舌根面は好発部位)	・舌根部がん, 悪性リンパ腫 ・急性喉頭蓋炎, 喉頭蓋嚢胞
声帯, 仮声帯, 披裂部, 声門下部	・声帯の器質的病変の有無 ・喉頭斜位の有無 ・発声中の声門閉鎖不全の有無 ・仮声帯発声の有無 ・吸気時/発声時の披裂部可動制限の有無 ・声門下部の器質的病変の有無	・喉頭乳頭腫, 喉頭白板症, 悪性腫瘍, 声帯ポリープ, 声帯結節, ポリープ様声帯, 声帯嚢胞, 声帯溝症, 声帯瘢痕 ・一側/両側声帯麻痺, 痙攣性発声障害, 本態性音声振戦症, 機能性発声障害, 声帯奇異運動 ・声門下部の腫瘍, 肉芽, 声門下狭窄
下咽頭	・梨状陥凹, 輪状後部, 咽頭後壁の腫瘍の有無	・下咽頭悪性腫瘍, 嚥下障害

〔土師知行:喉頭内視鏡検査の観察項目. 久 育男(編):ENT臨床フロンティア のどの異常とプライマリケア. pp34-37, 中山書店, 2013より作成〕

耳鼻咽喉科医が行う喉頭観察に立ち会うことが望ましい. 言語聴覚士が同席することで, 耳鼻咽喉科医と喉頭所見を共有できるだけでなく, その場で**試験的音声治療(trial therapy)**を実施して音声治療の適応があるか治療方針を立てることができる. 一般的に実施する発声課題は「イー」や「エー」など前舌母音の持続発声であるが, 定常発声で音声症状が検出できない場合は大声発声や高

表 2-5 筋緊張性発声障害(MTD)にみられる代表的な喉頭所見

	タイプ1	タイプ2	タイプ3	タイプ4
喉頭所見	声門後部間隙あり	声門過閉鎖(a) 仮声帯発声(b)	声帯前後径短縮	声門全長に間隙あり

〔Morrison MD, et al：Muscle misuse voice disorders：description and classification. Acta Otolaryngol 113：428-434, 1993 より改変〕

音発声，普段言いづらい語など音声症状を誘発しやすい課題を行うとよい．

痙攣性発声障害が疑われる場合，内転型には母音や有声子音からなる文（adductor 文．例：山の上には青い屋根の家がある），外転型には無声子音を含んだ文（abductor 文．例：本屋と花屋は通りを隔てて反対側にあります）など音声学的視点から病態に応じた発声課題[5]を実施することが鑑別の手がかりとなる．喉頭内視鏡検査に立ち会えない場合は，喉頭所見をハードディスクなどに録画・記録してもらいあとから確認できるようにするとよい．

2 喉頭筋電図

発声機能検査としての喉頭筋電図の臨床的意義は，内喉頭筋の活動電位を安静時や発声時において経時的に観察・記録することにより，内喉頭筋およびその支配神経の病態を診断することで，針筋電図が用いられる．実際の臨床で適応となるのは声帯運動障害の鑑別（麻痺性/関節固着），麻痺の鑑別（神経原性/筋原性），神経筋疾患の確定診断，痙攣性発声障害に対するボツリヌストキシン注入術の際のモニタリング[6]などが挙げられる．

痙攣性発声障害に対する喉頭筋電図は，2018年にボツリヌストキシン局所注入療法が保険適用となったことから実施する医療機関が増加傾向にある．ボツリヌストキシン注入術用の注射針は針先以外が絶縁コーティングされており，注射針であると同時に筋電図の電極となる．この特殊な注射針を標的筋に穿刺し針先が標的筋内にあることを筋電図でモニタしながらボツリヌストキシンを注入する（図 2-16）．なお標的筋は内転型では甲状披裂筋，外転型では後輪状披裂筋となる．

3 喉頭画像検査（CT，MRI）

咽頭・喉頭領域で画像検査が有用となるのは，喉頭内視鏡検査などで悪性腫瘍の可能性があり，その進展度や浸潤範囲，リンパ節への転移などを確認する場合や声帯麻痺の原因検索を行う場合が想定される．また経過や症状から気道異物や気管狭窄などの下気道疾患を疑う場合，喉頭外傷などによる喉頭軟骨の脱臼が疑われる場合にも適応となる[7]．

CT 検査は喉頭軟骨（甲状軟骨，輪状軟骨，披裂軟骨など）の骨化部位でのX線吸収が大きいため，比較的良質で高解像度撮像が可能である[8]．呼吸停止下に加えて吸気・呼気時および発声時などのさまざまな条件下で短時間の撮像が可能であ

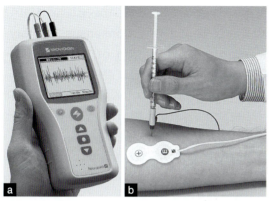

図 2-16 ボツリヌストキシン注入術で用いる筋電計 (a) と注射針 (b)
実際の喉頭筋電図では，経皮的に内喉頭筋に針を刺す．
〔日本光電工業株式会社より提供〕

る．MRI 検査は CT 検査に比べて軟部組織における高い分解能が得られ，筋，脂肪，軟骨などの組織間の違いを可視化することができる[8]．

C 言語聴覚士が行う音声障害の評価診断

1 聴覚心理的評価 (GRBAS, CAPE-V)

a 聴覚心理的評価の意義，重要性

聴覚心理的評価は患者に心身上の苦痛を与えることなく，患者の声を聞くだけでその異常がどのような機序で生じるかを推測し，診断に役立てることができる．さらに嗄声の程度の記載が容易で，喉頭を直接／間接的に観察する技術をもたない医療者（言語聴覚士など）であっても評価ができるという利点がある．一方，聴覚心理的評価は主観的かつ定性的な評価法であり，評価者間で評価結果に差異が生じること，評価を繰り返したときの**再現性**が熟練度に依存することが指摘されている．病的音声の評価に習熟していない者では，習熟している者に比べて音声症状をより重度に評価

表 2-6 声の 4 要素と患者の訴え

	患者の訴え（例）
高さ	声が高すぎる（低すぎる），高い声（低い声）が出ない，歌が歌えない，声がひっくり返る，裏声が出ない
強さ	声が小さい／弱々しい，声が通らない，大きな声が出ない，声が聞こえないといわれる
質	声がかすれる，だみ声になった，声がざらついている
持続	声が続かない／息苦しい，声が途切れる

しやすいことも報告されている[9]．また評価に習熟している者は，声の高さや声質の異常（粗糙性や気息性など）を重症度判定の手がかりとしているのに対し，習熟していない者は重症度判定の基準が声の高さに依存するという報告もある[10, 11]．聴覚心理的評価では聴取者の評価法に対する習熟度が大きく影響するため，「動画で見る音声障害 ver. 2.0」（日本音声言語医学会）[12] などの視聴覚教材を用いて繰り返し練習したり，複数名で評価し平均値を採用するとよい．

声の異常を評価する際には，声の 4 要素すなわち，高さ，強さ，質，持続に着目するとよい（表2-6）．4 要素のうち，高さ，強さ，持続については，機器による客観的評価が可能であることから聴覚心理的評価の意義は少ないように思われる．質については聴覚心理的評価が用いられることが多い．

b GRBAS による評価

GRBAS[13] は 1981 年に日本音声言語医学会が提案した嗄声の程度を聴覚心理的に評価する尺度で，世界共通のツールとして普及している．GRBAS 尺度は病的音声の音色の異常，すなわち嗄声を聴覚的印象から評定するための手段であり，他の聴覚的要素（高さ，強さ，持続など）と関係がないという前提で行われる[14]．声の途切れやふるえ，二重声，声の翻転などは評価の対象とならないため，追記事項として記載しておくとよい．

1）GRBAS 各尺度の解説

本法は G，R，B，A，S という 5 つの評定尺度からなる．音声の総合的な異常度あるいは嗄声度を表すものとして，**Grade（G；程度）**という尺度を用いる．音声の異常さの内容を表すものとして，以下 4 つの尺度を用いる．**Rough（R；粗糙性）**は左右の声帯振動が不規則な状態に起因するガラガラとした聴覚印象，**Breathy（B；気息性）**は発声時の声門閉鎖不全に起因する息漏れがある聴覚印象，**Asthenic（A；無力性）**は弱々しい印象，**Strained（S；努力性）**はいかにも無理をして発声している様子を指す．

2）実施方法

GRBAS では 5 母音を楽な高さと大きさで 3 秒間ほど持続し，一音ずつ息継ぎをしながら発声させる．母音の順序はイエアオウ（前舌から後舌へ）またはウオアエイ（後舌から前舌へ）で実施する．

3）評価方法

評価は 4 段階（0：正常，1：わずかに嗄声あり，2：たしかに嗄声あり，3：ひどく嗄声あり）で行い，録音し繰り返し評価できるようにしておくことが望ましい．通常は 0，1，2，3 の 4 段階で嗄声の程度を判定するが，間をとって 0.5 や 1.5 などと表記しても構わない．

母音間で嗄声の程度が異なる場合は嗄声が**最もひどい状態**を評価し，各母音における GRBAS スコアを評価シートに記載しておく．男性の低音は粗糙性と混同されやすいので注意が必要である．

実際の症例では R，B，A，S の各要素が混在して出現することが多く（例：G2R2B1A0S2），Grade がほかの 4 要素より小さくなることはない（例：G1R2B1A1S1）．

c CAPE-V による評価

GRBAS 以外の代表的な聴覚心理的評価法に，2009 年に米国の言語聴覚士職能団体（American Speech-Language-Hearing Association；ASHA）によって提唱された **Consensus Auditory-Perceptual Evaluation of Voice（CAPE-V）**[15]がある．日本語版はまだ作成されていないが，世界各国で翻訳されその信頼性と妥当性に関する検討がなされている．GRBAS との相違点としては，評定尺度に VAS（Visual Analog Scale）を用いること，声の高さや大きさについても評価を行うこと，母音の持続発声に加えて文章音読や会話が発話課題として含まれていることなどが挙げられる．

d GRBAS と CAPE-V の相関について

GRBAS と CAPE-V の相関については，GRBAS の Grade と CAPE-V の overall severity の項目間で強い相関があったという報告があり[16, 17]，Karnell ら[17]はさらに GRBAS と CAPE-V の Roughness（r＝0.90）や Breathiness（r＝0.89），Strain（r＝0.91）の項目についても 2 つの評価ツール間で強い相関を示したとしている．

2 音声障害の自覚的評価と心理検査

音声は年齢や性別，職業などによるニーズの違いが大きいため，聴覚心理的評価，音響分析，空気力学的検査に加えて患者自身が声の問題により日常生活でどの程度の支障を感じているのか把握しておくことも重要である．代表的な音声障害の自覚的評価法に VHI と V-RQOL がある．日本語版 VHI および日本語版 V-RQOL は日本音声言語医学会音声情報委員会の主導により推奨案が公開され，その信頼性と妥当性が示されている[18]．日本語版 VHI を用いてさまざまな音声障害を評価したところ男性に比べ女性で高値を示すこと，機能性発声障害や反回神経麻痺，声帯萎縮・声帯溝症の症例で高値を示すことが報告[19]され，患者による自覚的評価を他覚的評価に加えて実施することは治療効果の判定に有用とされている．

a VHI(Voice Handicap Index)

VHI は Jacobson ら[20]が 1997 年に提唱した音声の自覚的評価法である．日本音声言語医学会によって翻訳された日本語版 VHI を図 2-17 に示す．VHI は声の障害が及ぼす社会生活上の制約を問う**機能的側面**(F；Functional)，喉頭の違和感などに関する自己認識を問う**身体的側面**(P；Physical)，自分の声に対する情緒的反応を問う**感情的側面**(E；Emotional)の 3 側面があり，各 10 項目の質問項目がランダムに配置された計 30 項目で構成されている．**総得点が高いほど声の障害が日常生活に影響を与えている**と解釈できる．

欧米ではより重要な 10 項目を抜粋した VHI-10 のほか，歌手などの professional voice user を対象とした Singing Voice Handicap Index(SVHI)[21]や小児を対象とした pediatric Voice Handicap Index(pVHI)[22]など VHI の応用版が報告され，さまざまな疾患や音声障害症例に使用されている．

b V-RQOL (Voice-Related Quality of Life)

V-RQOL は Hogikyan ら[23]が 1999 年に提唱した音声の自覚的評価法である．VHI についで日本音声言語医学会推奨版が作成された(図 2-18)．V-RQOL は身体的側面 6 項目と感情的側面 4 項目の計 10 項目で構成されている．計算式を用いて算出した**総得点が低いほど声の障害が日常生活に影響を与えている**と解釈できる．

得点を算出するための計算式は図 2-19 のとおりである．

c 心理検査

機能性発声障害や心因性発声障害では心理的要素が発声困難と関連している場合がある．患者自身が発声障害を誘発するようなエピソード(例：近親者の死，職場でのストレス，恋人との破局)を自覚している場合もあれば，思い当たるエピソードがないこともある．自覚的なエピソードがあり患者自身が心理面のサポートを希望している場合は，心療内科の受診やカウンセリングを勧める必要がある．

また，機能性発声障害のなかでも日常会話に支障はないものの，職場など特定の発声場面(電話業務，朝礼でのあいさつ，接客用語の第一声など)で声がつまって出ないと訴える患者も近年増加傾向にある．これを痙攣性発声障害にみられる**動作特異性**[24](特定の動作や環境によってジストニアの症候が出現したり増悪したりする現象．ジストニアの臨床特徴の 1 つ)とみなすのかは議論の余地がある．

このようにある環境において発声障害が生じるというような患者からの訴えがあるときには，発声障害だけでなく**社交不安症/社交不安障害(社交恐怖)**(**social anxiety disorder**；**SAD**)などの精神疾患の併存なども視野に入れた評価を行うとよい．

1) LSAS-J

日本語版での標準化がなされている評価尺度には，社交不安障害の重症度評価尺度(**Liebowitz Social Anxiety Scale 日本語版**；**LSAS-J**)[25]がある．LSAS-J は社交不安障害患者が症状を呈することが多い行為状況(13 項目)，社交状況(11 項目)の 24 項目からなり，各項目について 0〜3 の 4 段階で評価し，総得点(0〜144 点)にて社交不安障害の重症度を評価する(表 2-7)．

2) その他

その他，抑うつ状態を評価する自己評価尺度として，うつ病自己評価尺度(Self-rating Depression Scale；SDS)，Beck のうつ病自己評価尺度(Beck Depression Inventory；BDI)などがある．

声に関する質問紙（VHI）

声の問題であなたの日頃の生活がどのように影響を受けているかについて教えて下さい。この質問紙には声に関して起こりうる問題が記載してあります。この2週間のあなたの声の状態について以下の質問に答えて下さい。以下の説明を参考に該当する数字に○をつけて下さい。

0＝全く当てはまらない、問題なし
1＝少しある
2＝ときどきある
3＝よくある
4＝いつもある

1.	私の声は聞き取りにくいと思います。	0 1 2 3 4
2.	話していると息が切れます。	0 1 2 3 4
3.	騒々しい部屋では、私の声が聞き取りにくいようです。	0 1 2 3 4
4.	1日を通して声が安定しません。	0 1 2 3 4
5.	家の中で家族を呼んでも、聞こえにくいようです。	0 1 2 3 4
6.	声のせいで、電話を避けてしまいます。	0 1 2 3 4
7.	声のせいで、人と話すとき緊張します。	0 1 2 3 4
8.	声のせいで、何人かで集まって話すことを避けてしまいます。	0 1 2 3 4
9.	私の声のせいで、他の人がイライラしているように感じます。	0 1 2 3 4
10.	「あなたの声どうしたの？」と聞かれます。	0 1 2 3 4
11.	声のせいで、友達、近所の人、親戚と話すことが減りました。	0 1 2 3 4
12.	面と向かって話していても、聞き返されます。	0 1 2 3 4
13.	私の声はカサカサした耳障りな声です。	0 1 2 3 4
14.	力を入れないと声が出ません。	0 1 2 3 4
15.	誰も私の声の問題をわかってくれません。	0 1 2 3 4
16.	声のせいで、日常生活や社会生活が制限されています。	0 1 2 3 4
17.	声を出してみるまで、どのような声が出るかわかりません。	0 1 2 3 4
18.	声を変えて出すようにしています。	0 1 2 3 4
19.	声のせいで、会話から取り残されていると感じます。	0 1 2 3 4
20.	話をするとき、頑張って声を出しています。	0 1 2 3 4
21.	夕方になると声の調子が悪くなります。	0 1 2 3 4
22.	声のせいで、収入が減ったと感じます。	0 1 2 3 4
23.	声のせいで、気持ちが落ち着きません。	0 1 2 3 4
24.	声のせいで、人づきあいが減っています。	0 1 2 3 4
25.	声のせいで、不利に感じます。	0 1 2 3 4
26.	話している途中で、声が出なくなります。	0 1 2 3 4
27.	人に聞き返されるとイライラします。	0 1 2 3 4
28.	人に聞き返されると恥ずかしくなります。	0 1 2 3 4
29.	声のせいで、無力感を感じます。	0 1 2 3 4
30.	自分の声を恥ずかしいと思います。	0 1 2 3 4

図 2-17 日本語版 VHI
機能的側面（F）：1, 3, 5, 6, 8, 11, 12, 16, 19, 22
身体的側面（P）：2, 4, 10, 13, 14, 17, 18, 20, 21, 26
感情的側面（E）：7, 9, 15, 23, 24, 25, 27, 28, 29, 30
〔日本音声言語医学会 Web サイト（http://www.jslp.org/pubcomm/vhi.pdf）より〕

声に関する質問紙（V-RQOL）

声の問題であなたの日頃の生活がどのように影響を受けているかについて教えて下さい．
この質問紙には声に関して起こりうる問題が記載してあります．この2週間のあなたの声の状態について以下の質問に答えてください．以下の説明を参考に，該当する数字に○をつけてください．

1＝全く当てはまらない，問題なし
2＝少しある
3＝ときどきある
4＝よくある
5＝これ以上ないぐらい悪い

1. さわがしい所では，聞き返されたり，大きな声で話さなければならなかったりと大変です．
　　　　　　　　　　　　　　　　　　　　　　　　　　　　　　　　1 2 3 4 5
2. 話していると息が切れて何度も息継ぎしなければなりません．　　　　1 2 3 4 5
3. 話し始めた時に，どんな声が出るのかわかりません．　　　　　　　　1 2 3 4 5
4. 声のせいで，不安になったりイライラしたりします．　　　　　　　　1 2 3 4 5
5. 声のせいで，落ち込むことがあります　　　　　　　　　　　　　　　1 2 3 4 5
6. 声のせいで，電話で話すときに困ります．　　　　　　　　　　　　　1 2 3 4 5
7. 声のせいで，仕事（家事・学業）に支障をきたしています．　　　　　1 2 3 4 5
8. 声のせいで，外でのつきあいは避けています．　　　　　　　　　　　1 2 3 4 5
9. 自分の言うことをわかってもらうまで何度も繰り返して言わなければなりません．
　　　　　　　　　　　　　　　　　　　　　　　　　　　　　　　　1 2 3 4 5
10. 声のせいで，前ほど活発ではなくなりました．　　　　　　　　　　　1 2 3 4 5

図 2-18　日本語版 V-RQOL
〔日本音声言語医学会 Web サイト（http://www.jslp.org/pubcomm/vrqol.pdf）より〕

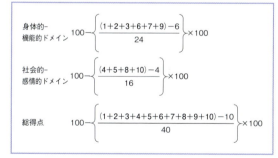

図 2-19　V-RQOL 計算式
（　）内の数値は図 2-18 中の質問項目番号を示し，各質問項目の評点を代入して算出する．

3　発声機能検査（声の高さ，強さ）

a　声の高さの検査

　声の高さは，1秒間当たりの声帯振動回数〔基本周波数；Fundamental frequency（F0）〕で規定され，単位は**ヘルツ（Hz）**で表示する．声の高さの測定に関する用語を確認する．①**声区**：発声方法によって分けた声の区分．大きく分けると低音域の「地声」と高音域の「裏声」がある．②**生理的声域**：その人が出しうる最低音から最高音までの範囲．③**話声位**：普段会話をするときに使う声の高さ．④**声区の変換点**：地声から裏声に切り替わる声の高さ．

表2-7 Liebowitz Social Anxiety Scale 日本語版(LSAS-J)

〈お願い〉この1週間にあなたが感じていた様子に最もよく当てはまる番号を，項目ごとに1つだけ選んで記入してください．項目をとばしたりせずに全部埋めてください．

	恐怖感/不安感 0：全く感じない 1：少しは感じる 2：はっきりと感じる 3：非常に強く感じる				回避 0：全く回避しない 1：回避する(確率1/3以下) 2：回避する(確率1/2程度) 3：回避する(確率2/3以上または100％)			
1. 人前で電話をかける(P)	0	1	2	3	0	1	2	3
2. 少人数のグループ活動に参加する(P)	0	1	2	3	0	1	2	3
3. 公共の場所で食事をする(P)	0	1	2	3	0	1	2	3
4. 人と一緒に公共の場所でお酒(飲み物)を飲む(P)	0	1	2	3	0	1	2	3
5. 権威ある人と話をする(S)	0	1	2	3	0	1	2	3
6. 観衆の前でなにか行為をしたり話をする(P)	0	1	2	3	0	1	2	3
7. パーティーに行く(S)	0	1	2	3	0	1	2	3
8. 人に姿を見られながら仕事(勉強)をする(P)	0	1	2	3	0	1	2	3
9. 人に見られながら字を書く(P)	0	1	2	3	0	1	2	3
10. あまりよく知らない人に電話をする(S)	0	1	2	3	0	1	2	3
11. あまりよく知らない人たちと話し合う(S)	0	1	2	3	0	1	2	3
12. 全く初対面の人と会う(S)	0	1	2	3	0	1	2	3
13. 公衆トイレで用を足す(P)	0	1	2	3	0	1	2	3
14. ほかの人たちが着席して待っている部屋に入っていく(P)	0	1	2	3	0	1	2	3
15. 人々の注目を浴びる(S)	0	1	2	3	0	1	2	3
16. 会議で意見を言う(P)	0	1	2	3	0	1	2	3
17. 試験を受ける(P)	0	1	2	3	0	1	2	3
18. あまりよく知らない人に不賛成であると言う(S)	0	1	2	3	0	1	2	3
19. あまりよく知らない人と目を合わせる(S)	0	1	2	3	0	1	2	3
20. 仲間の前で報告をする(P)	0	1	2	3	0	1	2	3
21. 誰かを誘おうとする(P)	0	1	2	3	0	1	2	3
22. 店に品物を返品する(S)	0	1	2	3	0	1	2	3
23. パーティーを主催する(S)	0	1	2	3	0	1	2	3
24. 強引なセールスマンの誘いに抵抗する(S)	0	1	2	3	0	1	2	3

P：Performance(行為状況) S：Social interaction(社交状況)

〔Liebowitz MR(原著)，朝倉 聡(日本版作成)：LSAS-J リーボヴィッツ社交不安尺度．三京房，2015 より改変〕

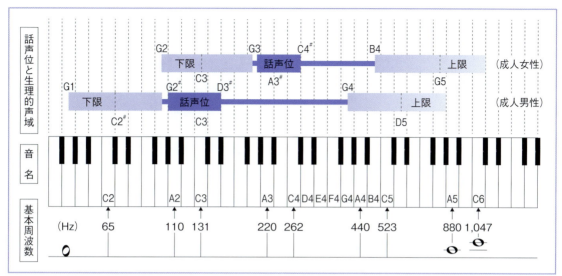

図 2-20 成人の話声位と生理的声域
〔生井友紀子，他：検査—情報の収集．廣瀬肇（監修）：ST のための音声障害診療マニュアル．pp13-32，インテルナ出版，2008 より改変〕

　生理的声域の測定では，話声位（男性：約 100〜150 Hz〔C3 付近〕，女性：約 200〜280 Hz〔C4 付近〕），生理的声域（男性：平均 37.2 半音，女性：29.9 半音），地声と裏声の両方が出せるか，途中で出せない音域があるか，声質の変化する音域があるか（例：地声では粗糙性・努力性があるが，裏声では消失する）に着目する[26]．

　用いる楽器はキーボードなどヒトの音域をカバーできるものとし，検査者が聴覚的に判定する．声域は音名または周波数で表記し（図 2-20）[26]，声域の大きさは半音単位で記述する（例：32 半音）．楽器以外の機器を用いた測定として，ピッチメータや発声機能検査装置による測定がある．本項では臨床でよく使われるキーボードを用いた生理的声域の測定方法を紹介する．

1）生理的声域の測定

（1）話声位の測定

　患者に「楽な声でアーと伸ばしてください」と教示し，キーボードで音の高さを合わせる．この際，キーボードの音量や検査者の見本となる声が大きすぎると患者はその高さに合わせてしまい実際の話声位とは異なる可能性があるので教示に注意する．

（2）上昇音階（上限）と下降音階（下限）の測定

　話声位が決定したら，上限に向かって徐々に呈示する音の高さを上昇させる．患者の負担を考慮して上昇音階の発声に余裕がある場合は，半音ずつ上昇させず（黒鍵盤を使わず）ある程度の高さまで白鍵盤のみで上昇し，患者の様子をみながら黒鍵盤を使用するとよい．上限を決定したら，再び話声位へ戻り下降音階を測定する．話声位から下限までの範囲は狭いため下降音階では最初から半音単位で測定する．なお，上限・下限と定めるためには 2 秒以上同一の高さでの発声持続を要するため，患者に声かけを行う．

　音程をとるのが苦手な患者では，呈示された高さに合わせた発声ができないことがある．その場合は，検査者が見本を示し「私の声の高さに合わせてください」と促したり，音階に合わせて「ド，レ，ミ……」と言わせてもよい．それでも音階に合わせた発声が難しい場合は，出しうる最も高い声と低い声を発声させる．本来とは異なる方法で測定した場合は，その旨を評価シートに記入する．

b 声の強さの検査

声の強さ(音圧)は地声では主に声門抵抗によって,裏声では主に呼気流率によって調節され,単位は**デシベル(dB)**で表示する.発声機能検査装置があれば,声の高さや呼気流率などと同時に測定することができるが,機器がない場合は騒音計(C特性)を用いて測定することもできる.音圧は口唇と騒音計との距離や音の放射などによって変化するため,測定基準を決めて測定する必要がある.無関位発声(最も楽な声の高さと大きさでの発声)の平均値は60~70 dB程度,最大値は約115 dB,最小値は約55 dBとされている.

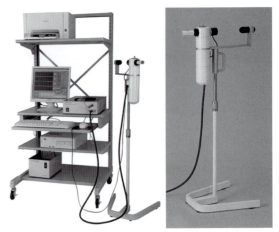

図2-21 発声機能検査装置 PS-3000
〔永島医科器械株式会社より提供〕

4 空気力学的検査(MPT,MFR)

発声のエネルギー源は声門下圧であり,声門を通過した呼気流が声帯振動を惹起し音声が生成される.

空気力学的検査における代表的な評価項目には,**最長発声持続時間**(maximum phonation time;MPT)と**平均呼気流率**(mean air flow rate;MFR)がある.

a 最長発声持続時間(MPT)

MPTは特別な機器を必要とせず,ストップウォッチを用いて計測できることから広く臨床応用されている.

1)実施方法

最大吸気後に,自然な声の高さと大きさで可能なかぎり長く「アー」と持続発声を行わせ,その持続時間を測定する.測定は0.5秒単位の値をとり,3回続けて,最大値を採用する.体位は立位でも座位でもよい.持続時間だけでなく持続発声中の声の高さも一緒に記載しておくとよい.

負荷試験では検査への慣れや発声の仕方が結果に影響するため,あらかじめ深呼吸や持続発声の練習を行う.患者が発声途中でやめることなく,最後まで発声する努力を続けるよう検査中に声かけを行う.

2)評価方法

基準値は男性で約30秒,女性で約20秒とされ,10秒を下回ると日常生活に支障があるとされている.**反回神経麻痺**などによりMPTが5秒を下回る場合は,外科的治療(甲状軟骨形成術Ⅰ型や披裂軟骨内転術)の適応となることがある.

b 平均呼気流率(MFR)

MFRとは「1秒間あたり何mLの呼気が発声に使われているか」を示している.

1)実施方法

MFRを測定する方法は,大きく分けてvolume typeとflow typeがある.実際の臨床ではflow typeのなかでも熱線流量計(電流によって加熱し,一定温度に保たれている熱線が,気流によって冷却されるときにその電気抵抗が変化することを利用している)による測定が行われることが多く,発声機能検査装置(図2-21)を用いる.

声の高さ,強さ,呼気流率,呼気圧の4項目を同時測定でき,被検者はマウスピースをくわえた状態でさまざまな発声様式(楽な発声,大きな声,

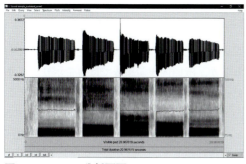

図 2-22 Praat 分析画面

```
Time range of SELECTION
   From 1.239625 to 20.688683 seconds (duration: 19.449058 seconds)
Pitch:
   Median pitch: 266.656 Hz
   Mean pitch: 266.271 Hz                    平均基本周波数
   Standard deviation: 7.125 Hz
   Minimum pitch: 90.458 Hz
   Maximum pitch: 282.292 Hz
Pulses:
   Number of pulses: 4336
   Number of periods: 4328
   Mean period: 3.751771E-3 seconds
   Standard deviation of period: 0.043617E-3 seconds
Voicing:
   Fraction of locally unvoiced frames: 15.990%   (311 / 1945)
   Number of voice breaks: 4
   Degree of voice breaks: 14.164%   (2.754854 seconds / 19.449058 seconds)
Jitter:
   Jitter (local): 0.265%
   Jitter (local, absolute): 9.931E-6 seconds
   Jitter (rap): 0.153%
   Jitter (ppq5): 0.143%                     周期変動指数
   Jitter (ddp): 0.458%
Shimmer:
   Shimmer (local): 1.404%
   Shimmer (local, dB): 0.136 dB
   Shimmer (apq3): 0.746%
   Shimmer (apq5): 0.808%                    振幅変動指数
   Shimmer (apq11): 0.940%
   Shimmer (dda): 2.238%
Harmonicity of the voiced parts only:
   Mean autocorrelation: 0.995994
   Mean noise-to-harmonics ratio: 0.004812
   Mean harmonics-to-noise ratio: 27.751 dB  平均調波対雑音比
```

図 2-23 Praat 分析結果(voice report)

小さな声，高い声，低い声)で持続発声をする．呼気圧は「**気流阻止法**」[27]〔呼気流量測定中にシャッターを押してバルブを瞬間的に閉じ(400ミリ秒)，発声が停止したときの咽頭内圧と声門下圧が同じ圧力であると仮定する〕で測定される．

検査中は呼気が漏れないようノーズクリップで鼻孔を閉鎖し，シャッターが閉じた際に口腔内圧の上昇にともなって頬が膨らまないよう両手で押さえるよう教示する．

2) 評価方法

無関位発声(楽な発声)での健常者の平均値は100〜200 mL/秒程度とされ，250 mL/秒以上は異常とされる．一側性反回神経麻痺や声帯萎縮など声門閉鎖不全により声門抵抗が小さくなるとMFRは大きくなり，過緊張性発声障害や痙攣性発声障害など声門過閉鎖により声門抵抗が大きくなるとMFRは小さくなる．

5 音響分析

音声機能検査としての音響分析の特徴は，侵襲性がなく調音動態を時間的・空間的に詳細に観察できること，各音節あるいはそれ以下の音声学的単位についての情報を視覚的にとらえられることである．定量的評価法であるため治療効果の判定に有用とされ，聴覚心理的評価の裏づけとなる．

音響分析は本来，定常的な母音発声についてその周期性と雑音成分を検出し，基本周期(基本周波数)が測定できることが分析の前提となるため，高度な嗄声により基本周期の検出ができないようなサンプルは音響分析に不向きであるという点を念頭におく必要がある．

現在国内で最も普及していると思われるのはCSL(Computer Speech Labo)システムであるが，本項では専用機器をもたない施設でも実施可能である音響分析フリーソフトPraatを紹介する．Praatをインストールするには，http://www.fon.hum.uva.nl/praat/download_win.html(Windows版)，またはhttp://www.fon.hum.uva.nl/praat/download_mac.html(Mac版)へアクセスする．Praat上で録音したサンプルの分析画面を開くと上段に音声波形，下段にサウンドスペクトログラムが表示される(図 2-22)．

代表的なパラメータとしては，**基本周波数(fundamental frequency；F0)**，**周期変動指数**

(period perturbation quotient；PPQ），**振幅変動指数**（amplitude perturbation quotient；**APQ**），雑音の程度を表す**調波成分と雑音成分の音響エネルギー比**（harmonic-to-noise ratio；**HNR**）が採用されている．基準値は PPQ が 0.13～1.00％，APQ が 0.75～3.37％で値が大きいほうが異常の程度が強く，聴覚印象では粗糙性に対応するとされている．HNR の基準値は 7.0～17.0 dB で値が小さいほうが異常の程度が強く，聴覚印象では気息性に対応するとされている．

Praat では任意の区間を指定し，画面上部のタブ（Pulses）から voice report を選択すると，図 2-23 のとおり各パラメータの結果が表示される．

D 音声障害の評価診断の解釈

1 音声障害の鑑別と重症度

a 音声障害の評価診断の流れ

音声障害の評価および診断は，まず耳鼻咽喉科外来で医師が**問診**および**喉頭観察**を行い，続いて言語聴覚士が音声評価を行う（図 2-24）．言語聴覚士は可能なかぎり初診の診察に同席して患者の主訴や現病歴などの情報を聴取し，喉頭内視鏡検査で器質的病変や運動障害の有無を確認する．機能的要因（発声法や声の使い方など）が音声障害の発症に関与しているようであれば，内視鏡下に**試験的音声治療**（trial therapy）を実施する．最終的には医師と言語聴覚士による評価の結果を統合し，類似疾患との鑑別や確定診断が行われる．

b 鑑別を要する音声障害

多くの音声障害は問診・喉頭内視鏡検査・音声評価により診断の確定が可能だが，いくつか類似疾患との鑑別に留意すべきものがある．

1）声帯嚢胞〔2 章 2 節 A 項（→ 62 頁）参照〕

声帯嚢胞は粘膜固有層浅層に発生する良性腫瘤とされるが，喉頭内視鏡検査では声帯ポリープや声帯結節との鑑別が困難な場合がある．声帯嚢胞が疑われるときは喉頭内視鏡検査に喉頭ストロボスコピーを組み合わせて喉頭観察を行い，嚢胞部分で粘膜波動が消失していることを確認する．

2）披裂軟骨脱臼症〔2 章 2 節 B 項（→ 67 頁）参照〕

披裂軟骨の脱臼は，気管挿管などの医療行為に続発して起こるほか，強い咳払いやくしゃみなどの生理的な反応をきっかけに起こることがある．前方脱臼と後方脱臼に分類され，前者では声帯は弛緩した状態に陥り，後者では声帯全長が引き伸ばされ緊張した状態となる[28]．披裂軟骨脱臼症と鑑別を要する疾患には，反回神経麻痺が挙げられる．内視鏡下に確認すると，反回神経麻痺では健側披裂部の内転により，発声時に麻痺側の披裂部が外転するのに対し，披裂軟骨脱臼症では発声時にも吸気時同様に披裂部は固定され無動であることが鑑別のポイントとなる．喉頭内視鏡検査のみで鑑別が困難な場合は，CT 検査や針筋電図で病態を確認する．

3）痙攣性発声障害〔2 章 2 節 C 項（→ 67 頁）参照〕

痙攣性発声障害は喉頭に限局したジストニアであるとの考えが近年支持されており，大きく内転型と外転型に分類される．患者の 90％以上は内転型とされており，20 歳代から 30 歳代の若年層での発症が多い．ストレス場面で音声症状が増悪したり，裏声発声や笑い声で音声症状の軽減/消失を認めることから心因性発声障害と誤診されることがある．また過緊張性発声障害との鑑別は音声症状や喉頭内視鏡所見が類似していて困難なことも多い．

c 音声障害の重症度

音声障害の重症度評価は治療者による評価（聴

図 2-24 音声障害の評価・診断手順

覚心理的評価，空気力学的検査，声の高さと大きさの検査）と患者による評価（自覚的評価）の結果を総合して判断する．

2 音声障害の予後

米国で行われた疫学調査[29]によると，音声障害の生涯有病率は 29.9％とされている．慢性的な音声障害を引き起こす**危険因子**としては，性別（女性に多い），年齢（40〜59 歳），声の使い方（よく話す，大声で話す，咳ばらいをするなど），音声障害に併存するほかの疾患（胃食道逆流症，頻繁に風邪や副鼻腔炎を繰り返している）などがあげられる．高齢者ではこれらに加えて，慢性疼痛や関節炎，甲状腺疾患，気管支炎，睡眠障害なども危険因子となりうることが指摘されている[30]．

音声障害の発症と職業の関連については，教師や歌手，カウンセラー/ソーシャルワーカー，弁護士など声を使う職業に従事する人では音声障害の発症リスクが高まるとされている．なかでもテレフォンオペレーターは頸肩腕障害（多くは業務上または日常生活でパソコン作業など上肢の特定の動作を反復したり偏った姿勢などを長時間とり続ける環境で発症する，頸部から肩，上腕にかけての痛みやしびれなどの異常感覚，自律神経失調症状など症状は多岐にわたる）との関連が指摘されている[31]．

その他，神経筋疾患〔重症筋無力症や Parkinson（パーキンソン）病など〕に由来する音声障害では，原疾患の進行にともなう発声機能の低下や服薬の影響を考慮する必要がある．またうつ病をはじめとする精神疾患に伴う音声障害では，音声治療が奏効したとの報告もあるが，経過に応じて音声治療とカウンセリングや認知行動療法の併用が望ましい．

3 音声治療の適応と訓練計画の立案

a 音声治療の適応

音声治療とは，音声障害を引き起こす**機能的要因**（発声法や声の使い方など）の改善を目的として，言語聴覚士が行う発声行動の変容法のことである[32]．つまり，「音声障害あり＝音声治療の適応あり」ではない．音声治療の適応があるか判断する手がかりとなる項目を表 2-8 にまとめた．

表2-8 音声治療の適応ありと判断するための条件

1. 医師の診察と言語聴覚士による評価の結果，音声障害があると診断されている
2. 患者が声の問題の改善を期待し，音声治療に対する動機づけとニーズがある
3. 音声治療の仮説が立てられ，治療効果が期待できる（trial therapyへの反応が良好）
4. 音声治療を受ける患者側の環境が整っている
5. 音声治療を行うことについて，医師，言語聴覚士，患者の三者の意見が一致している
6. 音声障害により患者のQOLが低下している
7. 機能的要因があり声に悪影響を与えている

これらの条件を満たしているか，音声治療を開始する前によく確認しておくとよい．

1）音声障害があると診断されている

音声障害があると診断がつくことは，音声治療の適応を考えるうえで大前提となる．歌手などでは，各種検査で発声機能は生理的に正常範囲内であり音声障害との診断はつかないが，さらなる歌唱能力の向上を希望することがある．このような場合，医学的な音声治療の適応を外れていると判断し音声治療は行わない．

2）音声治療に対する動機づけとニーズがある

声がかすれるのはがんかもしれないと心配して訪れる患者や，職場の上司にまずは耳鼻咽喉科を受診するよう勧められたので来院したという場合は，音声障害があると診断されても患者に音声治療のニーズがないため音声治療の適応はない．

3）trial therapyへの反応が良好

機能的要因により音声障害を生じていて，かつ患者に強いニーズがあっても，原疾患が進行性である，発症に心理的要因が絡んでいる，精神疾患の合併により向精神薬を長期服薬していて錐体外路症状がある場合は，音声治療を奏効させることは難しい．

4）患者側の環境が整っている

経済的事情や定期通院のための地理的事情，子育てと仕事の両立や自己学習ができるかなどの家庭事情が含まれる．訓練開始後に多忙で定期通院が困難な場合や，自己学習を行うだけの精神的余裕がないという状況が明らかになった場合は，訓練を継続しても治療効果は上がらないため，いったん定期訓練を終了とし，患者側の環境が整ったうえで訓練の再開を検討することも有効である．

5）三者の意見が一致している

初診の時点で類似疾患との鑑別が困難な場合（痙攣性発声障害と過緊張性発声障害など）に特に問題となる．このような患者に対しては鑑別目的で音声治療が第一選択とされる場合がある．この場合は，治療目的だけでなく鑑別目的で音声治療を実施することを患者に説明し同意を得た（**インフォームド・コンセント**）うえで音声治療を開始する．訓練開始から数セッションでは鑑別が難しく，患者の立場からすると治療を始めたのに改善が感じられないというジレンマもあるため，**ドロップアウト**（訓練期間中に通院を自己中断してしまうこと）の危険が高まる．ドロップアウトは診断を確定できないだけでなく，患者が適切な治療を受ける機会を失ってしまうことにもつながるため，訓練開始前にあらかじめ音声治療の目的について患者に理解を促し，信頼関係を築いていくことが重要である．

b 訓練計画の立案

適切な治療目標を設定するためには，①**音声障害の種類と重症度**を把握する，②**国際生活機能分類（ICF）の視点**に立った訓練計画の立案が重要となる．例えば，音声障害の種類と重症度が同じ患者が2名いたとしても，**職業やライフスタイル**などが異なれば，おのずとゴール設定も異なる．①について，痙攣性発声障害など生理学的基盤に問題を残す音声障害では，音声治療による完治は難

しいとされており，意識的に訓練場面や日常生活場面における目標行動の生起頻度を高めることが現実的なゴールとなる．一方，変声障害などの機能性発声障害では，無意識にあらゆる場面での目標行動の生起（完治）をめざす．

②について，患者の**実用レベル**やライフスタイルにあった目標設定が重要となる．音声障害は外見ではわかりにくく周囲の理解が得られにくいこともある．声が出しづらいことで具体的にどのような不便があるのか，どのような配慮があれば生活しやすくなるのか，必要に応じて学校や職場との連携を模索していく．

引用文献

1) 楯谷一郎：咽頭・喉頭の内視鏡検査と評価法．日耳鼻 121：1518-1522, 2018
2) 土師知行：喉頭内視鏡検査の観察項目．久 育男（編）：ENTフロンティア のどの異常とプライマリケア．pp34-37, 中山書店，2013
3) Morrison MD, et al：Muscle misuse voice disorders：description and classification. Acta Otolaryngol 113：428-434, 1993
4) 大森孝一：音声障害の定義と分類．日本音声言語医学会，他（編）：音声障害診療ガイドライン2018年版．pp5-11, 金原出版，2018
5) 柳田早織，他：内転型痙攣性発声障害話者の同音異義語弁別について．音声言語医 59：16-21, 2018
6) 熊田政信：喉頭筋電図検査．日本音声言語医学会（編）：新編 声の検査法．pp256-270, 医歯薬出版，2009
7) 中田誠一，他：咽頭・喉頭疾患でMRI検査はどのような場合に有用か？ 久 育男（編）：ENTフロンティア のどの異常とプライマリケア．pp53-59, 中山書店，2013
8) 高野佐代子，他：舌・口蓋等の運動に関する検査．日本音声言語医学会（編）：新編 声の検査法．pp61-69, 医歯薬出版，2009
9) Helou LB, et al：The role of listener experience on Consensus Auditory-Perceptual Evaluation of Voice (CAPE-V) ratings of postthyroidectomy voice. Am J Speech Lang Pathol 19：248-258, 2010
10) Kreiman J, et al：Listener experience and perception of voice quality. J Speech Hear Res 33：103-115, 1990
11) Wolfe VI, et al：Perception of dysphonic voice quality by naive listeners. J Speech Lang Hear Res 43：697-705, 2000
12) 日本音声言語医学会：動画で見る音声障害 ver. 2.0. インテルナ出版，2018
13) Hirano M：Psycho-acoustic evaluation of voice. In Arnold GE, et al (eds)：Disorders of human communication：Clinical examination of voice. pp81-84, Springer Verlag, NY, 1981
14) 平野 実，他：声の聴覚的評価．日本音声言語医学会（編）：声の検査法 臨床編，第2版．pp187-207, 医歯薬出版，1994.
15) ASHA：Consensus auditory-perceptual evaluation of voice (CAPE-V). ASHA Special Interest group 3, Voice and Voice Disorders. available at：https://www.asha.org/uploadedFiles/ASHA/SIG/03/CAPE-V-Procedures-and-Form.pdf. accessed 2020-07-08
16) Nemr K, et al：GRBAS and Cape-V scales：high reliability and consensus when applied at different times. J Voice 26：812. e17-22, 2012
17) Karnell MP, et al：Reliability of clinician-based (GRBAS and CAPE-V) and patient-based (V-RQOL and IPVI) documentation of voice disorders. J Voice 21：576-590, 2007
18) 城本 修，他：推奨版VHIおよびVHI-10の信頼性と妥当性の検証．音声言語医 55：291-298, 2014
19) 田口亜紀，他：Voice Handicap Index 日本語版による音声障害の自覚度評価．音声言語医 47：372-378, 2006
20) Jacobson BH, et al：The Voice Handicap Index (VHI)：development and validation. Am J Speech Lang Pathol 6：66-70, 1997
21) Cohen SM, et al：Creation and validation of the Singing Voice Handicap Index. Ann Otol Rhinol Laryngol 116：402-406, 2007
22) Zur KB, et al：Pediatric Voice Handicap Index (pVHI)：a new tool for evaluating pediatric dysphonia. Int J Pediatr Otorhinolaryngol 71：77-82, 2007
23) Hogikyan ND, et al：Validation of an instrument to measure voice-related quality of life (V-RQOL). J Voice 13：557-569, 1999
24) 目崎高広：不随意運動．梶 龍児（編）：不随意運動の診断と治療―動画で学べる神経疾患．pp78-116, 診断と治療社，2006
25) Liebowitz MR, 朝倉 聡（日本語版作成）：LSAS-J リーボヴィッツ社交不安尺度．三京房，2015
26) 生井友紀子，他：検査―情報の収集．廣瀬 肇（監修）：STのための音声障害診療マニュアル．pp13-32, インテルナ出版，2008
27) 澤島政行，他：気流阻止法を利用した，発声時の空気力学的検査法．音声言語医 28：257-264, 1987
28) 三枝英人，他：いかに披裂軟骨脱臼の診断を正しく行うか？ その基礎形態学的および臨床的研究．日気食会報 54：401-415, 2003
29) Roy N, et al：Voice disorders in the general population：prevalence, risk factors, and occupational impact. Laryngoscope 115：1988-1995, 2005
30) Roy N, et al：Epidemiology of voice disorders in the elderly：preliminary findings. Laryngoscope 117：628-633, 2007
31) Verdolini K, et al：Review：occupational risks for voice problems. Logoped Phoniatr Vocol 26：37-46, 2001
32) 城本 修：音声障害の行動学的治療―言語聴覚士による音声障害の治療．耳鼻咽喉科臨床 100：697-705, 2007

5 音声障害の治療

> **学修の到達目標**
> - 音声障害の言語治療(訓練・指導・支援)の基本概念と方法が説明でき，模擬的に実施ができる．
> - 医学的治療と言語治療の種類とプロセスを説明できる．
> - 音声障害の特徴とその発生メカニズムから，対象者の症状と特性に応じた言語治療を立案・計画できる．
> - 気管切開を伴う発声について説明できる．
> - 無喉頭音声について説明できる．

A 音声障害の治療（医学的治療と行動学的治療）

音声障害の治療は，耳鼻咽喉科医による医学的治療と言語聴覚士による行動学的治療(音声治療)に大別される(図2-25)．

1 医学的治療

耳鼻咽喉科医による医学的治療は，さらに**外科的治療**と**薬物治療**に分けられる．耳鼻咽喉科医が行う医学的治療は，声帯の器質的要因の改善が主な目的である．

外科的治療は**音声外科**ともよばれ，①喉頭の病的組織の除去，②声帯の位置，形態あるいは緊張の手術的矯正，③喉頭の神経・筋の機能回復手術，④喉頭の部分的欠損あるいは変形に対する機能再建手術，⑤喉頭の全欠損に対する機能再建手術が含まれている．さらに近年，これに再生医療も加えられるようになった．

薬物治療は，①喉頭の急性・慢性炎症に対する治療，②音声障害の誘因・原因に対する治療，③音声外科の術後治療，④神経疾患に対する治療などがある．

なお，耳鼻咽喉科医が行う薬物治療と言語聴覚士が行う行動学的治療を合わせて**保存的治療**と呼び，外科的治療と分けることもある．

耳鼻咽喉科医が行う医学的治療についても，言語聴覚士はある程度の知識が必要である．言語聴覚士が行う行動学的治療は，外科的治療や薬物治療と併行して，あるいはその後に実施することもあるからである．したがって，どのような手術であったか，あるいはどのような薬物を用いたかを知っておくべきである．

2 行動学的治療

言語聴覚士が行う行動学的治療を**音声治療**とよぶ．音声治療は，音声障害を引き起こす機能的要因の改善を目的とする発声行動の変容法と定義される．音声障害を引き起こす機能的要因は，声帯の器質的疾患の有無にかかわらず，声の濫用や誤用のような誤った発声習慣や技術的に誤った声の出し方(発声法)などの不適切な発声行動を意味している．実際には，①精神心理的あるいは性格傾向(内向型・神経症的傾向)からくる発声時の喉頭周囲筋の過緊張あるいは内喉頭筋の活動抑制，②過剰な発声場面(例えば公衆面前)での技術的に誤った発声法，③上気道炎や逆流性咽喉頭炎に起因する発声の誤用などが考えられる．また，声帯の器質的疾患によって，2次的に機能的要因が引

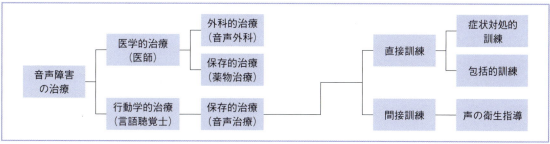

図 2-25　音声障害の治療

き起こされることもあり，逆に機能的要因によって声帯の器質的疾患の誘因となることもある．

音声治療では，運動学習理論に基づいた一定期間の反復練習が必要であり，言語聴覚士が介入する意味はここにあるといえる（➡ Note 10）．

a 音声治療の分類

音声治療は，**間接訓練**と**直接訓練**に分けられる（図 2-25）．間接訓練とは不適切な発声行動の背景となる生活習慣，環境要因に対するアプローチであり，**声の衛生指導**ともいわれている．直接訓練は，発声行動の生理学的側面へのアプローチであり，患者にその場で実際に発声させながら直接的に発声行動を修正する訓練法である．さらに，直接訓練は，声の高さ，声の大きさ，声質，声の持続性の異常に着目し，その原因となる誤った発声行動を改善する**症状（病態）対処的訓練**と呼吸・発声・共鳴などの発声過程を包括的にとらえて，それぞれのバランスを整える**包括的訓練**に大別される．近年，直接訓練と間接訓練の併用のみ有意な治療効果が報告されている．このことから考えると，現状においては，間接訓練は直接訓練と併用することが妥当であろう．

B 行動学的治療

1 間接訓練

a 音声障害に対する治療法

音声障害に対する治療は，大別して外科的治療と保存的治療の 2 つがあり，保存的治療法としては薬物療法と音声治療，そして心理療法がある．外科的治療と薬物療法は医師が行い，音声治療は言語聴覚士が行う．心理療法は精神・神経科の担当となる．音声治療は，誤った発声習慣の改善指導を行う間接訓練と，実際の発声動態を適正化する直接訓練に分けられる．

b 声の衛生指導，カウンセリングなど

1）問診

まず**問診**で丁寧に情報を収集し，さまざまな客観的評価（空気力学的検査，音響分析，声の高さ，強さ，声域など）や自覚的評価を通して，音声障害を引き起こす問題を考える．そしてその問題を取り除くプランを組み立てることである．最初に患者の声の使用実態を詳しく把握する必要がある．問診の際，情報収集項目のチェックリストを使用するのもよい（表 2-9）[1]．そのなかでも喉頭疾患を引き起こす原因となるような発声行動や環

Note 10. 音声治療のエビデンス

　Ruotsalainen らによれば，音声治療とは発声に関わる不適切な行動・習慣を直接的・間接的に適切な方向に導くことによって音声障害を治療する方法とされる[1]．したがって，音声治療は行動変容法がその基本原理として用いられている．音声治療の適応は「**機能性発声障害**」とよばれる疾患であることは多くの臨床家が認めるところである．

　「機能性発声障害」とは字義通りに「器質性病変に起因しない音声機能の異常」と考えられるが，これは，喉頭の形態異常や運動麻痺が認められない障害の総称を意味するわけではない．音声障害診療ガイドライン 2018 年版では，筋緊張性発声障害に代表される発声行動の異常を「機能性発声障害」として取り上げている[2]．この狭義の「機能性発声障害」と発声行動の誤りが原因となって起こる声帯粘膜の微小病変に対しては間接訓練と直接訓練を併用した音声治療が有効であることが示されている[1,2]．

　さらに 2018 年のシステマティックレビューでは，発声行動の誤りが原因となって起こる声帯粘膜の病変である声帯結節の音声治療に関して，嗄声の改善と声帯結節の病変サイズの縮小については，高いエビデンスが示された[3]．しかし，治療後の長期フォローの効果（再発の有無）や適切で効果的な音声治療技法の選択についての検討は，さらに今後の研究が必要とされている[3]．また，一側の声帯が固定する喉頭麻痺については，2017 年のシステマティックレビューで音声治療の効果が散見されるものの，実際には喉頭麻痺に適した音声治療技法の選択肢が多いことや喉頭麻痺の病態の多様性，さらに介入時期や介入頻度の問題など，多くの効果研究でバイアスが指摘されており，音声治療の適応についての結論は出ていない[4]．また同様に，神経疾患の Parkinson（パーキンソン）病の音声治療についても，2012 年の Cochrane Library では音声治療の効果は Parkinson 病特有の声の大きさの問題についての改善が認められるものの，研究方法（治療効果の判定方法）に問題があるとされている[5]．このように，声帯結節や Parkinson 病に対する音声治療の肯定的結果を示すシステマティックレビューは増加傾向にあり，音声治療の適応については肯定的といえる．しかしながら，最終的な結論はまだ出ていないので注意が必要である．

引用文献

1) Ruotsalainen J, et al：Systematic review of the treatment of functional dysphonia and prevention of voice disorders Otolaryngol Head Neck Surg 138：557-565, 2008
2) 日本音声言語医学会, 他（編）：音声障害診療ガイドライン 2018 年版. 金原出版, 2018
3) Mansuri B, et al：Nonmedical treatments of vocal fold nodules：A systematic review. J Voice 32：609-620, 2018
4) Walton C, et al：Unilateral vocal fold paralysis：A systematic review of speech-language pathology management. J Voice 31：509.e7-509.e22, 2017
5) Herd CP, et al：Speech and language therapy versus placebo or no intervention for speech problems in Parkinson's disease. Cochrane Database Syst Rev 2012：CD002812, 2012

境がないかどうかをあらためて把握する．このようなチェックリストは一般的な項目となり，また患者自身はなにが声に悪影響を与えているか自覚していないこともあるため，チェックリスト項目だけでなくそれぞれの患者特有の問題がないかを探りあてる問診技術を備えていく必要がある．

　また問診中に患者の声の高さや強さ，声質（音色）の異常などに注意し，自然な会話で生じる笑い声や頷き声，硬起声や声の高低差で声質が変化するかどうかも評価する．また会話時の肩・頸部の緊張や呼吸様式（腹式，胸式呼吸など），患者の表情や態度についても評価しながら，音声障害が起こる原因を考える．小児の場合には，両親や教育機関からも情報を集め，どのような場面でどの程度声の濫用があるのかを具体的に把握する．

　患者は発声方法が及ぼす影響をほとんど自覚しないまま過ごしてくることが多い．よってその自覚を促し，適切な発声へと導いていくことが重要である．患者のなかには業務上その指導が守りにくい例もある．言語聴覚士はそれを叱責するのではなく，問診で情報を収集し，各患者とって現実的に実行しうる方法を客観的に考え，指導していかなければならない．

(1) 問診の目的

　問診の目的は患者自身から主訴や現病歴を詳細に聴いて疾患の概要をつかみ，必要な検査や治療方針を立てることにある．音声障害の診察では，医師による問診に言語聴覚士が同席するのが理想的である．ついで言語聴覚士による問診がある．問診に不慣れな場合には前述の問診表（表 2-9）を

表 2-9 問診・情報収集のチェックリスト

職業	□教師(小学校,中学校,他:)
	    □担当授業数とその単位時間[ ]
	□保育士 □スポーツインストラクター
	□会社員
	    □営業 □販売員 □工場勤務
	    □事務(電話対応:多・少) □他
	□歌手[ジャンル:] □僧侶
	□主婦
	□学生(所属クラブ:)
	□退職後
	□その他

生活習慣	□喫煙[無・有:喫煙歴(年)]
	Brinkman 指数*:
	受動喫煙[無・有]
	□飲酒[無・有]
	    [頻度:週 回, 量: /日]
	□カラオケ・詩吟・コーラス[無・有]
	    [頻度:週 回, 量: 時間/日]
	□声を多用するスポーツ
	    (野球・剣道・エアロビクスなど)
	□水分摂取量:[mL/日]
	□カフェイン摂取量:[mL/日]
	□食事後就寝までの時間[時間]
	□随伴症状
	    ゲップ・胸やけ・咳払い[無・有]
	□ストレス[無・有]

声の使用状況	□場所(職場・学校・家・趣味:) □環境(騒音,粉塵,乾燥:) □1日の発声時間[計 時間] [連続発声時間:1回 時間を 回]
家族環境	□子育て[無・有] □子どもをよく叱る[無・有] □兄弟喧嘩の頻度(小児の場合)[多・少] □聴覚障害者の存在[無・有]

*1日の喫煙本数×喫煙年数. 200以上:喫煙保険治療対象
〔金子真美:声の衛生指導. 大森孝一(編):言語聴覚士のための音声障害学. pp86-95, 医歯薬出版, 2015 より〕

参考に進めると聞きもらしがない. 面接を通して音声治療技法の方法や声の衛生指導の内容を選択する参考とする.

(2) 問診の実際
①主訴
患者が声のどのような面で困っているかを患者の協力のもとで患者自身の言葉で表現させ, 具体的な訴えをつかむ. 患者の希望が音声改善か否かを聴取することも大切である. 例えば悪性腫瘍だけが患者の関心事であれば, 当面音声治療の適応とはならない.

②現病歴
音声障害の発症の状況を詳しく聴くことで, 発症の原因や経過, 誘因を推察できる. 随伴症状では,「話をしているとのどが疲れてくる」といった音声疲労の有無を確認する. これを認める場合は声の日内変動(夕方声が出にくくなるなど)が生じやすいことがある. 患者の訴えだけでなく, 患者の身体的情報(肩・頸部の緊張, 姿勢の崩れ, 呼吸様式など)も記述しておく.

③既往歴
音声障害は, 神経筋疾患や呼吸器疾患(ステロイド吸入治療含む), 婦人科疾患(特にホルモン療法), 胃食道逆流症などさまざまな疾患に伴い発症する可能性があるため, 問診時に確認しておく. また体重減少も, 声帯が萎縮し嗄声をきたすこともあるため確認する.

④職業歴・生活習慣など
慢性の音声障害では職業に関連したものが多い. 教師や保育士, スポーツインストラクター, 販売員, 騒音下で働く工員や僧侶などは声を酷使しやすい. 職業的な音声障害では, 仕事のない日には症状が軽減する傾向がある. 生活習慣では喫煙が最も問題となり, 喫煙者に対しては Brinkman 指数(1日の喫煙本数×喫煙年数)を算出する. この数値が200以上で禁煙保険治療の対象となり, 400以上でがんのリスクが上昇するとされている. 趣味や家庭環境での声の使用状況も確認する. 食事後2〜3時間内の就寝は胃酸逆流を引き起こしやすいため, 生活習慣も確認する.

(3) 問診聴取時の注意点
問診の発話自体が, 患者の音声の評価対象となる. 声の高さや大きさ, 声質(音色)に注意し, 自然な会話で生じる笑い声やうなずき声, 声の高さによって声質が変化するかも確認しておく. もちろん声を聴いただけで評価・診断を求め, 先入観をもってしまうことは避けなくてはならない.

2) 声の衛生指導

声の衛生指導は，音声外科手術を受けた患者や，声帯に負担をかける発声を続けた結果器質的変化を生じた患者，また声帯に異常は認めないものの音声障害を呈する機能性音声障害の患者に対する音声治療の第一歩であり，重要である．多くの場合，声の衛生指導の対象となるのは，声の濫用，誤用が問題となる例である(表2-10)．したがって衛生指導においてはこうした声の濫用，誤用を避ける方向での指導が中心となる．それ以外で，声門閉鎖不全を原因とした音声障害を呈する症例などでも，声の誤用防止や水分摂取など，一般的な声の衛生指導は有効である．声の濫用，誤用が原因で器質的疾患が生じたと思われる患者の場合，声の衛生指導だけで改善が得られる例もある．一方で，声の衛生指導と直接訓練をあわせて行ったほうが治療効果は高いという報告もある．おのおのの効果についてまだ共通の見解が得られていないため，今後これらのさらなる解明が必要とされる．

声の衛生指導は主に発声に関する基礎的理解の促進，声の安静，水分摂取，誤った発声行動および生活習慣の是正から構成される．

(1) 発声に関する基礎的理解の促進

ここでは発声のメカニズムを説明し，声帯に負担がかかる発声方法を患者自身に認識させることが重要となる．まず正常な喉頭・声帯の画像(静止画，動画)や図などを示しながら，発声のメカニズムを説明する．この際，ストロボスコピー画像(症例および正常例)があれば患者の理解をいっそう深められるため，推奨したい．可能であればまず正常例のストロボスコピー画像を示しながら，声帯の形状，物性，粘膜波動，対称的な動き，声門閉鎖，そして無関位発声や低音，高音発声時の声帯振動・伸長度合いの違いなどを説明する．次に患者のストロボスコピー画像などを用いて，声帯が現在どのような状態であり何が問題かを，正常の声帯と比較して示す．例として，炎症や腫脹，腫瘤，声帯振動の対称性や粘膜波動の減弱・声門間隙の有無，萎縮や瘢痕，麻痺の有無，声門上部の絞扼などについて説明する．また，声帯は振動回数が多く非常にダメージを受けやすいことを強調し，患者の声の使い方によっては悪影響を与え病変を起こしうることも説明し，適切な発声方法の習得の重要性を説明する．小児の場合でも，わかりやすい絵や身振りを使いながら簡潔に説明することで，ある程度理解させることができる．

声帯は自分で見ることができないため，患者は発声方法によって及ぼされる影響を自覚する機会をほとんどもたないままなんとか声を出そうとしてきた経緯が多い．言語聴覚士はまずその状況を理解することが重要である．そのうえで発声のメカニズムと現状，そして音声治療が必要とされる理由を丁寧に説明することが患者の不安解消につながる．その結果，言語聴覚士に対する信頼も高まり，今後進めていく音声治療の「ドロップアウト(患者自身が自発的に治療を中断するケース)」を削減できることにつながるのではないかと考えられる．この過程に十分時間をあてることが望ましい．

声の衛生指導においてはこうした声の酷使，誤用を避ける方向での指導が中心となる．器質的疾患のある患者は，その病変のために適切な声帯振動が起こりにくく，不適切な発声方法をとってしまう傾向がある．この悪循環を防ぐためにも声の衛生指導は重要である．たとえ明らかな器質的変化が認められなくとも，声を多用するケース(歌

表2-10 声の衛生指導

目的	声の酷使，誤用を避ける
対象	声の濫用，誤用が問題となる例
内容	発声の基礎的理解 声の安静 水分摂取 誤った発声行動の是正 誤った生活習慣の是正

手やアナウンサー、教師など)は、発声によって声帯を損傷するリスクが高い。適切な発声方法を心がけることで、声帯に悪影響を及ぼす原因を自己管理によって軽減・除去することができ、器質的疾患の予防が可能となる。

(2) 声の安静

声の安静とは声の使用を制限するための指導であり、絶対安静と相対的な安静がある。

①絶対安静

絶対安静とは、声の使用を全面的に禁止し、コミュニケーションには筆談を用いる。このためには、咳・咳払い、声を出した笑い、ハミングも禁止する。囁き声も仮声帯の過緊張を生じるので禁止とする。絶対安静は、喉頭手術後の直後や、急性炎症所見を認める患者に医師の指示で行う。特に喉頭微細術後、これまでは1週間の声の安静を推奨されることが多かったが、文献によりその期間は一定していない。声の安静はコミュニケーションの不自由さを生じ、収入減という事態にもつながり、QOLを低下させるため、声の安静のコンプライアンスは低いともいわれている。また、術後早期に声帯に適度な刺激を与えると創傷治癒期の炎症回復を促進するとも動物実験で報告されている。またヒトに対する臨床研究では、喉頭微細術術後の声の絶対安静期間7日後に音声治療を実施する群に比べ、絶対安静期間3日後に音声治療を実施する群では、創傷治癒期の音声機能回復を促進する報告がなされており[2]、必要以上に長い声の安静は避けなければならない。急性炎症時の絶対安静期間は通常1～3日、長くとも7日以内にとどめるとされている。

②相対的な安静

相対的な安静とは、発声量を制限することである。「絶対安静」期間が終了した患者や、声の濫用・多用のある患者に指導する。持続発声で17分、朗読で35分を超えると声帯組織の損傷が進むといわれているため、30分の発声を目安に水分摂取など休憩をとるよう指導する。また、「長話を避け、聞き役に回ったり、やわらかいハミング声で相づちをうつようにする」「会話は1回5分以内、1日に15分程度にする」などと具体的に指示するとよい。「完全な安静」から「相対的な安静」へ移行していく際には、発話量と使用場面の許容範囲を徐々に広げて通常の日常生活に戻していく。例えば、1対1の対話から1対2、1対3への会話へと相手の数を増やし、これに応じて徐々に声の大きさ、1日の発声時間などを延ばしていく、などと指導していくとよい。

(3) 水分摂取

声帯が乾燥すると声帯振動が阻害され、器質的病変を引き起こしやすくなる。1日1.5L程度の**水分摂取**によって声帯粘膜の保湿効果が高まり、声帯振動が起こりやすくなるといわれている。ただしカフェインを含む飲料水(コーヒー、紅茶、お茶、コーラなど)は利尿作用があり補水効果としては薄くなるため、水が推奨される。なお、循環器疾患や腎疾患などを罹患した患者はかかりつけ医より水分摂取制限指示がでていることもあるため、確認する。加湿は2時間/日が目安となる。除湿機を使用したまま就寝すると乾燥しすぎる場合があるため、使用には気をつける。また、飴やチョコレート、牛乳などは、唾液の粘稠度を増し咳や咳払いの原因となりやすいため、過剰な摂取は控えたほうがよい。飴はメンソール、ミントなどの刺激物は控える。薬のなかには副作用で口渇を及ぼすものもあるため、処方内容を確認し医師に相談する。

(4) 誤った発声および生活習慣の是正(表2-11)

①誤った発声の是正

問診とさまざまな検査から、声の使用上の問題を見い出すことができれば、声の濫用・誤用が声帯に及ぼす悪影響について説明する。次に、患者自身が発声行動を変えていけるよう、具体的な対策を立てる。ここで重要なことは、禁止事項を対策として伝えるとともにその代替行動や工夫を示すことである。「大声を出さないように」などの漠然とした指示は効果がない。どのように気をつけるのか、またどのように対応をすればよいのかを

表 2-11　発声上の注意点

①誤った発声の是正
　発声行動について，以下の点に注意する必要がある．
　a. 大声を控える
　b. 喋りすぎない
　c. 不自然な声を用いない
　d. 咳払いを控える
　e. のどの健康を守るための環境
②生活習慣の是正
　a. 胃食道逆流症（GERD）の管理
　　・食生活の改善
　　・生活習慣
　b. 禁煙の指導
　c. 飲酒
　d. 身体・精神面の健康

具体的に提案する．声の衛生指導表などにまとめて説明するとよい．以下で述べる指導内容はあくまでも例であり，おのおのの患者に適した対応策を問診に基づいて考え，指導していくことが必要である．小児の場合でも声の衛生指導は重要である．しかし，患児に病識がなく，発声方法を変化させることが難しい場合が多いので，保護者に対しても説明と指導を行うことが重要である．日常の発声場面をビデオに録画してもらい，それをもとに分析し具体的に指導していくのもよい．場合によっては，教育機関とも連携をとり指導を行う．音声使用の注意事項は以下のとおりである．

■ 大声を控える（大声で話す，怒鳴る，叫ぶ，応援するなどを控える）

　教師などで大勢を相手に話す場合は，手を叩いたり笛を吹いたりして注目させ，マイクや拡声器を使用する．まわりを静かにさせてから話をする，などの指導も重要である．ある特定の生徒に注意する場合，その生徒に近づき落ち着いた声で注意することは時に怒鳴ることよりも効果が高い．隣の部屋にいる人など，遠くの人を呼んだりすることは禁止し，話す相手とは手が届くくらいの距離にするよう指示する．confidential voice（有声音を含む穏やかな小声で，ささやき声とは異なる．内輪のひっそりとした話で用いるような声）を使用するのもよい．

■ 喋りすぎない
・環境（騒がしい状況下で長時間話すと，音声疲労を引き起こしやすい）

　教室，レストラン，パーティ，音量が大きい音楽やテレビのなかでの長時間の会話は避ける．職場の上司や同僚，そして学校の生徒などにも自分の音声障害について説明し，医師や言語聴覚士から指導された注意事項に対し理解してもらうよう働きかける．対応策として，生徒や聴衆が静かになり，注目するまで待つ，静かなレストランや席を選ぶ，話をする相手と近づく，などがある．

・声の使用量を控える

　詳細は後述の声の安静で述べる．声の使用を控える対応策としては，教育指導のスタイルを再検討してもらう（例：視覚的・聴覚的な教材を用いる，生徒にプレゼンをさせる，グループディスカッションを増やす，ティーチングアシストなどの使用）．また，昼食時など，話す必要性がないところでは声を休める．講義などで代行を頼めるところは頼み，デスクワークを増やす，といったことがあげられる．一方，加齢性声帯萎縮症例では，積極的に声を使うのがよい．しかしこの疾患では代償的な過緊張性発声を生じていることもあるため，喉頭に力が入りすぎないような声を積極的に活用してもらうのがよい．

■ 不自然な声を用いない
・囁き声を用いない

　囁き声は仮声帯を内転させて発声するため，その発声動態を続けているとガラガラとした声になってしまうため注意する．

・りきみ声を避ける

　重い荷物を持ち上げたときや，テニス，剣道などの一部の運動時には声門を強く閉鎖することもあるため，これらの動作に伴って大きい声を出すのは控えるようにする．運動後は，息が落ち着いてから話すようにする．

■ 咳払いを控える

　咳払いは声帯組織にダメージを与えやすい．患者のなかには，常にのどに痰がひっかかっている

気がするため，咳払いをしてしまうと訴える者もいる．しかし実際は声帯に分泌物の付着はあまりなく，胃食道逆流症（gastroesophageal reflux disease；GERD）による咽喉頭異常感の影響が考えられるとの報告もある．このような場合は耳鼻咽喉科医と喉頭所見について協議し，必要があれば薬物療法も行う．のどに引っかかっていると感じる分泌物を除去しようと咳払いをする患者も多い．そういった場合には，咳払いがどれだけ声帯に悪影響を及ぼすかを説明し，咳払いをしてもほとんど効果がないことを伝える．咳払いの代わりに息を少し押し出すようにしてから，唾液や水などをゆっくり慎重に飲み込む，無音の咳（喉頭を両側から手で押しながら，「ごくん」と唾を飲みこむ）をする，などを提案するとよい．

■ のどの健康を守るための環境

空気の汚れを避ける．塵埃や粉塵・薬品など，吸い込むと声帯粘膜に悪影響を及ぼす環境はできるだけ回避する．マスクの使用を徹底したり，うがいや換気を頻繁に行うよう勧める．

② 生活習慣の是正

■ 胃食道逆流症（GERD）の管理

胃食道逆流症の約50％の患者では胸やけやゲップの自覚がない．喉頭炎を起こすと，腹声や咽喉頭異常感，慢性の咳などの症状が現れやすい．胃食道逆流症が確認された場合，以下のような生活習慣の指導改善を行う必要がある．概要を以下に記し，詳細を表 2-12 に示す．

• 食生活の改善

消化の悪いものを控え，消化のよい食事摂取を勧める．

控えたほうがよいものの例：脂肪分の多いもの，刺激物（香辛料，カフェイン，炭酸飲料），塩分や糖分の高い物（漬物，チョコレート）など．

• 生活習慣

就寝2～3時間前の飲食は避ける．枕を高めにし，頸部が胃の位置よりも高くなるように調整する．肥満に注意し，適度な運動をする．できるだけストレスを避ける．

表 2-12　胃食道逆流症に対する生活指導

①胃酸を増やすものは取りすぎないこと．
　a. 最も注意：ビネガー，赤ワイン，トマトソース，シトラス
　b. 注意：ソーダ（コーラなど），カフェイン（コーヒー，紅茶，お茶），チョコレート，ミント，ガーリック
②胃酸を増やしにくいもの，減らすものを取りましょう．
　ココナッツ，アーモンド，米，醤油，牛乳，キュウリ，人参
③お酒の飲みすぎ，たばこは控えましょう．
④肥満に注意し，適度な運動をとりましょう．
⑤できるだけストレスをさけましょう．
⑥寝る2～3時間前の飲食はさけましょう．
⑦枕を高めにして寝ましょう．

■ 禁煙の指導

喫煙は声道の粘膜に炎症や浮腫を生じさせる．禁煙を勧め，副流煙に対しても注意させる．

■ 飲酒

飲酒は声帯の充血・浮腫をもたらすため，過剰な摂取は控える．飲酒に伴い，声量が大きくなったり発話量が増加しないよう注意を要す．

■ 精神面も含め，身体の健康に気をつける

精神的なストレスがあると努力性発声となることがある．十分な睡眠と休養を勧めると同時に，精神的なストレスがある場合はそれに対処する必要がある．

③ 最近の知見

声の悪化を予防するためには声の衛生指導は必須であるが，より積極的で科学的な介入方法を開発することも必要である．声の酷使による炎症・外傷においては，声帯内で多量の活性酸素の発生が動物実験で確認され，さらに抗酸化剤の投与により，声帯における活性酸素の抑制とそれに伴う声帯の劣化を予防できることがわかった[3]．また健常ボランティアを用いた臨床研究においては，声の酷使によって発生する一時的な声の悪化が，抗酸化剤を摂取しておくことにより軽減できることが確認された[4]．このような日常的な声の保護効果の，特に歌手などの職業的音声使用者に対する有用性は極めて高いと期待される．

2 直接訓練

a 発声のメカニズムおよび留意点

音声治療は音声障害の保存的治療の1つで，声の機能的問題に対処する．音声は声帯の状態だけでなく，呼気や声道を含めた理解が必要である．発声は駆動力である呼気が振動体である声帯を振動させることで起こるが，喉頭で発生した声（喉頭原音）は共鳴腔（咽頭腔，口腔，鼻腔）により修飾され，声質・音色が形成される．呼気を支持するのは腹圧・腹筋である．したがって音声障害をとらえる際，腹腔に始まり胸腔→喉頭→共鳴腔に至る一連の流れのどこに問題があるかを考えなければならない〔1章1節 A項 図 1-1（➡ 3 頁）参照〕[5]．声の機能的問題は，呼吸，声帯振動，共鳴腔の全過程で起こりうるものである．

音声治療はまず安定した呼気流を供給し，それを共鳴腔に活かすことで，効率的に声帯を振動させる流れを訓練として行い，発声動態を適正化するものである．音声治療を行う際にはこの流れをしっかり理解することが重要である．決して声帯だけをみて音声治療を行うのではなく，声が腹腔から咽頭腔，口腔や鼻腔を介して放射されるまでの過程を考えて音声治療を組み立てる必要がある．

b 音声治療の概念

上記のように，音声治療は**呼吸**と**発声（声帯振動）**，**共鳴腔の調整**を行うことが重要である．

1）呼吸の調整

腹式呼吸を基本とし，腹圧を維持しながら腹部から口腔前部に向けて呼気を出すように意識する．腹式呼吸で気流が腹腔・胸腔から共鳴腔まで効率的に流れれば，喉頭への過度な力が緩和され声帯振動が増大する．また呼吸にあわせて喉頭が上下しないことも利点である．

2）発声（声帯振動）の調整

声帯振動に影響する因子として，以下のものがある．

(1) 声帯の硬さの変化

声帯粘膜は男性で1秒間に約100回，女性で約200回振動する高速振動体である．この機能は声帯独特の組織構造によるものと考えられている．図 2-26 は声帯粘膜の冠状断を示すが[6]，声帯のほとんどは筋肉（声帯筋）により支持されており，粘膜はわずか1mm程度の厚みしかない．この粘膜には独特の層構造が知られており，浅いほうから粘膜上皮，粘膜固有層浅層，中間層，深層である．粘膜固有層の声帯の粘弾性が左右均等でなければ声帯振動に位相差が生じ，声帯に部分的な硬さの増強があれば声帯振動，特に粘膜波動の異常を生じ，嗄声をきたす．

(2) 声帯の質量の変化

腫瘍性病変や慢性炎症などで声帯の質量が増大すれば声帯振動は遅くなり，声は低音化する．

(3) 声門閉鎖不全

発声時の声門閉鎖が不十分であると肺からの呼気が声門間隙から流出してしまう．この結果，適切な声門下圧が得られない，喉頭効率が悪い，声帯振動が減弱するなどにより，発声時持続時間の短縮，音圧の減少，声域の狭小化などをきたす．

(4) 呼気および喉頭筋の調節異常

声帯振動の動力源である呼気圧が十分な強さとタイミングで生成されないと，音圧の減少や発声持続時間の短縮などをきたす．また，発声時に喉頭筋（内喉頭筋・外喉頭筋）の筋緊張調整が適切でないと嗄声をきたす．喉頭を支える外喉頭筋は随意筋であるが，声帯に付着する内喉頭筋を随意的に調整することは困難である．したがって，無意識下で内喉頭筋の過度な緊張を緩和し是正するように導く必要がある．これらの筋肉の誤用・酷使があると音声障害をきたし，声帯病変を誘発しやすくなる．

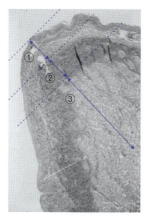

図 2-26　声帯の層構造
①粘膜上皮，粘膜固有層浅層，
②中間層，深層，③声帯筋
〔栗田茂二朗：人声帯の層構造
─形態学的研究．耳鼻と臨床
26：973-997, 1980 より改変〕

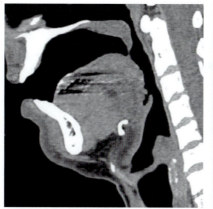

図 2-27　ストロー発声前の口腔・咽頭・
　　　　　喉頭所見
〔Guzman M, et al：Vocal Tract and Glottal
Function During and After Vocal Exercising
With Resonance Tube and Straw. J of Voice
27：523. e19-523. e34, 2013 より〕

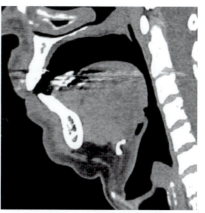

図 2-28　ストロー発声直後の口腔・
　　　　　咽頭・喉頭所見
〔Guzman M, et al：Vocal Tract and Glottal
Function During and After Vocal Exercising
With Resonance Tube and Straw. J of Voice.
27：523. e19-523. e34, 2013 より〕

(5) 湿潤

声帯粘膜の乾燥はしばしば振動の障害の原因となる．

3) 共鳴腔の調整

共鳴腔の形を最も喉頭に負担をかけずに，声帯振動を十分・最大限に引き起こし効率よく発声するような形に調整する．声門でつくられた喉頭原音は，声門上の喉頭・咽頭・口腔・鼻腔といった空間で共鳴し，音色や声質が決まってくる．声道では喉頭原音が共鳴によって特定の周波数帯域で増幅される．この共鳴周波数はフォルマント周波数ともよばれ，個人によって声質が異なるのは共鳴腔の形がそれぞれ異なることによる．

声道の長さを調整し，かつその効果について検証が重ねられている音声治療の1つに，**semi-occluded vocal tract exercises (SOVTE)** があり，これは気流を調整し，咽頭腔を広げ，喉頭を下げる作用を有する訓練といわれている．その機序は，安定した呼気で，口をすぼめて発声することで口腔内圧が上昇し，声門へのback pressure（逆圧）が上昇することで声門上圧が高まる．その結果，咽頭腔がひろがり，喉頭が下垂することで，平均声門流量が適正化され，声帯振動が促進されると報告されている．このとき，口唇付近に振動感覚を伴った声，**forward focused voice** が産生される．つまり，SOVTEは気流を調整し，咽頭腔を広げ，喉頭を下げることで，声帯振動を促す作用をもつ（図2-27, 28）[7]．

この**共鳴周波数（フォルマント周波数）**を求める際，わかりやすいようにまず片方が開きせばめがない管で算出する（図2-29）[8]．共鳴周波数（フォルマント周波数）＝音速/波長で求められる．片方が開いたせばめのない管は，管の長さの4倍の波長が基本振動となるため，音速340 m/秒で，声道＝17 cmの場合（成人男性の声道は約17 cm），共鳴周波数（フォルマント周波数）＝340/4×0.17 ＝500，よって基本振動は500 Hzである．2次共鳴周波数は基本振動の3倍振動に対応するため1,500 Hz，3次共鳴周波数は5倍振動のため2,500 Hzとなる（図2-29）．つまり声道長が長くなれば基本振動が下がり，フォルマント周波数が下がる．しかし実際は，共鳴腔は図2-30のように口唇や舌，顎によってさまざまなせばめがあり，片方が開いたせばめのない管で算出される

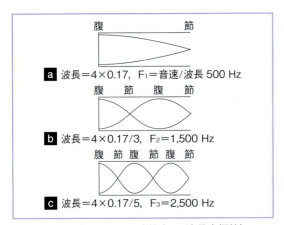

図2-29 せばめのない共鳴管(1/4波長音響管)
声道の長さを0.17 m(17 cm),音速を340 m/秒とした場合.
〔今泉 敏:言語聴覚士のための音響学.p49,医歯薬出版,2007より改変〕

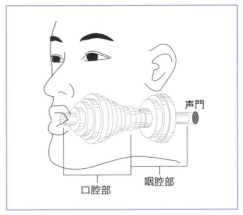

図2-30 [u]構音時の声道(声道の円筒管近似)
〔今泉 敏:母音の音源・フィルタ理論.Titze IR(著),新美成二(監訳):音声生成の科学.p103,医歯薬出版,2003より〕

フォルマント周波数どおりの値とはならない[9].咽頭腔の広さや喉頭の位置を通常診療で計測することは困難だが,一般的に喉頭が下がれば声道が長くなるため,フォルマント周波数は下がる.音響分析の一環として計測するフォルマント周波数は共鳴腔の機能を評価する可能性がある.

4) 呼吸と発声(声帯振動),共鳴腔の調整のまとめ

適切な呼気圧と気流の調整により効果的に声帯の粘膜波動が伝播する.喉頭原音は共鳴腔で修飾されるが,ここで声門と共鳴腔との相互作用が重要となる.適切な共鳴が声帯振動の効率化につながるため,音声治療において呼吸と共鳴を適正化することが重要である.

音声治療の目的は声帯振動の適正化であり,それが奏効すれば結果的に良好な声門閉鎖が得られる.たとえわずかに声門間隙があっても,良好な声帯振動が得られれば声の良化は十分期待できる.声門間隙に対する音声治療は,積極的に声門閉鎖を促す手技を行うのではなく,声帯振動の適正化に取り組むことが,上記の発声メカニズムに即している.

以下で,適切な呼気圧と気流の調整により声帯振動を適正化させる手技について述べる.

C 音声治療手技

1) 気流を調整し,咽頭腔を広げ,喉頭を下げる音声治療手技

気流を調整し,咽頭腔を広げ,喉頭を下げることで声帯振動を促す音声治療手技としてSOVTEを紹介したが,SOVTEは主に3つに分けられる(表2-13)[10].まず,non-speechベースのもの(話しことばでないもの)として,ハミングやトリル,発声機能拡張訓練(vocal function exercise;VFE)がある.疑似的に**声道**を延長するものにチューブ発声法がある.non-speechベースや声道延長で産生できた**forward focused voice**(鼻梁や口唇付近に響きのある声)を活かすspeechベースのもの(話しことばのもの)がある.

(1) SOVTE:non-speechベース
①ハミング(声の配置法)

軽く口唇を閉じてハミングをする.この際,鼻梁や口唇付近が響くようにハミングを促す(図2-31).患者によっては,ハミング中実際に患者の鼻梁部分が振動していても,この「鼻梁が響く」感覚を自分で得がたいものもいる.そういった場合,発声時に腹部,喉頭,鼻梁付近のどのあたりに(声の)エネルギーが集まっていそうかをたずね

表 2-13 音声治療手技

① 気流を調整し，咽頭腔を広げ，喉頭を下げる手技
　a. SOVTE：non-speech ベース（話しことばでないもの）
　　・ハミング
　　・トリル
　　・発声機能拡張訓練（VFE）
　b. SOVTE：声道延長（声道を延長させるもの）
　　・チューブ発声法
　c. SOVTE：speech ベース（話しことばのもの）
　　・Lessac-Madsen 共鳴強調訓練
　　・アクセント法
② 喉頭付近の緊張を調整する手技
　a. 喉頭マッサージ
　b. あくび・ため息法
③ 声帯の長さをかえる手技
　a. 指圧法
　b. Kayser-Gutzmann 法

〔Stemple JC, et al：Clinical voice pathology：Theory and management 6th. pp298-365, Plural Publishing, San Diego, 2019 より〕

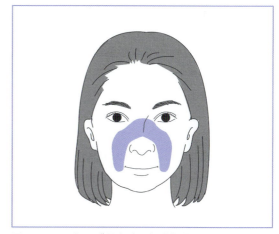

図 2-31　ハミング発声時の振動部位

る方法もある．うまく発声できていない場合は，患者は「のどにエネルギーがある」といった答え方をする場合がある．その際は，次の方法などでエネルギーを喉頭付近に集まらないように試みる．

■ 挺舌してハミングを行う

　舌をしっかり挺舌し，口唇で軽く舌をはさみ，ハミングする．挺舌することで咽頭腔が広がるため，声質が安定しやすくなる．また，「楽な声の高さで」という指示に対して声の高さが自然に高くなってしまう場合，低めの声で発声すると喉頭が下がり声質が安定することもある．

■ 鼻からの呼気をしっかり出す

　呼気が弱いと声帯振動が安定しないため，ハミング中の鼻からの呼気をしっかり出すのも一案である．このとき，筆者は「鼻をかむようなしっかりした鼻息でハミングを」という指示をだすことが多い．しかし患者のなかには，この鼻からの強い呼気が逆に声質を不安定にする場合もあるため，あくまでも患者の声を確認しながら行う．

■「声のエネルギーを前に！」

　喉頭に過度な緊張がかかる場合，鼻腔までエネルギーが到達しにくい．上述のような挺舌ハミングや鼻からしっかり呼気をだすハミングに加え，腹腔からのエネルギーを鼻腔から外に放射させることを患者に意識的にもってもらうことも大切である．腹腔からのエネルギーを決して喉頭にとどめないように，エネルギーを鼻腔や口腔から外に放射することが，良質な発声の基本である．

■ 上記のような方法で安定したハミング発声が得られたら，以下をトライ

・楽な高さのハミング発声で持続発声
・持続したハミング発声で，音の高さを変えてそれぞれ持続発声（例：低めの声や高めの声でハミング持続発声）
・ハミング発声で音程を持続的に上昇・下降させる
・ハミング発声でメロディー歌唱．導入はゆっくりとした曲調の童謡が取り組みやすいことが多い．
・ハミングに続いた音節や単語，短文の発声．ハミング中の鼻梁付近の振動感覚を維持したまま，マ行音やナ行音の音節発声，単語・短文発声へと進めていく．

② トリル

■ 口唇トリル

　まず口唇を軽く閉鎖し，呼気のみ出して口唇がブルブル…としっかり振動するかどうか確認す

る．つづいて口唇をブルブル……させながら「ブー」という発声を伴ってもらう．この際口唇のブルブル……という振動が止まってしまいそうであれば，指で頬を下から軽く持ち上げ，口唇を軽く突き出し，再度「ブー」という発声をトライする．もしそれで発声を伴った口唇のブルブル…という振動が持続可能であれば，頬を徒手的に軽く持ち上げた状態で口唇トリルの課題を進める（図2-32）．不可能であれば，無理強いはしない．口唇トリルは可能であるがトリルが持続しにくい場合は，トリル中にしっかり腹圧をかけ続けることや，トリル前に水分で口唇を湿潤させておくことを試みる．

■舌トリル

巻き舌音/r/，つまり舌尖を歯茎部にあてたまま，しっかり呼気を出して発声する．

■安定した口唇・舌トリルができるようであれば，以下の課題をトライ

- 楽な高さのトリルで持続発声
- 持続したトリルで，音の高さを変えてそれぞれ持続発声（例：低めの声や高めの声でハミング持続発声）
- トリルで音程を持続的に上昇・下降させる

舌や口唇が過緊張状態の場合，トリルはできない．よって何度か試みたもののトリルが困難な場合は，無理強いせずに他の方法に移行する．

③発声機能拡張訓練

（vocal function exercise；VFE）

VFEは発声の機能的な問題に対する音声治療効果が最もよく検証された治療法である．VFEはStempleによって考案され，音声生成過程の呼吸・発声・共鳴の活動を調整しながら，最大の音声生成を最小の努力で行えるよう想定され，系統的に組まれたものである[11]．VFEは内喉頭筋のバランス調整を想定し，その機序はまだ検証されていないものの，このエクササイズによって健常人や歌手，音声障害のある教師，高齢者などの声の持続時間，音響分析，声門閉鎖といった音声機能や自覚的評価の改善が報告されている．また

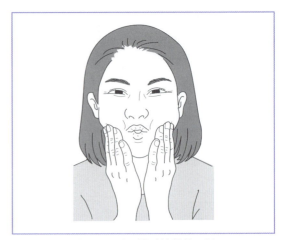

図2-32 口唇トリル時の徒手的保持の例

ランダム化比較試験によりその効果が示されている．

手技は以下のようにシンプルである．

■ウォームアップエクササイズ

鼻腔に響かせたforward focused voiceのソフトな声で，できるだけ長く「イー」と発声する．この時間は，できるだけ長く/s/を出せる時間と同じくらい長く出せるのが目標である．

■ストレッチ

鼻腔に響かせながら"Knoll[nóul]"と発声し，できるだけ低音から高音まで，音が途切れないようにゆっくり音を滑らせて上げていく．これはすべての喉頭の筋肉を使って声帯のストレッチを行うと考えられている．"Knoll"という言葉は咽頭腔を拡大するとともに鼻腔を響かせやすい．患者の口唇は小さく丸められ，その口唇付近に振動感覚が伴うよう求められる．このとき，単に「オー」と出すのではなく，口唇付近に振動感覚が生じる発声（forward focused voice）であることが重要である．このとき声帯にかかる過度な緊張が緩和されるため，声帯に負担をかけずに声の響きを増して発声することができる．これを誘導するのによく用いられる概念は口腔・咽頭腔を逆メガフォン型にすることである（図2-33）[11]．これは咽頭を開き，口唇を狭めて発声すると矢状断面がメガ

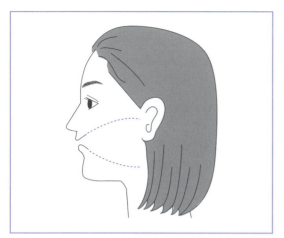

図 2-33 逆メガフォン型発声
〔城本 修：発声機能拡張訓練(Voice Function Exercises)．廣瀬 肇(監修)：ST のための音声障害診療マニュアル．pp125-129, インテルナ出版, 2008 より改変〕

フォンを逆さにした形となることを意味する．この形状にすることによって声門と声道の相互関係は最もよくなり，声帯の負担を軽減できるとされている．これは次の収縮でも同様である．音を滑らせることにより，喉頭の筋肉のコントロールと柔軟性を改善させると想定されている．

■ 収縮

"Knoll" と発声しながら，できるだけ高音から低音まで，音が途切れないようにゆっくり音を滑らせて下げていく．咽頭腔の拡大と口唇の振動感覚を維持しながら音を滑らせて下げていくことで甲状披裂筋の適切な関与を促すと想定される．

■ "Knoll" の "Kn" をとった "oll" の音で C-D-E-F-G の高さをそれぞれできるだけ長く発声

"oll" は咽頭腔の拡大と口唇の振動感覚を維持しながら出すよう求められる．これは声帯の内転を促すエクササイズと考えられている．

全過程において，深く息を吸って腹式呼吸で行い，鼻腔・口腔前部に響かせた forward focused voice で行うことが求められる．プログラムのうちウォームアップエクササイズは発声持続時間を日々記録しておく．上記プログラムを1日2回，8〜10週間行う．発声能力維持のためのメンテナンスプログラムもある．遂行能力の85%以上が保たれることが必要になる．既述したようにVFE は音声生成の全過程に働きかけるため，音声障害の幅広い疾患に対し適応があると考えられているが，障害の程度にもよる．例えば反回神経麻痺に対し，声門閉鎖不全が小さい場合奏効した報告はあるが，声門間隙が大きい場合は治療効果が乏しい．

(2) SOVTE：声道を延長させるもの（チューブ発声法）

①チューブ発声法の原法は，長さ25〜28 cm，内径8〜9 mm のレゾナンスチューブとよばれるガラス管を用いる．しかし最近は，プラスチックのストローが従来のガラス管と同等もしくはそれ以上の声道調整効果をもつという報告もなされており[11]，より扱いやすいプラスチックのストローを臨床上よく用いられている状況が世界的にみられる．

②患者に軽くチューブ・ストローをくわえてもらい，呼気のみだしてもらう(図2-34)．この際，呼気がチューブ・ストローと口唇の間から漏れでないようにチューブ・ストローを吹いてもらう．

③呼気が安定して流出されるようであれば，呼気を出すときに声をだしてもらう．チューブ・ストローをくわえているため，例示する音は「おー」「うー」といった音になるが，あくまでもくわえて楽にだせる音で練習する．このとき，呼気のみを吹いたときのようにチューブ・ストローの先端から呼気がでているか患者に確認してもらう．わかりにくい場合は，チューブ・ストローの先端にティッシュをぶらさげ，呼気のみでも発声を伴ってもティッシュが同じように揺れるか確認する．このとき呼気がうまくチューブ・ストローの先端からでにくいようであれば，（チューブ・ストローを口にくわえたまま）「お誕生日ケーキのろうそくを一気に消すように，息をしっかり前に出しながら」というように呼気を促す方法もある．それでも

図 2-34　チューブ発声法

図 2-35　water resistance therapy

　チューブ・ストローを介した発声が不安定であれば，チューブ・ストローの先端を水につけ，水の抵抗を用いた water resistance therapy で呼気サポートを促進するのも有効なこともある（図 2-35）．この際，発声時に水につかっているチューブ・ストローか先端から出る泡が弱くなったり途切れたりしないように，腹圧をかけ呼気を誘導しながら行う．
④声の高さと大きさは，チューブ・ストローをくわえて楽に出せる高さと大きさとする．
⑤チューブ・ストロー発声中の課題としてはまず楽に出せる高さと大きさで発声持続時間を反復して行う．良化した声が安定して産生されるようであれば，ついで音の高さを変えて発声持続時間を反復して行う．また音階上昇下降練習を加えてもよい．
⑥患者にとって喉頭付近の過緊張緩和が自覚できる課題を遂行する．

(3) SOVTE：speech ベース
① Lessac-Madsen（レサック-マドソン）共鳴強調訓練（Lessac-Madsen resonant voice therapy）
　forward focused voice で響きのある声（resonant voice）を話しことばや会話に活かせるようにプログラム化された訓練法である．

　このような声が日常生活でも使えるように，集中的な繰り返し練習がプログラム化されている．以下の手順で進める．
■声の衛生指導
■頭部・頸部・胸郭のストレッチ
■ resonant voice（響きのある声）による基本発声練習
　ハミング音（m 音）を用いて，口唇や鼻梁の振動感覚を確認する．声のエネルギーが，喉頭ではなく，口唇や鼻梁といった前のほうに集まっているイメージがあるかどうか確認する．その感覚が薄いときは，腹圧をより意識して発声するなど試みる．患者自身が無理なく楽によい声がだせているという感覚をつかんでもらうことが大切である．さらに，わざと望ましくないハミングのやり方（口唇を硬く強く閉じる）を実施し，振動感覚の位置や強さを対比させ，振動感覚をしっかり体感してもらう．続いて振動感覚を保った発声をしながら，マ行音から始まる単語や短文を用いて発声練習を行う．
■基本発声を利用した応用練習
•詠唱練習
　まず高さを一定に抑揚なく「ミミミミ……」と発声させる．続いて途中で抑揚をつけたり，「マママ……」と後続母音を変えたり，「ママパパマ

表 2-14 共鳴強調訓練（8セッションの内容）

セッション	声の衛生指導	ストレッチ	RV発声	RV詠唱	RV頷き	RV使い分け	messa di voce	会話練習
1	○							
2		○	○	○	○			通常会話
3		○	○	○	○	○		知人と電話会話
4		○	○		○	(○)	○	通常会話・電話会話
5		○	○		○	(○)	○	大声会話
6		○	○			(○)	○	騒音下会話
7		○					○	感情的会話
8		○	○					職場・人前の会話

〔城本 修：Lessac-Madsen 共鳴強調訓練．廣瀬 肇（監修）：ST のための音声障害診療マニュアル．pp130-136，インテルナ出版，2008 より改変〕

マ……」と子音部分を変えても，同じ振動感覚と響きで発声できるように導く．臨床的に，「モ」「ム」のような咽頭腔が拡大される後続母音が比較的発声しやすいことが多いが，これも患者によるため，患者の様子をみながら進める．

• 相づち練習

聞き手としてハミングで相づちを打つ練習を行う．相づちの語尾を上げたり下げたりして，声色を変えながら発声する．

• 使い分け練習

今まで使っていた声の出し方と，resonant voice が自由に使い分けできるようにする．

• messa di voce（メッサ・ディ・ヴォーチェ）

ハミングを用いてクレッシェンド（だんだん強く），デクレッシェンド（だんだん弱く）を行い，呼気圧が変わっても声質を保てる練習を行う（➡ Note 11）．

• 会話練習

会話は抑揚に富み，子音も多く含まれ発声時間も長くなる．このような状況下でも resonant voice が用いられるように練習する．

この練習は，通常1週間に2セッション，4週間で終了するようにプログラム化されている（表2-14）[12]．自主トレーニングとして，毎日2回行い，日常生活でも resonant voice を意識的に使わ

> **Note 11. messa di voce**
> 声楽歌唱の一種で，同じ高さの声で声を伸ばして歌いながら弱い声から次第に強くし，やがて弱めていく歌唱法である．
>
> 参考資料
> 1）ケータイに便利な音楽用語・記号事典．p129，シンコーミュージック・エンタテイメント，2010

せる．

② アクセント法（accent method）

アクセント法は，よい声を出すためには適切な呼気の支えが必要という考えに基づいて考案された．腹式呼吸とアクセントのついたリズムの習得によって，頸部や胸部，喉頭の緊張が緩和され，発声における呼気と声帯内転筋群の収縮と弛緩によるバランスを整え，さらに共鳴，構音の協調を目指す．アクセント法の原法ではリズムの誘導にアフリカン・ドラムを用いる．本法は言語聴覚士が示したモデルを患者が模倣し，交互に発声するスタイルで実施する．実際の進め方は以下のとおりである．

アクセント法は声の衛生指導と音声訓練から構成される．訓練は1回20分程度，1週間に1回以上の頻度で行う．

音声訓練としてはまず呼吸調整訓練を仰臥位で行う．吸気は鼻から，呼気は口からだす．続い

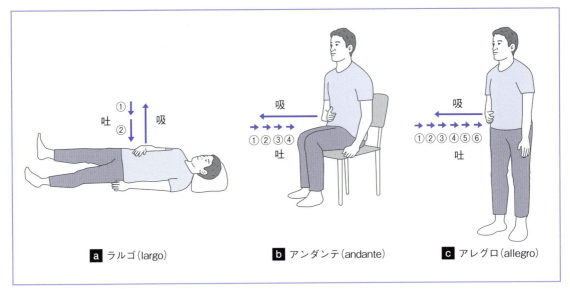

図 2-36 アクセント法
各テンポでの姿勢と腹部の動きを示す
〔前川圭子：包括的訓練/アクセント法．平野哲雄（編）：言語聴覚療法臨床マニュアル．改訂第3版．pp356-357，協同医書出版社，2014より〕

て，ラルゴで呼気にアクセント（強弱）をつける．呼吸訓練が完成後，アクセントのついた3つのテンポで音声訓練を行う．各テンポでの練習姿勢と腹部の動きを図 2-36 に示す[13]．

■ ラルゴ（largo：極めて遅く）での音声訓練

3/4拍子で，最初はh起声で呼気に声が少し混じる程度の柔らかい気息声を使い，続いて軟起声の母音を用いて練習する．仰臥位で完成すれば，座位で同じ練習を行う．

■ アンダンテ（andante：歩くような速さ）での音声訓練

4/4拍子で，軟起声の母音で開始し，徐々に気息成分を減らす．発声直前に素早く吸気し，言語聴覚士を模倣して発声する．慣れてきたら「ハイアイアイアイ」など口や顎を動かす母音の組み合わせや，さまざまな子音を用いる．座位で完成したら，立位で行う．

■ アレグロ（allegro：快速に）での音声訓練

4/4拍子で，アンダンテの倍の速さで練習する．立位で，さまざまな母音，子音，多様なリズムパタンを用いる．気息成分のない，大きな発声が可能となる．

■ 日常生活への般化訓練

3つのテンポで発声が完成したら行う．まず数唱や挨拶後など短いことばから開始する．続いて短文，本の朗読，スピーチ，言語聴覚士との会話と，徐々に発話の長さを長く，自由度が高くなるように設定する．最初は腹部の使い方，息継ぎのタイミングなど，言語聴覚士の模倣をさせるが，次第に自力で調整できるよう導く．

2）喉頭付近の緊張を調整する手技

(1) 喉頭マッサージ

声の機能的問題が認められる音声障害患者では，外喉頭筋の過緊張などが認められることが多い．Aronsonはこの喉頭周囲筋の過緊張により，図 2-37[14]に示す舌骨と甲状軟骨周囲の紫色部分の疼痛，および舌骨と甲状軟骨上縁部分の距離の短縮（喉頭高位）を報告し，この紫色部分のマッサージを喉頭マッサージとして提唱した．またNelsonらは，喉頭マッサージ後に母音発声の第1フォルマントから第3フォルマント周波数が低

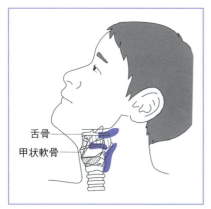

図 2-37 疼痛を感じやすい部分
舌骨と甲状軟骨の紫色で示した場所が疼痛を感じやすいところである.
〔城本 修：発声時の緊張を変える訓練. 廣瀬 肇(監修)：ST のための音声障害診療マニュアル. pp65-106, インテルナ出版, 2008 より〕

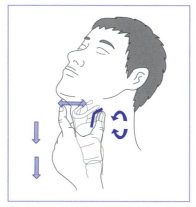

図 2-38 喉頭マッサージの方法
〔城本 修：発声時の緊張を変える訓練. 廣瀬 肇(監修)：ST のための音声障害診療マニュアル. pp65-106, インテルナ出版, 2008 より〕

下し，マッサージによる喉頭下垂効果の可能性を報告している．さらに，喉頭マッサージの効果は比較的早期に現れるものの持続しがたいが，継続的にマッサージを行うことでマッサージ効果が持続しやすいことも報告している．

①適応

声の機能的問題により引き起こされる喉頭高位を呈する患者や甲状軟骨周囲部分の疼痛を認める患者が適応となる．

②実際

安静時および無関位発声時の甲状軟骨周囲部分や胸鎖乳突筋，また舌骨上筋群の緊張度，疼痛の有無を確認する．また母音・無関位発声時の喉頭挙上の程度についても触診する．甲状軟骨上角に軽く指をかけ，やさしく指を下方や側方に動かす．また痛みの程度を確認しながら円を描くようにマッサージする(図 2-38)[14]．痛みが強い場合は，指を下方や側方には動かさず，甲状軟骨上角や上縁付近を背側に向かって指圧のみ行う形でもよい．甲状軟骨後縁から胸鎖乳突筋中央部にかけても，上記と同様にマッサージする．マッサージ中や後に発声を促し，声が低くなり声質も改善するか確認する．1 回の施行時間の目安は 5〜10 分程度である．

③留意点

マッサージによって咳が誘発される場合は中止する．高齢者では軟骨が化骨する傾向があるので，慎重に行うことが重要である．またマッサージにより痛みや不快感が増強する場合はマッサージを中止し，耳鼻咽喉科医に相談する．マッサージが奏効する場合，自分でもマッサージを行えるように，指圧する場所や手技を鏡を見ながら教示し習得してもらえるよう努める．

(2) あくび・ため息法

開口してあくびをするときには，声門上部が大きく開き，喉頭位置が下がり，喉頭の緊張が緩和される．このあくびの仕方を利用して，吸気後に気息性成分の多いため息の要領で「ハアー」と柔らかく発声させる．同様にほかのハ行音をため息の要領で発声させる．安定して発声できるようになったら，ハ行音から始まる単語，短文練習を行う．本法を実施しているときの口腔・咽頭・全身のリラックスした感覚がつかめたら，あくびやため息法の動作を行わなくても，同様の発声ができるように誘導する．

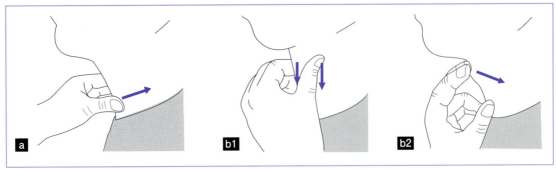

図 2-39 声帯の長さを変える手技
a：指圧法：喉頭を背側へ押す．
b1：Kayzer-Gutzmann法．喉頭を下へ下げる．甲状軟骨の甲状切痕に指をかけて下方へ押さえる．
b2：Kayzer-Gutzmann法．甲状軟骨の甲状切痕に指をかけて下方へ押さえにくい場合，甲状切痕を斜め下に向かって押さえると甲状軟骨が下がりやすいこともある．

3）声帯の長さを変える手技

(1) 指圧法

声帯長が短くなれば，声は低音化し声帯振動は大きくなる．指圧法とは，徒手的に頸部を指圧することで声帯の長さを変え，声の高さを変化させる手技である．変声障害や発声時の喉頭高位を認める患者などに適当となる．この方法を指圧法〔digital manipulation, Kayser-Gutzmann（カイザー-グッツマン）〕法とよぶ．

指圧法では，甲状軟骨の甲状切痕よりもやや下の声帯前交連レベルを背側へ押し，声帯長を短くする．Kayser-Gutzmann法では，甲状軟骨の甲状切痕に指をかけて輪状甲状筋の作用方向（下方）へ押さえることで声帯長を短くする（図 2-39）[15]．患者によっては外喉頭筋などの緊張が強く，甲状軟骨に指をかけることすら難しい場合もある．その際は喉頭マッサージなどのほかの治療法を考える．

①指圧法，Kayser-Gutzmann法の実際

患者の甲状軟骨を背側へ押す，もしくは甲状軟骨を下げることで声が低音化し軟起声となるかどうか評価する．もし低音化すれば，この方法の適応がある．患者にとって上記2方法のうち効果が高いものを選択し，指圧しながら母音発声（できるだけ長い声）を繰り返し，安定した低い声の高さで持続できるまで繰り返す．この声が安定してきた頃，一度指圧を外し，喉頭を抑えなくても安定して低い声になるかどうか確認する．また患者自身が喉頭を自分で押さえ，同様の発声ができるように指導していく．次に会話や文章音読課題を行う．声が翻転するようであれば，喉頭を押さえながら発声する．

d 音声治療を進めるうえでの注意点

これまでさまざまな音声治療手技を列挙してきた．実際目の前の患者に対しどういった音声治療手技を行うかについてはまだ世界的に議論されている．ただ基本的なところは，呼吸・声帯振動・共鳴腔のどこに（複数箇所の場合もある）声の問題があるかをしっかり評価することがまず重要である．これはストロボスコピーや空気力学的検査，音響分析である程度予測はつく．例えば平均呼気流率や呼気圧が減少している場合は，まず発声時に呼気をしっかり促すことをSOVTEのnon-speechベースや声道延長下での手技を用いて行い，その発声が安定してくればその声を徐々にspeechベースのものに移行していく方法がある．しかしこの流れが適応するかどうかは患者次第で，例えば過緊張性発声障害の患者のなかには，

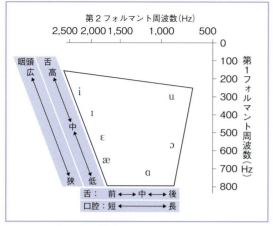

図 2-40　各母音の構音点
〔Raphael LJ, 他(著), 廣瀬 肇(訳): 新ことばの科学入門, 第2版. p104, 医学書院, 2008 より〕

チューブ発声法を反復して行っていると，最初は音声の良化がみられても，反復して行うと声がつまってくることも見受けられる．こういった場合は，早期から forward focused voice を用いた speech ベースに移行していくのが奏効するケースもある．この考え方は conversation training therapy（会話を主体にしたトレーニング療法）といわれ，その効果も示されてきている．よって患者がどういった音声治療手技で最も良化した声を安定的に産生できるかを評価することが重要である．

また母音によって共鳴腔の形が変わるため，同じハミング発声でも後続母音が異なることで発声困難感を生じる場合がある．一般的に「お」「う」の母音は咽頭腔を拡大しやすい構音であるため（図 2-40）[16]，音声治療に最初に用いる母音はこの2つが多いことがあるが，これも患者の得意・不得意を十分評価し，取り組んでいく必要がある．

音声治療の最終目標は，日常会話でよい声が出せることである．しかし会話音は母音発声と異なり，子音・母音が目まぐるしく使用され，イントネーションやプロソディが加わる．発声持続も必要であり，これらのために構音器官は常に運動しそれに応じて共鳴腔も常に変化する．声の高さや強さの変化に呼応して内喉頭筋の活動も随時変化し，声門下圧，呼気流も変化する．会話ではこれらの機能をできるだけスムーズに導入する必要がある．

音声治療は，疾患ごとに音声治療手技を決めて考えるのではなく，まず問題点をよく評価し，ついで各音声治療手技の機序を理解し，各音声治療手技に対する患者の反応をしっかりキャッチして音声治療を進めていくことが重要である．

3 気管切開の管理と指導

気管切開術後の患者は，病院などの施設だけでなく在宅においても存在し，言語聴覚士はそのリハビリテーションを担当する機会が多い．気管切開後は，気管カニューレの種類により発声ができずコミュニケーションに支障をきたしたり，喉頭挙上制限やカフによる頸部食道の圧迫，気道感覚閾値の上昇，声門下圧維持不能，喉頭閉鎖における反射閾値上昇[17]による摂食嚥下障害を伴うことがある．そのため，言語聴覚士は患者が気管切開をしているという事実だけでなく，**気管切開**の適応と合併症，**カニューレ**の種類，気管切開に伴う問題と対応を理解することが必要となる．

a 気管切開

1）気管切開術とその適応

気管切開術には，待機的気管切開（一刻を争う必要はないが，気道を確保しなければならないときの手術法）と緊急気管切開（一刻を争い気道を確保しなければならないときの手術法）の2種類がある[18]．気管切開の適応には，①上気道の機械的閉塞，②下気道の分泌物貯留，排痰困難による気道閉塞，③上気道，口腔咽頭領域手術時の気道確保，④神経疾患などによる呼吸筋の減弱がある[19]．このほかにも，長期呼吸器管理目的や重度の誤嚥性肺炎に対する下気道管理の手段としても施行される[17]．

> **Note 12.** リハビリテーション職種による気道吸引
>
> 施設のルールにもよるが，2010 年 4 月より気道吸引の実施が認められるようになった．これにより気管内の痰や誤嚥物の吸引だけでなく，着色水などを用いて誤嚥の有無を評価しやすくなった．ただし実施にあたっては，気道吸引に伴う合併症や気道吸引の適応となる患者やその状態，手技の獲得，感染対策などの十分な理解が前提となる．詳細は「気管吸引ガイドライン 2013」[1]を参照してほしい．
>
> 引用文献
> 1）日本呼吸療法医学会気管吸引ガイドライン改訂ワーキンググループ：気管吸引ガイドライン 2013（成人で人工気道を有する患者のための）．Jpn Respir Care 30：75-91, 2013

2）合併症

気管切開の合併症としては，①皮下気腫と縦隔気腫，②出血，③カニューレの誤挿入，④カニューレの閉塞，⑤カニューレの脱落，⑥気管内肉芽形成，⑦腕頭動脈からの出血が挙げられる[18]．特に言語聴覚士が注意すべき合併症は⑤であり，リハビリテーションを行う前に，カニューレバンドに緩みがないかなどを確認すべきである（➡ Note 12）．

b 気管切開後の言語聴覚士のかかわり

気管切開術を施行されている患者の初回評価では，人工呼吸器の使用の有無，カニューレの種類，呼吸状態を確認し，意識障害の有無，認知機能（指示理解を含め），口腔構音機能，嚥下機能を評価する．

発声可能なカニューレへの変更につなげるためには，自発呼吸があるとともに，唾液誤嚥の減少も必要であるため，呼吸訓練とともに嚥下機能に対する訓練も行う．ファイバースコープによる喉頭所見や唾液誤嚥の減少，気管・気管支からの痰の減少などを勘案し，医師により発声可能なカニューレへと段階的に変更される．言語聴覚士も訓練による変化を医師らと情報共有し，嚥下訓練（直接訓練）の開始を検討する．

日々の患者の状態を評価しながら，発声や経口摂取の再獲得に向けた方法を同時に考えて訓練を立案し，カニューレの種類や構造についても患者・家族へ説明するなど幅広い対応を求められる．

c カニューレの種類と対応方法

各種カニューレの使用目的と使用法を理解したうえで，患者が装用しているカニューレを操作する必要がある．気管切開カニューレは，さまざまな種類があり，カニューレの種類は呼吸状態，痰の量，誤嚥の有無など患者の状態によって使い分けられる．最低限知っておくべきカニューレの種類や構造について表 2-15 に示す．

カフつきのカニューレの役割[20]はカフを境に気管の上部と下部を分離することであり，①血液や分泌物，誤嚥物の下気道への流入防止，②カニューレ内と肺とが閉鎖回路となり，人工呼吸器などによる陽圧呼吸を可能にする．カフ上部吸引ラインは，カフ上部に溜まった唾液や誤嚥物を吸引するための機能ではあるが，誤嚥を防止するものではないこと，またカフによるトラブル（➡ Note 13）を忘れてはならない．

1）コーケンネオブレス スピーチタイプ

外筒と内筒で構成されており，内筒を入れておくと呼吸はカニューレ内のみとなるが，内筒を外し一方向弁であるワンウェイバルブを装着することで呼気が側孔を通過し，声が出るしくみである（図 2-41）．ネオブレス スピーチタイプ使用の条件として，①意識がはっきりしている，②自発呼吸がある，③喉頭機能が残っていることが挙げられる[20]．

発声練習は医師の指示のもと行うことが必要であり，開始する前にはカフ上部と気管内吸引を行ってから実施する．カフが膨らんでいる状態での発声は，空気の通り道が狭いことで，呼吸苦が生じやすい．医師の指示が得られたら，カフ脱気をしての呼吸・咳嗽練習や発声練習を短時間から行う．練習中は，呼吸苦の有無，喉頭侵入や誤嚥

表 2-15 カニューレの種類と構造（一部）

種類	パイプ	カフ	側孔	吸引ライン	発声用バルブ[*1]
コーケンネオブレス 単管タイプ	単管	あり	なし	あり	なし
コーケンネオブレス スピーチタイプ	複管	あり	あり	あり	あり[*2]
スピーチカニューレ	単管	なし	あり	なし	あり[*3]
レティナ	単管	なし	なし	なし	あり[*2]

＊1 発声用バルブはカニューレの種類によって異なる，＊2 ワンウェイバルブ，＊3 スピーチバルブ．
〔©2020 KOKEN CO., LTD.〕

による湿性嗄声の有無，気管内の痰の増加の有無を確認する．練習後にもカフ上部の吸引を行い，分泌物が増えていないか確認することで，唾液を誤嚥していないかの確認にもつながる．ワンウェイバルブで過ごすことになれてきたら，医師や看護師と装着時間について検討する．

うまく発声できない場合として，梅﨑は[20]①側孔の位置が気管にあっていない，②側孔が分泌物や誤嚥物でふさがっている，③側孔が肉芽でふさがっている，④気管の狭窄，⑤呼気の力が弱い，

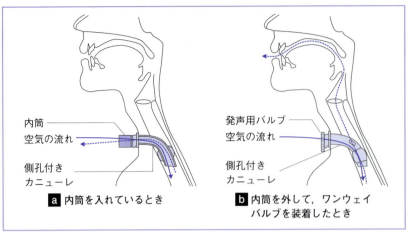

図 2-41 コーケンネオブレススピーチタイプの構造
内筒をつけると吸気と呼気は同じ場所を通過するが(a)，内筒を外しワンウェイバルブを装着すると吸気はカニューレから入り呼気は側孔を通過し声となる(b)．
〔©2020 KOKEN CO., LTD.〕

> **Note 13. カフ圧によるトラブル**
> 梅﨑[1]はカフ圧が高すぎることにより，①粘膜壊死：粘膜の血流障害，②気道狭窄：肉芽形成・感染・壊死の修復に伴う瘢痕狭窄，③反回神経麻痺：カフによる神経の圧迫，および血流の阻害に伴う神経の虚血による麻痺，④嚥下障害：食道を圧迫することにより食道の通過障害が生じると報告している．逆にカフ圧が低いと，①人工呼吸器による呼吸器管理が十分にできなくなる，②誤嚥物が下気道へ流入しやすくなる．
> 　対策として，適正なカフの使用・適正なカフ圧(20〜25 mmHg)・1日1〜2回5分程度のエアー抜きを行う[1]．臨床場面では患者ごとに適正なカフ圧を確認のうえ，不適切な場合は看護師へ報告し調整してから実施する．
>
> 引用文献
> 1) 梅﨑俊郎(監修)：気管カニューレの種類とその使い分け，第10版. 高研, 2019

⑥声帯や喉頭の腫瘍など喉頭に問題があると考えられるとしており，カニューレを交換した医師から情報を得て，発声ができない要因についても共有する必要がある．

2) スピーチカニューレ

自発呼吸が安定し，分泌物の誤嚥が少なく，また痰の量も少なくなり自己喀痰がある程度行えるようになると，カフのないカニューレへと変更可能となる．構造としては，吸気はカニューレ内に取り込まれるが，呼気時は一方向弁の作用によって声門を通過し，自己喀痰や発声が可能となる（図 2-42a）．

スピーチバルブは痰が付着したり，分泌物で汚染されると，一方向弁のフィルムが十分に密閉されないことでカニューレ側に空気が漏れることがある．うまく声が出ていない場合はスピーチバルブを確認してみるとよい．

3) レティナ

気管切開孔周辺に気管前壁が圧迫される構造（図 2-42b）となっており，気管壁への接触・圧迫が少ないため長期間にわたる留置でも気管壁肉芽の増生を減らすことができる[21]．発声方法はスピーチカニューレと同様だが，レティナは固定をしなくても装用できるため，咳嗽で本体が抜けてしまいやすい．排痰時に押さえるといった工夫が必要である．

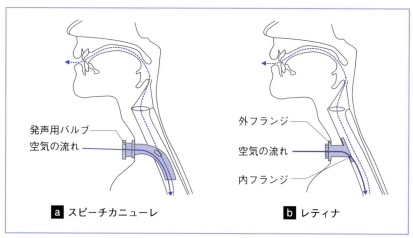

図 2-42 スピーチカニューレとレティナの構造
どちらも発声用バルブをつけることで発声が可能となるが，レティナカニューレは気管前壁と接触するため，スピーチカニューレに比べ気管後壁への刺激が少なくなる．
〔©2020 KOKEN CO., LTD.〕

4 無喉頭音声の指導

　喉頭がんや下咽頭がんなどの進行がんに対する治療法の1つとして喉頭摘出が行われる．下咽頭がんの場合は，下咽頭・喉頭・頸部食道まで切除され，一般的に遊離空腸移植による再建が行われる．喉頭摘出は声帯を同時に摘出されるため声を失うことから，患者や家族にとって強い喪失感を伴う．そのため，リハビリテーションにより代替的な発声手段を再獲得することは，手術後の生活における不安を軽減し，モチベーションの向上につながる．
　本項では，喉頭摘出後における解剖学的・生活上の変化や，リハビリテーションについて述べる（→ Note 14）．

> **Note 14. 喉頭摘出者の会**
> 　日本喉摘者団体連合会は治療に伴い喉頭全摘出術を受けた方たちによる患者団体であり，現在全国に55団体144教室がある．無喉頭音声に対する訓練は，同じように喉頭摘出をされた方が訓練士となり指導をしている．同じ治療を受けた方々がいる会では，声を失ったというつらさや生活の変化におけるつらさや苦労も共有できる場である．また交流することによりそれらの気持ちに対する対応方法や日常生活上の工夫などの情報を得る場でもある．
> 　患者同士をつなげることはなかなか難しいため，喉頭摘出者による患者教室があることを紹介することは，不安を取り除く1つの方法といえる．必ず入会してもらうものではなく，体調や精神的な部分を考えたうえで患者本人や家族が入会を決定するものである．
> 　各団体については，日本喉摘者団体連合会（NPO法人日喉連）のWebサイト（https://www.nikkouren.org/）を参考にしてほしい．

a 喉頭摘出後による変化

　喉頭全摘出術は，気管と食道が分離され，**永久気管孔**が作成される（図 2-43）．解剖学的に変化が生じることにより，経口摂取時の誤嚥は生じないものの，「声が出ない」「力むことができない」「鼻をかむことができない」など生活においてもさまざまな問題が生じる．また，術後は気管内の加湿や吸引を要することとなるため，退院してから不自由さや制限を実感する．さらに，手術では頸部郭清術が施行されるため，術後に頸部瘢痕や腫脹，副神経麻痺に伴う上肢機能の低下を生じることもあり，上肢機能へのリハビリテーションが必要となる場合もある．

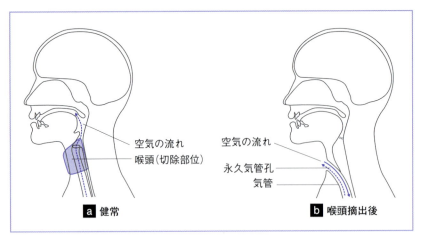

図 2-43　喉頭全摘後の解剖
通常は肺からの空気が声帯を通過し，口腔・鼻腔内へ呼気が通過するが(a)，喉頭を摘出すると(b)のように永久気管孔が作成される．

b リハビリテーションの目的と無喉頭音声訓練

　コミュニケーションや生活上の問題は，術前に説明されてもイメージがつきにくく，手術を終えてから筆談によるコミュニケーションの面倒さ，ニュアンスの伝わりにくさなどによる精神的ストレスから落ち込みや苛立ちが生じやすい．できるかぎり術前から介入し，喉頭全摘出術によるボディーイメージの変化や**無喉頭音声（代用音声）** *1 に関する情報提供をし，精神面のサポートを行うことが望ましい．

　術前評価では，情報収集（診断名，既往歴，術式，治療方針など）を行い，認知機能，口腔構音機能，上肢機能，聴力低下の有無（患者本人・家族），職業などだけでなく，もともとの話し方の特徴（早口など）もとらえておく．

　術後介入では，創部の状態，無喉頭音声の開始時期を医師に確認する．術前同様に評価し，創部や口腔構音機能に問題がなければ無喉頭音声訓練を開始する．しかし，術後は疼痛や不眠，精神的な落ち込みを生じている場合もあるため，訓練へのモチベーションやコミュニケーション意欲を確認する．患者がつらい場合は無理に進めようとせず，傾聴したり，練習したいと思ったらいつでもサポートすると伝えることが支えになると考える．

　無喉頭音声には，笛式人工喉頭（→ Note 15），**電気式人工喉頭**，**食道発声**，**シャント発声**（図 2-44）が挙げられる．それぞれ利点と欠点があるため，特性を理解したうえで情報提供や訓練を行う（表 2-16）．また，発声訓練だけでなく，身体障害者手帳の申請方法や日常生活用具給付，関連器具についての情報提供，患者にあった機器の選定や管理・指導を行えることが求められる．

　退院後の外来指導では，使用方法や発話明瞭度を確認するとともに，無喉頭音声の使用頻度や使用場面，生活上で困ることなどの情報収集を行い，必要に応じた指導や精神的ストレスの軽減を図る．

　以下に，各項目における実際のリハビリテーションについて示す．

1) 呼吸ケア

　永久気管孔から外気を直接取り込むため，気道の加湿や加温などが困難となり，気道乾燥や出

---

*1　実臨床では代用音声と呼称することが多い．

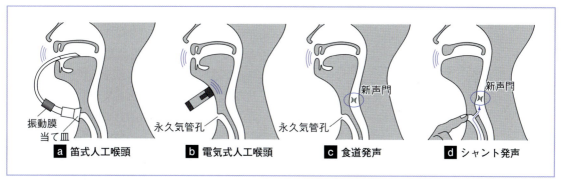

図2-44 無喉頭音声の種類
矢印は空気の流れを示す.
〔生井有紀子:無喉頭音声. 藤田郁代(監修):標準言語聴覚障害学 発声発語障害学, 第2版, p89, 92, 医学書院, 2015より〕

表2-16 無喉頭音声の特徴

	電気式人工喉頭	食道発声	シャント発声
習得期間	短期間	長期間	短期間
声の大きさ	機械で調整	小さめ	食道発声より大きく可能
騒音下での使用	△〜×	△〜×	△〜○
声質(明瞭さ)	機械音	○	○
抑揚	なし(抑揚モードつきの器具もある)	あり	あり
喉頭摘出後の手術	なし	なし	あり
器具	器具の携帯が必要	なし	人工鼻, アドヒーシブ(人工鼻の土台)ボイスプロステーシス
メンテナンス	器具の故障, バッテリー	なし	ボイスプロステーシスのケアや定期的交換
金銭的負担	一部負担(日常生活用具給付適応)	なし	一部〜全額負担(日常生活用具給付として認めている自治体もあるが, 自治体により支給額は異なる)
音源	振動	新声門	新声門
音の産生方法	主に頸部に当てて使用し, 機械の振動を口腔咽頭に伝播させて音声になる.	腹圧をかけて, 飲み込んだ空気を吐き出すときに新声門が振動し音声になる.	空気を吸ったあとに気管孔を指で塞ぎ, 肺からの空気をボイスプロステーシスを通して食道へ導き, 新声門を振動させ音声になる.

治療内容により, 上記に当てはまらないことがある.
〔飯野由恵, 他:食べる・話すをサポートする 摂食嚥下障害・コミュニケーション障害を有する患者への対応. MB Med Reha 247:58-68, 2020より〕

血, 痰が多くなりやすい. 退院後も気管孔のケアが必要なため, 入院中に吸入や吸引の指導を受ける. 永久気管孔の保護として, エプロンガーゼやプロテクターの使用が大切である. 高価だが人工鼻(heat and moisture exchanger;HME)は気道の加湿・加温・防塵の効果が高くより快適に過ごせるとされる.

> **Note 15. 笛式人工喉頭**
> 永久気管孔に当て皿の部分を当て，呼気をチューブを通して口腔内に導き，発声する方法．連結パイプのなかにあるゴム製の振動膜が音源となる．永久気管孔を塞ぐため，吸気時は当て皿を浮かす必要がある．呼気を使うため声量があり，明瞭度も高いが，口にチューブを加えたまま話すため，見た目や衛生面といった問題点がある．近年では使用している人口は少ない．

2) 嗅覚リハビリテーション

術前のように鼻腔を介した呼吸ができないため嗅覚の低下を生じ，また味覚へも影響する．喉頭全摘出術後も嗅神経自体は残っており，鼻腔へ外気を取り込むことが嗅覚や味覚の維持に重要となる．

そこで，NAIM法（nasal airflow inducing maneuver）[22)]という嗅覚リハビリテーションがある．方法は口唇を閉鎖した状態で舌を下顎につけ，舌の後方をポンプのように上下にゆっくりと動かすことで，口腔から咽頭にかけて陰圧をつくり鼻腔から吸気が流入するというしくみである．嗅覚は匂いを楽しんだり，危険物を感知したりと日常生活に欠かせない役割であるため，機能回復に向けた練習が望まれる．

3) 無喉頭音声訓練

それぞれの特徴を表2-17に示す．動画配信サイトや関連機器メーカーのWebサイトなどで実用場面を閲覧可能であるため，イメージを明確化してほしい．

(1) 電気式人工喉頭（electrolarynx；EL）

頰やオーラルコネクターを使用しての練習方法もあるが，一般的には頸部に当てて使用する．介入時には頸部ストレッチや頸部へのELの接触可否を医師に確認する．特に下咽頭・喉頭全摘出術では再建術の際に血管吻合が行われる．頸部の圧迫や過捻転が禁忌となっている時期があるため，医師への確認が必須である．

言語聴覚士は機種やその特徴について理解し，患者にあったELの選定を行うこともアプローチの1つである．ELの使用開始時は，初めは言語聴覚士が適切に振動する部位や角度を探す．接触させる部位は顎下部分でも皮膚の柔らかい部分が最も共鳴しやすい．練習場面では声を出そうと力が入り，永久気管孔からの強い呼気が雑音となり聞き取りにくくなることがしばしば見受けられる．声を出そうとせず力を抜いてもらうことが大切である．また，術後は頸部の皮膚感覚が低下するため，鏡を見ながら適切な位置を指導する．また家族の協力や聴覚的・視覚的フィードバックも得ながら，自宅での使用環境を整えることも大切である．上達すると，電話での会話も可能となる．

ほかの方法と比べ，術後早期に習得しやすいとされるが，手術直後や放射線治療歴がある場合は組織変化により頸部が腫脹・硬化しているため，顎下部に接触させても共鳴が不十分で実用性に乏しいことがある．頸部でうまく声がでない場合は，頰に当てたり，付属のオーラルチューブコネクターを使用する場合もある．患者本人はもちろん，家族も初めて耳にする声であり，聞き取りにくく違和感を覚える．そのため，声が出たときの聴覚フィードバックや患者・家族の位置関係，精神面にも配慮が必要である．

(2) 食道発声

器具や手術が不要なため，声量は小さいながらも抑揚のある発声が可能である．しかし，発声方法の習得までにかなりの練習と時間を要し，1回の発声持続時間が短いという短所がある．

食道発声による発声の音源は**新声門**であるが，これは喉頭全摘出術のときにできるものである．下咽頭・喉頭全摘出術では音源となる新声門がないため，喉頭全摘出術後の患者より，食道発声の習得が難しい．いずれにしても発声を習得するまでには時間を要するため，ELと併用して練習する患者もいる．

食道発声は外来に移行してから実施することが

表 2-17 指導内容と指導時の注意点

	電気式人工喉頭	食道発声	シャント発声
指導内容	実施する発声方法について説明		
	・機種の種類と使用方法 ・適切に振動する部位と角度を探す ・適切な声の高さと大きさの選定 ・スイッチのON-OFFのタイミング（文節の区切り） ・話すときに力ませない ・構音動作と発話速度	・空気摂取訓練（吸引法または注入法） ・発声訓練 ※下咽頭・喉頭全摘出術の患者では，前頸部を指で押さえて咽頭狭窄部を自らで作ることで発声が行いやすくなる場合がある．	・永久気管孔を押さえる（強く押し込まない） ・力をいれずに発声 ・リラックスした姿勢 ・息継ぎと発声の協調（話終えるまで指を離さない） ・発声と人工鼻を押さえるタイミング
注意事項	・口腔囁語，咽頭発声 ・気管孔雑音 ・過緊張 ・皮膚に接触している感覚の程度（接触しているかわかるか）	・空気摂取時の雑音 ・空気摂取時の過大な動作や複数回の注入動作 ・口腔囁語，咽頭発声 ・気管孔雑音 ・過緊張	・ボイスプロステーシスは十分に掃除されているか ・人工鼻やアドヒーシブから空気漏れをしていないか ・永久気管孔や人工鼻を強く押しすぎていないか ・過緊張 ・発声に適切な呼気の強さ

多いが，入院中に希望する場合は必ず医師に実施をしてもよい時期か確認のうえ訓練を開始する．空気摂取方法には2種類の方法があり，吸引法は吸気時に胸郭が広がる際に食道内が陰圧になるのを利用して，口腔や鼻腔内の空気を食道に取り込む方法であり，注入法は口唇を強く閉鎖し，舌を口蓋に強く押しつけることで口腔内圧を高め，ピストンのように口腔内に空気を食道内へ押し込む方法である[23]．この呼吸と口腔動作による空気摂取を組み合わせた吸気（吸引）注入法が可能となると最も効率のよい空気摂取ができるようになる．空気摂取が行えるようになったら，摂取直後にげっぷを出すようなイメージで原音の/a/を発声させる．確実に出せるようになったら，母音と発声持続の練習を行うが，声を出そうとして過度に力が入ると余計に声が出にくくなったり，気管孔雑音につながるためリラックスしながら発声させることが大切である．最低でも1秒以上発声持続できないと実用的な発話に結びつきにくいが，習熟すると3秒程度持続することができるようになる[23]．練習過程での悪い癖として，**口腔囁語**（口腔内を音源とする小さな音）や**咽頭発声**（舌根と咽頭後壁が音源）が生じないよう注意する．

(3) シャント発声

シャント発声にはボイスプロステーシス挿入手術が必要であり，一期的挿入術（喉頭全摘出時）と二期的挿入術（喉頭全摘出後）の2つがある．ただし，放射線治療既往歴や認知機能低下，コミュニケーション意欲の低下など挿入自体に検討が必要な症例もいるため，喉頭全摘出術を行った患者全例に適応となるものではない．

術後は，発声開始時期が異なるため，術後介入時には必ず医師に発声の可否を確認する．発声方法は母指で押さえたり，HMEなどを用いて呼気時に永久気管孔を塞ぐことで呼気が**ボイスプロステーシス**（一方向弁）を通過し，口腔内へ流れることで発声する（図2-45）．食道発声に比べ容易に発声の習得が可能で，習得が早いと初回指導で簡単な会話が可能となる場合もある．

息継ぎと発声のタイミングがあってきたら，母音から単語，短文へと練習していく．永久気管孔を強く押し込んだり，過緊張によって，努力性発声を生じる可能性があるため注意する．シャント発声がうまくいかない場合は，新声門自体の過緊張やボイスプロステーシスのサイズの問題なども考えられるため医師へ相談する．

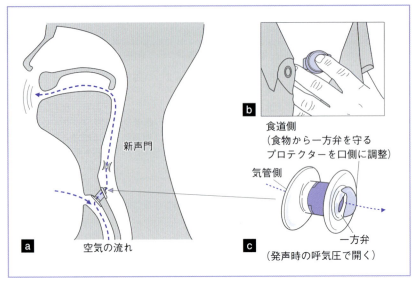

図 2-45 シャント発声
永久気管孔から空気が入り（a），bのように人工鼻（HME）を押さえると，空気がボイスプロステーシス（c）を通り食道内に流れ込んで声を出す方法．

シャント発声ではボイスプロステーシス挿入手術やメンテナンス（ボイスプロステーシスの交換・掃除，消耗品の購入など）が必要となる．それらの費用に対する助成の有無，内容は自治体により対応が異なるのが現状である．シャント発声では発声訓練とあわせて機器の使用法や管理の指導を看護師と協力して行う必要がある．

4）身体障害者手帳

喉頭摘出後は**身体障害者手帳**3級が交付される．交付されることで日常生活用具給付の対象としてELや吸引吸入器などの助成を受けることができる．

身体障害者手帳は，地域差はあるが交付までに1〜2か月要するため，術後すぐにEL給付申請の手続きが行えない．貸出を行っている業者もあるため，貸出機について情報提供を行うこともある．

C 事例報告と報告書の作成

1）事例

■ 対象者
20歳代，女性

■ 主訴
声のふるえ

■ 職業
事務職

■ 現病歴
10年前から声の出しにくさを感じていた．育児中であり，大声で叱ることもある．週1回，バレーボールに参加し，大声を出すことがある．会話時の声のふるえ，発話困難感が持続し，近医で痙攣性発声障害を疑われ，当院に紹介受診となった．当帰芍薬散（トウキシャクヤクサン）を処方されていたが，嘔気があり，継続できなかった．

■ 既往歴
社交不安障害で心療内科へ通院歴あり．

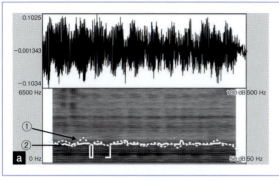
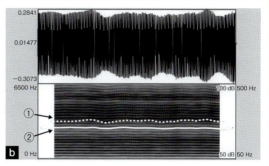

図 2-46　「あ」持続発声中の声の基本周波数と強さ
a：音声治療前（初診時）．上図は「あ」発声時の音声波形．下図は音声波形のサウンドスペクトログラム（①は基本周波数，②は強さ）．発声時の規則的な基本周波数変動と強さの変動が確認できる．
b：音声治療後．上図は「あ」発声時の音声波形．下図は音声波形のサウンドスペクトログラム（①は基本周波数，②は強さ）．発声中の基本周波数と強さの変動が小さくなっている．

- 飲酒
  ビール 350 mL×2～3 本（4 日/週）
- 喫煙歴
  10～20 本/日×2 年
- 家族構成
  夫，子ども（3 人），義母，本人
- 家族歴
  特記すべきものなし

2）評価

(1) 初診時

①喉頭内視鏡所見
　発声時の喉頭全体の振戦および両側仮声帯の過内転を認めた．

②検査
- 音響分析
  （MDVP, CSL4500, Key-Pentax, Medical）
  持続母音「あ」の発声で声の強さの変動と声の高さの約 6 Hz の周期的変動を認めた（図 2-46a）．
  - PPQ 1.26％（正常上限：0.84％）
  - APQ 2.41％（正常上限：3.07％）
  - NHR 0.15（正常上限：0.19）
- 発声機能検査
  （Phonation Analyzer, PA-1000，ミナト医科）
  - 話声位：発声時平均呼気流率 109 mL/秒，喉頭の発声能率指数（AC/DC 比）38.5％，F0：182 Hz, 80 dB
  - 大きい声：発声時平均呼気流率 128 mL/秒，AC/DC 比 43.0％，F0：218 Hz, 80 dB
  - 最長発声持続時間（MPT）：6.3 秒
- 聴覚心理的評価
  G1 R1 B0 A0 S1，音声振戦，音声途絶
- 自覚的評価
  Voice Handicap Index（VHI）85/120
- 「北風と太陽」（総音節数：209 音節）音読時間
  46 秒

(2) まとめ

- 医学的診断名
  本態性音声振戦症
- 言語病理学的診断名
  音声振戦症および筋緊張性発声障害疑い
  初診時の喉頭内視鏡検査で喉頭全体の律動的な振戦を認めたことから，本態性音声振戦症と診断された．また，発声時の仮声帯の過内転，発声機能検査における発声時平均呼気流率および発声能率指数 AC/DC 比の低下に加え，聴覚心理的評価における粗糙性成分を認め，二次的な筋緊張性発声障害が疑われた．

3）目標

近年，本態性音声振戦症に対する音声治療として，Julie Barkmeier-Kraemer（2011）が，有声音部分を短くする速い構音操作により聴覚心理的に音声振戦が軽減するとする音声治療手技をまとめている[24]．そのなかで，速い構音操作のためにはできるだけ筋緊張も軽減する必要があるとし，筋緊張の緩和を含めた6つの音声治療技法を提案している．具体的な方法は，①あくび-ため息法による気息性発声，②軟起声発声，③声の配置法（後方配置），④話声位の軽度上昇，⑤リラクセーション法と呼吸訓練，⑥速い構音操作である．

本症例では，内視鏡検査で喉頭全体の振戦だけでなく「い」発声時の仮声帯過内転を認めたことから，声のふるえを抑えるために二次的に筋緊張性発声障害が出現した可能性が示唆された．したがって，声のふるえおよび筋緊張性発声障害を軽減すること，さらに声がふるえても力まずに話し続けることができることを目標に，前述の6つの音声治療技法のうち，②軟起声発声，④話声位の軽度上昇，⑥速い構音操作を用いて，以下の訓練計画を立案した．

■ 長期目標（3か月）
楽に会話ができる，電話で話すことができる
■ 短期目標（1か月）
軟起声発声の習得，高めの話声位での会話が可能

4）訓練計画

(1) 内容
軟起声発声，話声位の上昇，有声音を短くする（速い構音操作）

(2) 経過
発話時の声のふるえを軽減するため反射的に頸部や肩に力を入れ，一息で話す習慣が身についていた．そのため，初回時は軟起声発声を中心に訓練を実施したところ，硬起声の出現頻度が減少した．3回めは話声位を軽度上昇させることで，持続母音や短文音読で音声振戦が軽減した．しかし，高めの話声位は日常生活で使いにくいとの訴えがあった．そのため，構音操作を速くする訓練方法を主として訓練を実施した．その結果，聴覚心理的に発話時の音声振戦の軽減が認められるだけではなく，自覚的評価の改善もみられた．そこで日常生活への般化のため，日常会話場面を想定した発話訓練を実施した．5回めでは，長時間の会話が楽になり，電話での会話や日常会話へ般化が可能となった．

(3) 訓練後の評価（5回終了時）

① 喉頭内視鏡所見
発声時の喉頭全体の振戦は軽減し，発声時の仮声帯の過内転は消失した．

② 検査

■ 音響分析
持続母音「あ」の発声における約6 Hzの声の高さの周期的変動は残存するものの，その変動の幅は小さく，声の強さの変動は消失した（図2-46b）．

- PPQ 1.11%（＜ 訓練前1.26%）
- APQ 1.43%（＜ 訓練前2.41%）
- NHR 0.08（＜ 訓練前0.15）

■ 発声機能検査
- 話声位：発声時平均呼気流率119 mL/秒，AC/DC比51.3%，F0：202 Hz，86 dBSPL
- 大きい声：発声時平均呼気流率159 mL/秒，AC/DC比52.8%，F0：238 Hz，90 dBSPL
- 最長発声持続時間：10.1秒

■ 聴覚心理的評価
G0 R0 B0 A0 S0，硬起声が減少し，音声振戦も全体的に軽減した．

■ 自覚的評価
VHI 23/120

■ 「北風と太陽」音読時間
43秒

(4) まとめ
喉頭内視鏡所見では，喉頭全体の振戦は軽減し仮声帯の過内転は消失した．音声振戦だけでな

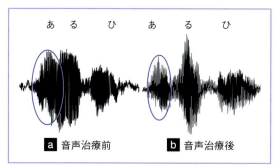

図 2-47 「北風と太陽」音読時の起声の様子
「ある日」の起声の「あ」の強さが低下し，軟起声発声に変化したことがわかる．また，速い構音操作で母音部分が短く弱くなっている．楕円は起声部を示す．

く，2次的な筋緊張性発声障害も改善したと考えられる．

話声位の平均基本周波数は，高めの話声位は使いにくいとの主訴があったが，結果的に音声治療前と比べて音声治療後に上昇していた．さらに硬起声も改善した（図 2-47）．

「北風と太陽」の音読時間は治療前 46 秒から治療後 43 秒に短縮した．1音節あたりの持続時間では，0.22秒から0.20秒へ短縮したことになり，速い構音操作が可能となったと考えられる．その結果，音響分析では声の強さが安定し，聴覚心理的に声の強さと音声振戦が軽減した．また，自覚的評価（VHI）の改善を認め，自覚的にも楽な発話ができるようになったと推察される．

5）解説

本態性音声振戦症は，本態性振戦症の部分症と定義され，症状としては音声振戦以外にみられず，進行は緩徐とされている[25]．

本態性音声振戦症に対する医学的治療としてβ遮断薬，抗てんかん剤あるいは当帰芍薬散など漢方薬による投薬治療，機能的定位脳手術やボツリヌストキシンの声帯内注入が行われている．しかし，その治療効果は限定的であり，根本治療ではないとされている．また，行動学的治療として音声治療の報告も散見されるが，その効果については十分に検証されていない[24]．

音声振戦は，Parkinson（パーキンソン）病，小脳疾患などの中枢神経疾患や痙攣性発声障害などにも認められる．一方，本態性音声振戦症の振戦の特徴は，律動的な音声の強さ・高さの規則的な変動であり，その周期は4～8 Hzで，5～6 Hzであることが多いとされている[2]．本症例も音声振戦周期は約6 Hzであった．

本症例に対する音声治療技法として，①軟起声発声，②話声位の軽度上昇，③速い構音操作の3つの方法を試みたところ，自覚的な改善を認め，聴覚心理的評価でも音声振戦が軽減し，日常生活への般化が可能となった．これらの音声治療技法は，音声振戦という発話症状を軽減することを目的とした行動学的治療としては有用であったと考えられる．

引用文献

1) 金子真美：声の衛生指導．大森孝一（編）：言語聴覚士のための音声障害学．pp86-95, 医歯薬出版, 2015
2) Kaneko M, et al：Optimal Duration for Voice Rest After Vocal Fold Surgery：Randomized Controlled Clinical Study. J Voice 31：97-103, 2017
3) Mizuta M, et al：Expression of reactive oxygen species during wound healing of vocal folds in a rat model. Ann Otol Rhinol Laryngol 121：804-810, 2012
4) Kaneko M, et al：Protective Effect of Astaxanthin on Vocal Fold Injury and Inflammation Due to Vocal Loading：A Clinical Trial. J Voice 31：352-358, 2017
5) 平野 滋：音声障害．日耳鼻 118：269-273, 2015
6) 栗田茂二朗：人声帯の層構造—形態学的研究．耳鼻 26：973-997, 1980
7) Guzman M, et al：Vocal tract and glottal function during and after vocal exercising with resonance tube and straw. J Voice 27：523. e19-523, e34, 2017
8) 今泉 敏：言語聴覚士のための音響学．pp44-57, 医歯薬出版, 2007
9) 今泉 敏：母音の音源・フィルタ理論．Titze IR（著），新美成二（監訳）：音声生成の科学．p103, 医歯薬出版, 2003
10) Stemple JC, et al：Clinical voice pathology：Theory and management 6th. pp298-365, Plural Publishing, San Diego, 2019
11) 城本 修：発声機能拡張訓練（Voice Function Exercise）．廣瀬 肇（監修）：STのための音声障害診療マニュアル．pp125-129, インテルナ出版, 2008
12) 前川圭子，他：音声訓練の方法．大森孝一（編）：言語聴覚士のための音声障害学．pp100-121, 医歯薬出版, 2015
13) 前川圭子：包括的訓練／アクセント法．平野哲雄，他

（編）：言語聴覚療法臨床マニュアル，改訂第3版．pp356-357，協同医書出版社，2014
14) 城本 修：発声時の緊張を変える訓練．廣瀬 肇（監修）：ST のための音声障害診療マニュアル．pp65-106，インテルナ出版，2008
15) 城本 修：声の高さを変える訓練．廣瀬 肇（監修）：ST のための音声障害診療マニュアル．pp107-116，インテルナ出版．2008
16) 廣瀬 肇（訳）：母音の構音とその音響学．Raphael LJ, 他（著），廣瀬 肇（訳）：新ことばの科学入門，第2版．pp89-109，医学書院．2008
17) 日本耳鼻咽喉科学会（編）：嚥下障害診療ガイドライン2018年版（DVD付），第3版．p37，金原出版，2018
18) 平林秀樹：気管切開—成人-小児．頭頸部外 25：297-301，2016
19) 橋本 省：外科的気管切開術．日本気管食道科学会（編）：外科的気道確保マニュアル．pp37-44，金原出版．2009
20) 梅﨑俊郎（監修）：気管カニューレの種類とその使い分け．第10版．高研，2019
21) 太田喜久夫：気管切開．藤田郁代（監修）：標準言語聴覚障害学 摂食嚥下障害学．pp207-210，医学書院，2014
22) Hilgers FJ, et al：Rehabilitation of olfaction after laryngectomy by means of a nasal airflow-inducing maneuver：the 'polite yawning' technique. Arch Otolaryngol Head Neck Surg 126：726-732, 2000
23) 鶴川俊洋，他：代用音声訓練の効果．日本がんリハビリテーション研究会（編）：がんのリハビリテーションベストプラクティス．pp70-78，金原出版，2015
24) Barkmeier-Kraemer J, et al：Development of a speech treatment program for a client with essential vocal tremor. Semin Speech Lang 32：43-57, 2011
25) 日本神経治療学会治療指針作成委員会：標準的神経治療—本態性振戦．28：295-325, 2011

第3章

発話障害（構音障害と発語失行）

1 発話障害の概念と分類

> **学修の到達目標**
> - 発話障害および関連障害の基本概念が説明できる.
> - 発声発語器官に関与する先天性疾患とがんについて説明できる.
> - 小児の発話障害の原因と発症メカニズムが説明できる.
> - 成人の発話障害の原因と発症メカニズムが説明できる.

A 発話障害の基本概念

発話障害とは，発話時の言語音がなんらかの原因により，日本語としての音韻的特徴範囲から逸脱している状態を指す．原因として発話器官の運動学的原因，言語学的原因，失行（プログラミング障害），器質的原因，聴覚などの感覚障害などさまざまなものが含まれる．臨床像としては，上記原因によって発話時の言語音が通常の日本語とは異なる状態となる．症状に含まれるものとして，置換，省略，付加，歪みに代表される産生音生成レベルでの症状，運動のプログラミング障害による曖昧な言語音産生，音韻操作などの問題で生じる音韻レベルでの誤りなどが挙げられる．海外では speech sound disorders とよび，発話時の産生音の障害としてとらえている[1].

1 これまでの経緯

speech sound disorders は，American Speech-Language-Hearing Association（ASHA）がさまざまな原因で生じる発話の誤りをより幅広く中立的にとらえようと，発話での言語音の逸脱として提唱した[2]．2013 年に公表された DSM-5 においても，それまでの用語であった phonological disorders から speech sound disorders と変更し表記されている[3].

発話障害については，これまで**構音障害**（articulation disorders），**音韻障害**（phonological disorders）などの名称と概念が用いられてきた（➡ Note 16）．構音障害は，個々の産生音の生成時の誤りに焦点をおいていることが特徴で，誤りを誤り方で分類し構音運動の問題を見い出そうとしている．また，音韻障害は，音韻規則や音韻抽出など音韻論的な誤りに焦点をおいている．例えば，言語発達障害児が，曖昧な発話をすることがあるが，音素レベルでの音韻処理が困難なために生じることであり，発話の産生レベルというよりは，その前の言語システムでの誤りが症状として現れている．発話障害（speech sound disorders）では，構音障害も音韻障害も含めてより広く発話時の言語音の障害としてとらえていること，またほかの原因によって産生音が変化している場合も含んでいるのが特徴である[4]．すなわち，音韻操作レベルでの誤り，運動プログラミングレベルでの誤り，運動障害など産生運動の問題，聴覚障害による発話時の言語音の曖昧さはいずれが生じても，他者から発話音の誤りとして認知されることから，これらすべてを1つの障害像としてまずとらえ，その後，発話障害が生じている原因を探ろうとするものである[4].

> **Note 16. 構音障害と音韻障害の英語圏における経緯**
> 1970年代以前は機能性構音障害（functional articulation disorders）が「構音の習得に問題があり，かつ伝統的な構音訓練で改善を示した子どもたち」に対して使用されていたが，言語学における音韻論の台頭により，1980年代以降，子どもたちの示す音の誤りに法則性を見出し，訓練もそれに基づいて行うという phonological disorders の考え方に変わっていった．この「音韻セラピー」は，従来の構音訓練に比べて短期間で構音を改善することが可能であるという報告もあったが，すべての子どもに有効というわけではなかった．
> このような論争は用語の変遷にも表れ，DSM-IV-TR（2000）では phonological disorder，DSM-5（2013）では speech sound disorder に変更された．

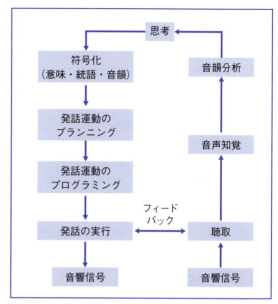

図3-1　言語音産生プロセス

2　言語音産生のプロセス

図 3-1 は，人が発話する際の言語音産生プロセスを示している．言語音を聴取し理解したら，その応答プロセスに入る．応答プロセスでは，概念などから言語学レベルへのプロセスを経て音韻レベル，発話運動のプランニング，発話運動のプログラミング，発話の実行へと進んでいく．その最終として，言語音が産生される．プロセスのどの段階の問題でも言語音産生に影響を与える．すなわち，いずれの問題でも発話が不明瞭になったり誤りが生じたりする可能性がある．ただし，その特徴は異なるため，産生された言語音の特徴によってその原因を推定することができる．

3　直接的要因による発話障害の分類

一方，発話障害者と接した際にその原因や要因を検討することも重要である[5]．発話障害はまず発話時の言語音産生に直接的に影響する生物学的原因があるか否かで2群に分ける（図 3-2）．小児，成人いずれも，図 3-2 に当てはめてとらえると要因や症状が理解しやすい．

原因や要因が不明なものについては，運動学的要因か言語学的要因かに分けられる．運動学的要因は，機能性構音障害や発語失行がこれに当たる．言語学的要因では，音韻処理の原因に伴う言語音産生の障害が含まれる．

発話に直接的に影響する原因や要因がある場合は，種々の様相を呈する．この場合は，先天的に障害を抱えているケースと後天的に障害となるケースとがある．

運動障害や神経障害のケースでは，困難な運動に伴い言語音に影響を与える．神経障害については，通常運動障害に至るケースが多く結果的に運動困難に伴い言語音産生に影響を与える．発語失行については，構音のプログラミングでの障害であり，音の誤りに一貫性がないといわれている．

器質的障害は，口蓋裂をはじめ疾患の外科的治療に伴い構造変化が生じ，結果的に発話時の言語音が変化するケースや外傷によって言語音産生に影響を与えるケースなどがある．感覚障害や知覚障害のケースもある．例えば，聴覚障害児・者では，自身の言語音をフィードバックできないことが生じたり，もともと言語獲得するうえで聞こえない周波数帯があるとその音を獲得できなかったりする場合がある．こういうケースでは正常な言

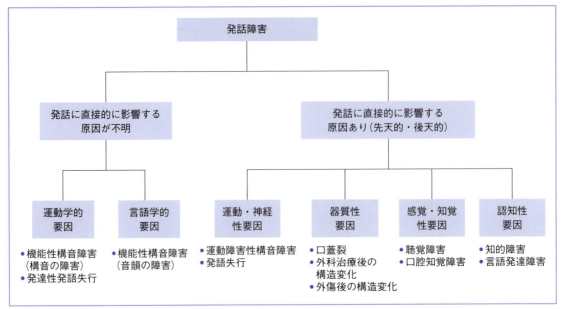

図 3-2　発話障害の原因・診断の考え方

語音を産生することが困難になる．口腔内の知覚低下が生じると，構音点が曖昧となり，言語音に影響を与える．

最後に，言語発達障害や知的障害などの言語習得が困難なケースでは不明瞭な発話を呈する場合があり，これは認知性要因と考えられる[6]．

このように，発話時の言語音が正常から逸脱している場合はなんらかの影響する原因があり，それをとらえることが正確な治療へと結びつく．

発話障害にはさまざまな原因があり，これまでは産生音や音韻に着目してきたが，この概念はこれまでの範囲よりもより拡大しあらゆる影響によって生じる発話時の言語音の変化としてとらえている．

B 小児の発話障害の原因と分類

1 小児の発話障害

小児の発話障害とは，**言語習得途上**においてなんらかの阻害要因が働き，年齢に相応の発話が獲得されていない状態である．

成人の発話障害が**発話運動のプログラミング**あるいは**実行過程の障害**と考えられる〔3章1節C項（➡ 137 頁）参照〕のと比較すると，小児の発話障害は，より広範囲の過程の障害（図 3-3）であることが想定される．対象児の問題がどの過程にあるのかを分析することが重要である．

2 小児の発話障害の原因と分類

日本では小児の発話障害を構音の障害ととらえ，Kussmaul[7,8]に基づいて，以下のように分類してきた．

■ **機能性構音障害**
構音器官の形態や機能に問題がなく，原因が明らかでないもの

■ **器質性構音障害**
構音器官の形態や機能の異常に起因するもの．例：口蓋裂，舌小帯短縮症．

■ **運動障害性構音障害**
発話の実行過程にかかわる神経・筋系の病変に

起因するもの．例：脳性麻痺．

しかしながらこの分類法には，実行過程の以外の問題がわかりにくい，「機能性構音障害」の定義があいまいで，そのなかにさまざまなタイプの子どもが含まれている，という問題点がある．

一方，米国精神医学会の精神疾患の診断・統計マニュアル最新版 DSM-5 では，機能性構音障害に相当と考えられる **speech sound disorder（語音症/語音障害）** の診断的特徴を「語音症・語音障害はその背景機序は不均一で，音韻障害と構音障害の両者を含み，語音の産出がその子どもの年齢および発達段階において期待されるものになっておらず，かつその欠陥が身体的，構造的，神経学的または聴覚的障害の結果として生じるものではない場合に，語音症/語音障害の診断が下される」[9] としている．すなわち，音韻障害・構音障害の2つの概念を含んでいること，聴覚障害，神経学的障害の影響を否定していることが明示されている．

これをふまえて本書では，新たに下記の分類を作成した．以降この分類に従って，小児の発話障害の原因とメカニズムについて説明する．
①明らかな原因や要因が認められない発話障害
　　機能性構音障害，発達性発語失行
②原因や要因が認められる発話障害
- 感覚・知覚性要因：先天性難聴，言語獲得期の反復性中耳炎
- 運動・神経性要因：脳性麻痺，発声発語器官の協調運動性障害
- 器質性要因：口蓋裂，先天性鼻咽腔閉鎖機能不全症，舌小帯短縮症，歯列咬合問題
- 認知性要因：知的障害，特異的言語発達障害

また，発話障害の原因とメカニズムの理解の一助に，小児発話障害モデル簡易版（図 3-3）を作成した．より詳細な情報処理モデルについては，成書を参照されたい．

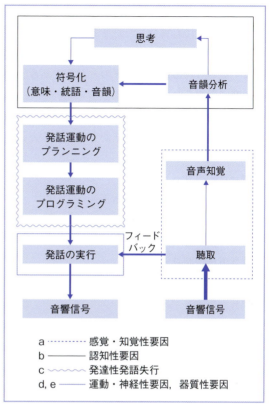

図 3-3　小児の発話障害モデル

a 明らかな原因や要因が認められない発話障害

1）機能性構音障害

(1) 本書における定義

機能性構音障害 を以下の通りに定義する．
- 言語の獲得途上に生じたものである．
- 感覚・知覚性，運動・神経性，器質性，認知性の原因・要因によるものは除外される．
- 発話の実行過程（図 3-3d, e）になんらかの阻害要因があるもの（「**構音の障害**」とする）と，音韻分析以降の過程（図 3-3b~e）になんらかの阻害要因があるもの（「**音韻の障害**」とする）の両方を含める．

従来の日本における定義との違いは，軽度の感覚・知覚性，運動・神経性，認知性の原因・要因

による構音障害を明確に除外した点，および音韻障害の可能性にも言及した点である．

(2) 音の誤りと誤り方の種類

よく認められる誤りは以下のとおりである．

①単音に認められる誤り

- 省略，置換，歪み（表 3-1）

誤り方を構音点，構音方法から分類する方法もある．

- 構音点の誤り
  奥舌・軟口蓋音→舌尖・歯茎音（前方化）
  舌尖・歯茎音→奥舌・軟口蓋音（後方化）
  舌尖・歯茎音→歯間音
- 構音方法の誤り
  摩擦音→破裂音・破擦音
  弾音→破裂音
  鼻音→非鼻音
  有声音→無声音
- 発達途上に認められる誤り

音の獲得の途上で，特に晩期に獲得される音に多くの誤りが認められる（表 3-2）．

- 特異な構音操作による誤り

鼻咽腔構音，口蓋化構音，側音化構音，声門破裂音，咽喉頭摩擦音・破擦音〔3 章 2 節 A 項（→ 146 頁）参照〕

②語の音の配列の誤り

- 同化，音節脱落，音位転換，同音反復，付加（表 3-3）

個々の音の誤りが構音障害によるものか，音韻障害によるものを判断することは容易ではない．しかし，語の音の配列の誤りの多い，あるいは発話における音のレパートリーが少ない子どもは，音韻処理に問題がある可能性がある．逆に特異な構音操作による誤り，発達途上にみられる摩擦部分の省略などは構音の問題である可能性が高い．このように，誤り音と誤り方が 1 つの手がかりになる．

表 3-1 単音にみられる誤り

	誤り方	例
置換	目標音がほかの音にかわって聴取される	sora（sora）→ tora（tora）
省略	子音が落ちて後続母音のみが聴取される	megane → egane
歪み	省略，置換のいずれにも分類されない誤り	ke: k̠i tɕ に近い ke: k̠i tɕ に近い

（　）は新版構音検査の表記法である．

2）発達性発語失行
（childhood apraxia of speech；CAS）

日本ではほとんど知られていないが，欧米では1950 年代から報告があり，以降の研究結果を米国言語聴覚協会（American Speech-Language-Hearing Association；ASHA）が Web サイト上で総括している[10]．なお，developmental verbal dyspraxia（DVD），developmental apraxia of speech（DAS）との記載があるが，現在は CAS に統一されている．日本では，「言語聴覚士教育ガイドライン」（2018 年）に従って，発達性発語失行を「明らかな原因や要因が認められない発話障害」として分類している．

(1) 定義

発話運動の**プランニング**（発話を産出するための複数の構音器官の動かし方，**motor planning**）と**プログラミング**（そのためのさまざまな筋の動かし方，**motor programming**）の**過程の障害**（図 3-3c）である（→ Note 17）．

(2) 原因

発達性発語失行は**神経学的**な発話障害である．ただし，異常な筋反射や筋緊張のような神経・筋に関する所見は認められない．

また，2015 年以降，発達性発語失行と FOXP2 遺伝子との関連が報告されているが，原因の特定には至っていない．

1 発話障害の概念と分類

表 3-2 発達途上にみられる誤り

音	置換・省略		誤り方	例
s	→	t, tɕ	摩擦音の破裂音化，破擦音化	sɯika(suika) → tɯika(tuika), tɕɯika(tɕuika)
	→	ɕ	歯茎硬口蓋音への後方化	sakana → ɕakana
	→	θ	歯間音への前方化（歯間音化）	→ θakana
ts	→	tɕ	後部歯茎音への後方化	tsɯkɯe(tsukue) → tɕɯkɯe(tɕukue)
dz	→	dʑ	後部歯茎音への後方化	dzo → dʑo
	→	d	摩擦音の破裂音化	dzɯboɴ(dzuboɴ) → dɯboɴ(duboɴ)
ɕ	→	tɕ	摩擦音の破擦音化	ɕimbɯɴ(ɕinbun) → tɕiɯbɯɴ(tɕinbun)
tɕ	→	t	摩擦部分の省略	tɕo:tɕo → to:to
dʑ	→	d	摩擦部分の省略	dʑɯ:sɯ(dʑu:su) → dɯ:sɯ(du:su)
ɾ	→	d	弾音の破裂音化	rappa → dappa
	→	j に近い歪み	弾き動作の省略	aɕiɾɯ(aɕiru) → aɕiɾɯ (aɕiru) j に近い j に近い → aɕiɯ(aɕiu)
k	→	t	軟口蓋音の前方化	kaba → taba
g	→	d	軟口蓋音の前方化	gohaɴ → dohaɴ
h			摩擦部分の省略	happa → appa
ɸ			摩擦部分の省略	ɸɯ:seɴ(ɸu:seɴ) → ɯ:seɴ(u:seɴ)
	→	f	唇歯音への前方化（唇歯音化）	→ fɯ:seɴ(fu:seɴ)
ç			摩擦部分の省略	çiko:kʲi(çiko:ki) → iko:kʲi(iko:ki)

（　）は新版構音検査の表記法である．

表 3-3 語の音の配列の誤り

	誤り方	例
同化	目標音が隣接する音に影響されて類似音や同一音になる	sakana → kakana
音節脱落	語内の音節が脱落し，語全体が縮小される	megane → gane
音位転換	2つの音・音節の位置が入れ替わる	taiko → kaito terebʲi(terebi) → tebʲire(tebire)
同音反復	音節あるいは音節の一部が繰り返される，多くの場合 CVCV となる	hasamʲi(hasami) → mʲimʲi(mimi)
付加	余分な音，音節が挿入される	demwa(denwa) → demwaɴ (denwaɴ)

（　）は新版構音検査の表記法である．表 3-3 では視認性を高めるため，[　]を省いて記述した．

> **Note 17. 発話運動のプランニングと発話運動のプログラミング**
>
> プランニングは発話を産出するための複数の構音器官がどのように動くかの設計図を作成することである．その際，個々の筋肉については言及していない．調音音韻論においては調音スコア（Browman & Goldstein, 1986）として表示される．オーケストラのスコア上でそれぞれの楽器がいつ，どのように演奏するかが記録されているように，縦軸に口蓋帆，舌体，口唇，声門の調音階層が示され，横軸に時間が表示されている．
>
> プログラミングは，このスコアを実現するために，諸筋をいつ，どのようなトーンで，どのような方向，範囲で動かすのかについての具体的な計画を立案することである．
>
> ただ，実際には両者は区別できないという考え方もある．
>
> なお，調音音韻論については「西原哲雄，他（共編）：音韻理論ハンドブック．英宝社，2005」などの成書を参照されたい．

(3) 発話の特徴

- 母音，子音における**一貫性のない誤りがある**（例えば，ある語を何回か繰り返していうと，母音子音双方にその都度異なる誤りが生じる）．
- **プロソディの誤り**がある．特に語のストレスの均一化がみられる．
- 音節や音の間のわたりが不自然（当該部分に引き伸ばしやとぎれがみられる）．
- 発話の運動の数が増える（単語が長くなる，音節の数が増える）とともに，音の誤り（特に省略）の数が増える．
- 発話速度が遅くなる．

(4) その他の特徴

- 口部顔面失行，肢節運動失行を伴いやすい．
- 言語発達障害，文法障害，読み書き障害を伴うことがある．

なお，発語失行は成人でも生じ，発話症状や口部顔面失行，肢節運動失行を伴いやすいことは共通している．一方相違点は，小児には脳の局所病巣や萎縮などの画像所見がないこと，成人の発話失行の患者には文法や読み書きの問題がみられないことである．

b 原因や要因が認められる発話障害

1）感覚・知覚性要因

モデルとなる音声の学習（聴取以降の過程）の欠如，モデル音声と**自己発話との比較による修正学習**（フィードバック）の欠如（図3-3a）により発話に問題が生じる．

(1) 先天性難聴

先天性難聴は言語習得前難聴であり，聴力レベルによってはモデルとなる音声が得られず，また自己音声のフィードバックもかからないことから，発話に影響が生じる．

軽度難聴（25～39 dB）では特に影響は出ない．**中等度難聴**（40～69 dB）では声質，韻律面の障害はないが，話声が大きくなりやすい．聴力型，また**聴覚活用**の程度によって子音の歪みの程度に差が生じる．**高度難聴**（70～89 dB）では音の歪み（例：破裂成分や摩擦成分が強すぎる，口音の鼻音化がみられる），置換（例：無声子音の有声化），脱落が生じるが，補聴器によって聴覚活用すれば，声質，韻律障害は少ない．**重度**（90 dB 以上）の難聴では近年は1歳代から**人工内耳**を装用する子どもが増え，発話障害が軽減され，高い**発話明瞭度**が期待できるようになってきた[11]．しかし障害部位や，聴覚活用の程度による効果の差も認められる．

(2) 言語獲得期の反復性中耳炎

耳管機能が不安定な乳児期に遷延化しやすい**滲出性中耳炎**は，20～30 dB の聴力悪化（伝音性難聴）を引き起こす．しかし構音との関連については，一致した見解が得られてない[12, 13]．臨床的には，咽頭扁桃肥大を伴う場合，口蓋裂の合併症として生じた場合は長期化しやすく，聴力低下が進行することがあるので，注意が必要である．

2）運動・神経性要因

発声発語器官の**運動機能障害**により発話の実行過程（図3-3d）に問題が生じる．

(1) 脳性麻痺（cerebral palsy）

脳性麻痺による発語障害については3章2節E項（➡225頁）を参照されたい．

(2) 発声発語器官の協調運動性障害

明らかな運動障害はないものの，舌や口唇の動きにぎこちなさがあると，構音操作が正確に行えず，発話明瞭度の低下につながる．/s, ts, dz, r/などの巧緻性の高い音の歪みのほか，音のわたり部分の不自然性など，プロソディの異常として表れることもある．広汎性発達障害では特に，協調運動性障害と聴覚フィードバック機構の問題が多いという報告[14]がある．

Bernthalら[15]は構音にとって重要なのは，口腔器官の運動よりも，舌の保持や調整であるとし，手指の運動や粗大運動との関連を示している研究[8]もあり，今後の検討課題である．

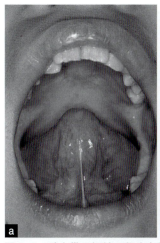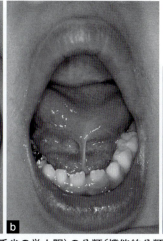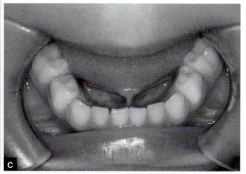

図 3-4　舌小帯の短縮の程度（舌尖の挙上限）の分類〔機能的分類（最大開口時における舌尖の挙上限）〕
a：軽度．最大開口域の 1/2 以上，b：中等度．咬合平面から最大開口域の 1/2 まで，c：重度．咬合平面に達しない．
〔昭和大学歯科病院口腔リハビリテーション科より提供〕

3）器質性要因

　発声発語器官の形態や機能の問題により，発話の実行過程（図 3-3e）に問題が生じる．

(1) 口蓋裂（cleft palate）

　口蓋裂は胎生 7〜12 週頃，環境要因，遺伝的要因などにより，口蓋系の組織（両口蓋棚と中間顎ならびに鼻中隔）の融合不全により生じる．発話障害の特徴は以下のとおりである．

①鼻咽腔閉鎖機能（velopharyngeal closure function）に関連するもの
- 共鳴の異常：開鼻声，呼気鼻漏出
- 構音障害：声門破裂音，咽喉頭摩擦音・破擦音，咽頭破裂音

②口蓋形態や構音操作の異常によるもの
- 構音障害：口蓋化構音，側音化構音，鼻咽腔構音

　詳細については，3 章 2 節 A 項（➡ 148 頁）を参照されたい．

(2) 鼻咽腔閉鎖機能不全に関連するほかの疾患

①粘膜下口蓋裂（submucous cleft palate；SMCP）

　軟口蓋における筋肉の離断と走行異常，口蓋垂裂，口蓋骨後端の V 字型欠損が認められ，Calnan[16] の三徴候とよばれている．鼻咽腔閉鎖機能は治療を必要としない程度に良好なものから明らかに不全なものまでさまざまである．

②先天性鼻咽腔閉鎖機能不全症（congenital velopharyngeal insufficiency；CVPI）

　軟口蓋麻痺，深咽頭（deep pharynx），短口蓋（short palate）などにより，口蓋裂と同様の症状を示す疾患であるが，口腔内に明らかな裂がないために，発見が遅れることがある．

(3) 舌小帯短縮症

　舌小帯短縮症（tongue tie）とは，舌下面と口腔底を連結している舌小帯が短い状態をいう．舌の限界挙上量による分類（図 3-4）の中等度（最大開口域の 1/2 未満）から重度（咬合平面に達しない）がある．

　前方挺出以外の舌の随意運動ならびに発話に問題（r 音の歪み，歯間音化，置換，側音化構音）が生じる[17]．これは構音に必要な舌運動に主として垂直方向の制限が加わるためと考えられる．

(4) 歯列咬合問題

①開咬（open byte）

　上下顎の咬合面が最大面積で接触した際に，主に前歯部が数歯にわたって咬合接触しない状態をいう．

　顎の骨性遺伝，鼻咽腔の疾患による口呼吸，指

しゃぶりなどの生活習慣が原因といわれる．

構音位置が水平方向に移動したため，本来前歯部の狭い空間で産出される乱流は発生せず，[s, z, ts, dz]は結果的に**歯間音化**した歪み音として聴取される．

②反対咬合

下顎前歯が上顎前歯より唇側に位置した状態をいう．顎の骨性遺伝，歯の萌出方向，ホルモンの過剰分泌，口蓋裂手術の影響などが原因といわれる．

舌が口蓋より前方に，構音位置が水平方向に移動し，上顎切歯の下端と舌で構音が行われ（図3-5），聴覚的には**歯間音化**が多く聴取される．

③上顎前突

上下顎を噛み合わせた際の上顎中切歯，下顎中切歯の水平距離が5mm以上ある状態をいう．顎の骨性遺伝，上顎中切歯，下顎中切歯の萌出方向が原因といわれる．

構音位置が水平方向に移動したため，歯茎摩擦音[s, z, z, ɕ]の唇歯音化が聴取される．

4）認知性要因

認知処理，聴覚記憶などの障害が発話産出に必要な言語理解，思考，言語符号化の過程（図3-3b）に問題を生じる．

(1) 知的障害

知的障害では，個人差が大きいものの，聴覚情報の取り込みの問題，象徴機能の未発達，聴覚的短期記憶量の少なさを反映して，以下の発話特徴が認められる．

①知的機能に応じた発話の誤りがみられる．②**音形の逸脱**（短い発話，分節化されていない抑揚のみの発話，音節の省略・同化などの語の音の配列の誤り）などが多い．③子音の**置換**，子音・母音の**歪み**が顕著である．④音レベルでは産出可能でも，語や文では不明瞭になる[18]．

さらに症候群例では，知的障害に発声発語器官の協調運動性障害，あるいは感音難聴を合併することがある．

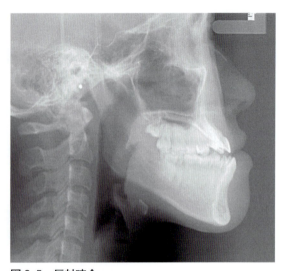

図3-5 反対咬合
〔佐藤友紀氏（日本矯正歯科研究所附属デンタルクリニック）より提供〕

(2) 特異的言語発達障害

言語表出のみに問題がある子どもたちのなかに，構音が著しく不明瞭で**一貫性のない音の誤り**が認められるという報告[19]がある．単音では構音可能であるのに単語以上では困難になる，単語内の後続母音によっても音の正誤・誤り方が異なるなど，**音声環境の影響**を受けやすいのが特徴である．背景には，聴覚記憶や聴覚的な情報処理の問題があると考えられる．

これらの背景としては，知覚刺激からの**情報の取り込み**の問題，大脳における**認知処理**の問題，**聴覚的短期記憶量**の問題が挙げられる．その他に発話運動の**協調運動障害**が影響していると思われる．

3 小児の発話障害の原因と分類から臨床へ

ここまで原因と分類の観点から小児の発話障害をみてきたが，臨床場面においては，以下についても留意すべきである．

①小児の場合，いずれの障害にも「発達的要素」がかかわる．子どもの発達段階によって，発話障

害が変化する可能性があることに留意する．
② 障害・疾患はしばしば重複して存在する．例えば，難聴由来の発話障害と考えられていた子どもに，実は先天性鼻咽腔閉鎖機能不全症による発話障害が合併していたという事例もある．見落としのないように注意が必要である．
③ 分類の目的は発話の阻害要因を明らかにすることにあるので，その時点で原因が解明できない場合でも，最低限，発話のどこに，どのようなレベルで困難があるのかを詳細に検討する必要がある．

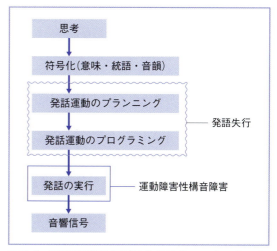

図 3-6　言語表出のモデルと各コミュニケーション障害の関連

C 成人の発話障害の原因と分類

成人期に多くみられる発話障害として運動性発話障害と，口腔，中咽頭のがんによる器質性構音障害がある．小児期に発症した機能性構音障害などが成人期まで残存する場合もあるが，こうしたケースの症状と言語聴覚士の対応は小児の機能性構音障害などに準じたものとなる．

運動性発話障害の原因は中枢・末梢神経系の損傷である．器質性構音障害の原因は主として切除部位の欠損による発声発語器官の形態の変化である．

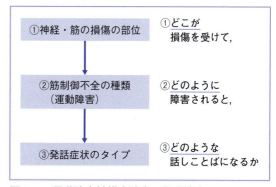

図 3-7　運動障害性構音障害の発現機序

1 運動性発話障害

運動性発話障害（motor speech disorders）とは，運動障害性構音障害（dysarthria）と発語失行（apraxia of speech）の2つをまとめた概念である[20]*1．

図 3-6 は発話表出過程のモデルである[21]．発話者において，発話意図が言語符号（記号）化さ

れ，その後に来るのが①発話運動の準備（プランニング・プログラミング）と②運動実行の過程である．発話運動のプランニング・プログラミング過程に異常が生じた結果が発語失行で，運動指令の実行の異常が運動障害性構音障害とされている．

a 運動障害性構音障害の発症メカニズムと特徴

運動障害性構音障害とは，発声発語器官の運動麻痺，失調症などの**筋制御不全**による話しことばの異常をいう．図 3-7 は，運動障害性構音障害の発症メカニズムを示したものである．この図に

---

*1 言語聴覚士は臨床上，前者の運動障害性構音障害を dysarthria（ディスアスリア）とよぶことが多くなっている．また後述のように運動障害性構音障害は機能性，器質性構音障害と異なり，単に口腔レベルの「構音」だけの問題ではないことが多い．

もとづき，運動障害性構音障害を理解するためのポイントを整理すると次のようになる．
①神経・筋の損傷が原因（脳血管障害，神経変性，外傷など）
②発声発語器官に筋制御不全（運動機能障害）がある
③運動機能障害の種類によって異なる発話症状が出現する（6つの下位分類）

　これらは因果関係にあり，③の発話症状から，背後にある②筋制御不全の種類，および①神経・筋損傷部位をある程度推測することもできる．

　運動障害性構音障害は成人のコミュニケーション障害のなかでも最も高頻度にみられるが，中枢神経系の損傷によって生じる失語症，発語失行などと合併することも多い．しかし，それらとは言語聴覚士の支援・訓練方法が異なるため鑑別が必要となる．鑑別上のポイントは運動障害性構音障害の背後には②の筋制御不全があることであり，この点がほかのあらゆるコミュニケーション障害と見分ける決め手となる．したがって，言語聴覚士の評価においては，まず，①神経・筋疾患を引き起こす現病歴（主治医，カルテからの情報収集）および②発声発語器官の運動障害の有無（発声発語器官検査，➡182頁参照）を把握する．

1）神経・筋損傷の原因

　運動障害性構音障害の医学的原因として特に多いのは，脳血管障害（脳梗塞，脳出血），神経変性症〔小脳変性症，Parkinson（パーキンソン）病，筋萎縮性側索硬化症，多発性硬化症，Huntington（ハンチントン）病など〕である．また，発声発語器官の運動を制御する中枢・末梢神経系に損傷を及ぼすあらゆる疾患〔重症筋無力症（神経・筋接合部の異常），筋ジストロフィー（筋疾患），頭部外傷，腫瘍，中毒など〕がその原因となりうる．一般に，疾患が重度であるほど，運動障害性構音障害の重症度も高くなる．

2）発声発語器官の筋制御不全

　これは，図3-6における発話運動実行過程の異常を指す．

　発話の産生には，呼吸，喉頭，咽頭，舌，口唇の筋を中心に多くの筋群が関与する．発声発語運動は，各筋が正常に，また微細な調整を受けて全体的に協調して機能することで成立している．筋制御不全（disturbances in muscular control）とは，具体的には筋緊張，筋の収縮力（筋力），運動速度，運動範囲，定常性，運動の正確さの異常である．運動障害性構音障害のある人では，これらの筋制御の異常がさまざまな範囲と程度で生じ，その結果，発話全体の不明瞭さと不自然さを引き起こす．運動障害性構音障害の各タイプにみられる筋制御の異常を表3-4に示す[20]．

3）運動障害性構音障害における発話症状

　米国のDarley FLらは，運動障害性構音障害（dysarthria）を「中枢神経系あるいは末梢神経系の損傷によって，発声発語器官に筋制御不全が生じた結果現れる発話障害群の総称」[22]と定義した．

　この定義で重要なことは，運動障害性構音障害を「発話」（speech，話しことば）の障害群としていることである．言語聴覚士国家試験出題基準などでは，dysarthriaのことを慣習的に運動障害性構音障害と称している．しかし実際には，筋制御不全が呼吸器，喉頭，鼻咽腔，口腔，顔面に及ぶため，発話の異常も口腔構音だけでなく，声（嗄声，声量低下），共鳴（開鼻声），プロソディ（抑揚が乏しい，音節の持続時間の不規則な崩れ，音節連続が不自然で，ばらばらに聞こえるなど韻律面）の異常を伴う．そして，上記の定義に発話障害「群」とあるように，損傷を受けた神経・筋の部位と関連して，複数のタイプに分類される．

(1) 運動障害性構音障害の分類

　運動障害性構音障害は，痙性麻痺性（両側性上位運動ニューロン損傷），一側性上位運動ニューロン性，弛緩性麻痺性，失調性，運動低下性，運

表 3-4 運動障害性構音障害の各タイプにおける神経筋障害

	方向性	リズム（反復）	速さ（単発）	速さ（反復）	範囲（単発）	範囲（反復）	力	緊張
痙性麻痺性	正常	規則的	遅い	遅い	減少	減少（偏位）	減少	過剰
弛緩性麻痺性	正常	規則的	正常または遅い	正常または遅い	減少	減少	弱い	減少
失調性	不正確	不規則	遅い	遅い	過剰～正常	過剰～正常	正常～過剰	減少
運動低下性	正常	規則的または加速	遅い	速い	減少	大きく減少	減少	過剰
運動過多性（例：舞踏病）	不正確（不随意運動）	不規則	遅い	遅い	減少～過剰	減少～過剰	減少～過剰	時に過剰

〔Duffy JR：Motor speech disorders：substrates, differential diagnosis, and management, 3rd ed. p96, 125, 145, 166, 192, Elsevier, Mosby, 2019 より改変〕

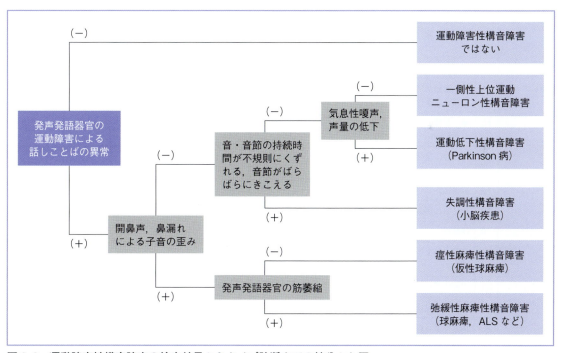

図 3-8 運動障害性構音障害の検査結果からタイプ診断までの枝分かれ図
〔福迫陽子：麻痺性構音障害の鑑別診断．廣瀬 肇（編）：耳鼻咽喉科・頭頸部外科 MOOK4 コミュニケーション障害．p105, 金原出版, 1987 より改変〕

動過多性および混合性に分類される．図 3-8 に，おおまかなタイプ分類が可能なフローチャート[23]を示した．

(2) 各タイプの特徴

各タイプの典型的な発話症状を表 3-5 に，日本音声言語医学会の発話特徴抽出検査の評価項目[24]に沿って示した[20, 25]．これらの症状は各タイ

表3-5 運動障害性構音障害の各タイプの発話特徴

		構音障害のタイプ (福迫ら[25]が調査対象とした疾患もしくは運動症状名)	痙性 (仮性球麻痺)	一側性 上位運動 ニューロン性	弛緩性	失調性 (小脳変性症)	運動低下性 (パーキンソン病)	運動過多性 (舞踏病)
声質	1	粗糙性	◎ 8			6	4	
	2	気息性	9		◎	12	○ 1	◎(間欠性)
	3	無力性	11				8	
	4	努力性	◎ 13					◎(間欠性)
声の高さ・大きさ	5	高さの程度	◎(低い)					
	6	声の翻転						
	7	大きさの程度					◎(小さい)	
	8	だんだん小さくなる	12				◎ 7	
	9	大きさの変動				◎ 9		◎
	10	声のふるえ					○ 4	
話す速さ	11	速さの程度	◎(遅い) 10	○(遅い)		○(遅い)	◎(速い、遅いケースも)	
	12	だんだん速(遅)くなる					◎	
	13	速さの変動				○ 5		◎
話し方	14	音・音節がバラバラに聞こえる	7			◎ 4		
	15	音・音節の持続時間が不規則にくずれる				◎ 2		◎
	16	不自然に発話が途切れる	4			10		◎
	17	抑揚に乏しい	○ 2		○	○ 8	◎ 2	
	18	繰り返しがある				11	◎ 6	
共鳴	19	開鼻声	○ 5		◎			◎(間欠性)
	20	鼻漏れによる子音の歪み	○ 6		◎			
構音	21	母音の誤り	○ 3	○	○	○ 6		○
	22	子音の誤り	○ 1	○	○	○ 1	○ 3	○
	23	構音の誤りが不規則に起こる		○		◎ 3		○
そのほかの特徴		オーラル・ディアドコキネシス	遅いが比較的規則的			リズム不規則, 音圧変動	速く, 音が不明瞭	リズム不規則
			短い発語			短い発語		発語間隔の延長
						吸気性雑音(声帯麻痺の場合)	同語反復(palilalia)	突然起こる強制的な吸気・呼気

・◎および○の項目は, 各タイプにみられることが多い発話症状(Duffy[20]を参考に作成). ただし常に認めるとはかぎらない.
・◎の項目は, Duffy[20]によるタイプ鑑別に有用な特徴.　・数字の記載のある項目は, 福迫ら[25]による各疾患の高得点項目(順位)
〔小澤由嗣:運動障害性構音障害. 伊藤元信, 他(編):言語治療ハンドブック. pp241-254, 医歯薬出版, 2017 より改変〕

プで必ず出現するわけではなく，重症度などによる個人差がみられる．以下，タイプの鑑別に有用とされる特徴を中心に述べる．

①**痙性麻痺性(spastic dysarthria)**

発声発語に関与する脳神経や脊髄神経にインパルスを伝える上位運動ニューロン(錐体路)が両側性に損傷された場合に出現する[20]．主な原因疾患は脳血管障害である．筋の痙性と筋力低下が，発声発語器官の運動の速度低下，範囲減少をもたらす[20]．

運動障害性構音障害では，嗄声など声の異常がタイプ鑑別の重要な手がかりの1つとなる．痙性麻痺性では喉頭の過緊張が努力性あるいは絞扼努力性嗄声，粗糙性嗄声として現れる．開鼻声もみられる．発話速度は低下し，口腔交互反復運動(オーラル・ディアドコキネシス)検査においても速度は低下する．一方で反復運動の時間的規則性は比較的保たれる．子音，母音の誤りは重症度が高くなるにつれて，より一貫性が高いものとなる．本タイプを含め，運動障害性構音障害における音の誤りの種類は**歪み**(ひずみ)，**省略**が主体であり，機能性構音障害に多い置換([s][k]が[t]になるなど)は少ない．

②**一側性上位運動ニューロン性(unilateral upper motor neuron dysarthria；UUMND)**

前項の痙性麻痺性タイプは，両側性の上位運動ニューロン損傷を原因としているため，両側性の神経支配を受ける喉頭，咽頭の麻痺による発声や共鳴の異常(開鼻声)を呈する．それに対して，UUMNタイプでは発声，共鳴の異常は少ない．舌，下顔面(口唇)の左右いずれか一側の痙性運動麻痺に起因する子音，母音の構音の誤りが主症状である．このタイプの重症度は一般に軽度から中等度の範囲にとどまる．

③**弛緩性麻痺性(flaccid dysarthrias)**

下位運動ニューロンの損傷，神経・筋接合部，筋の疾患により出現する．主な原因疾患は脳血管障害，重症筋無力症，筋ジストロフィーなどである．

弛緩性麻痺性の症状は，神経損傷がどの脳神経領域に及んでいるかによって異なる．一側性麻痺では比較的軽度に留まるが，両側性麻痺の場合にはより重度の運動障害性構音障害を呈する．顕著な筋力低下，筋緊張低下による運動範囲の制限や運動速度の低下が，声門閉鎖不全，鼻咽腔閉鎖不全，カーテン徴候，舌・顔面の運動範囲の制限，偏位を引き起こす．また視診上，筋萎縮，線維束性攣縮，反射の減弱・消失などが認められる．

弛緩性麻痺性では，喉頭麻痺による気息性嗄声(声門閉鎖不全による息漏れ声)，二重声(声帯物性の左右差による2種類の高さの声)などが聴取される．鼻咽腔閉鎖不全による開鼻声もほかのタイプに比べ顕著に現れる．舌下・顔面神経麻痺がみられる場合は子音，母音の構音に歪みがみられる．

④**失調性(ataxic dysarthria)**

小脳とその連絡経路の損傷に伴って出現する．主な原因は変性疾患，脳血管障害などである．筋力，筋緊張の異常は他のタイプに比べて顕著ではなく，そのため挺舌，口唇の開放のような単発の運動では異常は目立たない．しかし運動失調の影響は連続運動(舌の挺出-後退，口唇の突出-引きなどの交互反復運動)における速度低下や，時間面，音圧面，運動範囲などで規則的に遂行すること，個々の運動の正確さを保つことの困難として現れる．

嗄声は顕著ではなく，声質自体は比較的良好に保たれることが多いのが特徴である．通常，開鼻声もみられない．一方，文頭などでの爆発的な声量の増大はこのタイプに典型的な症状である．プロソディの異常が特に目立ち，単語，文においては音節が自然に連ならず，ばらばらに聞こえたり〔いわゆる**断綴性発話**(scanning speech)と関連〕，個々の音節(モーラ)の長さが不規則にくずれる〔長音・促音の短縮や，「たたみ」が「たあみ」になる**スラー様発話**(slurred speech)〕．声の高さ・大きさの変動も目立つ．子音，母音の構音は単音節レベルでは基本的に可能であるが，単語，文な

ど連続発話では構音の誤り（子音の有声化・弱音化・省略，母音の歪み・省略など）が不規則に起こる．したがって，発話内容は比較的了解可能であるが，日本語としての全体的な自然さが損なわれる．オーラル・ディアドコキネシス検査では，反復速度は低下し，かつ音圧面，時間面の不規則性が高い．

⑤**運動低下性(hypokinetic dysarthria)**

Parkinson病，パーキンソニズムなどに起因する大脳基底核による運動機能の調節障害が原因であることが多い[20,26]．筋強剛（固縮）などによる呼吸筋，喉頭筋の運動範囲の減少に起因する声量低下，気息性嗄声，抑揚が乏しい単調（平板）な発話が顕著である．運動障害性構音障害では一般に発話速度は低下するが，このタイプでは文末に向けて徐々に加速する現象がみられる．ただし発話速度が通常より緩慢なケースもある．オーラル・ディアドコキネシス検査においても，反復速度が加速するケースと低下するケースがある．

ほかに視診上，舌・顔面の運動範囲の制限，仮面様顔貌，安静時振戦，小刻み歩行，すくみ足などの特徴がみられる．

⑥**運動過多性(hyperkinetic dysarthrias)**

Huntington病など大脳基底核の損傷による不随意運動にともなう運動障害性構音障害である．視覚的に確認可能な舌，下顎，顔面などの非意図的な運動の出現が鑑別上の手がかりとなり，こうした不随意運動や，突発的な発声開始あるいは発声停止が意図的な発話の遂行を妨げる．

⑦**混合性構音障害(mixed dysarthrias)**

複数の神経系の損傷にともなう運動障害性構音障害で，原因疾患の例として，筋萎縮性側索硬化症，多系統萎縮症，多発性硬化症，進行性核上性麻痺，多発性脳梗塞などがある．

b 発語失行

発語失行は，発声発語筋に運動麻痺，失調，不随意運動などが認められないにもかかわらず，意図的に話そうとすると出現する特殊な構音とプロソディの障害をいう．失語症の表出面の症状の1つとしてみられることが多いが，稀に純粋型としてもみられる（純粋語唖）．運動障害性構音障害と合併して出現することもあるが，運動障害性構音障害では構音，プロソディの問題に加えて，通常，呼吸，発声，共鳴にも広く症状がみられる．

発語失行は，正常な発話運動に必要な感覚運動指令をプログラムする能力の障害を反映した発話障害と考えられている．これは，図3-6における運動プランニングの過程すなわち個々の音の動作（構音位置，構音方法）と系列化を適正に神経指令化（プログラミング）する過程に起因する障害と想定されている．主な原因疾患は脳血管障害，頭部外傷，脳腫瘍，神経変性疾患などによる中枢神経系の損傷であり，左半球損傷例が多い[20]．発語失行では同時に，模倣あるいは指示に従って発語器官を随意的に動かすことが難しい発語器官失行症（口部顔面失行）を合併する場合がある．なお，発語失行の評価と訓練については➡205, 208頁を参照されたい．

2 器質性構音障害（口腔・中咽頭がん）

解剖学的に，口腔は頰粘膜部（上・下唇の粘膜面含む），上・下顎歯槽部および歯肉，硬口蓋，舌，口腔底から構成され，中咽頭とは硬口蓋，軟口蓋の移行部から舌骨上縁（または喉頭蓋谷底部）の高さまでの範囲をいう[27]．口腔がん，中咽頭がんの治療には外科療法，放射線治療，薬物療法がある．これらの治療の結果起こる発声発語器官の器質的な変化（欠損，筋の萎縮，線維化，乾燥などによる口腔環境の変化）は，口腔構音，共鳴に直接的な影響を及ぼす．特に手術では，がんの切除，縫縮，再建が行われ，筋などの組織欠損によって運動制限，感覚異常による話しにくさが生じる．切除時に神経を損傷し，その影響が生じる場合もある．

構音障害は切除範囲が大きくなるほど重度になる傾向がある．例えば，口腔がんのなかで最も多

い舌がんの切除術には，①舌部分切除(可動部半側未満)，②舌可動部半側切除，③舌可動部亜全摘(半側を越える場合)・舌可動部全摘，④舌半側切除(舌根部含む)，⑤舌亜全摘(舌根部を含む半側以上)・舌全摘があるが[27]．舌部分切除では構音障害は軽度で，舌可動部半側切除，舌半側切除でも適切な再建により日常会話に大きな支障がない場合がある．

切除部位に関連する音が直接的な影響を受け(構音位置)，舌尖の切除では歯音・歯茎音，舌根部の切除では軟口蓋音を中心に歪みが生じる．また破裂音，破擦音(構音方法)では舌と口蓋の閉鎖が不全となるため，歪み(摩擦音化)，省略の誤りが出現する．口腔内に唾液が貯留し，それが適切に処理されていない場合には発話全体の明瞭さの低下につながることもある．

鼻咽腔閉鎖運動に関与する中咽頭の切除では，開鼻声および呼気鼻漏出による子音の歪みが生じる．なお，口腔・中咽頭がんの評価と訓練については➡ 211 頁を参照されたい．

引用文献

1) McLeod S, et al：Children's Speech：An Evidence-Based Approach to Assessment and Intervention. Pearson, New York, 2017
2) 今井智子：構音障害の概念と分類．藤田郁代(監修)：標準言語聴覚障害学　発声発語障害学，第2版．pp118-127，医学書院，2015
3) 日本精神神経学会(日本語版用語監修)，髙橋三郎，他(監訳)：DSM-5 精神疾患の診断・統計マニュアル．p43，医学書院，2014
4) Bernthal, JE, et al：Articulation and phonological disorders：Speech sound disorders in children, 8th ed. Pearson, New York, 2017
5) Peña-Brooks A, et al：Assessment and treatment of articulation and phonological disorders in children, 3rd ed. Pro-Ed, Austin, 2015
6) 今井智子：小児の構音障害—多様性への対応．音声言語医 57：359-366, 2016
7) 廣瀬 肇，他：言語聴覚士のための運動障害性構音障害学．pⅲ，医歯薬出版，2001
8) Kussmaul A：Die Strörungen der Sprache. FCW Forgel, Leipzig, 1910
9) 日本精神神経学会(日本語版用語監修)，髙橋三郎，他(監訳)：DSM-5 精神疾患の分類と診断の手引．医学書院，2014
10) American Speech-Language-Hearing Association：Childhood apraxia of speech. https://www.asha.org/PRPSpecificTopic.aspx?folderid=8589935338&section=Overview accessed 2020-07-09
11) 中村公枝：聴覚障害とはなにか．藤田郁代(監修)：標準言語聴覚障害学　聴覚障害学，第2版．pp7-14, 医学書院，2015
12) Shriberg LD, et al：Otitis media, fluctuant hearing loss, and speech-language outcomes：a preliminary structural equation model. J Speech Lang Hear Res 43：100-120, 2000
13) 今川記恵，他：滲出性中耳炎罹患児で構音障害を呈した幼児の検討(会議録)．音声言語医 57：98, 2016
14) 宮地泰士，他：発音不明瞭を主訴に受診した児における広汎性発達障害の検討．小児の精神と神経 46：275-279, 2006
15) Bernthal J E, et al：Articulation and Phonological Disorders：Speech Sound Disorders in Children, 8th ed. Pearson, 2017
16) Calnan J：Modern views on Passavant's ridge. Br J Plast Surg 10：89-113, 1957
17) 石野由美子，他：舌小帯短縮症の重症度と機能障害について—舌の随意運動機能，構音機能，摂食機能についての定量的評価の試み．口科誌 50：26-34, 2001
18) 大伴 潔：知的障害．西村辨作(編)：ことばの障害入門．pp79-104, 大修館書店，2001
19) 石田宏代：発達障害児の構音の指導．加藤正子，他(編著)：特別支援教育における構音障害のある子どもの理解と支援．pp212-222, 学苑社，2012
20) Duffy JR：Motor Speech Disorders：Substrates, Differential Diagnosis, and Management, 4th ed. p3, 51, 118, 163, 351-353, Elsevier, Mosby, 2019
21) Yorkston KM, et al：Management of Motor Speech Disorders in Children and Adults, 3rd ed. p3, Pro-Ed, Austin, 2010
22) Darley FL, et al：Differential diagnostic patterns of dysarthria. J Speech Hear Res 12：246-269, 1969
23) 福迫陽子：麻痺性構音障害の鑑別診断．廣瀬 肇(編)：コミュニケーション障害．p105, 金原出版，1987
24) 伊藤元信，他：運動障害性(麻痺性)構音障害 dysarthria の検査法—第1次案．音声言語医 21：194-211, 1980
25) 福迫陽子，他：麻痺性(運動障害性)構音障害の話しことばの特徴—聴覚印象による評価．音声言語医 24：149-164, 1983
26) 馬場元毅：絵でみる脳と神経—しくみと障害のメカニズム，第4版．pp127-130, 医学書院，2017
27) 日本頭頸部癌学会(編)：頭頸部癌取扱い規約，第6版補訂版．pp34-37, 42-45, 金原出版，2019

2 発話障害の評価と訓練

学修の到達目標
- 小児の発話障害の症状と言語聴覚療法の評価診断の基本理念と方法が説明でき，模擬的に実施できる．
- 小児の発話障害の言語治療の基本概念と方法が説明でき，模擬的に実施できる．
- 成人の発話障害の症状と言語聴覚療法の評価診断の基本理念と方法が説明でき，模擬的に実施できる．
- 成人の発話障害の言語治療の基本概念と方法が説明でき，模擬的に実施できる．
- 拡大・代替コミュニケーション(AAC)について，使用する機材とその適応について説明できる．

A 小児の発話障害の評価と訓練

1 小児の発話障害とは

小児の発話障害のうち，**構音障害**は，話しことば(speech)の特定の語音(speech sound)が年齢相応に正しく発音されず，習慣化されている状態を指す．構音障害の原因や関連要因を分析し，構音障害に対する介入を行う必要がある．本項では小児にみられる**機能性構音障害**と**器質性構音障害**(口蓋裂，舌小帯短縮症)について解説する．

a 小児の発話障害の背景

小児において明瞭な話しことばを育てるためには，①豊かな**言語環境**，②**聴力**，③構音器官の形態，鼻咽腔閉鎖機能などの**構音器官の形態や機能**，④年齢に応じた**心身発達**(運動発達，言語発達や情緒面など)，⑤適切な**構音操作**といった条件が必要である．これらが統合されて，明瞭なことばが学習されていく．

1) 構音障害の原因
—明らかな原因が認められる場合

(1) 聴力障害

聴力障害がある場合，構音に多大なる影響を及ぼす．先天性の感音性難聴のみならず，反復性の中耳炎の罹患などで，軽度〜中等度の伝音性難聴が言語習得期に長期にあると，構音のみならず，言語発達の遅れにも関与するので注意する〔3章1節B項(➡134頁)参照〕．

(2) 発声発語器官の形態の異常

口唇，舌，硬口蓋，軟口蓋，歯列や咬合などの構音器官の形態とその機能に問題があると，構音に影響を及ぼす〔3章1節B項(➡135頁)参照〕．

2) 構音障害の原因—明らかな原因が認められない場合(機能性構音障害など)

明らかな原因が認められない構音障害の1つに機能性構音障害がある．その要因は明らかではないが，下記の要因が示唆されている[1]．

(1) 言語発達の遅れの影響

就学前の4〜6歳時に構音不明瞭を主訴とした患者が，3歳までの発達早期に言語発達遅滞の既往があり，表出面の発達とともに構音の問題が顕在化したというエピソードをもつ場合がある．さ

らにそうした子どもに構音検査を施行した場合，音の誤り方が浮動的であり，言語発達の遅れがある症例も少なくない．構音不明瞭の背景に構音学習のための基礎である言語発達や音韻発達の遅れなどがある症例もいることを留意する必要がある．

(2) 構音運動に関与する中枢および末梢神経系の成熟の遅れ

構音器官の**随意運動能力の低下**も構音障害の要因の1つに挙げられている．臨床においても構音障害を呈する子どもで，粗大運動や口腔および手指の巧緻性が低下することが散見される．構音に不明瞭さをもつ子どもには，すべての子どもではないが，手指の巧緻性のみではなく，粗大運動における運動協調性，運動企画力や感覚の受容などの問題を有する，いわゆる不器用さをもつ子どもも存在する〔3章1節B項(➡134頁)参照〕．

(3) 聴覚的弁別力の発達の遅れ

構音障害児には，聴力障害がないにもかかわらず，語音の**聴覚的弁別力の低下**，**聴覚的記憶のスパンの短さ**，**自己産出音へのモニター力**や**音韻操作の問題**などが指摘されている．特に構音障害の改善には，語音知覚である**外的語音弁別能（外的モニタリング）**と**内的語音弁別能（内的モニタリング）**が必要である[2]．外的語音弁別能とは，他者が産出した語音を弁別・同定することで，内的語音弁別能とは，構音障害を有する者が自己産出音を同定・弁別することである．例えば，[taiko]が[kaiko]となり，[ta]を目標音とした場合，他者が産出した[ta]と[ka]の弁別・同定ができる場合は外的語音弁別能があると判断する．一方，自分が産出した音が[ka]であった場合，[ta]ではなく[ka]である間違いに気づき，即時に言い直す場合は内的語音弁別能があると判断し，気づかない場合は内的語音弁別能が不十分であると判断することになる．難治性の構音障害の場合，自己産出音の誤りに気づかず，子ども自身が誤って産出した音を誤っているとは気づかない．そのため**自己フィードバック（内的モニタリング）**ができず，その結果，構音の修正が難しいということになる．この「誤り音」と「誤り音ではない」という**カテゴリー知覚**の基準の差が構音障害の治療の鍵となっている[3]．

(4) 言語環境

豊かな言語環境は，健康な心身発達や言語発達のみならず構音発達の促進にも不可欠である．言語獲得期の早期介入の適切な養育者のことばの刺激や手本で構音発達を促す．

b 小児の発話障害の特徴

1) 機能性構音障害

小児にみられる構音障害には，**発達途上にみられる誤り**(speech delay)，**特異な構音操作の誤りとその他の誤り**(speech error)がある[4]．

(1) 発達途上にみられる構音の誤り

構音も言語発達同様，年齢に応じた発達がある．小児にみられる構音の誤りの多くは，構音発達の過程で遅くに完成される音がほかの音に置き換えられたり省略されたりするので，評価の際，年齢に応じた構音発達の過程の知識が必須である〔1章4節C項(➡55頁)参照〕．

言語発達早期にみられる誤りには，**音節の脱落**または**語の音節縮小**，**子音成分の脱落**などが挙げられる．この種の誤りは，個別音の構音の問題というよりは語の音形が確実にとらえられない状態とみられる[5]．主な症状は，**同化**，**音節脱落**，**音位転換**，**同音反復**，**付加**である〔3章1節B項**表3-3**(➡133頁参照)〕．4歳以降の段階では音形の変動は少なく，**子音の置換**，**子音の省略**，**歪み**がある〔3章1節B項**表3-1**(➡132頁)参照〕．発達途上にみられる構音の誤りをみると，摩擦音の構音様式の誤り（破裂音化や破擦音化，摩擦成分の省略），弾音の破裂音化，構音操作の前方移動など，構音位置または構音様式はほぼ同じだが，構音操作が未熟で，音の習得時期が遅れている音が多い〔3章1節B項**表3-2**(➡133頁)参照〕．子音の置換や省略は年齢とともに減少し，歪みの割合が増えるとされる[5]．

表 3-6 鼻咽腔閉鎖機能に関連が深い共鳴の異常と特異的構音操作の誤り

構音障害の種類	口蓋裂言語の特徴	鼻咽腔閉鎖機能	構音位置	障害されやすい音	特徴	言語療法のポイント
鼻漏出による子音の歪み	受動的な誤り	不全	適正音と同じ	母音,半母音,[b]の[m]への置換,[p, s]の弱音化	過度の鼻音化または弱音化	口腔内圧の向上
声門破裂音	能動的な誤り	不全(良好例もあり)	声門周辺	[p, t, k, s, ts, tɕ]などの無声子音が有声子音に比して障害されやすい	喉頭〜頸部に力が入る,構音時,舌や口唇の運動が観察されない	声帯周辺の過度の緊張をとる,口唇音から始める
咽・喉頭摩擦音	能動的な誤り	不全	咽頭後壁と舌根部または喉頭蓋	[s, ɕ, ts, tɕ]などの摩擦音/破擦音	喉に力が入る,構音時,舌運動が観察されない	声帯〜喉頭周辺の緊張をとる
咽頭破裂音	能動的な誤り	不全	咽頭後壁と舌根部	[k, g]の軟口蓋音	開口して[k, g]を言うと,口蓋垂が観察される	口蓋方向への舌の挙上運動を促す

〔緒方祐子:構音訓練の適応. 斉藤裕恵(編著):器質性構音障害. pp120-123, 建帛社, 2002 を参考に作成〕

(2) 特異な構音操作の誤りとその他の誤り

発達途上にみられる構音の誤り以外の誤りとして,特異な構音操作の誤り(異常構音)とその他の誤りがある.特異な構音操作の誤りは,側音化構音,口蓋化構音など日本語にはない特異な構音操作により産生される誤りで,歪みに分類されることが多い.その他の誤りは,歯茎音の軟口蓋音化や唇音化,母音部の誤り(エ列音の中性母音化など)がある[4].

2) 器質性構音障害

口唇口蓋裂の話しことば(speech)の異常には発達途上にみられる構音の誤りもあるが,**鼻咽腔閉鎖機能不全**に関連する**共鳴**の異常や**構音障害**と,鼻咽腔閉鎖機能不全に関連が少ないものがある[6].また構音障害には,**受動的な誤り**(passive speech error)と**能動的な誤り**(active speech error)がある[7].**受動的な誤り**は鼻咽腔閉鎖機能不全から必然的に発生する呼気鼻漏出や鼻雑音,口蓋瘻孔からの呼気鼻漏出など口腔内圧低下による歪みや子音の弱音化で構音操作の異常ではないもの,**能動的な誤り**は構音操作の誤学習によるもの,である(表 3-6).

(1) 鼻咽腔閉鎖機能不全の構音への影響

①受動的な構音への影響(passive speech error)

受動的な誤りは,構音位置や構音操作の誤りはないが鼻咽腔閉鎖機能不全で口腔内圧が高められないため,口腔内圧を伴った閉鎖またはせばめをつくることができない.その結果,口腔音の**鼻音への置換**,**摩擦音や破擦音の弱音化**があり,**歪み**がみられる.具体的には,重度の鼻咽腔閉鎖機能不全の場合,[b]が[m]に置換し,[p][s]などの無声子音が呼気の鼻腔への流入で**弱音化**の影響を受けやすい.口蓋前方部で産生される[s]音などの構音位置に**口蓋瘻孔**がある場合は,呼気が瘻孔から鼻腔へ流出し,弱音化する場合もある.発話時の聴覚判定にて受動的な誤りがある場合,聴覚判定に加えて,鼻孔を閉鎖すると,適正音に近い音に聴取され判定される.

また,**鼻雑音**は可聴性のもの(audible nasal emission)と可聴性ではないもの(inaudible nasal emission)がある(Peterson-Falzone 2006).鼻腔

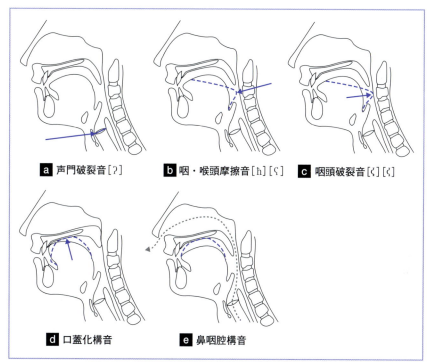

図 3-9 特異的な構音操作の誤り
青色の矢印は構音点,青色の点線は舌の動態,灰色の点線矢印は呼気の流れを示す.
〔藤原百合,他:口蓋裂の構音障害.藤田郁代(監修):標準言語聴覚障害学 発声発語障害学,第2版.
pp148-172,医学書院,2015 より改変〕

内で産生される鼻雑音で口腔内圧が高い子音(破裂音/摩擦音/破擦音)を産生する場合に聴取される.可聴性のものは,鼻腔からの雑音で,呼気鼻漏出による子音の歪みとともに聴取される.可聴性でないものは,口蓋瘻孔からの呼気の鼻漏れや鼻咽腔閉鎖機能不全の問題を示すこととなり,鼻孔下での鼻息鏡検査で鼻からの呼気放出を視覚的に確認することができる.

②**能動的な構音障害**(active speech error)

能動的な構音の誤りは,構音操作や構音位置の誤りがある構音障害である.口蓋裂の場合は,鼻咽腔閉鎖機能不全の代償構音として,声門破裂音,咽/喉頭摩擦音や咽頭破裂音などがある(図3-9a〜c)[8].

■ **声門破裂音**(glottal stop)

口蓋裂の口蓋形成術後において,鼻咽腔閉鎖機能不全に関与が深い代償構音の1つに挙げられるが,鼻咽腔閉鎖機能が良好な症例や機能性構音障害の症例にも観察される場合もある.

声門破裂音は,鼻咽腔閉鎖機能不全がある場合,適正音を口腔内で産出するための口腔内圧が高められないため,声門で産生された音である(図3-9a).聴覚印象は音節が途切れ途切れに聴取される.子音の省略と誤って聴取されることがあるので注意を要する.有声子音より無声子音にみられることが多い.視覚的な構音操作の観察では,発話時に舌,口唇などの構音器官の動きが観察されない.また,視覚的または触覚的に頸部に力が入っていることが観察される.

また,声門破裂音を有する患者の構音操作を観察すると,口腔内で産生される音と声門破裂音を同時に産生している二重構音の場合もあるので注意を要する.

口蓋裂の場合,声門破裂音は鼻咽腔閉鎖機能機能の影響を受けやすい構音障害で,発症年齢が1〜2歳半と低く,口蓋形成術前もしくは直後に

表3-7 鼻咽腔閉鎖機能に関連が少ない特異的構音操作の誤り

構音障害の種類	口蓋裂言語の特徴	鼻咽腔閉鎖機能	構音位置	障害されやすい音	特徴	言語療法のポイント
口蓋化構音	能動的な誤り	良好もしくは軽度不全(鼻咽腔閉鎖機能の獲得が遅い例あり)	後方化または硬口蓋方向への動き	[s, ɕ, t, ts, tɕ, dz, dʑ, d, r, n]などの歯茎音、稀に[p, b]の口唇音	前舌部の動きが観察されない、舌尖の動きの制限、舌の過緊張、咬合異常	舌の緊張をとる、前舌、舌尖の巧緻性を高める、必要があれば、矯正治療を優先する場合もある、食事面も留意
側音化構音	能動的な誤り	良好もしくは軽度不全(獲得の遅い例あり)	口蓋側方部	母音[i]、[k, g, ɕ, tɕ, ts, dz]などのイ列音、[ke, ge]、[kʲ, gʲ]などの拗音	舌、口角、下顎が側方に偏位する、咬合異常	舌の緊張をとる、舌、口唇、下顎を正中に保つ練習を行う、呼気を正中から放出する、食事面も留意
鼻咽腔構音	能動的な誤り	良好	鼻咽腔	[i]列音、[u]列音、[s, ɕ, ts, dz, tɕ]など	呼気を鼻から放出、鼻孔をつまむと構音できない	口腔へ呼気を放出する

〔緒方祐子:構音訓練の適応. 斉藤裕恵(編著):器質性構音障害. pp120-123, 建帛社, 2002 を参考に作成〕

出現しやすい。しかしながら、構音訓練で発話時の鼻咽腔の動きが改善されれば、適正音の学習が促される場合が少なくない。

■ 咽・喉頭摩擦音/破擦音(pharyngeal fricative/aftricate)

鼻咽腔閉鎖機能不全に関与が深い代償構音の1つに挙げられる。咽・喉頭摩擦音は、適正音を口腔内で産出するための口腔内圧が高められないため、舌根と咽頭後壁、喉頭蓋と咽頭後壁で産生された摩擦音である(図3-9b)。障害される音は、[s][ɕ][ts][tɕ]などの摩擦音、破擦音である。聴覚印象は[h]に近い歪み音として聴取される。構音操作を観察すると、視覚的には通常、[s]などの構音時に観察される前舌の動きが観察されず、舌全体が後方へ移動していることが観察される。

■ 咽頭破裂音(pharyngeal stop)

鼻咽腔閉鎖機能不全に関与が深い代償構音の1つに挙げられる。適正音を口腔内で産生するための口腔内圧が高められないため、舌根と咽頭後壁で産生された破裂音である(図3-9c)。障害される音は、軟口蓋音の[k][g]である。聴覚印象は[k][g]に近いが、くぐもった音で聴取される。口腔内視診での観察では、[k][g]の適正音の場合は軟口蓋音は奥舌が挙上して軟口蓋と接触し、口蓋垂を観察することはできないが、咽頭破裂音の場合は舌が軟口蓋方向の上方に動かず、咽頭後壁方向の後方へ動くため、口蓋垂が観察される。

(2) 鼻咽腔閉鎖機能不全に関連が少ない
    特異的構音操作の誤り

鼻咽腔閉鎖機能に関与が少ない能動的な誤りは、口蓋化構音、側音化構音や鼻咽腔構音がある(表3-7、図3-9d, e)[8]。

①能動的な構音障害(active speech error)

■ 口蓋化構音

口蓋化構音とは、「歯音、歯茎音の構音点が後方化して口蓋に移り、舌の接触も舌背で行われる」と定義され[9]、「[t]が[k]、[d]が[g]が孤立として現れるのは機能性構音障害にもみられるので、これのみ孤立して障害される場合は置き換えとし、歯音、歯茎音の系列に系統的にみられるものを口蓋化傾向」と追加定義された(岡崎1975)。よって、単発的に起こる構音位置の後方化の「置

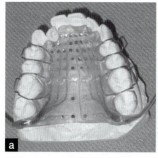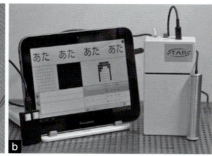

図 3-10　EPG（エレクトロパラトグラフィ）
a：EPG の人工口蓋床．b：タブレット型 STARS for EPG．c：人工口蓋床を装着し，パソコン上に表示された EPG の舌と硬口蓋の接触を見ながら，構音訓練を行う．
62個の電極を配した人工口蓋床を硬口蓋に装着し，口の外からは観察しづらい構音時の舌の口蓋への接触パターンを評価できる機器である．評価のみではなく，視覚的フィードバックを活用できることから構音訓練にも有効である．
〔EPG 研究会（代表：山本一郎氏）より提供〕

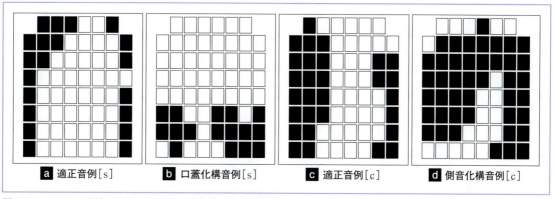

図 3-11　EPG で評価を行った口蓋化構音（b）と側音化構音（d）
a, b：[s]産生時の口蓋化構音（後方化）症例．舌が口蓋前方に接せず，口蓋後方に接触している．
c, d：[ɕ]産生時の側音化症例．口蓋中央部に舌が接しており，口蓋正中からの呼気放出が難しい．
〔EPG 研究会（代表：山本一郎氏）より提供〕

換」と，置き換えの症状のみではなく，口腔内にこもったような歪み音も伴う複数の歯音・歯茎音で起こる「口蓋化構音」との判別に注意を要する．聴覚印象は口蓋音の混じった特有の歪み音である．[s, ɕ, t, ts]は[k]に近く，[z, dz, d, dz]および[ɾ]は[g]に近く，[n]は[ŋ]に近く聴こえる[10]．また口蓋化構音には，構音位置が後方になる後方化と舌全体が硬口蓋の上方へ近づき歪む口蓋化がある（図 3-9d）[11]．

口蓋接触を評価する機器にエレクトロパラトグラフィ（EPG）がある（図 3-10）[12]．図 3-11a, b は口蓋化構音例と適正音例の EPG での[s]産出時の舌と口蓋の接触パターンを示す．口蓋化構音例は口蓋前方の接触がなく，硬口蓋後部に接触している．そのため，くぐもった歪み音となる構音動態を確認することができる．

口蓋裂患者の構音障害において口蓋化構音は，本邦においては口蓋形成術後に最も高頻度にみられる構音障害である．口蓋裂の口蓋化構音の要因に関しては，歯列弓の狭小化，咬合不正，口蓋瘻孔など口蓋形態の異常が挙げられている（岡崎 1984）．しかし，機能性構音障害にも観察され，口蓋形態に異常がない場合にもみられる．さらに，口蓋裂において，発症年齢が3～4歳と遅く（岡崎 1979），自然治癒しづらい構音障害である．また，鼻咽腔閉鎖機能の程度が軽度不全の症例や

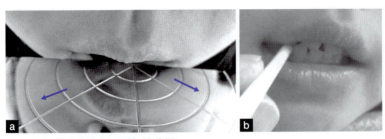

図3-12 側音化症例の呼気流確認
a：鼻息鏡で呼気流（両側）を確認．b：ストローで呼気流音を確認．

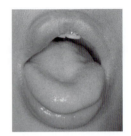

図3-13 口蓋化構音や側音化構音を呈する場合の舌（安静時）
前舌・舌縁部：低緊張．舌背：過緊張となり盛り上がっている．舌挺出をすると，棒状になるときがある．

口蓋形成術後の鼻咽腔閉鎖機能の獲得が緩やかだった症例に少なくないことがあり，必ずしも鼻咽腔閉鎖機能が良好ではない症例が存在する[13]．よって，口蓋化構音は，口蓋化構音を誤学習した背景（鼻咽腔閉鎖機能，口蓋形態，口腔面の巧緻性など）に留意した評価が必要である．

また，口蓋化構音を呈する子どもの食事を観察すると，舌の巧緻性の低下から，咀嚼に問題がある場合が少なくない．丸飲み込みが多い，野菜・果物など咀嚼を要する食材を好まない，咀嚼をあまり要しないカレーライスや麺類を好む，など舌を使うことが苦手な子どもが多い．

■ 側音化構音

側音化構音とは，発話時の呼気の放出が正中からではなく，側方の口腔前庭より放出され歪む構音障害である．呼気の放出は片側性と両側性がある．片側性の場合は，呼気が放出している側の口角を挙上もしくは下顎を偏位していることが観察される．咬合平面や下口唇に鼻息鏡をあてる，または口角にストローを挿入すると呼気を側方から放出することが確認される（図3-12）．下顎や口角のみではなく，口腔内で舌が左右のどちらかに偏位または棒状になり舌を左右対称に平らにすることができていないので，口腔内の舌運動を観察する必要がある（図3-13）．障害を受けやすい音は後続母音イ列に続く子音（[kʲi][ɕi][tɕi]など）で多く観察されるが，母音[i]から側方に口蓋への舌の接触面が偏位する症例も存在する．図3-11c, dは，呼気放出が側方からある側音化構音例の[ɕ]産出時のEPGの舌接触パターンである．適正音産出は，両側の口蓋側方に舌があたり，正中部の接触はみられないが，側音化例は口蓋中央部に舌が接触し，口蓋正中からの呼気放出が難しい．側音化構音は口蓋化構音と同様，発症年齢が3歳以上と遅い[6]．口蓋化構音と重複している例もあり，食事面の問題を有する子どもも少なくない．

機能性構音障害で側音化構音を呈する場合，小学校の中学年以上になると，置換などの構音の誤りより側音化構音の比率が高い[5]．自然治癒しづらく，側音化構音によるコミュニケーションの問題から，中高生や成人になって構音訓練を希望する場合も少なくない．

■ 鼻咽腔構音

機能性構音障害や口蓋裂の術後にも観察される構音障害である．口蓋裂例では，出現年齢は口蓋化構音や側音化構音に比して，2歳～2歳半と比較的早期に出現する．鼻咽腔構音は，後続母音イ列音，ウ列音，[s][ts]などに限局して，呼気を鼻に抜く構音操作の誤り音である．口腔内をみると，口腔へ呼気を放出しないように舌が挙上し，口蓋と接していることが観察される（図3-9e）．構音時に鼻孔を閉鎖すると，音そのものを産出できない．聴覚印象は，「ン」または「クン」に近い歪み音である[10]．原因は特定されないが，舌の巧緻性の低下や言語発達遅滞，鼻咽腔閉鎖機能の獲得

との関連が示唆されている．また，鼻咽腔構音は鼻に抜く構音操作を共鳴の異常と間違われる場合があるので，鼻咽腔閉鎖機能不全との鑑別診断に注意を要する．

C 口唇口蓋裂の問題点

口唇口蓋裂は，言語障害，顎顔面形態の問題，鼻咽腔閉鎖機能不全，耳鼻科的疾患，歯科的疾患，心理社会的問題，哺乳・摂食の問題など多彩な問題を有する．

1) 口唇口蓋裂の言語障害

(1) 言語発達

口蓋裂の言語発達に関しては，非口蓋裂児に比べて初期の表出が遅い傾向があるが，難聴や知的障害などを合併しなければ，3歳頃までは遅れを取り戻す[14]（→ Note 18）．要因としては，口蓋形成術の中耳炎の罹患率が高く，聴こえの問題を有することがあることや頻繁な入院生活があることなどが考えられる．ただし，口蓋裂単独（硬軟口蓋裂/軟口蓋裂）や粘膜下口蓋裂は，知的発達の遅れを伴う場合がほかの裂型と比較して少なくない（萩尾 1983）．22q.11.2 欠失症候群に口蓋裂，粘膜下口蓋裂など口蓋の異常がある[15]（→ Note 19）．また，言語発達の遅れはなくても構音障害を呈する症例に発達の偏りがあり，文字学習の遅れがあるという報告もあり[16]，構音障害や鼻咽腔閉鎖機能などの話しことば(speech)に関する言語の問題と同様，長期にわたる言語(language)面の言語発達や学習面に対する配慮も必要である．

(2) 共鳴

①開鼻声

過度に声が鼻腔共鳴することにより，母音，接近音が鼻にかかることを**開鼻声**という．鼻咽腔閉鎖機能不全がある場合，開鼻声の症状は必ずみられる．母音のなかでも高舌母音の[i] [u]が特に影響を受けやすい．鼻咽腔閉鎖機能の程度により症状は異なるが，重度になるとフガフガ声となり，明瞭度が低下する．

> **Note 18. 口蓋裂児の構音発達**
> 口蓋裂児の構音発達に関しては，健常児の構音発達と比較すると舌尖音の習得が遅れる傾向があり，音韻プロセスでは後方化が多い[1]．
>
> 引用文献
> 1) 岡崎恵子：口蓋裂言語．岡崎恵子，他（編）：口蓋裂の言語臨床．第2版．pp25-41，医学書院，2005

> **Note 19. 22q11.2 欠失症候群**
> 染色体 22q11.2 の部分欠失が起こり，その欠失部分に存在する複数の遺伝子が欠失することにより発症する症候群．主な症状には，心血管疾患，特徴的な顔貌，胸腺の低形成，口蓋裂，鼻咽腔閉鎖機能不全，知的発達障害，低カルシウム血症などがある[1]．
>
> 引用文献
> 1) 原田百合子：22q11.2 欠失症候群であることを確認するには．大澤真木子，他（監修）：22q11.2 欠失症候群ガイドブック．pp10-14，中山書店，2010

> **Note 20. 口蓋形成術の一期法と二期法**
> 口蓋形成術には一期法と二期法がある．一期法は1歳半頃に硬口蓋と軟口蓋を一度に閉鎖する．二期法は上顎の発育を考慮し，1歳半頃に軟口蓋部の閉鎖のみを行い，5歳頃に硬口蓋部の裂孔を閉鎖する方法である．

②残遺孔や瘻孔の影響

口蓋形成術の術式により，二期法の場合は硬口蓋を閉鎖するまで上顎の顎裂部や硬口蓋に裂があり，一期法の場合は術後に切歯孔周辺の瘻孔が発生することがある（→ Note 20）．残遺孔または瘻孔からの呼気や飲食物の鼻への流出があり，そのため，ことばに関しては硬口蓋で産生する歯茎摩擦音の呼気流が鼻のほうへ流出し，音が弱音化または鼻音化になる場合がある．鼻息鏡検査で，母音では鼻漏れがみられないが，ブローイングや[s]のときに鼻漏れからのくもりがある場合，鼻咽腔からの呼気鼻漏ではなく硬口蓋の瘻孔からの漏れの可能性もある．必要に応じて術者や歯科と協議し，呼気や飲食物の鼻漏出を防ぐ補綴物（瘻孔閉鎖床など）の装用を検討する．また，瘻孔を塞ぐことにより鼻咽腔閉鎖機能に関与する口蓋帆挙筋活動に関与する報告もあり[17]，瘻孔からのことばへの影響が疑われる場合は閉鎖床作成を検討

する．なお，口蓋形成術が一期法の場合，手術による瘻孔閉鎖は上顎の成長への悪影響が懸念されるため，顎裂部の骨移植術の際，瘻孔閉鎖術が同時に行われる場合が少なくない．

③閉鼻声

閉鼻声とは，鼻腔共鳴が過小となり，鼻音化すべき[m][n]などの鼻音が鼻腔共鳴せず[b][d]などの非鼻音になる声である．鼻炎，咽頭弁形成術後や咽頭扁桃（アデノイド）肥大などにみられる．

④混合性鼻声

鼻咽腔閉鎖機能不全の症例で，鼻炎を重複する例もしくは咽頭弁形成術後の症例に，時折，開鼻声と閉鼻声を合併した混合性鼻声を呈する場合がある．母音や鼻音が影響を受ける．

(3) 声の異常（嗄声）

鼻咽腔閉鎖機能が軽度不全または不全の場合は，過度に鼻腔共鳴することから，声が通りにくくなる場合がある．その際，大きい声を出そうとして硬起声になり，それを習慣化することにより声帯結節になり，気息性嗄声になることがある．

(4) 構音障害

鼻咽腔閉鎖機能不全に由来する構音障害や共鳴の異常だけでなく，鼻咽腔閉鎖機能に関連が少ない構音障害および発達性の構音の誤りの構音障害もある．本邦での構音障害の頻度は40～50％といわれる[6]．

2) 鼻咽腔閉鎖機能不全

口蓋形成術は，良好な鼻咽腔閉鎖機能と適正なことばを獲得するため，破裂を閉鎖して口腔と鼻腔を遮断する．鼻咽腔閉鎖機能不全があれば，声が過度に鼻にかかる開鼻声などの共鳴の異常や呼気鼻漏出による子音の歪みのみならず，鼻咽腔閉鎖機能不全に関連が深い声門破裂音などの特異な構音操作の誤りを誤学習することが懸念される．鼻咽腔閉鎖機能不全の要因としては，鼻咽腔の大きさに対する軟口蓋の組織量不足，口蓋形成術時の口蓋後方移動量の不足や術後の口蓋瘢痕による軟口蓋長の短小，口蓋形成術時の口蓋筋の不十分

> **Note 21. 鼻咽腔閉鎖機能不全の分類**
> 鼻咽腔閉鎖機能不全(velopharyngeal dysfunction)は，口蓋裂や口腔腫瘍術後などの形態的な異常によるもの(velopharyngeal insufficiency)，脳血管障害などの後遺症や脳性麻痺などにみられる神経/運動障害によるもの(velopharyngeal incompetency)，鼻音でない口腔音が鼻音に置換されるなどの誤学習によるもの(velopharyngeal mislearning)の3つに分類される(Peterson-Falzone 2010)．

な再建，および軟口蓋や咽頭後壁・側壁の動きが不良であることが挙げられる（→ Note 21）．本邦では4～28％（平均9.6％）の患者に鼻咽腔閉鎖機能不全の患者が存在する[18]．

3) 顎顔面形態（整容上）の問題

口唇口蓋裂患者では，形態修復および摂食機能や言語機能獲得のため，口唇や口蓋の形成手術が行われる．そのため，術後瘢痕，口唇外鼻の術後変形や上顎発育障害の問題は避けて通れない．近年，手術手技の改良により，著しい変形をきたすものは少なくなったが，これらの整容上の問題は患者や家族に心理学的な影響を与える．

口唇形成術後の問題は，片側性・両側性口唇口蓋裂ともに口唇の目立つ瘢痕，口唇外鼻形態の変形などがある．片側性口唇口蓋裂では鼻柱基部の健側への偏位，患側鼻翼基部の外下方への偏位，鼻孔の非対称などがみられることがある．両側性口唇口蓋裂では，短い鼻柱，鼻尖の扁平化，赤唇中央部のボリューム不足による口笛変形がみられることがある．口唇口蓋裂患者では，組織欠損に加え口唇形成術や口蓋形成術の術後瘢痕は顎顔面発育障害の要因となることが認識されている．程度の差はあれ上顎の劣成長を生じ，相対的に下顎前突の状態を呈することがあり，外科的矯正手術による骨格的改善が必要になる場合がある．

4) 耳鼻咽喉科的問題

(1) 滲出性中耳炎

口唇口蓋裂患者における最も注意すべき耳鼻咽

喉科的疾患は滲出性中耳炎である．口唇口蓋裂は，口蓋帆張筋や口蓋帆挙筋の走行異常があるため，耳管機能の低下による耳管咽頭口の開閉不全や乳突蜂巣の発育抑制などがみられる[19]．そのため，口蓋裂児の中耳炎の罹患率は非口蓋裂児に比して高い．滲出性中耳炎による聴力低下により，言語発達の遅れや構音への悪影響が懸念され，聴力低下によるフィードバックの曖昧さが言語療法の経過にも影響を及ぼす．また，中耳炎の罹患の有無が構音明瞭度に影響があるので，聴力管理は重要である．

滲出性中耳炎は痛みを伴わない場合があり，周囲の人の行動観察が重要である．テレビの音を大きくする，聞き返しが多い，囁き声で話しかけるとわからない，膿性鼻漏が1週間以上続くなど観察されれば，耳鼻咽喉科受診を勧める必要がある．

(2) 鼻炎

口唇口蓋裂は副鼻腔炎など鼻疾患の罹患率も高いことが報告されている．鼻炎がある場合，閉鼻声のみならず，鼻咽腔閉鎖機能不全を伴う場合，開鼻声と閉鼻声の混合性鼻声による構音の不明瞭さの要因となる[20]．鼻炎に伴う滲出性中耳炎を罹患している場合もあるので注意を要する．

(3) アデノイド肥大症

いびきが大きい，昼間に傾眠状況がある，口をぽかんと開いているなどが観察されれば，鼻炎のみならずアデノイド肥大症が疑われる．時にアデノイド肥大症からの耳管狭窄症による滲出性中耳炎がある場合もある．肥大の程度によるがアデノイド除去術が必要な場合がある．しかしながら，口唇口蓋裂で鼻咽腔閉鎖機能の程度が軽度不全または不全の場合，アデノイド除去術をした後に鼻咽腔閉鎖機能の悪化がみられ，開鼻声などの共鳴の問題が顕在化する症例もいる．アデノイド除去術が検討される場合，手術を優先すべきか，10歳頃からみられるアデノイド退縮まで経過観察でよいのか，アデノイドの除去術の適否について耳鼻咽喉科医や術者などの関連職種との協議を綿密に行う必要がある．

5) 歯科的疾患

(1) 歯牙の異常 (う蝕や歯の欠損)

口唇口蓋裂の患者は，歯列不正や歯列弓の狭窄，異所萌出などで口腔清掃しづらい，エナメル形成不全などの合併が多い，などにより，う蝕罹患率が高いといわれている[21]．また側切歯の先天的欠損や脱落などの歯牙の異常のある子どもも少なくない．そのため，乳児期の乳歯萌出前からの口腔管理が重要である．歯牙の異常は時折，構音に影響がある場合があるので，小児歯科との連携が必要となる．

(2) 咬合不正や瘻孔

口唇口蓋裂の患者は，口唇および口蓋形成手術の影響で，上顎の劣成長や狭窄歯列などの反対咬合，交叉咬合などの不正咬合がみられる．両側性や片側性口唇口蓋裂は，口蓋形成術後，硬口蓋の切歯孔周辺に口蓋瘻孔が発生する場合があり，飲食物や呼気の鼻漏れの要因となる場合がある．

6) 心理社会的問題

(1) 養育者 (特に母親)

口唇口蓋裂は顔にある外表奇形であるため，生下時，家族が受ける精神的負担は大きい．養育者 (特に母親) をはじめとする家族に受け入れられ，家族による前向きな姿勢での育児を受けることは，その後のコミュニケーション行動の形成，言語発達などに多大なる影響を及ぼす．したがって，乳児期から正しい情報を提供する家族カウンセリングや安心して子育てをしていく育児支援は重要である．

(2) 患者 (児) 自身

子どもの成長に伴い，他者からの指摘や口唇 (白唇) の傷跡の自らの気づきなどにより，子ども自身が傷のことや病院に行く理由などを尋ねてくる場合がある．子どもに対して口唇口蓋裂を伴って生まれたという「告知」は，その後のアイデンティティ形成にとても重要な影響を及ぼす．子どもが尋ねてきた場合，幼少期であっても，子ども

に口唇口蓋裂で生まれたことを，医療者ではなく養育者（親・家族）が丁寧に説明する必要がある．いつか訪れるその場面で，養育者が子どもに説明できるように，子どもに真実を伝えること，親として子どもの誕生の喜びを伝えることをサポートすることも言語聴覚士としての支援の1つである．また，整容的な問題や言語障害などに対して心理社会的問題に派生する場合があり，患者・家族に寄り添った対応が求められる．

7）哺乳・食事の問題

乳児期に最も懸念される課題は，哺乳である．口蓋に裂があるため，口蓋と舌で乳首をとらえることが難しく，吸啜力も弱いため，哺乳力が微弱となる．そのため，無理に哺乳をしてしまい，鼻中隔粘膜に潰瘍ができてしまうこともある．哺乳量が少ないため，体重増加不良に悩む家族は少なくない．母親の乳房から直接授乳ができない，鼻からの飲食物の漏れがあるなど，哺乳に関する心配なことを相談されることもある．また，鼻咽腔閉鎖機能不全がある場合や口蓋瘻孔がある場合も飲食物の鼻漏れがみられる場合がある．

8）その他

前述の問題のほかに心疾患，多指症，合指症，小耳症，知的障害および発達障害など合併疾患を重複する症例もいる．

必要に応じて，口腔外科・形成外科，耳鼻咽喉科，小児科，歯科，療育機関/教育機関など，各領域の専門職のケアと専門職間の連携も必要である（➡ Note 22）．

d その他の器質性構音障害（舌小帯短縮症）

1）ことばへの影響

舌小帯短縮症（ankyloglossia）とは，舌小帯が舌尖近くや下顎切歯の舌側歯肉付近に付着していたり，舌小帯が短すぎたり肥大している状態をいう．舌を突出させると舌背が丸くなり，舌尖部が

> **Note 22. 口唇口蓋裂の多職種連携における言語聴覚士の役割**
>
> 口唇口蓋裂の治療は多彩な問題への治療が必要なため，多職種連携による包括的治療が原則である．各領域の専門職のケアと専門職間の連携が必要であり，口唇口蓋裂は言語聴覚士単独で対応が可能な疾患ではない．言語聴覚士は患者の問題点をふまえ，ほかの専門職の役割を十分に理解し，連携治療を行うことが原則となる．言語聴覚士は，個々の患者の問題に応じて，施設内の専門職や所属施設の地域での相談できる関連施設（病院やことばの教室などの教育機関）のネットワーク形成や専門職への橋渡しというコーディネーターの役割も担う．

ハート状にくびれる（図3-14）．なお，重症度については図3-4（➡ 135頁）を参照されたい．

ことばへの影響としては，強直の程度が強い場合が必ずしもことばの明瞭さが不良というわけではなく，患者がもっている舌の巧緻性などに左右される．一般に前舌の動きが必要な[ɾ]音が反転不十分となり，[d]になる場合がある．稀に舌小帯が極端に短い場合，奥舌音の[k][g]が奥舌と軟口蓋が接することができず，奥舌挙上不十分のため，咽頭破裂音に類似した音に置換している場合もある．また，舌小帯延長の術後，前舌の対称性の上下運動が困難で，側音化構音や前舌音が歯間音化になる場合もありうるので，舌運動の観察は大切である．

食事への影響としては，舌の代償的運動により障害されないことが多いが，ソフトクリームを舐めることができない，歯に挟まった食物の残渣を舌尖でとることができないなどの影響はある．また，術後に舌尖を上顎歯茎部に接地して液体を飲むことができないなど低舌位になる場合もあり，咬合面への影響も配慮する必要がある．

2）外科的治療

手術は医師または歯科医師が行う．乳児期に哺乳困難で発見された場合，乳児期に舌小帯の延長術を受ける場合もあるが，哺乳や食事の問題がなければ構音の言語評価ができるまで経過を観察す

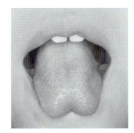

図3-14 舌小帯短縮症
〔九州歯科大学口腔外科より提供〕

ることが多い．経過を観察し，延長術が必要と判断された場合，①言語療法を行いながら，局所麻酔で延長術ができる時期（就学後）まで待つ，②幼児期にことばや食事など機能面で問題が顕在化した場合，延長術を検討する，と個々の状況によって延長術の時期を検討する．幼児期に延長術を検討する場合，全身麻酔や静脈鎮静など医療的な処置が必要となるため，舌小帯の状況が全身麻酔などのリスクを越えるほどの問題であるか，家族・患者本人や術者と協議して手術を検討する．

2 小児の発話障害の評価

a 評価の流れ

言語獲得期に生じる構音障害の背景には，さまざまな背景がある．まず情報収集を行ったのち，構音障害の原因と関連要因および構音障害の状態を知るための手続きを行う．

構音障害の原因と関連要因を知るための手続きは，構音障害の原因（聴覚障害の有無，運動性障害の有無，器質性障害の有無，知的障害を含む言語発達障害の有無）を検討し，明らかな原因やそれぞれの背景に応じた関連要因を検討する．構音障害の状態を知るための手続きは，構音を評価し，構音訓練の手がかりを探る（図3-15）[5, 22]．

1）情報収集

問題点の抽出，環境調整，関連職種との連携の必要性などを検討するため，生育歴，現病歴および既往歴などの聴取を行う．また，関連領域からは構音操作の学習の妨げになっている因子の把握と介入を検討するため，評価依頼を含めた情報収集を行う．また，口唇口蓋裂が認められる場合には，手術歴（術式，時期，施設名，診療科），既往歴，術後の経過，裂型などを診療記録から，言語療法歴，発達経過，中耳炎の罹患歴などを情報収集する．

2）構音障害の原因と関連要因を知るための手続き

(1) 聴力評価

まず，聴力に関する情報収集は，保護者から新生児聴力スクリーニング検査の結果や日常生活音の反応（テレビの音を大きくする，小さい声の反応が乏しい，聞き返しが多い，話しかけても話の了解の反応が乏しいなどの行動の有無）や反復性中耳炎の既往があるかなどを聴取する．聴力低下が疑われる場合は耳鼻咽喉科または小児科を受診するよう依頼し，中耳炎など耳鼻咽喉科的疾患の有無についての情報を収集する必要がある．また，[s]が[t]に置換する子どもで，高音急墜型の聴力障害の場合もみられることもあり，保護者が聴力低下に気づいていないこともある．時折，進行性難聴などで新生児聴力スクリーニング検査をパスしても聴力低下を示す子どもがいるので，聴力に関する情報収集は必須である．

(2) 運動の拙劣さ

構音障害の要因の1つに構音運動に関与する中枢および末梢神経系の成熟の遅れがある．保護者から，よく転ぶことがあるか，手先が不器用であるかなど，粗大運動や手指の巧緻性について情報収集する．粗大運動としては，5歳時に片足跳びが滑らかにできない，6歳時にスキップができない，ボール投げの苦手さ（おおよそ同じところに投げることができない），ボールを受け取るとき，手を出すタイミングが合わない，微細動作では折り紙の折り目がつけられない，はさみの連続切りができないなどの不器用さがある場合，発達性協

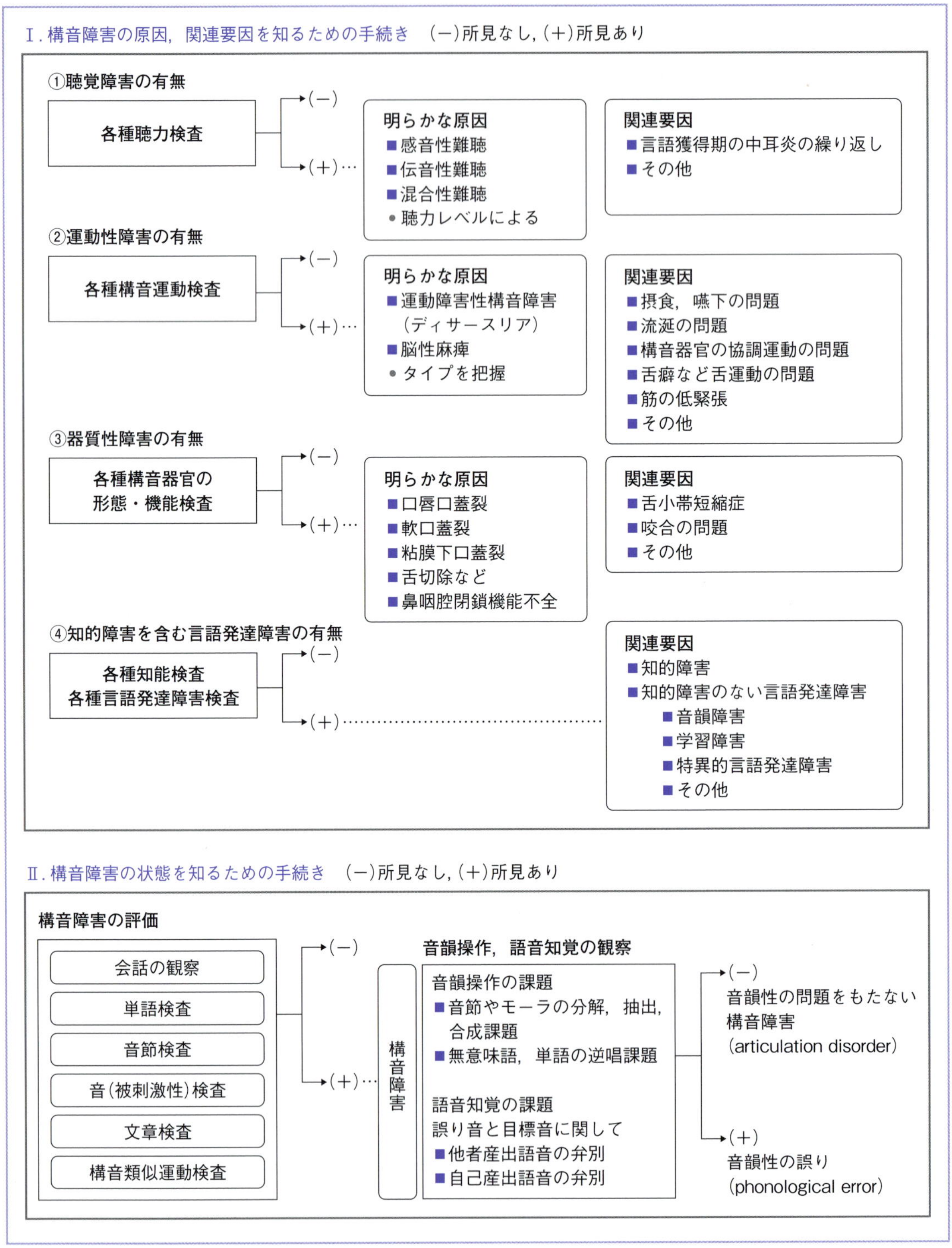

Ⅰ. 構音障害の原因，関連要因を知るための手続き　（−）所見なし，（＋）所見あり

①聴覚障害の有無

各種聴力検査 → (−)／(＋)…

明らかな原因
- 感音性難聴
- 伝音性難聴
- 混合性難聴
- 聴力レベルによる

関連要因
- 言語獲得期の中耳炎の繰り返し
- その他

②運動性障害の有無

各種構音運動検査 → (−)／(＋)…

明らかな原因
- 運動障害性構音障害（ディサースリア）
- 脳性麻痺
- タイプを把握

関連要因
- 摂食，嚥下の問題
- 流涎の問題
- 構音器官の協調運動の問題
- 舌癖など舌運動の問題
- 筋の低緊張
- その他

③器質性障害の有無

各種構音器官の形態・機能検査 → (−)／(＋)…

明らかな原因
- 口唇口蓋裂
- 軟口蓋裂
- 粘膜下口蓋裂
- 舌切除など
- 鼻咽腔閉鎖機能不全

関連要因
- 舌小帯短縮症
- 咬合の問題
- その他

④知的障害を含む言語発達障害の有無

各種知能検査
各種言語発達障害検査 → (−)／(＋)……

関連要因
- 知的障害
- 知的障害のない言語発達障害
    - 音韻障害
    - 学習障害
    - 特異的言語発達障害
    - その他

Ⅱ. 構音障害の状態を知るための手続き　（−）所見なし，（＋）所見あり

構音障害の評価
- 会話の観察
- 単語検査
- 音節検査
- 音（被刺激性）検査
- 文章検査
- 構音類似運動検査

→ (−)／(＋)… 構音障害

音韻操作，語音知覚の観察

音韻操作の課題
- 音節やモーラの分解，抽出，合成課題
- 無意味語，単語の逆唱課題

語音知覚の課題
誤り音と目標音に関して
- 他者産出語音の弁別
- 自己産出語音の弁別

→ (−) 音韻性の問題をもたない構音障害（articulation disorder）

→ (＋) 音韻性の誤り（phonological error）

図3-15　小児の発達途上で起きる構音障害の評価の視点

※機能性構音障害は，Ⅰがすべて（−）で，Ⅱの構音障害所見だけが（＋）のケース．
※音韻操作，語音知覚の観察は，所見がある場合もない場合も機能性構音障害に含まれる．
※明らかな音韻障害をもつ場合は，機能性構音障害から除外される場合もある．

〔今村亜子，他：ことばが不明瞭な子どもの診かた，臨床の流れ．平野哲雄，他（編）：言語聴覚療法臨床マニュアル，改訂第3版．pp366-367，協同医書出版社，2014 より改変〕

調運動障害の疑いがある．上記の行動がある場合，作業療法士から運動面に関する情報を収集する必要がある．

(3) 発声発語器官の器質的異常の有無について

口腔内視診や聴覚印象で，舌小帯の付着異常，口蓋垂裂，不正咬合などがあった場合，舌小帯短縮症，粘膜下口蓋裂などが疑われる〔3章1節B項（➡135頁）を参照〕．器質性の問題の有無について関連職種への受診を勧め，情報収集する必要がある．

(4) 言語発達と構音発達の経過

構音障害を呈する子どもは言語発達遅滞や構音発達の遅れの既往がある場合が少なくなく，語彙力の低下や音韻処理の曖昧さなどから構音の誤りが見られる場合もある．主訴が構音の不明瞭さでも，言語発達の遅れに対する介入を優先したほうがよい場合があり，言語発達評価は必須である．構音訓練が長期化する難治性の子どもに音韻処理や語音知覚の問題を有することがある．そのため音韻障害の有無に関して評価を行う必要がある．

(5) その他

①食事面

構音に問題がある子どもに，偏食が多い，軟食傾向があるなど食事面で問題を有する場合がある．そのため，口腔機能の巧緻性の低下をきたしている場合もあるので，保護者から，咀嚼を要する食材（野菜，果物，肉など）に対して偏食があるか，よく噛んで食べているか，食事のときの姿勢など食事面の情報収集を行う．積極的な構音訓練前に食事の問題がある場合は，生活全体に目を向け，食事へのアプローチをすることで舌運動の改善を試みる．

②言語環境

構音障害を有する子どもに対する養育者や教育機関の保育士，教諭などの働きかけ，周囲の子どものからかいや兄姉の構音障害の有無などの情報も収集する．必要に応じて環境整備を行う．

b 検査

1) 構音検査

構音検査は**新版構音検査法**が普及している（今井2010）．本検査法は，検者である言語聴覚士の聴取判定と構音操作の観察に左右されるので，言語聴覚士の「耳」のトレーニングと音声学的知識は必須である．特異な構音操作の誤りでは，側音化構音であれば，後続母音イ列に沿って聞いてみるなど，それぞれの構音障害を聞き取るポイントがある．構音障害の特徴に応じた聴取をすると聞き取りやすい〔表3-6，7（➡146，148頁）参照〕．また，子どもの音声の録音・録画記録は繰り返しの評価や複数の検者での構音分析が可能となるので，録音・録画を行うことが望ましい．

(1) 目的

構音検査は，構音障害の有無，構音発達の状態の把握と，構音訓練を実施するにあたってその訓練指針を得ることを目的として作成された患者ごとの構音を分析する臨床検査である．対象例の音韻体系および構音技能の獲得状況と構音の誤りの傾向を把握する．

(2) 対象

系統的構音訓練の適応となる就学前幼児以降に行われることが多いが，症例によっては3歳でも可能である．

(3) スピーチサンプル

①会話の観察，②単語検査，③音節検査，④音（被刺激性）検査，⑤文章検査で，聴覚的・視覚的に評価する．

①会話の観察

会話の観察は構音検査を実施するに先立って予備資料を得る目的で，被検者の構音障害の特徴，声（共鳴：開鼻声や閉鼻声の有無とその程度，嗄声の有無など）の状態，プロソディや会話明瞭度を観察する．会話明瞭度は日常会話の明瞭度を評価する．

②単語検査

単語レベルの評価を行う．単語検査は50単語の絵カードを提示し呼称検査を行う．基本的には自発的な構音状態を把握する目的なので呼称とするが，被検者が絵カードを呼称できない場合は復唱を促す．誤り音の種類，構音操作の特徴や誤り方・起こり方の一貫性や誤りの型を把握する．

③音節検査

単語検査で誤りがあった音で実施する．単音節で検者が音声見本を被検者に聞かせ，注意を促した状態で評価する．必要に応じて，子音＋母音のCVのみではなく，母音＋子音＋母音のVCVでの評価も行う．

④音（被刺激性）検査

音の修正がみられなかった音で，音声見本を聞かせた状態で構音の変化があるか評価し，構音訓練の手がかりである被刺激性や誤り音にみられる共通性を探る．

⑤文章検査

連続発話における構音の定着を評価する．評価は復唱で行う．復唱で1回に文の復唱ができない場合または何度も提示しないと復唱できない場合，聴覚的把持力の問題が疑われるので注意する．

(4) 記載方法

検者は被検者が産生する音を聞き取り，音の正誤や誤り音については，国際音声字母(IPA)に基づいて転記する．新版構音検査の表記は簡略音声表記となっており，IPAの音声表記〔1章4節B項表1-6(➡47頁)参照〕と異なる部分がある．ただしIPAの補助記号を含めた音声表記ができるように，聴取能力を磨くことが望ましい（➡ Note 5(45頁)，Note 23）．整理シートで，音ごとに後続母音や語内位置別に結果を整理する．

(5) 構音類似運動検査

構音操作に関連する構音器官の運動面（構音の構えや随意的な動作）を評価する．

(6) 構音の分析・判定

構音評価から，**構音の誤り方や誤りの起こり方**

> **Note 23. 省略，置換，歪みの記載方法**
> 省略：省略された部分に/(斜線)を記入
> 　例：[hasami]で[atami]と聴取された場合，
> 　　　[/hasami]
> 置換：置換された部分の子音を下に記入し，IPAの記号を書く
> 　例：[koppu]が[toppu]と聴取された場合，
> 　　　[koppu]
> 　　　　t
> 歪み：歪み音で音声転記が難しい場合，歪んだ音に△を記入し，どのような音に聴取されたか，記載する．
> 　例：[m]に近い音に聴取された場合，[△asu]
> 　　　　　　　　　　　　　　　　　　mに近い

とそれぞれの**一貫性の有無**，**構音操作の特徴**などの分析を行う．起こり方や誤り方に一貫性がある場合は**習慣化**されていると判断し，一貫性がない場合は習慣化されていない場合と言語発達の遅れが疑われる場合がある．また誤り方が**音位転換**など言語発達の初期にみられる誤り方がある場合も，**言語発達の影響**が考えられる．結果の解釈は分析結果から，発達途上にみられる構音の誤りか，特異な構音操作の誤りであるかを判定し，構音訓練で有効と思われる刺激の与え方や構音訓練の適応などの言語療法の手がかりを抽出する．

2）構音器官の観察・口腔内視診

構音器官の形態と機能時を観察し，問題点を抽出する（表3-8）．ことばへの影響があると思われる各発語器官の所見から，単独の発語器官の形態や動きの問題点を抽出するのみではなく，複数所見から問題を統合して考える必要がある．

3）鼻咽腔閉鎖機能評価

必要に応じて，鼻咽腔閉鎖機能の評価を行う．鼻咽腔閉鎖機能の評価は，単独の評価方法で判定することはできないため，複数の評価方法で総合的に判定される．単に鼻咽腔閉鎖機能の程度を判定するのみではなく，鼻咽腔閉鎖機能不全の病態（軟口蓋の長さあるいは動きの問題なのか，どの

表 3-8 口腔内視診

発語器官	評価項目	症状	懸念される問題
口唇	形態 動き	口唇の長さが短い 口唇が硬い(触診)	口唇音への影響 口唇音の歪み，上顎の劣成長
眼	症候群の特徴	細くて腫れぼったい，両眼離開 アーモンド様眼裂 切れ長の眼瞼裂，下眼瞼外反	22q11.2 欠失症候群 Prader-Willi 症候群 新川-黒木症候群(カブキメーキャップ症候群)
鼻	外鼻の形態，対称性 鼻呼吸 鼻渋面	鼻柱の傾斜，狭窄した鼻孔 鼻屋と鼻翼の接合不全 呼気・飲食物の鼻漏れ 鼻呼吸ができない 母音[i]に先行する子音，摩擦音，破擦音，破裂音産生時に起こる鼻根部，鼻翼付近の顔面筋肉の収縮	咽頭と鼻の気道制限 22q11.2 欠失症候群 瘻孔，鼻咽腔閉鎖機能不全 鼻疾患，扁桃肥大，鼻中隔弯曲症 鼻咽腔閉鎖機能不全
中顔面	中顔面の長さ	中顔面が短い 中顔面が長い	上顎の劣成長，閉鼻声 鼻咽腔閉鎖機能不全，22q11.2 欠失症候群
咬合	咬合の状態	不正咬合：上顎前突，下顎前突 開咬，交叉咬合，反対咬合 過蓋咬合	歯列異常による構音への影響(歪み) 歯列異常による構音への影響(歪み) [s] [dz] などへの影響
上顎	形態	中間顎の突出(特に両側性口唇口蓋裂の場合)	口唇閉鎖不全(口唇音)
下顎	大きさ，偏位 症候群の特徴	小さい 偏位	Pierre Robin 症候群，第 1・第 2 鰓弓症候群など 顎変形症，不正咬合
歯	歯牙の数，う蝕 萌出の場所	欠損，う蝕 異所性萌出	[s] [dz] などへの影響 永久歯の歯列不正・咬合・構音への影響
歯列弓	形態	歯列不正，狭窄歯列	歯茎音 [t] [s] [dz] などへの影響，口蓋化構音，側音化構音
硬口蓋	瘻孔(大きさ，位置，形) 形態(高さ，幅，瘢痕) 矯正装置	瘻孔 浅い口蓋，横幅が狭い口蓋 後端の骨の V 字欠損 上顎前歯に装置	呼気・飲食物の鼻漏れ，鼻咽腔閉鎖への影響 構音への影響 口蓋垂裂がある場合は触診(Calnan の三徴候) 構音への影響
舌	大きさ 舌小帯 安静時の舌尖の位置 左右の口角つけ 舌尖で上顎歯茎を触る 奥舌挙上 舌打ち	大きい 小さい 挺出時の舌尖のハート状のくびれ 低舌位 舌突出 口角を舌尖で触れることができない 上顎歯茎部を触れない 挙上がたりない 舌打ちができない	巨舌症 小舌症 舌小帯短縮症 舌癖，開咬，構音への影響 開口，アデノイド顔貌(→鼻炎，扁桃肥大) 構音への影響，巧緻性の低下，舌小帯短縮症 構音への影響，巧緻性の低下，舌小帯短縮症 構音への影響，咽頭破裂音 構音への影響，巧緻性の低下
軟口蓋	軟口蓋の形 口蓋垂の形 軟口蓋の長さ 軟口蓋の動き 瘢痕	瘻孔，非対称性 正中部の筋の透過性 口蓋垂裂 軟口蓋長が短い 軟口蓋の動きが悪い	鼻咽腔閉鎖機能不全，開鼻声 粘膜下口蓋裂(Calnan の三徴候) 粘膜下口蓋裂(Calnan の三徴候) 鼻咽腔閉鎖機能不全 鼻咽腔閉鎖機能不全
咽頭側壁	口蓋扁桃の大きさ /a/ 発声時の側方からの動き	肥大	閉鼻声，開口(口唇閉鎖不全，食事の飲み込み)
咽頭後壁	/a/ 発声時の前方への動き	深咽頭 passavant 隆起	鼻咽腔閉鎖機能不全 鼻咽腔閉鎖機能不全

ような発話条件のときに鼻咽腔がどのような動きをするのか，など）を評価することが重要である（→ Note 24）．

鼻咽腔閉鎖機能の評価は，本邦では1980年に日本音声言語医学会で開発され（阿部1980），現在では日本コミュニケーション障害学会の口蓋裂言語検査法が普及している[23]．

(1) 開鼻声
①聴覚判定
言語評価の根幹をなす評価方法である（→ Note 25）．「耳」のトレーニングをした言語聴覚士が開鼻声の程度，閉鼻声の有無を行う．開鼻声は4段階評定され，閉鼻声は2段階評定されている．症例が呈示されているDVDで言語聴覚士の研鑽が必要である[23]．

②ナゾメータ検査（図3-16）
1972年にFletcherにより開発された開鼻声の客観的評価方法である[24]．聴覚判定と相関があることが報告されている[25]．近年は口蓋裂専門外来を有する施設では，従来の聴覚判定に加えてルーチンに行う施設も少なくない．開鼻声の口蓋裂治療にかかわる多職種間での共通理解には有効なツールである．

鼻孔下に隔壁板を置き，隔壁板の先端に単一マイクロフォンが設置されることで，鼻と口からの音響エネルギーに対して鼻からの音響エネルギーがどの程度あるのか，開鼻声値を算出することができる．評価に使用する課題は，母音，口腔内圧が低い文（例：「よういは　おおい」），口腔内圧が高い文（例：「キツツキ　きを　つつく」）がある．短所として，鼻雑音がある場合は，鼻咽腔閉鎖機能の程度が軽度であっても高値になることもあり，ナゾメータ検査の数値のみで鼻咽腔閉鎖機能の程度を判定することはできない．性別，年齢，方言により値が異なることも報告されている[17]．

(2) 鼻息鏡検査
呼気の鼻漏れを容易に確認できる評価方法である．鼻息鏡検査においてもブローイング時，子音および母音発声時など，どのような発話状況における鼻漏れかを把握する必要がある．

評価方法は鼻孔下に鼻息鏡を置き，呼気の鼻漏れを確認する．鼻咽腔閉鎖機能の程度により，症例によって呼気鼻漏に一貫性がない場合があるので，留意する必要がある．よって，鼻漏れの有無を確認することにとどめたほうがよいときもある．鼻炎など罹患しており，混合性鼻声が疑われる場合は事前に鼻汁をかんで評価したほうがよい．また，鼻息鏡が温まっているとくもらない場合があるので，事前に裏面をアルコール綿で拭き，鼻息鏡を冷やした状態での評価が望まれる．

(3) 鼻咽腔形態と機能
①側面頭部X線規格写真（セファログラム）
（図3-17）

矯正歯科などで顎発育や咬合など硬組織を評価する場合，利用される方法である．鼻咽腔閉鎖の軟組織でも活用されている．数値化が可能で客観的評価として利用が可能である．口腔内視診の軟口蓋長や咽頭の深さなどと対応して評価が可能である．

評価される状態は安静時，発声時（[a:]もしく

> **Note 24. 口腔内圧**
> 鼻咽腔閉鎖は，語音産生には必須のものである．閉鎖状況は何をしているかで強度が異なる．口腔内圧の高低に関する評価にも留意したほうがよい．最も強度が強いのは嚥下や反射であり，ブローイング，非鼻音性の子音，母音，鼻音の順に低くなる．
>
> **Note 25. 標準的口蓋裂言語評価[1]**
> 近年，口蓋裂言語評価において，海外では臨床評価とは別に，施設間あるいは多言語間で治療効果の比較が可能な標準化された検査法〔標準化口蓋裂言語評価(The Cleft Audit Protocol for Speech-Augmented；CAPS-A)〕が提案され（John 2006），口蓋裂言語アウトカムを報告する際に臨床や研究面で，幅広く用いられるようになってきた．現在，本邦でも口蓋裂言語の標準化評価 CAPS-A-JP の開発が検討されている．
>
> 引用文献
> 1）緒方祐子：口蓋裂に関する標準的言語評価とpatient reported outcome のQOL評価の意義．音声言語医　61：309-314, 2020

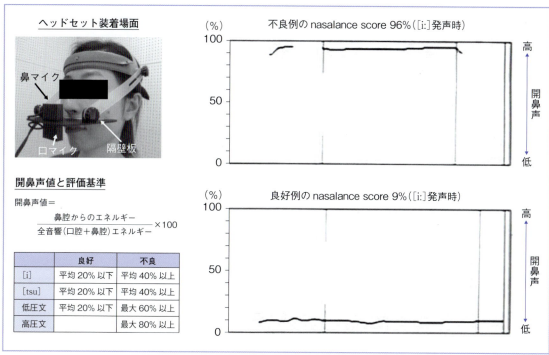

図3-16　ナゾメータ検査
低圧文の例：「よういは　おおい」，高圧文の例：「キツツキ　きを　つつく」．
〔緒方祐子：鼻咽腔閉鎖機能の評価．斉藤裕恵（編著）：言語聴覚療法シリーズ8　器質性構音障害．pp103-109，建帛社，2002より改変〕

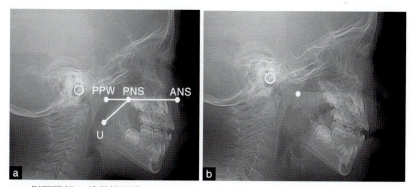

図3-17　側面頭部X線規格写真
早期より構音訓練を開始した例の4歳時．
a：安静時．咽頭腔の深さ(PNS-PPW)：18.44 mm，軟口蓋長(PNS-U)：26.67 mm，軟口蓋長/咽頭深度＝1.45
b：[i:]発声時．咽頭口蓋間最短距離：0 mm，軟口蓋の鼻腔側と咽頭後壁が接している．空隙は認められない．
ANS：前鼻棘，PNS：後鼻棘，PPW：咽頭後壁と口蓋平面(ANSとPNSを結んだ線)の交点，U：軟口蓋先端．
〔九州歯科大学口腔外科より提供〕

は[i:])などで評価される．計測項目は，安静時は軟口蓋長(口蓋平面上の後鼻棘から軟口蓋先端部の距離)，咽頭深度(口蓋平面上の後鼻棘から咽頭後壁の距離)，咽頭深度に対する軟口蓋長の比，発声時は，軟口蓋と咽頭後壁の最短距離などである．短所として，側方からの撮影であるため，軟口蓋の正中部に筋断裂にある例などはセファログラムと聴覚判定の開鼻声の結果に乖離がある場合

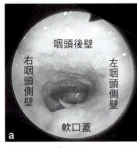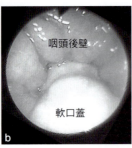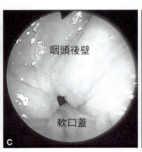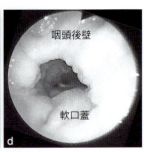

図 3-18　鼻咽腔ファイバースコープ検査での閉鎖状況の確認
a：安静時．b：閉鎖良好．空隙がみられない．c：軽度不全．安静時の 1/2 未満の空隙．d：不全．安静時の 1/2 以上の空隙．
〔鹿児島大学口腔顎顔面外科より提供〕

があり，軟口蓋の鼻腔側から評価できる鼻咽腔ファイバースコープでの評価が必要となる．

②鼻咽腔ファイバースコープ

鼻咽腔閉鎖機能の程度が軽度不全または不全が疑われる場合，ルーチンに行ったほうがよい評価方法である．

鼻孔から直径 3 mm 程度の細いカメラを挿入し，軟口蓋上方から鼻咽腔閉鎖を観察する方法である．患者の協力が得られれば 4 歳ごろから可能である．安静時の鼻咽腔開口部の大きさ，単語，文，会話などを発話しているとき，軟口蓋，咽頭側壁，咽頭後壁の動きに基づく閉鎖パターン，発話時の鼻咽腔閉鎖時の閉鎖の程度（空隙の大きさ），アデノイドの大きさなどを観察することができる．鼻咽腔閉鎖機能不全で，咽頭弁形成術を検討している場合の咽頭側壁の動き，またはスピーチエイドでの補綴治療を行う場合のバルブの位置や大きさの検討などに有用な情報を得ることができる（図 3-18）．また，鼻咽腔ファイバースコープ検査は，口腔内視診で軟口蓋などの鼻咽腔の動きがみられたのち，評価することが望ましい．声門破裂音など特異な構音操作の異常がある場合には動きがみられず，咽頭弁形成術の検討などの際，患者がもっている鼻咽腔の動きが反映されていない場合がある．

(4) 鼻咽腔閉鎖機能の総合的判定

上記の評価結果から，総合的に良好，ごく軽度不全，軽度不全，不全と総合判定される．詳細に関しては口蓋裂言語検査を参考にされたい[23]．

3　小児の発話障害の介入

a　訓練の基本的な考え方

1）構音訓練の目的

構音訓練は，適正な構音操作の形成と誤った構音操作の学習の除去のための働きかけを行うことである．対象とされた音について適正な構音操作を学習し，単語，文，会話などいろいろな発話条件下で適正な構音の習慣化と自動化を目的とする．

2）構音訓練の適応

構音障害の構音訓練の適応は，以下のような対象児の状態を見極めて，積極的な介入を検討する．①構音の誤りがあることで日常生活に支障をきたしているもの，②自然治癒が難しいもの，③構音障害のため二次的にコミュニケーション意欲の低下などの心理社会的問題を有する場合があるなどである．

3）構音訓練のための環境調整

構音訓練開始には，構音障害の要因があれば，その除去および軽減を図り，訓練目標を子どもや家族とともに協議して設定し，構音学習を促すための環境整備を行う．問題に応じて，関連職種の

評価・加療を依頼し，学童期以降はことばの教室や教育機関との連携を行う．

4）生活年齢からみた言語発達と構音発達との検討

構音訓練の適応があるか，言語発達，子どもの生活年齢と構音発達を考えて，自然治癒の可能性など関連要因を検討する．

5）構音訓練の対象年齢

音から音節，単語，文，会話と段階を上げていく積極的な系統的構音訓練は，音の単位を分解して聞き取る力が備わった4歳以降が適当であるといわれている[9]．自然治癒が考えられる発達性の構音の誤りに関しては，3歳代までは，言語発達とともに経過観察を行うことが多い．しかし，4歳未満でも周囲からのことばかけの工夫，舌運動や食事指導など間接的な構音へのアプローチを行い，構音障害の発症・固定化を**予防**する必要もある．

6）情緒面への配慮

子どもの情緒面にも配慮して，経過を観察する場合もある．年齢のみならず，子どもの構音と発達面・情緒面など多面的に分析して構音訓練の適応を考えていく．

7）訓練頻度

積極的な介入の訓練回数は週1回40分程度が，訓練効果が得やすい．間をあけると，訓練効果の積み重ねが難しくなることがある．

8）訓練手続き

構音訓練は，情報収集→評価（構音，言語発達，聴力，口腔内視診など）→環境整備（他職種との連携を含む）→構音訓練→再評価→終了時期の検討，以上の手順で行う．鼻咽腔閉鎖機能不全や狭窄歯列などで，積極的構音訓練前に医療的介入が優先される場合は，関連職種と協議して治療方針を決定する場合がある．

表3-9　小児の構音障害へのアプローチのポイント

- 構音障害の要因を把握する（聴力，運動性障害，器質性障害，言語発達，言語環境などの確認）．
- 適正音を知る→適正音はどのように構音されているか？
- 子どもの音を聴いて発話器官はどのように動いているのかを考える（言語聴覚士としての「耳」を鍛える）．
- 構音障害の特徴から問題点を考える．
- 構音障害の問題点から適正音へのアプローチを考える（フィードバックの工夫）．
- 他職種連携の要否を検討する．
- ご家族との連携の必要性の検討を行う（家庭での構音練習の復習，食事の工夫など）．

b 訓練の実際

小児の構音障害へのアプローチのポイントを表3-9に示す．

構音の訓練プログラムは，**系統的な構音訓練**にて会話への般化を目標に行われる．系統的構音訓練とは「正しい音をつくり，それを習慣化させて日常会話で自由に使えるようにするための練習方法であり，単音，単音節，無意味音節，単語，短文，文章，歌，会話などの段階を追って訓練を進める方法」と定義されている[10]．

構音訓練の実際は，3つの段階で進める（図3-19）．

1）誤り音の自覚（音韻認識へのアプローチ）

構音障害が長期化し構音訓練に難渋している構音障害は，外的な語音弁別はできるが，内的な語音弁別が難しく，その結果，特定の音の自己修正ができず誤った構音を習慣化していることが少なくない．そのために聞き分けの練習を実施する．音韻認識が向上し，目標音と構音に問題がある音を対比し，目標音を認識し，構音の自己修正ができるようになれば，構音の改善が期待できる．

(1) 聞き分け練習の流れ

語音弁別を促す方法は，①構音に誤りがあることを説明する，②構音訓練の目標音を同定する，

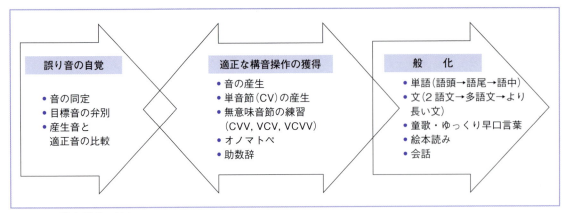

図 3-19 構音訓練の流れ
誤り音の自覚は，適正な構音操作の獲得の段階でも適時行う．適正な構音操作の獲得の状況を観察しながら，般化の段階へ進む．

③種々の音のなかから目標音を同定する，④複雑な文脈のなかで目標音を同定する，⑤単語内における目標音の位置を同定する，⑥音節の分解や抽出を促し，さまざまな音から目標音を弁別する，⑦複雑な文脈のなかで目標音を弁別する，⑧音節から語を組み立てる，⑨患者・患児が出した音と適正音と比較照合する，である（福迫1983より改変）．特に，⑨の比較照合は内的モニタリングを形成するためには重要な過程である．

具体的な指導には，おはじき・積木を利用したモーラ分解，ミニマル・ペアでの対比した弁別課題，カルタ遊び，しりとり（口頭・書き取り・絵カードの配列），絵（文字）カードの配列，ひらがなの文字指導など音韻を意図した遊びを利用した働きかけが有効である．

言語発達を促し，語彙拡大や語音弁別として音韻へのアプローチなどをすることで，発達性の構音の誤りが自然治癒する症例も存在する．症例によって，構音訓練を行うべきか，言語発達促進を優先したほうがよいかを検討する．

語音弁別課題を行った後，音をつくる段階に入る．ただし，語音弁別が困難な場合，音をつくる段階に入りながら弁別力を高めていく場合もある．

2) 適正な構音操作の獲得

(1) 構音訓練のアプローチ方法

構音訓練の実際のアプローチは，目標音（適正音）の構音操作と構音障害がある音の構音位置，構音操作を照らし合わせて，誤学習した構音と目標音ではどのように異なるか，近づけるためにはどのようなことが必要かを熟慮する必要がある．

音をつくるアプローチは構音障害の種類により異なるので，症例の構音障害の種類や刺激に対する反応を見ながらアプローチ方法を検討する．

①聴覚刺激法

目標とする音を聞かせ，模倣を繰り返すことで適正音の学習を促す方法である．適応は置換で用いられることが多い．目標音と誤っている音の正誤の聴覚的弁別があり，刺激により変化がみられる場合は有効である．変化がみられない場合はほかの方法を選択する．

②漸次接近法

治療者が患者と同じ音を産生し，次にその音より適正に聞こえる音に近い音を出す．その過程を徐々に繰り返し，患者に模倣させ，適正音の学習を促す方法である．適応は，[t]と[tɕ]，[ts]と[s]，[dz]と[d]など誤り音と目的音の構音位置が近いこと，聴覚印象において両者に大きな違い

がない音であること，である．

③鍵となる語を使う方法

誤って産生している音でも，特定の単語では適正音を産生している場合がある．適正音を出しているキーワードを利用して音の獲得を行う方法である．

④ほかの音を変える方法

患者がすでに獲得している音を利用して，目的音の学習を促す方法である．例えば，[ts]から[s]へ，破擦音から摩擦音へ誘導するなど，聴覚刺激を与えて音の学習を促す．

⑤構音位置づけ法

患者に目標音の構音位置や構音操作を説明し，音の出し方を提示したうえで目的音の学習を促す方法である．理解を促すために構音位置を示した側面図，EPG，鏡など視覚的な道具や機器を用いる．側音化構音や口蓋化構音など聴覚刺激で変化がみられない構音障害に用いられることが多い．

(2) 導入する「音」の選択

子どもの生活年齢と構音発達の段階を考慮しながら，構音操作が容易なものから難しい音へ，短いものから長いものへ，被刺激性のあるものからないものへ，一貫性がないものからあるものへなど，取り込みやすい音からの導入が望ましい．複数の音が目標音となる場合は，目標音を明確に子どもに示すことが大切である．単語の練習で明らかに産生できていない音と練習をしている目標音を同時に練習することは，子どもに混乱をきたす．言語聴覚士は目標音を選定して，子どもが産生できる音のみが入っている単語を選定し，刺激の入れ方に留意する必要がある．

3) 般化（新しく獲得した音の拡大）

適正な構音の産生ができたら，子音＋母音（CV），母音＋子音＋母音（VCV）などの練習を行い，定着を図る．

(1) 般化を促すときの留意点

学習できた構音操作を音から音節と拡大していく．再現性のある構音操作が可能となった後，単語，文，会話と系統的訓練へ進む．「音」をつくる段階を確実に獲得すると単語や文レベルに容易に般化する例は少なくない．しかしながら，単音節まではできるが，単語になるとできない，単語まではできるが文や会話には般化しないということも散見される．般化が難しい場合，構音訓練は基礎に戻って，音や音節の反復練習をするのが基本である．単語から単音節へ戻っても般化が難しい場合，今村は「無意味音節段階と単語段階の練習の間の橋渡しをサポートする課題」の必要性があると述べている[26]．すなわち，意味と構音の意識を両立することが必要で，般化が難しい場合，オノマトペや数を数える助数辞を取り入れた練習を追加すると，「反復練習における意味と構音への意識」「意味を復元するために行う構音の修正」「意味のまとまりをもつ範囲を発話全体に広げる」などの工夫が可能である．また，文から会話に移行する場合，童歌の数え歌，遊び歌や早口ことばをゆっくり言う練習や，会話での般化を評価する際，Q＆Aのことばゲームでお互いのカードを連想・類推することば遊びなどを行い，子どもの興味に対応した課題の選定が重要である．般化が難しい場合，どの段階で般化が滞っているかを分析し，前の段階の練習の再開や橋渡しの課題を考慮することが重要である．

(2) フィードバックの重要性

音から音節の構音訓練を進める際，留意することは，産生音に対する正誤判断に関するフィードバックが重要であることである．フィードバックの工夫で内的モニタリングも向上し，構音の改善が期待できる．いかに子どもの適正な反応に言語聴覚士がフィードバックするかが構音訓練の鍵となる．

適正音として他者にも自己にも知覚される範囲の音を実現するような構音操作に対して「正」，その範囲に入らない音に対して「誤」というフィードバックを治療者（言語聴覚士）が適宜伝えることが重要である．ただし「誤」反応に関しては，言い直しなどを求めていると子どもの構音訓練への気持

ちを維持できなくなるときもあるので，少しでも「正」反応があったら褒めることが大事である．フィードバックは，「正」反応に対して口頭で褒める，子どもが喜ぶ玩具（おはじき，積木，双六，シールなど）を利用し，「正」反応の連続強化から部分強化へと段階づけをした方法で，適正音の定着を行う．

従来の口頭などのフィードバックのほかに，機器を使った視覚的フィードバック方法がある．言語聴覚士が目標とする構音操作が子どもにもわかりやすい．機器としては，口腔内の構音操作を観察できるEPG（図3-10, 11），呼気流を確認できる鼻息鏡（図3-12）や後述するSee-Scapeや聴診器（後述の図3-26）などの活用が有効な場合もある．道具・機器を使うことにより構音訓練のモチベーションも上がることがある．

(3) 家庭学習と情緒面に配慮した働きかけ

構音訓練は言語療法室のみではなく，家庭での練習も重要である．家庭学習を依頼する場合は，言語療法室で確実に産生できる音に限定し，養育者が繰り返し，適切にできる家庭課題を依頼する必要がある．まだ反応が不安定な状態で家庭学習を依頼すると誤った構音操作を強化してしまうこととなるので注意する．また，患者自身の自己モニター力を促すため，周囲の協力も欠かせない．誤った音を強化せず，適正音を正しく産生したときのみ「褒める」などのフィードバックする声かけの工夫を家庭でもするように依頼する．時折，言い直しを強要し，子どもにことばに対する心理的負荷をかける場合もあるので，強要しないような環境調整や情緒面への配慮が必要である．

(4) 構音訓練の終了の判断

以上の過程を経て，適正音が日常会話へ般化し，経過観察期に後戻りがないと判断したとき，構音訓練の終了を検討する．

4) 構音訓練の実際
—個々の音をつくる前に必要な段階

[s]が[t]に置換する場合や，口蓋化構音と側音化構音の問題点は，舌の巧緻性の低下である．[s]が[t]に置換する場合は，[s]産生時に前舌が口蓋前方部に接触してしまい，舌尖部に力が入りにくいときがある．口蓋化構音は，前舌や舌縁部の低緊張がある一方，中舌から奥舌の舌背は緊張が高く，舌全体が安定していない（図3-13）．症例によっては舌挺出をすると棒状になり，舌を横広く保持することができないときがある．側音化構音は，下顎や口角の動きのみならず，左右対称の舌運動が難しく，舌縁部を左右の臼歯部に接して舌平らを保持することが難しい．

従来より，口蓋化構音や側音化構音のアプローチは，鏡を見ながら舌平らを促し，舌がピクピク動かさないようにすることがポイントであるといわれている（福迫1983）．しかし，鏡を見ながらの練習で舌平らを定着するには時間を要する場合が多い．そこで，構音訓練前の舌に対するもう一段階の工夫を紹介する．なお，丸飲み込みをするなど食事の改善が必要な場合は，養育者への協力を依頼する．

(1) 水ための練習

舌の安定化を図るため，水を舌の上に数滴垂らし，舌平らを促しながら，舌の中央窩をつくる練習を行う（図3-20a, b）．これは[s]や[t]などの舌の構えを促すと同時に中舌から奥舌の力を抜く学習を促す．

(2) ガムの練習

ガムの練習で舌平らを促すことが有効なときもあり（図3-20c），以下の4つのステップで進める．①ガムを左右交互に臼歯で噛む：左右の臼歯の上に舌でガムを移動し，舌の巧緻性の向上を図る．②ガムで丸い食塊をつくる：舌の巧緻性に問題がある場合，ガムの食塊形成で丸くすることができず，蛇状に長くなり，食塊が形成できず粉々になる症例もいる．③舌背に丸くなったガムをのせる：丸くしたガムを中舌の舌背に置き，保持することも舌の安定化につながる．舌背が盛り上がると，ガムが口の外に転がってしまうことも観察される．④ガムを舌背にのせたまま，舌を前後に

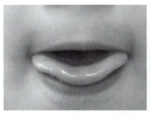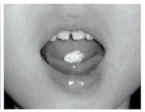

図 3-20 舌の安定化を図る
a：舌の中央窩，b：水スプレーを利用した水ための練習，c：ガムの練習．

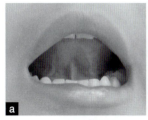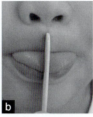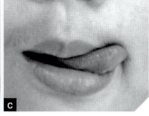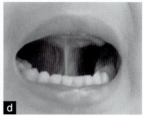

図 3-21 口腔筋機能療法を併用した言語療法
a：spot，b：tip and stick，c：lip tracer，d：popping, open-close．

動かす：舌背のコントロールができたら，舌上に保持したまま，舌を前後に動かす．この場合も舌が安定しなければ，ガムが口の外に落ちてしまうことがある．なお，矯正装置をしている場合は装置の不具合を生じることがあるので行えない．

(3) 口腔筋機能療法 (MFT) を利用した舌に対するアプローチ

[s][t][n]の構音位置を舌尖で触る spot (図3-21a)，[s]の構音時に必要な舌尖の力を誘導する tip and stick (図3-21b)，舌尖で上口唇を10秒程度でゆっくり舐める lip tracer (図3-21c)，舌全体を硬口蓋に吸いつけ音を舌打ちで「ポン」と鳴らす popping (図3-21d)，舌全体を硬口蓋に吸いつけたまま下顎の上下運動を行い，舌小帯を伸ばす open-close (図3-21d) などで舌の異常な動きを除去し，巧緻性を向上する (➡ Note 26)．

上記の口腔機能へのアプローチで舌の安定化を定着させた後，従来の音をつくる構音訓練へ移行する．舌のアプローチのみで構音を治すことはできない．

> **Note 26. 口腔筋機能療法**
> **(oral myofunctional therapy；MFT)**
> 構音訓練の一環として，音を作る構音訓練の前段階に舌に対するアプローチを行い，舌の巧緻性の向上を目的とする．ただし，構音訓練に応用するMFTは舌へのアプローチをしても構音が改善するのではなく，**あくまでも構音訓練前の準備としての方法である**．MFTに関しては歯科関連の専門職との連携で詳しく学ぶことが大切である．

5) 構音訓練の実際―個々の音をつくる段階

(1) [s]が[t]に置換する場合

個々の音をつくる前段階で舌の状態が安定したら，聴覚刺激法で呼気を歯茎部に強く当てるように強調して[s]音を強化し，定着を促す．呼気が弱い場合は，直径1mm程度の細めのストローなどを[s]の構音位置である上顎歯茎部に当て，呼気流音を子どもにわかりやすくフィードバックする方法もある．[s]音が定着したのち，[sa][su][se][so]と後続母音を変えて，系統的構音訓練で般化を目指す．

(2) [k]が[t]に置換する場合

①舌圧子で前舌部を押さえ，[k]を産出する．この方法で明瞭な[k]を誘導できた場合は，適正音を強化していく．

②上記が難しい場合は，[aːŋ]音から奥舌挙上を誘導し，[aːŋa]から[ŋa]へ，[ŋa]から[ga]へ，[ga]から[ka]へ誘導する．

③上記①②が難しい場合，軟口蓋への冷水スプレーをし，水で[k]の構音位置である軟口蓋に当て，奥舌挙上を誘発する方法もある．

いずれかの方法で奥舌挙上を強化し，軟口蓋音を産生していく．[ka]が定着したのち，ほかの後続母音へ拡げ，系統的構音訓練の般化の段階へ進む．

[ke] [kʲi]が[tɕ]に置換する場合は構音位置が上顎口蓋歯茎部になっているので，上顎口蓋歯茎部に舌が接触しないようにする必要がある．舌圧子を口蓋歯茎部に挿入し，舌が舌圧子に当たらないようにすれば，適正音へ誘導することができる．

(3) 声門破裂音

声門破裂音へのアプローチポイントは，声門周辺の過緊張の軽減である．Golding-Kushner は，図3-22 に示すステップを推奨している[27]．声門周辺のリラクゼーションを行うため，ささやき声による母音の発声から始める．最初の目標音は，声門から最も遠い口唇音から開始する．声門破裂音は二重構音(声門周辺と口腔の２か所での破裂)にも注意が必要で，声門のリラクゼーションを行いながら，スモールステップで構音にアプローチし，適正音の産生を目指す．一方，鼻咽腔閉鎖機能不全がみられる症例の場合は構音訓練を行い，音の産生が可能になっても共鳴の異常(受動的な誤り)があり，鼻咽腔閉鎖の改善がみられなければ，補綴治療や口蓋裂二次手術の検討を行う．

(4) 口蓋化構音

構音訓練の前段階により舌の異常な運動が除去された後，症例にとって容易な音から訓練を開始する．口蓋化構音も二重構音(前舌音などの目標音と口蓋化している誤り音)になることがあるので留意する．構音障害が長期化する場合，EPG (図3-10, 11) の活用も有効なときもある．

口蓋裂症例で狭窄歯列など咬合の問題が著明な場合は，構音訓練前に矯正治療を優先する場合もある(図3-23)．また，口蓋裂症例で口蓋瘻孔がある場合は口蓋閉鎖床の作製の検討を関連職種と協議する．

(5) 側音化構音

側音化構音へのアプローチポイントは，異常な顎運動，口角の動きや舌運動を除去し，正中から呼気を流出すること，すなわち，顎運動も口角も舌も構音操作時に正中で保持することである．特に観察しづらい舌運動へのアプローチが必要である．鼻息鏡やストローでの呼気放出の確認(図3-12)や EPG(図3-10, 11)など視覚的なフィードバックの手段を使うことにより，適正な構音操作を効率的に促すことができる．イ列の側音化構音の場合，母音[i]の舌の非対称性が問題であるため，母音[i]から開始する．左右対称の舌運動

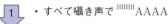

1. すべて囁き声で ^{HHHH}AAAA
2. 口唇を閉じる[p]の導入として，囁き声で ^{HHHH}AAAAp^{HHHH}AAAA
3. 途中から母音部の有声を取り入れて ^{HHHH}AAAAp^{HHHH}A<u>AAA</u>(下線部を有声にする)
4. ^{HHHH}AAAAp^{HHHH}<u>AAAA</u> と，出しから有声を導入する
5. ^{HHHH}AAAAp^{HH}<u>AAAA</u> と，p 産生時の呼気持続時間を少しずつ短縮する
6. ^{HHHH}AAp^h<u>A</u> と通常の p 音の持続を行う
7. ^{HH}Ap^h<u>A</u> と呼気を短くして/p/をつくる
8. p^h<u>A</u> から[pa]の産出を目指す

図 3-22 声門破裂音に対する適正な構音操作の獲得のステップ

〔Golding-Kushner KJ(著)，夏目長門(監訳)，早川統子(訳)．口蓋裂言語のスピーチセラピー．pp70-73，一般財団法人口腔保健協会，2018 より改変〕

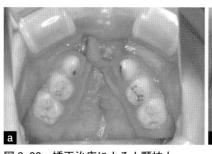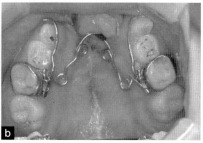

図 3-23 矯正治療による上顎拡大
a：言語療法開始時：狭窄歯列，b：上顎拡大装置で上顎を拡大．
〔九州歯科大学口腔外科より提供〕

を促すことが肝要である．

(6) 鼻咽腔構音

鼻咽腔構音のアプローチポイントは，口腔へ呼気流を放出することである．症例の状態に合わせて下記の方法を選択する．

①症例の鼻孔を指でつまみ，口腔からの呼気の放出があればそれを強化する．

②鼻つまみでうまく口腔からの呼気放出が難しい場合，[s]からアプローチをして，口腔からの呼気放出を試みる．

③鼻咽腔構音は，後続母音イ列やウ列産生時に舌背が口蓋に接し，呼気が口腔に放出しない状態である．ア列では音産生時に舌背と口蓋が離れるので，漸次接近法を利用して[ka]から[kai]を促し，[ki]の産生を促す．口腔への呼気放出の[ki]の定着を確認した後，ほかのイ列音への般化を促す．ウ列に関しても同様の方法で行う．

C 口唇口蓋裂の構音障害へのアプローチ（ライフステージに応じた対応）

口唇口蓋裂は，知的障害などの重複疾患がなければ，適切な時期に適切な治療を行うことにより社会生活に支障がない話しことばを獲得することができる疾患である．言語聴覚士のかかわりは，単なる「構音障害を治す」という狭義の構音訓練だけではなく，口唇口蓋裂の問題をふまえて，育児支援，言語発達の促進，構音発達の促進，構音障害の予防，鼻咽腔閉鎖機能の賦活および心理社会面への配慮など広義の言語介入が必要であり，それらは，乳児期から成人に至るまで長きにわたるライフステージにおける節目節目の介入が重要となる．かつての口蓋裂を対象とした言語の積極的介入では，ことばの問題が顕在化した後からの介入が少なくなかった．しかし近年は，言語聴覚士は乳児期から成人にわたるまでかかわり，言語症状の改善という狭義の言語療法のみではなく，養育者の心理的なサポートや早期介入による言語障害の予防も重要な役目となっている．

1）乳児期〜口蓋形成術

(1) カウンセリング

治療の始まりである乳児期は，口蓋裂を伴った子どもに対するアプローチのみではなく，家族へのカウンセリングも重要である．カウンセリングは，医師，歯科医師，看護師，公認心理師・臨床心理士らとともに言語聴覚士もかかわる．養育者（特に母親）が子どもを受け入れ，前向きな育児を行う支援が必要である．そうでなければ，その後の母子関係を含むコミュニケーション行動や言語発達，心理面などに影響を与えるためである．

カウンセリングの内容は，両親や家族に子どもの誕生の祝福を伝え，両親や家族の気持ちに寄り添い，子どもが成人まで受ける治療の概要，治療を受けるバックアップ体制の説明，子どもへの口蓋裂の告知に対する心構えなどのカウンセリングを行う．場合により，口蓋裂患者や家族の治療経

験者のピアカウンセリングの設定もほかの専門職と同席して行うときもある．必要に応じて，地域の口唇口蓋裂の親の会や症候群の患者の会を紹介する．

(2) 哺乳指導

養育者が乳児期に直面する心配事は，哺乳が円滑にいくかである．近年，哺乳や術前顎矯正のためのHotz(ホッツ)床が普及し，哺乳瓶からの哺乳が行われるようになってきている(図3-24)．また，哺乳量のみならず顎発育の点から，乳首の選別も必要である場合もあり，関連職種(小児歯科，看護師など)とともに，子どもに合った乳首の選定をしたうえでの哺乳指導や体重管理などが必要である．

(3) 発達評価

口蓋裂児の言語発達は，発語の遅れがみられる場合がある．要因としては，口蓋形成術前の中耳炎の罹患率が高く，聴こえの問題を有することがあることや頻繁な入院生活があることなどが考えられる．そのため，乳児期からの言語発達評価は重要である．また，言語発達のみではなく，運動発達などの全般的な発達を留意する必要がある．

(4) 聴力評価

口蓋形成術前に中耳炎に罹患する場合が少なくない．聴性行動反応聴力検査(behavioral observation audiometry；BOA)，条件詮索反応聴力検査(conditioned orientation response audiometry；COR)など発達に応じた聴力検査を行う必要がある．中耳炎罹患や聴力低下の疑いがある場合は，必要に応じて耳鼻咽喉科や小児科への受診を勧める．

(5) 子どもに対する言語療法と環境整備

乳児期はことばを話す前のことばの基礎を伸ばす段階である．コミュニケーション行動，遊びや聴覚面の反応などを観察し，ことばの遅れや難聴などを早期に発見し，言語(language)の発達のみではなく，話しことば(speech)の問題を最小限にするため，言語聴覚士は乳児からの早期介入を行う必要がある．この時期は，言語発達と音の発

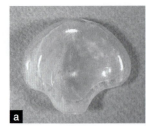
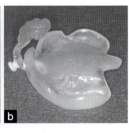

図3-24　Hotz床
a：Hotz床：術前矯正の上顎の誘導矯正と哺乳床を兼ねる．
b：NAM(Naso-Alveolar-Molding)タイプのHotz床：Hotz床に鼻のステントを合わせたタイプ．顎の誘導および鼻柱の積極的伸展，鼻翼軟骨の形態矯正による鼻尖部の挙上．
〔鹿児島大学口腔顎顔面外科より提供〕

達を促すための言語環境整備が必要であり，周囲の大人からの声かけの工夫，遊びの展開，聴力管理などを行い，言語障害の予防を行っていく必要がある．構音の発達に関しては，口蓋形成術前のこの時期は，母音，接近音，鼻音の産出があるかを評価する．言語発達同様，子音のレパートリーを増やすため，模倣を促し，子どもへのフィードバックの仕方などを養育者に指導する．

2）口蓋形成術～4歳(早期介入)

口蓋形成術術後，明瞭なことばを獲得するためには，良好な鼻咽腔閉鎖機能，年齢相応の言語発達や構音発達の促進が重要である．乳児期同様，言語障害の予防のため，早期介入の工夫が必要である．

(1) 言語発達

乳児期に引き続き，コミュニケーション行動を含めて，基礎行動，言語理解および言語表出に関して評価を行う．評価結果に基づき，発達促進指導を行う．

(2) 構音発達

言語発達促進や鼻咽腔閉鎖機能の獲得に並行して，子音の音のレパートリーを増やす時期で，固定化した構音障害を予防するためのアプローチも重要な時期である．子音の数，種類などを評価する．

(3) 鼻咽腔閉鎖機能
①評価
　口蓋形成術後の鼻咽腔閉鎖機能の良否がその後のことばを左右すると言っても過言ではない．口蓋形成術後にできるだけ早期に良好な鼻咽腔閉鎖機能を獲得し，構音の誤学習を予防する言語療法は重要である．術後，養育者から情報収集しながら，以下の評価を行う．

■ **声（開鼻声，声の高さ）の変化**
　術前後を比較し，声が鼻にこもらなくなった，声が高くなったという報告があれば鼻咽腔閉鎖機能の経過がよいと判断する．

■ **飲食物の鼻漏の有無**
　口蓋瘻孔がある場合は，瘻孔からの漏れも考えられるので，口腔内視診を術者とともに評価し，必要に応じて口蓋閉鎖床を検討する．

■ **鼻息鏡での評価**
　ブローイング，子音，母音の各発話状況での呼気漏れを評価する．ブローイングのみの漏れの場合は，口蓋瘻孔からの漏れが疑われる．またブローイング，子音および母音の発話状況の漏れがあり，かつ開鼻声が著明の場合は鼻咽腔閉鎖機能不全の疑いが大きい．

②ブローイング
　口蓋形成術後のラッパ吹きなどのブローイングの遊びは口腔へ呼気を流出するきっかけになる．しかしながら，必ずしもブローイングの練習と鼻咽腔閉鎖機能の賦活または構音の改善にはつながらない．Shprintzenらは，非発話時の鼻咽腔の動きは発話時の鼻咽腔と異なると報告しており[28]，欧米では，ブローイングに関して，すでにエビデンスがないということで推奨されていない．実際，鼻息鏡検査でブローイング時の呼気鼻漏出はないが，子音や母音で呼気鼻漏出がある症例は少なくない．Hochらは構音の練習が鼻腔閉鎖を改善すると報告している[29]．ブローイングでの鼻咽腔閉鎖機能の賦活は，口蓋形成術直後の口腔への呼気放出のきっかけになるが，早期からの構音の練習により，構音障害の誤学習の予防や開

表 3-10 ことばの強化のしかた

1. 子どもが大人のことばの刺激に注目するように口元を見せて声かけをする．
2. 大人は語頭音を強調する．
3. 言語環境整備（声かけの工夫）の留意点
・繰り返し（モニタリング）：子「ま」→親「ま，ママ」
・説明：子「ば」→親「バスだね」
・コメント：子どもの動作を言語化する．
・モデリング：モデルになることばを提示する．
・拡大，補充：子「ワンワン」→「ワンワン，犬が走っているね」と追加の情報を補充する．

〔緒方祐子：小児における特異的な構音操作の誤りとそれに対するアプローチ．言語聴覚研究 17：3-10, 2020 より〕

鼻声の軽減につながる．

③話しことば（speech）への早期介入
　構音障害と言語発達遅滞を予防するため，言語発達と構音発達の促進，鼻咽腔閉鎖機能の賦活に関して，早期介入を開始する．
　言語発達，構音発達，鼻咽腔閉鎖機能を賦活するためには，①子音の数（特に口腔内で産生する口腔音）を増やす，②①と同時に語彙を増やす，③必要に応じて口腔への呼気の流れを促す，以上が口蓋裂児には必要である．そのためには，言語療法室内のみではなく，生活全体での声かけの工夫が重要となる．すなわち，親や家族の協力が必要となる．
　言語発達に関しては，遊びなどを通じて具体的な名称理解の語彙の拡大を図りながら，表出語彙を促す．家族には，「お子さんが見ているものや思っていることをことばにかえて，声かけをすること」「お子さんの発声やことばに必ず反応を返すこと」「ことばの拡大，補充を心がけること」「声かけは，はっきり，ゆっくり，すっきり，言うように心がけること」など具体的な声かけの工夫に関して指導する（表 3-10）[30]．
　言語発達と同時に構音や共鳴に関しても，口蓋形成術前より，鼻音[m][n]，接近音[j][w]，声門音[h]音などを意識して強化していく．口蓋形成術後は，[p][b]音など口腔内圧を高める音を出す働きかけが鼻咽腔閉鎖機能の賦活につなが

図 3-25　適正音の構音学習を促す工夫
鼻をつまんで目の前の紙をふき飛ばす[p]の練習．早期から介入して口腔内圧を高め，特異的構音操作を予防する．
〔九州歯科大学口腔外科より提供〕

る．場合により，指で鼻孔を閉鎖し，口腔内圧を高め，適正音の構音学習を促す工夫を行う（図3-25）．その際，適正音が産出された場合，「褒める」フィードバックを必ず行うことを心がける．

3）4歳～就学まで

口蓋形成術から1年半ほど経つと，構音障害の有無，鼻咽腔閉鎖機能の問題などが明確になり，より詳細な構音や鼻咽腔閉鎖機能の評価が可能となってくる．評価結果に基づき，構音訓練の治療方針を立案する．

(1) 鼻咽腔閉鎖機能不全に対する治療

鼻咽腔閉鎖機能不全に対する治療は，①言語療法（構音訓練），②補綴治療，③口蓋裂二次手術に分けられる．鼻咽腔閉鎖機能の程度や病態に応じて治療方針を決定する．軟口蓋長はあるものの，軟口蓋の動きが不良の場合は，まずは言語療法を行う．もし経過がよくなければ，施設により異なるが，スピーチエイドによる鼻咽腔閉鎖の確保，口蓋裂二次手術（再口蓋後方移動術，咽頭弁形成術など）を行い，構音訓練を行う．

①構音訓練

声門破裂音など鼻咽腔閉鎖機能不全に関連が深い特異な構音操作の誤りは，構音訓練で適正な構音位置や構音操作を獲得することにより，鼻咽腔閉鎖機能を賦活することができる．構音訓練の手続きは機能性構音障害と同様，適正音と目標音の認識から始める．視覚・触覚・聴覚フィードバックを使用して，できるだけ多くの手がかりを使う．視覚的には鼻息鏡，See-Scape やナゾメータ，聴覚的にはチューブ，聴診器などの活用で，患児に呼気漏れをわかりやすくフィードバックする（図3-26）．特異な構音操作の誤りはなく，受動的な誤りである鼻漏出による子音の歪みのみは，補綴治療や口蓋裂二次手術を検討する．

②補綴治療〔3章2節C項（➡219頁）参照〕

言語療法を行ったものの，経過が不良の場合，補綴治療を検討する．軟口蓋長が短い場合，発話時の鼻咽腔の空隙を補填するためスピーチエイドによる補綴治療を行う．また，軟口蓋長はあるものの軟口蓋の動きが不良の場合は，軟口蓋挙上装置（palatal lift prosthesis；PLP）による補綴治療を行う．近年，両者を兼ね合わせたバルブ型PLPにて軟口蓋を刺激しながら，鼻咽腔部の空隙を補填する補綴治療を行う場合もある（図3-27）．患児の協力が得られやすい4歳以降から補綴治療の検討を行う．低年齢で，スピーチエイドの治療前から口腔内圧の高いときの鼻咽腔閉鎖が保たれている症例，軽度不全の症例では，バルブ部を徐々に削小すること（リダクションセラピー）で鼻咽腔閉鎖の動きが賦活されることが少なくない（Ogata 2009）．その結果，補綴物を撤去し，良好な鼻咽腔閉鎖と speech を獲得する症例もいる．

③口蓋裂二次手術

言語療法や補綴治療により鼻咽腔閉鎖機能の改善が得られない場合，言語聴覚士は術者と協議して，口蓋裂二次手術の適否を検討する．口蓋裂二次手術は患者の鼻咽腔閉鎖機能不全の病態により，術式が選択される．術式は主に再口蓋後方移動術（re-pushback 術）と咽頭弁形成術がある．re-pushback 術は再度口蓋形成を行い，軟口蓋部分を後方移動させ，軟口蓋の口蓋筋群の筋輪の再形成を行い，鼻咽腔閉鎖機能を獲得させるものである．咽頭弁形成術は咽頭の粘膜弁を移植するこ

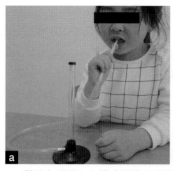
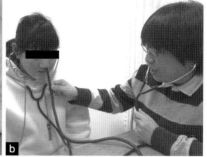

図3-26 道具を利用した構音操作の練習
a：See-Scapeで正中からの呼気放出の練習．See-Scape®(Pro-Ed)．
b：聴診器を使った鼻漏出のフィードバックの練習．Oral & Nasal listener®(Super-duper publications)．

とにより鼻咽腔を狭くすることで，鼻咽腔閉鎖機能を獲得させるものである．

re-pushback術に関しては，術前より咽頭の深さに比して極端に軟口蓋が短い症例や口蓋の瘢痕拘縮による動きの悪さがある症例は，術後に鼻咽腔閉鎖機能の問題が残存する場合がある．咽頭弁形成術は，術前より咽頭側壁の動きがよい症例は経過がよいとされるが，術後に閉鼻声の出現，鼻呼吸のしづらさ，いびきが大きい，嗅覚障害などの合併症を発症する場合がある．

4）学童期以降

就学後も言語障害が残存する場合もある．その場合は就学前までの介入と大きな違いはない．言語障害の病態に応じた言語療法を行う．

(1) 鼻咽腔閉鎖機能

学童期以降は経年的にアデノイドの退縮など生理学的な要因により，加齢による鼻咽腔閉鎖機能の変化がみられることもあり，就学前の鼻咽腔閉鎖機能がそのまま継続しない症例もいるので注意を要する．

鼻咽腔閉鎖機能不全が残存する症例に対しては，引き続き言語療法，補綴治療，口蓋裂二次手術のほかに持続的鼻腔内陽圧負荷(continuous positive airway pressure；CPAP)による鼻咽腔閉鎖機能の賦活訓練が就学後には可能となってくる．鼻咽腔閉鎖機能不全が残存する場合は，引き

図3-27 バルブ型PLP

続き言語療法で経過を観察しながら，積極的な治療である補綴治療を口蓋裂二次手術の検討を術者や患者本人・家族と協議しながら進める．

① CPAPを併用した言語療法

中耳炎に罹患しておらず，口蓋の残遺孔などがなく，軟口蓋の動きが不良で，境界線の鼻咽腔閉鎖機能不全や単音では閉鎖可能だが，会話時に鼻咽腔閉鎖が保たれない場合など，CPAPによる鼻咽腔閉鎖機能の賦活訓練が有効な場合がある．CPAPによる鼻咽腔閉鎖機能の賦活は，Kuehnにより報告された運動負荷療法である[31]．方法は，CPAPの装置から上咽頭から中咽頭に空気を送り込み，「いんき」「いんく」など鼻咽腔の閉鎖-開放-閉鎖を繰り返し発話し，軟口蓋の挙上と下垂運動(口蓋帆挙筋への刺激)を促すというもので，境界線上の症例に鼻咽腔閉鎖の改善がみられる[32]．

②アデノイド消退による鼻咽腔閉鎖機能の低下

咽頭扁桃(アデノイド)は4〜5歳に最も肥大し，10歳ごろから退縮していく．幼少時，軟口蓋の上下運動で直上のアデノイドにより保たれていた鼻咽腔閉鎖機能が，アデノイドの消退により咽頭腔が上下前後的に広くなり，軟口蓋の上後方へのダイナミックな動きを保てない場合，鼻咽腔閉鎖機能に問題が生じる場合がある．就学前に軽度不全や境界線上の鼻咽腔閉鎖機能の症例は，開鼻声などの問題が発生する場合があり，注意を要する．

③外科的顎矯正手術後の鼻咽腔閉鎖機能と構音への影響

口唇口蓋裂患者では上顎の低形成により，反対咬合や相対的に下顎前突様顔貌を呈することが多く，歯科矯正治療で改善できない場合は，骨格的な改善を目的に上顎骨前方移動術や，下顎骨後方移動術，または上下顎骨移動術を同時に行う外科的顎矯正術が行われる．特に上顎骨前方移動術の場合，上顎が前方に移動されることから，鼻咽腔が広くなり，鼻咽腔閉鎖機能の低下がみられる場合がある．また，上顎と舌の相対的位置が術前と変わることにより，話しづらさを訴える患者もいる．術前に，構音と鼻咽腔閉鎖機能の評価を行い，手術による言語への影響について，患者に十分に説明を行う必要がある．

(2) 構音障害

構音障害が残存し，長期化している場合がある．その場合は，引き続き構音の練習を行う．従来の構音訓練に併用して，構音操作の視覚的フィードバックの手段としてEPGなどの機器や道具を用いることにより，構音治療を進めたほうが有効な症例もいる．鼻咽腔閉鎖機能への加療が必要な場合は，関連職種と協議して優先すべき治療を行う．

学童期に入ると，歯列矯正のための口腔内装置が入ることもある．上顎拡大装置は歯茎音の構音位置に装置が設置されることもあり，話しにくさを訴え，上顎を拡大したため，口蓋瘻孔が拡大するときもある(図3-23)．場合により，矯正を優先したほうがよいか，言語療法を優先したほうがよいか，矯正歯科などの他職種と治療方針について協議する必要がある．また，教育環境の変化により，幼少期に通っていた病院などに高頻度に通院することが難しくなる症例も少なくない．教育機関のことばの教室の教諭や，居住地に近い病院などの言語聴覚士との連携による言語療法が必要になる場合がある．

(3) 長期化した言語障害による心理社会的問題を有する場合

学校生活や社会生活のなかで，発話不明瞭を指摘されたことを契機に，不登校，コミュニケーション意欲の低下，自信の低下，消極的な行動をとってしまうなどの心理社会的問題を有する患者も存在する．心理社会的問題がある場合は公認心理師などとの連携が必要となる．

心理社会的問題に派生しないためには，幼少時からの患者や家族に対する心理的サポートも欠かせない．海外では口唇口蓋裂患者を対象としたQOL評価を行い，医療者側からの評価のみならず，患者側からの評価(patient reported outcome；PRO)も評価に含め，治療効果を判定する標準的評価が進んでいる(→ Note 27)．

d 口蓋裂のライフステージに応じた事例

1) 口蓋形成術直後から声門破裂音が見られた事例

■ 初診時年齢

1歳6か月

■ 裂型

硬軟口蓋裂

■ 言語発達

良好．

■ 聴力

中耳炎の罹患も口蓋形成術後なくなり，聴力の問題なし．

■ 言語症状

開鼻声はみられないものの，声門破裂音が著明で，ほとんどの子音が声門破裂音に置換．

> **Note 27. 患者側からの評価**[1]
> 　海外では，医療者側の評価に加えて，患者側からの口蓋裂治療のQOLに関する評価(Patients Reported Outcome；PRO)として，International Consortium for Health Outcomes Measurement(ICHOM) (Allori 2017)，CLEFT-Q(Wong 2017)，鼻咽腔閉鎖機能不全に特化したVPI Effects on Life Outcome(VELO) (Skirko 2013)などが開発され，臨床においても活用されてきている．
>
> 引用文献
> 1) 緒方祐子：口蓋裂に関する標準的言語評価とpatient reported outcomeのQOL評価の意義. 音声言語医学　61：309-314, 2020

 1 ・狭窄歯列などに対する矯正治療の検討

 2 ・適正音を学習するための舌運動へのアプローチ（3のための前段階）
口腔筋機能訓練の応用
食事の工夫

 3 ・個々の音を作るアプローチ
フィードバックの工夫

 4 ・系統的構音訓練

図 3-28 口蓋裂症例の口蓋化/側音化構音に対する適正な構音操作の獲得のステップ
2は必要に応じて導入する．

■ 問題点
声門破裂音．

■ 言語療法の方針
構音の練習で声門破裂音の除去を行う．

■ 経過
　まず，母親に声門破裂音の状態を説明し，声門破裂音を除去するためには，声門周辺のリラクゼーションをしながら，口腔内圧を上げることが必要であることを説明し，2歳前から家庭での声かけや練習の工夫について協力を依頼した．本事例は，ブローイングの練習をせずに鼻孔を閉鎖しつつ，シャボン玉を手で叩く遊びをしながら，声門周辺に留意した[p^{hhh}]から[p]音の産出を試み，子音の数を増やす練習を試みた．その結果，3歳時には声門破裂音は消失し，4歳時点の言語症状は言語発達，構音発達，鼻咽腔閉鎖機能のすべてで問題なく，非口蓋裂児同様のことばで問題なく幼稚園生活を過ごしている．

2）口蓋化構音が著明であった事例

■ 初診時年齢
5歳．

■ 裂型
両側性口唇口蓋裂

■ 聴力
滲出性中耳炎にて耳鼻咽喉科で加療中．軽度難聴あり．気息性嗄声あり．

■ 言語症状
鼻咽腔閉鎖機能は良好であるが，口蓋化構音著明．

■ 歯科的問題
う蝕あり．狭窄歯列著明．野菜を食べない．

■ 問題点
前舌音の口蓋化構音（後方化）．中耳炎あり．嗄声あり．歯科的問題あり．偏食あり．

■ 言語療法の方針
　中耳炎，嗄声に関しては耳鼻咽喉科受診を勧める．声の衛生について指導．う蝕に関しては小児歯科受診を勧める．狭窄歯列に関しては，早期の歯列拡大について術者と矯正歯科に相談．言語発達に関しては，構音のみではなく，経過を観察．

■ 食事
　構音のために咀嚼を要する食材の工夫が必要であることを説明し，野菜の摂取の工夫を依頼する．

■ 経過
　食事面は歯列拡大を矯正科で開始し，歯列が拡大され，咀嚼がしやすくなった(図 3-23)．構音面は歯列拡大で舌が前に出しやすくなったことを確認し，舌の巧緻性の向上の練習を開始する．系統的な構音訓練の前にMFTを利用した舌へのトレーニングを先行した(図 3-28)．舌の安定化を

表 3-11 舌の随意運動の評価項目

評価項目 評価点	舌挺出	舌尖挙上	口角接触	口唇トレース
0	下顎前歯まで不可能	口蓋方向に挙上不可能	口角接触不可能	口唇をなめることが不可能
1	下顎前歯まで可能	口蓋方向に挙上可能	片側口角接触可能	下唇をなめることが可能
2	下唇赤唇まで可能	上顎前歯に接触可能	両側口角接触可能	上唇をなめることが可能
3	下唇赤唇以上可能	切歯乳頭に接触可能	片側口角に水平接触可能	下唇を正確になめることが可能
4	水平に挺出可能	ポッピング可能(舌打ち)	両側口角に水平接触可能	上唇を正確になめることが可能

〔石野由美子，他：舌小帯短縮症の重症度と機能障害について―舌の随意運動機能，構音機能，摂食機能についての定量的評価の試み．口科誌 50：26-34, 2001 より〕

確認後，前舌音の構音訓練を開始する．音のレパートリーを増やし，4年後，口蓋化構音は改善された．

3) ことばの不明瞭さから心理社会的問題を有した事例

■ 初診時年齢
10歳．
■ 裂型
硬軟口蓋裂．
■ 聴力
問題なし．
■ 言語療法歴
幼少時は言語療法を受けていたが中断．
■ 言語症状
重度の鼻咽腔閉鎖機能不全(軟口蓋の動きが不良)．鼻漏出による子音の歪み著明．
■ 心理社会的問題
級友からことばのからかいを受け，不登校傾向．
■ 問題点
鼻咽腔閉鎖機能不全．心理社会的問題あり．
■ 言語療法の方針
①鼻咽腔閉鎖機能不全に対しては，鼻咽腔閉鎖の感覚を経験し，鼻咽腔閉鎖の動きを賦活するためバルブ型PLPを作成する．可能であれば，バルブ部のリダクションセラピーを実施し，バルブ型PLPの撤去を目指す．経過がよくなければ，口蓋裂二次手術(再口蓋後方移動術もしくは咽頭弁形成術)について，本人・家族，術者と協議する．②心理社会的問題に対し，公認心理師への支援依頼．③学校への環境整備．
■ 経過
補綴治療を行い，バルブ型PLPを装着すれば明瞭なことばを産生することができた．リダクションセラピーを試みたが，バルブ型PLPを撤去することはできなかった．そこで，再口蓋後方移動術を施行した．心理社会面は言語の改善とともにコミュニケーション意欲も向上し，学校生活も円滑となった．言語と心理面で定期的な受診を行い，経過観察中である．

e 舌小帯短縮症の構音障害へのアプローチ

舌小帯短縮症がある場合，構音への影響の有無で言語の介入が異なる．舌の可動域を評価し，①舌小帯の強直が構音に影響しているか，②子どもの暦年齢と構音発達と照らし合わせて，外科的介入が必要であるか，③術前に言語の介入で構音に変化が見られるかを検討する必要がある．

1) 舌の可動域の評価

舌の可動域に対する詳細な評価が必要である．表 3-11 は石野らによる評価表である[33]．石野ら

は，舌の運動レベルの4つの項目（舌挺出，舌尖挙上，口角接触，口唇トレース）と評価基準を設定し，スコア化している．舌運動の各項目と総合点を数値化することにより，経過を評価することができる．

2）構音訓練

構音訓練は，術前からの前舌部の可動域を拡大する必要がある．術後は，術者の術創の状態の確認後，構音訓練を再開する．術後の前舌の前後・左右・上下の可動域訓練はその後の構音への影響もあるので，筋機能訓練を併用した構音訓練を行う．術後は，術前まで舌が口腔底に付着していたので，舌の分離運動が苦手な症例が少なくない．特に上顎方向への挙上に困難な場合もあり，舌で上口唇を舐めるなどの運動は，下口唇で舌を押し上げる代償的な運動を行うときもある．また，[r]音産生の場合，舌を上方向へ動かさず，下顎の上下運動で代償している場合もあるので注意を要する．その他，構音の不明瞭さが，舌小帯の問題のみではなく，発達性協調運動障害などの運動面の不器用さ，舌の巧緻性の低下や言語発達の遅れの影響などが関与する場合があるので，舌小帯以外の問題がある場合は，個々の問題に応じた対応が必要である．

B 成人の発話障害の評価と訓練

1 運動障害性構音障害

運動性構音障害の定義とタイプ分類，また障害される要素については3章1節C項（➡137頁）に述べられている．本項では，運動障害性構音障害の原因となる**代表的な疾患**について述べ，次に評価と訓練について説明する．そして最後に実際の臨床場面での介入の流れをモデル例を使って説明する．また，本項では神経筋疾患の患者会や活動の場についても触れる．

a 運動障害性構音障害の原因疾患

運動障害性構音障害を引き起こす疾患は多種多様である．ここでは臨床場面で出会う確率が高い疾患について説明する．

1）脳血管障害

(1) 脳梗塞
①病態

脳の血管が詰まって脳に血液が送られなくなり，脳の神経細胞が死んでしまう疾患である．脳細胞は，いったん血流が止まると数時間以内に完全に死んでしまう．脳梗塞の種類には，心房細動などの不整脈が原因となり血栓が心臓から脳に流れて詰まる心原性脳塞栓症，脳血管の動脈硬化が原因となるアテローム血栓性脳梗塞，脳内の細い血管が閉塞する，ラクナ梗塞などがある．神経細胞は再生しないため，一度脳梗塞を起こすと**重大な後遺症**が残ったり，生命が脅かされたりすることがある．

②症状

梗塞が起こった部位や範囲により症状の出方は異なる．意識障害，手足の麻痺やしびれ，言語障害，構音障害，めまい，視野障害，歩行障害などが生じることがある．

③治療

これまでの治療は，抗血栓薬などで脳梗塞の悪化や再発を防ぐことが目的だったが，最近では，発症から数時間以内であれば，詰まった血管を早期に**再開通**させることで脳梗塞に陥る領域を小さくすることができ，症状が回復する可能性があることがわかってきた．脳梗塞が進行して回復不可能になっている場合は，これまでの抗血栓薬などの治療薬で治療を行う．これらの治療薬は症状の改善に関しては不十分なことが多い．

④**構音障害のタイプ**

損傷部位や範囲によりさまざまなタイプの構音障害が出現する．両側の錐体路損傷であれば痙性

タイプ，小脳や小脳路の損傷であれば失調性タイプの構音障害となる．

(2) 脳出血
①病態
なんらかの原因により脳の血管が破れ，脳のなかに出血を起こす疾患である．血管から溢れた血液は血腫という血の塊をつくり，その血腫が脳に直接ダメージを与えたり，また，血腫の増大や脳の浮腫により頭蓋内圧が高まり，正常な脳を圧迫したりすることで脳の機能が障害される．時には死に至ることもある．

②症状
脳梗塞と同じで，脳出血の症状は出血を起こした場所や出血量によって異なる．多くの場合，頭痛，吐き気，嘔吐，片側の顔面や手足の麻痺，感覚障害，運動障害性構音障害といったさまざまな症状が出現する．出血量が多い場合や出血部位によっては意識障害が出現することもある．

③治療
急性期は血腫の増大や再出血を予防するために，降圧薬による血圧のコントロールが行われる．脳出血急性期には迅速に血圧を下げる必要があり，点滴で降圧薬の持続投与を行うことが多い．また，脳浮腫による頭蓋内圧亢進を予防するため，脳浮腫を改善させる薬を投与する場合もある．

④構音障害のタイプ
損傷部位や範囲によりさまざまなタイプの構音障害が出現する．両側の錐体路損傷であれば痙性タイプ，小脳や小脳路の損傷であれば失調性タイプの構音障害などである．

2) 神経・筋疾患

(1) Parkinson（パーキンソン）病（PD）
①病態
中脳の黒質にある，ドーパミン神経細胞が減少する原因不明の進行性の神経変性疾患である．日本での有病率は年々増加し，2009年以降に特定疾患医療受給者証を取得した人は10万人を超え，今後患者数はさらに増えると予想されている．Parkinson病の発症は50歳代，60歳代が多いが，70歳代の発症も稀ではない．40歳以下で発症するParkinson病は若年性Parkinson病とよばれる．

②症状
振戦（ふるえ），**筋強剛**（筋肉がこわばる），**寡動**（動けない，無動・すくむ），**姿勢反射障害**（転びやすい）を4大徴候とする．ほかに表情が乏しく話し方が単調になる，よだれが出やすい，歩き方が小刻みになる，前かがみになるなどの症状も特徴的である．また不安，抑うつ，パニック，嗅覚障害，睡眠障害（大声で寝言を言う），便秘，頻尿などの運動症状以外の症状（非運動症状）が出現することも知られている．Parkinson病の重症度は**Hoehn & Yahr（ホーン-ヤール）重症度分類**と**生活機能障害度分類**（表3-12）で示される．難病医療費助成が受けられるのは，Hoehn & Yahr重症度3度かつ生活機能障害度2度以上である．

③治療
疾患の進行そのものを止める治療法は現在までのところ開発されていない．治療はすべて対症療法である．大きく薬物療法と手術療法に分けられるが，薬物療法が主体である．Parkinson病の治療薬の開発は進んでおり，新薬が次々と開発されている．また，経口投与以外に，胃ろうを造ってチューブから直接胃と小腸に薬を注入する治療も行われるようになった．手術療法としては深部脳刺激（deep brain stimulation；DBS）術が行われる．DBS後に歩行が改善したり，ジスキネジアが軽減したりする症例も多い．また，服薬と異なり治療効果を持続させることができる．

④構音障害のタイプ
運動低下性構音障害を呈する．声量低下と粗糙性，気息性嗄声が目立つ症例が多い．

(2) 進行性核上性麻痺（progressive supranuclear palsy；PSP）
①病態
脳の中の大脳基底核・脳幹・小脳の神経細胞が

表 3-12　Parkinson 病の重症度（Hoehn & Yahr 重症度分類と生活機能障害度分類）

Hoehn & Yahr 重症度分類		生活機能障害度分類	
1度	身体の片側だけに筋肉のこわばりや手足のふるえがみられる．	1度	日常生活，通院に介助は不要．
2度	両側に手足のふるえや筋肉のこわばりがみられる．		
3度	姿勢反射障害*がみられる．日常生活に介助不要．	2度	日常生活，通院に部分的な介助が必要．
4度	生活のさまざまな場面で介助が必要．しかし歩行はなんとか介助なしで可能．		
5度	車椅子が必要．ベッドで寝ていることが多くなる．	3度	日常生活に全面的な介助を必要とし，起立歩行は困難．

＊姿勢反射障害：体が傾いたときに重心を移動してバランスを取る（姿勢反射）ことや足を踏み出して転倒を防ぐ（立ち直り反射）が障害されて転倒しやすくなった状態
〔高橋良輔，他（監修）：パーキンソン病 Minds 版やさしい解説．日本医療機能評価機構 Minds ガイドラインライブラリ，2014. https://minds.jcqhc.or.jp/n/pub/3/pub0088/G0000629/0007 accessed 2020-9-17 を参考に作成〕

徐々に減っていく慢性進行性の神経変性疾患である．有病率は人口 10 万人あたり 10〜20 人と推定されている．中年期以降に発症し，眼球運動障害，姿勢反射障害による易転倒性が目立つパーキンソニズムを主症状とする．その他の症候として，前頭葉性の進行性認知障害（思考の緩慢化，想起障害，意欲低下などを特徴とする）や構音障害，嚥下障害もみられる．進行するにつれて，頸部の後屈と反り返った姿勢が目立ち，下方視ができなくなる．徐々に歩行不能，立位保持不能となって，寝たきりになる．画像所見では，中脳被蓋部が萎縮しハチドリの嘴のように見える**ハチドリ徴候**を示す．抗パーキンソン病薬は効かないことが多い．今日では Richardson（リチャードソン）タイプに加え，非定型例として「Parkinson 病型」「純粋無動症型」「小脳型」とよばれる病型が報告されている．

②症状

最大の特徴は，**初期からよく転ぶ**ことである．姿勢の不安定さに加え，注意力や危険に対する認知力が低下するため，何度注意を促してもその場になると転倒を繰り返す．バランスを失ったときに手が出て防御するという反応が起こらないため，顔面に大けがをしてしまうこともある．それでも本人は大事にとらえず，大抵あっけらかんとしている．

発症から 3 年程度で眼球運動障害が出現し，下方視，やがて水平方向も障害される．進行すると頸部が強く後方に屈曲する．把握反射や模倣行動などの前頭葉徴候が初期から出現する．動作の開始障害（無動，無言），保続もよくみられる．嚥下障害は中期以降に出現することが多い．

③治療

有効な治療法はない．抗パーキンソン病薬が固縮に効果があることがある．

④構音障害のタイプ

混合性運動障害を呈するが，型によって構音障害の現れ方が異なる．Parkinson 病型および純粋無動症型では運動低下性構音障害が，小脳型では失調性構音障害が前景に立つ．進行するに従い，他のタイプの構音障害も目立ってくる．

(3) 多系統萎縮症
　　　　（multiple system atrophy；MSA）

①病態

孤発性（非遺伝性）の脊髄小脳変性症である．脊髄小脳変性症は中枢神経系（大脳，小脳，脳幹，脊髄）が広く障害され，緩徐に進行する神経変性疾患である．脊髄小脳変性症の有病率は人口 10 万人あたり 18 人程度と考えられている．脊髄小脳変性症の約 70% が孤発性で，孤発性の約 65%

が多系統萎縮症と考えられている．残りの約35%は皮質性小脳萎縮症(cortical cerebellar atrophy；CCA)とよばれている．かつて異なる疾患と考えられていたオリーブ橋小脳萎縮症(olivopontocerebellar atrophy；OPCA)，線条体黒質変性症(striatonigral degeneration；SND)，Shy-Drager(シャイ-ドレーガー)症候群(SDS)が，進行に伴い最終的には同じような症状を呈することが認識され，3つの疾患を1つにまとめて多系統萎縮症とよぶようになった．

②症状

痙縮(手足がつっぱる)といった「運動症状」と起立性低血圧や排尿障害，体温調節障害などの「非運動症状」がある．非運動症状が先行する場合もあり，症状によっては本人や周囲が気づかないこともある．多系統萎縮症では，運動症状と非運動症状のそれぞれが緩徐に進行する．

③治療

疾患を治したり，進行を遅らせたりする治療法はない．Parkinson病と似たような症状がでるため，抗パーキンソン病薬がある程度有効な場合がある．

④構音障害のタイプ

混合性の構音障害を呈する．病初期は運動低下性か失調性の構音障害が前景に立つことがほとんどで，小脳運動失調が目立つタイプは失調性構音障害を，パーキンソニズムが目立つタイプは運動低下性構音障害の症状が目立つ．

(4) 脊髄小脳変性症(spinocerebellar degeneration；SCD)(多系統萎縮症以外)

①病態

脊髄小脳変性症の約30%は遺伝性の脊髄小脳変性症である．遺伝形式は多様で，常染色体優性遺伝，常染色体劣性遺伝，X染色体遺伝，母性遺伝(ミトコンドリア病)がある．常染色体優性遺伝を示す脊髄小脳変性症ではそれぞれ遺伝子別に番号がついていて，本邦で多いのはSCA3, 6, 31型である．このうちSCA3型はMachado-Joseph(マシャド-ジョセフ)病ともよばれている．番号はついていないものの，常染色体優性遺伝である歯状核赤核淡蒼球ルイ体萎縮症(dentatorubral-pallidoluysian atrophy；DRPLA)も本邦で比較的高頻度に認められる．いまだ遺伝子が判明していない病気も多く存在する．

②症状

体の中心である**体幹のバランスがとりにくくなる**ため，歩くときに体幹を揺らしながら酔ったような不安定な歩行になる．発声に必要な筋肉を動かしにくくなるため，とぎれとぎれで不明瞭な発話となる．また，ゆっくりとした話し方になったり，突然大きな声になる爆発的発声がみられたりすることがある．**動作を協調して行うことができなくなる**ため，目の前のコップを取るときに手がジグザグに動く，ピアノなど指の細かい動作ができない，縄跳びができないなどの症状が出現する．手足は目標に近づくほどふるえが大きくなる．

③治療

現時点では有効な治療法はなく，対症療法が主になる．運動失調に対して，甲状腺ホルモンの刺激剤であるタルチレリンが使われる．

④構音障害のタイプ

失調性構音障害を呈する．

(5) 筋萎縮性側索硬化症
(amyotrophic lateral sclerosis；ALS)

①病態

大脳運動野にある**上位運動ニューロンと脳幹脊髄にある下位運動ニューロンの両方が変性消失する**進行性の神経変性疾患である．有病率は人口10万人当たり4〜6人．四肢の運動障害のほか，構音障害，嚥下障害，呼吸障害などが出現する．排尿障害や感覚障害がないことも特徴である．日本では遺伝性(家族性筋萎縮性側索硬化症)も存在するが，多くは非遺伝性である．原因はいまだ不明である．人工呼吸器を用いなければ，通常**予後は2〜5年**である．

②症状

症状によって3つの型に分類される．上肢の筋

萎縮と筋力低下，下肢の痙縮を示す上肢型，構音障害，嚥下障害が主体となる球麻痺型，下肢から発症，下位運動ニューロンの障害が前面に出る下肢型である．これ以外にも，呼吸筋麻痺が初期から顕著な例や認知症を伴う例もある．通常2〜3年で，呼吸筋に症状がおよび自分自身での呼吸が困難となる．

③**治療**

病気を根治する治療法はまだ見つかっていない．生存期間をわずかに延長する治療薬としてリルゾールが用いられる．また，酸化ストレスに対して運動ニューロンを保護効果が期待されているエダラボンという点滴薬も使用が認められている．

④**構音障害のタイプ**

痙性と弛緩性の混合性構音障害を呈する．

(6) 多発性硬化症(multiple sclerosis；MS)と視神経脊髄炎(optic neuromyelitis；NMO)

①**病態**

多発性硬化症も視神経脊髄炎も，脳・視神経・脊髄の神経を覆っている髄鞘が壊れる脱髄疾患である．突然目が見えにくくなったり，手足がしびれて動きにくくなったりといった発作が起こり，再発を繰り返す．

多発性硬化症の平均発症年齢は30歳前後で，欧米の白人に多い疾患である．欧米では高緯度地方ほど患者の割合が多いことがわかっている．遺伝子のほかに**環境因子**もかかわっていると考えられている．一方，日本人には，重症な視神経炎と脊髄炎を繰り返して失明したり車いす生活になったりする患者が多く，研究が進められた結果，このタイプの患者に特異的な抗体が発見され，「視神経脊髄炎」とよばれるようになった．視神経脊髄炎は**女性に多く**，多発性硬化症より発症年齢が高い．

②**症状**

病変部位によって症状は千差万別である．視神経が障害されると視力が低下したり，視野が欠けたりする．目の奥に痛みを感じることもある．脳幹部の障害では複視や眼振，顔の感覚低下や運動麻痺，嚥下障害，構音障害が出現する．小脳障害では失調症状が現れる．大脳に病変ができると手足の感覚障害や運動障害のほか，認知機能障害も出現する．視神経脊髄炎の再発は，多発性硬化症に比べて症状が重くなることが多い．

③**治療**

急性期にはステロイドの大量投与が行われる．また血液浄化療法が行われることがある．認可されている薬剤も数種類あり，症状に応じて投与される．再発予防には経口ステロイド剤や免疫抑制剤が用いられる．

④**構音障害のタイプ**

病変部位によりタイプは異なる．全く構音障害が出現しないこともある一方で，重度の構音障害を呈することもある．

(7) 筋強直性ジストロフィー (myotonic dystrophy；MyD)

①**病態**

成人で最も頻度の高い筋ジストロフィーであり，骨格筋だけではなく多臓器にまで症状が現れる**全身疾患**である．常染色体優性遺伝であるが，子の世代のほうが症状が重くなる(表現促進現象)．平均寿命は55歳程度で，20年間前から改善がみられていない．

②**症状**

手を強く握るとスムーズに開けないなど，**一度収縮した筋肉が弛緩しにくい(ミオトニア)**．また，側頭筋・胸鎖乳突筋や四肢遠位筋優位の筋力低下や萎縮が認められる．心筋障害や認知機能低下，傾眠，眼症状，内分泌異常などが現れる．**斧様の顔貌**，**前頭部脱毛**などはこの疾患の特徴である．呼吸不全も引き起こしやすく，嚥下障害はほぼ必発である．呼吸・嚥下障害や心筋障害が生命予後に大きく関与する．突然死による死亡も多い．

③**治療**

根治的な治療法はなく，対症療法にとどまる．

④構音障害のタイプ

弛緩性構音障害を呈する．開鼻声や呼気鼻漏出による子音の歪みが目立つことが多い．

(8) 重症筋無力症(myasthenia gravis；MG)
①病態

神経筋接合部(末梢神経と筋肉のつなぎめ)で筋肉側の受容体が自己抗体により破壊されてしまう**自己免疫疾患**である．重症化すると呼吸筋麻痺を起こすこともある．また，この疾患は胸腺腫を合併することが多く，治療の前に胸腺を取り除く手術が行われる．男女比は1：1.7と女性に多い．

②症状

筋力低下と易疲労性が主な症状である．「午前中はよいが，夕方になると瞼が下がってくる」と訴える患者は多い．休むと症状が改善するのが特徴である．

③治療

根治療法として免疫療法が行われる．免疫療法としては，ステロイド剤の投与，血液浄化療法，大量ガンマグロブリン療法などがあり，患者の症状に応じて治療の選択がなされる．

④構音障害のタイプ

弛緩性構音障害を呈する．開鼻声と無力性嗄声が目立つことが多い．

(9) Huntington(ハンチントン)病
①病態

常染色体優性遺伝の神経変性疾患で，**舞踏運動**などの不随意運動，精神症状，行動異常，認知機能障害などを特徴とする．進行はゆっくりである．最近，発症にある特定の遺伝子が関与することが明らかになった．

②症状

初発症状として，手先が勝手に動いてしまう，落ち着かないなどの症状やうつ症状がみられる．進行すると，すべての動作のしにくさ，歩行の不安定さ，嚥下障害，構音障害も出現し，生活には介助が必要となる．自分の意思とは無関係に生じる顔面・四肢のすばやい動きがみられる．精神症状としては，性格変化や行動変化が目立つ．自殺企図がみられることもある．

③治療

根本的な治療法はなく，対症療法のみである．不随意運動や精神症状に対し症状を緩和する薬剤が処方される．舞踏運動に効果のある薬も認可され，使われるようになった．

④構音障害のタイプ

運動過多性構音障害を呈する．

b 運動障害性構音障害の評価

1) 評価の目的

評価の目的は，患者の①**運動障害性構音障害の原因やタイプを特定する**こと，そして，②**治療の目標，治療的介入の方法や効果を測るために現在の状態を知る**ことである．できないことだけではなく，できることも評価することが大切である．また，単にできる，できないではなく，どのようにできないのか，どのようにしたらできるのかを見極めることも必要となる．あわせて，患者が構音障害を補うために行っている工夫や主な会話相手の受け止め方など，生活のなかでのコミュニケーション全体を把握するよう努める．なお，機器を使った評価については2章4節C項(→81頁)に詳述されている．

2) 評価

(1) 情報収集

①基本情報

患者の疾患名，損傷部位，職業，家族構成などをカルテから収集する．また，理学療法士や作業療法士など他部門からも情報を得る．

②インテーク

主な会話相手や会話の頻度，発話に関して困っていること，難聴はないかなど患者から情報を収集する．また，自分の発話をどのような状態にまで改善させたいのか(例えば，孫に絵本を読んであげたいなど)も情報を得ておくとよい．図3-29にインテークアセスメントシートの一例を示す．

インテークアセスメントシート

〇〇病院＿＿＿＿＿＿科
＿＿＿年＿＿月＿＿日　　　　　　　　　　　担当ST：＿＿＿＿＿＿＿＿＿

病棟：　　　　ID　　　　　氏名：　　　　　　　　様（男・女）　年齢：　　才

1	主訴	何に最も困っているか．どうしたいか．
2	言葉について	自分でどう感じているか．周囲の反応はどうか．いつごろから変化してきたか．どのように変えたいか（例：孫に絵本を読んであげられるくらいまでよくなりたい） 出身： 家族 コミュニケーションパートナー： 家族とのコミュニケーション．会話機会，家族の聴力は，補聴器など使っているか
3	飲みこみ	食事中のむせ：なし　あり（どのようなもので：　　　　　　　　　　　　　　） 喉に食べ物を詰まらせたこと：なし　あり 喉に食べ物が引っかかったこと：なし　あり 肺炎：なし　あり（時期：　　　　　　　　） 体重減少：なし　あり（期間：　　　　何kg：　　　　） 家の食形態： 水分とろみ：なし　あり 食事にかかる時間：　　　　分 栄養補助食品の使用：なし　あり（　　　　　　　　　　　）
4	歯牙	欠損：なし　あり（どの部分：　　　　　　　　　　　　） 義歯：なし　あり　使用頻度： 義歯の適合度： 口腔ケア：一日　　　回
5	聴力	聞こえにくさはないか．どのように聞こえにくいか（高い音か低い音か，聴力補償はしているか）
6	視力	見えにくさはないか．どのように見えにくいか（視野が狭い，ぼやける，二重に見えるなど）
7	福祉サービス	言語聴覚士は入っているか，通所施設でのコミュニケーション機会，介護保険申請
8	仕事	どんな仕事．いつまで．今の状態．
9	趣味	昔： 今：

図3-29　インテークアセスメントシート

(2) 観察評価

検査場面以外で**患者をよく観察する**ことで普段の患者の状態を把握しやすくなる．また，運動障害性構音障害以外の障害にもあたりをつけることができ，鑑別診断にも役立つ．普段の会話や病棟で過ごしているときに，姿勢や歩行などの身体の状態，語想起困難や話の整合性の有無などの言語機能や高次脳機能，表情や会話時の口の動き方や左右差などの口腔顔面の状態，声の大きさや嗄声の有無，構音の正確さなどの発声発語の状態などについて情報をとるよう心がける．観察評価だけでもかなり情報がとれ，今後の対応の参考になる．図 3-30 にチェックシートの一例を示す．

(3) 聴覚心理学的評価

運動障害性構音障害で影響を受ける発話の要素は，発声，構音，プロソディである．運動障害性構音障害の聴覚心理学的評価は，運動障害性構音障害を体系的に研究し，その基盤をつくった Darley らの Mayo Clinic Study がベースになっている．患者の発話の状態を検者の耳で評価するため，経験の多寡が評価に影響を及ぼす可能性がある．初めのうちはできれば，2人以上で評価するのが望ましい．発話の4つの要素に会話明瞭度と自然度を加えた以下の6つの項目について評価を行う．

①発声

発声は声を産生する力である．運動障害性構音障害では，声量の低下，大きさの変動，声の途切れ，声の翻転，声の揺れ，嗄声が認められ，それらについて評価を行う．発声のしくみについては1章1節C項(➡5頁)に，嗄声については2章4節C項(➡81頁)に詳述されているので参考にしてほしい．

②共鳴

共鳴は呼気の通り道の切り替え能力である．共鳴腔(喉頭から鼻腔に至るまでの声道の形)が変化することで声の響きが変化する．鼻咽腔閉鎖機能不全により，本来は口からのみ発せられる母音が鼻腔も通って産生されたものを**開鼻声**という．運動障害性構音障害では，鼻咽腔閉鎖機能不全により，しばしば開鼻声が認められることがある．また，子音のなかの閉鎖音や摩擦音で鼻漏れ(呼気鼻漏出による子音の歪み)がみられることがある．音声言語医学会の「発話特徴抽出検査」(後述)では，開鼻声は5段階で評価する．このほか，軽度，中等度，重度の3段階評価もある．**開鼻声の評価は難しく**，嗄声によって開鼻声が隠れてしまうことがある．また，健常者でも軽度から中等度の開鼻声を呈することがあり，鼻咽腔閉鎖機能不全によらない開鼻声が存在するとの報告もある．

③構音

舌，下顎，口唇，軟口蓋，喉頭の構えや動きにより母音や子音を産生することを構音という．運動障害性構音障害では，単音，単語，短文，文章，会話時の，母音や子音の歪み，置換，付加を評価する．評価の際は，単音，単語，短文，文章，会話の**どのレベルから歪みや誤りが出るのか**を把握する必要がある．例えば，短文までは明瞭に話せているのに，文章になると歪みが目立つ，などである．

④プロソディ(韻律)

プロソディは発話の時間と声の高さ，大きさの特性で，発話速度，抑揚(イントネーション)，アクセント，強勢からなる．運動障害性構音障害では，発話速度の低下や亢進，声の高さや大きさの単調化，音の持続時間の崩れや不自然な休止が認められることがある．

⑤会話明瞭度

運動障害性構音障害の総合的な尺度で**聴覚心理学的評価**の中心をなす．5段階で評価する会話明瞭度検査(表 3-13)[34]が代表的であるが，この5段階に中間段階を設けた，1, 1.5, 2, 2.5……5とする伊藤[35]が提唱した9段階評価もよく用いられる．

⑥自然度

明瞭度と並ぶ発話の総合的尺度である．後述する標準ディサースリア検査(AMSD)で使われている尺度が一般的である(表 3-14)．

観察評価シート(初回チェック項目)

○○病院 ＿＿＿＿＿科
＿＿＿年＿＿月＿＿日　　　　　　　　　担当ST：＿＿＿＿＿＿＿＿

病棟：　　　　ID：　　　　氏名：　　　　　　　様（男・女）　年齢：　　才

身体症状	座位保持は可能か	1 可　2 不可
	歩行は可能か	1 可　2 杖・歩行器で可　3 不可
	麻痺はあるか	1 なし　2 あり（右　左）
	易疲労性はあるか	1 なし　2 あり
	呼吸苦はあるか	1 なし　2 あり
	聴力は保たれているか	1 いる　2 補聴　3 低下
	歯牙の状態はどうか	1 良好　2 欠損多い
高次脳機能 （含言語機能, 認知機能）	喚語困難はあるか	1 なし　2 あり
	話の理解は可能か	1 可　2 不可
	錯語はあるか	1 なし　2 あり
	話に整合性は保たれているか	1 いる　2 いない
	会話に集中できるか	1 可　2 不可
	話題の維持は可能か	1 可　2 不可
	相手の反応を見て発話を修正できるか	1 可　2 不可
	易怒性はあるか	1 なし　2 あり
	みだしなみは整っているか	1 いる　2 いない
	礼節は保たれているか	1 いる　2 いない
口腔顔面	黙っているときに顔面の左右差はあるか	1 なし　2 あり（右　左）
	話しているときに顔面の左右差はあるか	1 なし　2 あり（右　左）
	表情は豊かか	1 豊か　2 乏しい
	会話時，口は大きく開いているか	1 いる　2 いない
	会話時，舌の動きは	1 良好　2 不良
発声, 共鳴, 構音, プロソディ	音の歪みはないか	1 なし　2 あり
	開鼻声はないか	1 なし　2 あり
	話す速度はどうか	1 適切　2 速い　3 遅い
	抑揚は適切か	1 適切　2 乏しい　3 変動
	声の大きさは保たれているか	1 適切　2 小さい　3 大きい　4 変動
コミュニケーション	ジェスチャーをよく使うか	1 使う　2 少ない
	区切って話すなどの工夫をしているか	1 している　2 していない　3 不要
	会話補助手段を使っているか	1 いる　2 いない　3 不要

図 3-30　チェックシート

表 3-13 会話明瞭度

段階	内容
1	よくわかる
2	時々わからない語がある程度
3	聞き手が話題を知っていればどうやらわかる程度
4	時々わかる語があるという程度
5	全く了解不能

＊伊藤[35]は，田口の5段階評価尺度の各段階に中間点を含めて9段階評価尺度に改変した．この9段階の評価尺度も現在では広く使われている．
〔田口恒夫：構音検査法．田口恒夫：言語障害治療学．p37，医学書院，1966 より〕

表 3-14 発話の自然度

段階	内容
1	全くの自然である(不自然な要素がない)
2	やや不自然な要素がある
3	明らかに不自然である
4	顕著に不自然である
5	全く不自然である(自然な要素がない)

〔西尾正輝：発話，検査．西尾正輝：標準ディサースリア検査(AMSD)，新装版，p26，インテルナ出版，2004 より〕

(4) 発声発語器官の機能評価

聴覚心理学的評価と並行して，発声や構音に関連する器官の機能評価を行う．評価の目的の1つは，訓練につながる手がかりをみつけることであるため，例えば，ある課題ができないときに，どのようにできないのか，手助けがあればできるのかなどの評価まで行うよう心がける．そのためには**介入しながら評価すること**が役に立つ．ある手助けがあればできるということがわかれば，その手助けの部分を訓練に取り入れていくことができる．また**随意性の高い運動**(患者に指示をして意図的に発声発語器官を動かしてもらう)だけではなく，**自律的な運動**(例えば口唇についた食べ物をなめとるなど自然に行われる動き)も評価すると，実際の患者の機能が評価できることがある．

表 3-15 感情と表情筋の関係

感情	関係する主な筋肉
笑う	大頬骨筋，笑筋 大頬骨筋が口角を上外側に引き上げて，笑筋が口角を外側に引く．
泣く	オトガイ筋，下唇下制筋，口角下制筋，広頚筋，皺眉筋，前頭筋 泣き方によって使われる筋が異なる．額の中央に深い皺を寄せて泣くときには皺眉筋や前頭筋が働き，口角が下がって顎に梅干のような皺が寄るときは，下唇下制筋やオトガイ筋，口角下制筋，広頚筋などが働く．
怒る	皺眉筋，鼻根筋，口角下制筋 口角下制筋が働いて口角が下がって口元に皺がより，皺眉筋や鼻根筋が働いて眉間や鼻に皺が寄る．
驚く	後頭筋，前頭筋，帽状腱膜 前頭筋が働いて眉を引き上げ，それと同時に後頭筋や帽状腱膜も動いて頭皮もあわせて動く．

①姿勢

麻痺が生じる脳血管障害だけではなく，神経変性疾患でも，姿勢の異常を呈することが多い．姿勢は呼吸にも影響するため，しっかり評価することが大切である．左右どちらかに傾いていないか，後ろに反っていないか，筋肉の緊張は高いか低いかなどを評価する．

②呼吸

楽な呼吸を促し，呼吸の深さ，1分間の呼吸回数，胸郭の動き，呼吸形式(胸式優位か腹式優位か，吸気優位か呼気優位か)を評価する．

③喉頭

喉頭の位置(輪状咽頭筋の下縁から胸骨までの距離が3横指が目安)，発声時の喉頭周囲筋の緊張，左右差などを評価する．

④下顎

安静時の下顎の位置(噛みしめがあるか，逆に開口位で過剰に後方にひかれていないかなど)，運動範囲(開口制限はないか)，筋緊張(緊張が低くて下顎が下垂してしまっているのか，緊張が高くて後方に引かれているのかなど)，速度を評価する．

表3-16 検査と含まれる項目

検査	呼吸	発声	発語器官の随意運動	交互反復運動	筋力	反射	構音検査	プロソディ	発話特徴抽出検査
運動障害性(麻痺性)構音障害dysarthriaの検査法-第1次案	○	○	○	○		○	○	○	○
SLTA-ST(標準失語症検査補助テスト)	○	○	○	○			○	○	
標準ディサースリア検査(AMSD)	○	○	○	○	○		○		○

⑤口唇

安静時の位置(閉じているか,常に開いているか),運動範囲,筋緊張,左右差,筋力などを評価する.

⑥舌

形(萎縮の有無,後方で丸まっているかなど),運動範囲,筋緊張,速度,筋力を評価する.

⑦軟口蓋

安静時の形,発声時の運動範囲,発声時の鼻漏出,筋緊張を評価する.

⑧表情筋の動き

発声発語器官ではないが,コミュニケーションに大切な表情を作る表情筋も評価しておく.表情筋については1章1節G項(→15頁)に述べられているが,喜怒哀楽の感情と関連する筋肉について知っておくと訓練に役立つ.表3-15に示す.

(5) 検査バッテリー

(3)(4)の評価は諸検査を用いて行う.検査には構音から発声発語器官の機能まで評価できる総合的な検査と要素別の検査がある.

①総合的な検査

本邦で用いられている総合的な検査バッテリーは,運動障害性(麻痺性)構音障害dysarthriaの検査法-第1次案,その短縮版,SLTA-ST(標準失語症検査補助テスト),標準ディサースリア検査(Assessment of Motor Speech for Dysarthria;AMSD)が主である.それぞれの検査に含まれる項目を表3-16に示す.

■ 運動障害性(麻痺性)構音障害dysarthriaの検査法-第1次案

音声言語医学会の運動障害性構音障害小委員会によって1980年に開発された網羅的な検査である.いまだ試案の段階ではあるが,本邦では広く用いられている.構音・プロソディ検査と構音器官の検査,発話特徴抽出検査(図3-31)の3部からなる.発話特徴抽出検査を正確に行うためには,録音した患者の発話を何度か繰り返し聴く必要があるが,患者の発話の状態をより詳細に分析することができる.

この検査は臨床的に使いやすい検査の開発を目的に,1999年に短縮版が作成された.短縮版は構音・プロソディ検査と構音器官の検査の2部で構成されている.オリジナル,短縮版とも,構音器官の検査には筋力を評価する項目は含まれていない.

■ SLTA-ST(標準失語症検査補助テスト)

標準失語症検査(SLTA)の補助として開発された.高次脳機能や嚥下機能を含む症状のまとめ,発声発語器官の機能,交互運動,構音検査で構成される.顔面の感覚を測る項目も含まれる.

■ 標準ディサースリア検査(AMSD)

感度,特異度が検討され,**標準化の手続きがなされている**総合的な検査で,本邦では標準的な検査とみなされている.一般的情報の収集,発話の検査,発声発語器官の3部からなる.

②単一要素を測る検査

聴覚心理学的検査が多い.なかには一般の人に評価を依頼する必要がある検査も含まれる.

■ GRBAS尺度

嗄声の評価に用いられる.詳しくは2章4節C項(→81頁)を参照されたい.

検査方法(手技)
　オーディオテープに採録した被検者の発話サンプル(自由発話,音読,繰り返し音など)について,検査者の聴覚的印象に基づき評点を行う.

検査結果
　検査表の項目ごとに異常の程度を記入する.最も重症な場合を"4"とし,正常な場合を"0"とする.ただし,25. 明瞭度は除く.

検査表

患者名　　　　　　　歳　男・女　　評価年月日　　年　月　日
原因疾患　　　　　　　　　　　　　評価者
評価資料(　文・繰り返し音)

		項目	異常の程度 (0:正常,±4:最も異常)	備考
声質	1	粗糙性	0　2　4	
	2	気息性		
	3	無力性		
	4	努力性		
声	5	高さの程度	−4　−2　0　2　4 低　　　　　　　高	
	6	声の翻転		
	7	大きさの程度	小　　　　　　　大	テープの場合, 評価不要
	8	大きさの変動		
	9	段々小さくなる		
	10	声のふるえ		
話す速さ	11	速さの程度	−4　−2　0　2　4 遅　　　　　　　速	
	12	段々速(遅)くなる	遅　　　　　　　速	
	13	速さの変動		
話し方	14	音,音節が,バラバラにきこえる	0　2　4	
	15	音,音節の持続時間が不規則にくずれる		
	16	不自然に発話がとぎれる		
	17	抑揚に乏しい		
	18	繰り返しがある		
共鳴・構音	19	開鼻声	0　2　4	
	20	鼻漏れによる子音の歪み		
	21	母音の誤り		
	22	子音の誤り		
	23	構音の誤りが不規則に起こる		
全体評価	24	異常度	0　2　4	
	25	明瞭度	1　3　5	

(留意事項)
1　各患者の年齢・性別に留意して評価すること.
2　音声資料は,評価項目の各カテゴリー,すなわち声質,声の高さ,声の強さ,話す速さ,話し方,共鳴・構音,全体について少なくとも1回以上聞き,評価を行う.つまり,1人の発話サンプルを少なくとも7回聞くことが望ましい.

図 3-31　発話特徴抽出検査
〔伊藤元信,他:運動障害性(麻痺性)構音障害 dysarthria の検査法−第1次案.音声言語医 21:194-211, 1980 より〕

> **Note 28. ICFと運動障害性構音障害**
>
> 国際生活機能分類(International Classification of Functioning, Disability and Health；ICF)は，2001年に世界保健機関(WHO)の総会で採択された新しい健康観，障害観に基づく国際分類である[1]．生活機能(functioning)とは，心身機能・身体構造，活動，参加の3つのレベルを統合したもので，人が「生きること」全体を示す包括概念である．それ以前の国際障害分類ICIDH(WHO, 1980)が障害の現象(マイナス面)だけを切り離してみていたのに対し，ICFは障害のある人をみる場合にも，生活機能という「プラス」のなかに「マイナス」(障害)を位置づけて理解することを提案したモデルである[2-4]．上田[3]は，この点でICFは「プラスの医学」であるリハビリテーション医学との親和性が高いとしている．またICFでは，人の生活機能と障害を，心身機能・身体構造(機能障害)，活動(活動制限)，参加(参加制約)の各レベル間および健康状態(変調または病気など)ならびに背景因子(環境・個人因子)との間のダイナミックな相互作用としてとらえることが大きな特徴である[1]〔3章2節F項図3-63(➡240頁)の双方向の矢印〕．
>
> ICFにはこうした概念的枠組み(モデル)の部分と，これに基づいて作成された詳細分類の部分があるが，詳細分類は生活機能モデルを用いて対象者を理解し，支援する際に「見落としなく全体像をとらえる」ための，いわばチェックリストとして役立つ[2-4]．
>
> 発声発語に関連するICFの詳細分類としては，心身機能の「音声と発話の機能(b310-b399)」，身体構造の「音声と発話に関わる構造(s310-s399)」があり，活動としての「コミュニケーション(d310-d399)」は家庭生活，対人関係，社会・市民生活などの参加のすべての構成要素を実現するうえで不可欠と位置づけられる[3]．これらに沿って運動障害性構音障害のある人について整理する場合には，心身機能として音声，構音，発話明瞭度，発声発語器官などの所見が記載される[5]．活動としては，訓練室での言語聴覚士との会話など標準化された環境における最高の「能力」(capacity)と，家族との会話など実生活の場での「実行状況」(performance)[6]が記載される[1]．
>
> 運動障害性構音障害のある人へのICFの適用例については➡238頁を参照されたい．
>
> 引用文献
> 1) 世界保健機関(WHO)：国際生活機能分類—国際障害分類改訂版 —(WHO：International Classification of Functioning, Disability and Health, 2001). pp6-10, 13-15, 76-78, 111-114, 132-136, 中央法規出版, 2003
> 2) 上田 敏：ICFの理解と活用. pp6-36, きょうされん, 2005
> 3) 上田 敏：ICFの理解と活用—失語症リハビリテーションでの活用に向けて—. 上智大学講演会資料, 2019
> 4) 綿森淑子：言語聴覚障害の臨床とICF. 藤田郁代(監修)：標準言語聴覚障害学 言語聴覚障害学概論. pp166-171, 医学書院, 2010
> 5) American Speech-Language-Hearing Association：Person-Centered Focus on Function：Dysarthria. URL：https://www.asha.org/uploadedFiles/ICF-Dysarthria.pdf(2020年2月27日閲覧)
> 6) 小澤由嗣, 他：日常コミュニケーション遂行度測定(CPM)の開発. ディサースリア臨床研究 9：16-21, 2019

■ 会話明瞭度検査

患者の話ことばの了解度を5段階で評価する検査である．**発話の総合的尺度**として本邦で広く用いられている．伊藤が提唱した9段階尺度の検査もあり，どちらも使われている．どちらを用いてもよいが，あるときは5段階，あるときは9段階という使い方をせずにどちらを用いるかを決めて，統一するのがよい．

■ 発語明瞭度検査

定量的に発話の明瞭度を評価する目的で降矢[36]が開発した検査である．日本語の100音節のカードをランダムに並べて患者に読ませたものを録音し，医療者以外の一般の人に録音した音声を聞かせ，聞こえたとおりに音節を書き取ってもらい，どのぐらい正確に聞き取れたかをパーセントで示す．評価者として一般の人を選定する必要があるため，日々の臨床では扱いにくい．そのため多少のバイアスがかかることを理解したうえで，医師や言語聴覚士が行うこともある．

■ 単語明瞭度検査

伊藤[37]が開発した**情報伝達性に重きをおいた**検査である．2〜5モーラの単語(各30語，計120語)をひらがなと漢字(括弧内に表示)でカードに書き，患者に読ませ，録音する．3人の一般人(言語障害児者の言葉を聞きなれておらず，18〜60歳の間で，言語障害がなく，高校もしくは専門学校卒以上)に聞かせ，聞いたとおりに書き取らせる．正しく書き取られた単語数を120で割り，それに100をかけて3人の評価者の平均を求める．それが患者の明瞭度となる．ちなみに120

語の単語のセットは，3セット（A, D, E）用意されている．

(6) 問題点の整理

本人の話し方や周囲の環境にも大きく左右される．そのため，それらを含めて問題点を洗い出すことが必要である．基本情報，インテークの内容，機能評価を基に①患者の機能，②患者が行っている発話改善のための工夫，③主な会話相手のかかわり方や普段会話をしている環境の3つの側面で問題点を整理する．なお，国際生活機能分類（ICF）による問題点の整理については Note 28 を参照されたい．

①患者の機能

構音障害のタイプおよび会話明瞭度と自然度の判定，発話の4つの要素のなかで会話明瞭度に最も影響を及ぼしている要素はどれか，発声発語器官にどのような問題があるか，それは発話の問題とどう関連しているかを整理する．問題点の洗い出しだけではなく，それがどのような機序で起こっているのかまで掘り下げるよう努力する．

②患者が行っている発話改善のための工夫

自己修正はあるか，ゆっくり話す・区切って話すなどしているか，ジェスチャーや指差しなどを巧みに使っているか，あるいはすでに文字盤などの補助手段を使っているかなどを確認する．

③主な会話相手のかかわり方・会話環境

会話相手は患者の発話の状態を理解しているか，患者の発話をじっくり聞くよう努めているか，うまく相槌を打っているか，ながら会話をしていないか（テレビをみたり，家事をしたりしながらの会話）を把握する．

④コミュニケーション力

上記の①～③を総合したものを患者のコミュニケーション力ととらえる．そして，会話の成立度を低下させている要素はどれかを考える．例えば，会話明瞭度はある程度保たれ，患者はかなり周囲に配慮して話しているのに，会話相手は「全くわからない」と言っている場合，この会話相手と関係における患者のコミュニケーション力は低く，問題としては①や②ではなく，③であると予想できる．

C 運動障害性構音障害の訓練

1) 目標

訓練の最終目標は先に述べた**コミュニケーション力の改善**である．声がある程度大きくなっても，構音が多少改善されても，日常生活においてコミュニケーションが改善しなければ，訓練目標は完全に達成されたことにはならない．生活している1人の人間を相手にしていることを常に頭におき，その人の生活のなかでのコミュニケーションの改善を目標に据えたうえで，訓練をどのように組み立てていくかを考える．

2) 訓練の考え方

前述3つの側面の問題点にインテークで聴取した患者の希望を加味してプログラムを立て，訓練を進めていく．機能への介入は，口腔顔面へのアプローチや発声，構音訓練などがある．また患者ができる工夫として，話し方を変えたり補助手段を使ったりするなどの方法が考えられる．周辺環境へのアプローチとしては会話時の環境設定や発話相手への指導，リハビリテーションの継続のための場の提供などが考えられる．

3) 介入に当たって大切なこと

(1) 患者のその日の状態の把握

訓練に入る日の患者の**全身状態の把握**は必須である．リハビリテーションが処方されるのは，大抵患者の全身状態が安定してからではあるが，日内変動が大きい疾患や急性期の場合は，体調が変動することがままある．担当の看護師や先に入った他部門のスタッフからその日の患者についての情報を得ておく．

(2) 現段階でのコミュニケーションの担保

訓練を始める前に，患者のコミュニケーション手段を確保する．例えば声が小さくて意思疎通に

問題がある場合は，ポータブル拡声器を貸し出す．音声言語だけではコミュニケーションが難しい場合は，とりあえず3章2節D項（→223頁）の代替補助手段を導入するなど，今の段階で最低限の意思表示を行える方法を確保しておく．

4）機能障害の訓練—要素別訓練

(1) 姿勢

呼吸，発声に姿勢は大きく影響している．脳血管障害でも神経筋疾患でも患者は**異常な姿勢パターン**を呈する．姿勢を整えることは，呼吸，発声の訓練にとってとても大切である．目指すのは，胸郭の可動性が確保され，横隔膜と腹部が共同的に活動し，喉頭が適切な緊張を保てる位置関係である．そして，立位であっても，座位であっても，何か作業をしているときでも，その位置関係を保てることが求められる．しかし，疾患という大きなイベントにより損なわれたこの位置関係を修正するのは簡単ではない．位置関係を修正するには，患者の身体に徒手的に働きかけて，筋肉の緊張を整え，患者自らが安定した姿勢を保てるようになるのが理想だが，言語聴覚士にはハードルが高い．以下の方法を試してみてほしい．

① 理学療法士や作業療法士に相談する．可能なら言語聴覚士の介入場面に同席してもらい，最初に姿勢を整えてもらう．
② クッションやオーバーテーブル，足台などを使って姿勢を調整する（図3-32）．
③ 片麻痺の場合は麻痺側の殿部の下にタオルなどを入れる（感覚が入力されやすくなり座位姿勢が安定しやすくなる）．

(2) 呼吸

発声に関わる呼吸の働きについては1章1節C項（→5頁）に詳述されている．発声と呼吸は密接にかかわっており，安定した呼吸コントロールができることが発声の1つの条件となる．前述のように姿勢を整えてから行う．

① **目的**

正しい呼吸パターンの習得，肺活量の増大，呼気と吸気のコントロールの習得と呼吸に使われる筋肉の強化と協調性の改善を目的とする．

② **訓練**

発話のための呼吸訓練には，呼気のタイミングにあわせて胸郭を圧迫介助する，口すぼめ呼吸などがある．また，機械を使って抵抗を与える方法なども報告されている．しかし，発話の効果のある呼吸訓練法として定まったものはまだ存在しない．呼吸の訓練方法の1つを紹介する．

- 患者に片手を胸郭，もう片方を腹部に置くよう指示する．麻痺などのために手が使えない場合は，言語聴覚士が患者の後ろに立ち，患者の胸郭と腹部に言語聴覚士の手をおく．
- 口から息をすべて吐くよう指示する．次に，鼻から息を吸う．このとき胸郭と腹部の動きを感じてもらう．息を吸うときに肩が挙上しないよう注意する．
- 息を吐ききる→3つ数えるまで息を吸いきる→3つ数えるまで息を止める→口から3つ数える長さでゆっくり息を吐く．これを数回繰り返す．最終的には，3カウントで吸い，7カウントで吐ききることができる程度が理想である．
- 吐くときに[h]から始めて，[s][shi]など，音を変えて吐いていく．
- 可能なら，クレッシェンドのように徐々に呼気の量を増やしていく，逆にディミヌエンドで徐々に呼気を弱めていく，など1回の呼吸で呼気の強さをコントロールする練習を行う．

(3) 発声

① **目的**

呼吸との協調の習得，大きさのコントロールの習得，高さのコントロールの習得，抑揚のコントロールの習得，そして適切な共鳴の習得を目的とする．

② **訓練**

- **呼吸との協調**

(2)の呼吸の訓練とあわせて行うことが望ましい．吐く息に合わせて声を出すよう促す．失調性構音障害の場合，呼吸と発声のタイミングがずれ

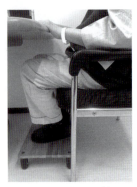
図 3-32　姿勢の調整
足台を使って、足底がしっかり地面に着くように工夫する。

図 3-33　呼吸との協調
吸うときは提灯を開き、吐くときに提灯を縮ませる。呼吸と発声のタイミングが合いやすい。

図 3-34　ブローイング訓練
ペットボトルに穴をあけ、ストローを差し込む。蓋を閉めたり緩めたりすることで、ペットボトル内の圧が変化し、ブローイング時の負荷が変わる。

やすいため、息を吸って吐くときに「せーの」など声かけを行うとタイミングをあわせやすくなる。また、「吐く息に溶け込ませるように」と説明をする、蛇腹などを用いて、蛇腹を広げていくタイミングで息を吸い、縮めていくときに息と一緒に声を出してもらう、なども患者が呼吸と発声のタイミングをイメージしやすくなることがある（図3-33）。

■ 大きさのコントロールの習得

大きさといっても、声が弱々しく小さい、喉に力が入ってうめくような声しかでない、大きさが変動するなど、問題はさまざまである。声門閉鎖が弱く、息が漏れたような声の場合は、プッシング法やプリング法、硬起声発声が有効なことがある。また逆に、声帯や仮声帯が閉まりすぎてしまい絞り出すような声になるときは、あくび-ため息法や軟起声発声が有効とされている。これらの方法は2章5節B項（➡111頁）で詳説されている。声帯の状態が整ったら以下の練習を行う。

- [a] [o] などの母音をできるだけ長く発声してもらう。
- 1回の発声の中で[a:o:]など音を変化させる。
- [a]や[o]を短く連続して出す（素早く息を吸う練習になる）。
- 母音や数字を徐々に大きく、または徐々に小さく変化させる。
- 母音や数字などを小さな声、大きな声で交互に言う（例：1234……）。

(4) 共鳴

①目的

鼻咽腔閉鎖機能を改善させ、開鼻声、呼気鼻漏出による子音の歪みを軽減することが目的である。

②訓練

鼻咽腔閉鎖機能改善のためによく用いられる方法はブローイング訓練である。ブローイング訓練とは、ペットボトルに水を入れて、穴をあけてストローを差し込みブクブクと息を吐くものである（図3-34）。ストローの長さを変化させたり、キャップの締まり具合を調節したりすることで圧を変化させることができる（図3-34）。また、[ba:da:ga:]など有声破裂音を連続して構音し、そのあとで、鼻音と口音を交互に産生する（例：[ma:ba:] [na:da:]など）。ただし、訓練により軽度の鼻咽腔閉鎖機能不全が改善したという報告はあるが、重度の鼻咽腔閉鎖機能不全の改善例の報告はない。今後新たな訓練法が待たれる分野である。重度の鼻咽腔閉鎖機能不全に対しては、軟口蓋挙上装置などの補綴的治療が導入されることがある。補綴的治療については3章2節C項（➡219頁）を参照されたい。

(5) 声の高さと抑揚の訓練

運動障害性構音障害患者は声の高さの単調性や異常な高さ，高さの大幅な変動を呈することが多い．それぞれの症状に応じたアプローチが必要である．

①目的
発話内容や場面にあった声の高さや抑揚の変化を身に着けることが目的である．

②訓練
- 声の高さの範囲を広げるには，ドレミファの音階に音を乗せていく練習を行う．最初は1オクターブもいかないかもしれない．そのときは，ドレミ程度の3度の音の間で，上げる下げるを練習し，徐々に音の範囲を広げていく．
- その後，低い音と高い音の間を一気に上がる・下がる練習，通常の高さを起点として高い音あるいは低い音へと移行する練習などを取り入れていく．
- 一音ずつ下がる・上がるを練習する（例：↓[a]↑[a]↓[a]）．
- 一語文や短文を使って抑揚の練習をする．

(6) 非発話運動訓練

①目的
構音器官の動きを促通し，会話明瞭度を上げることを目的とする．

②訓練
構音運動には下顎，口唇，舌，口蓋が正常に機能することが求められる．いずれかの機能が正確に働かなくなると構音に影響が出る．構音訓練に焦点を当てることも大切だが，構音器官の訓練や動きの促通，すなわち非発話口腔運動訓練も会話明瞭度の改善に必要であるとの考え方が一般的だ．しかし一方で，その有効性を疑問視する研究者もいることを付記しておく．筆者は臨床経験から，非発話口腔運動訓練の必要性を感じており，臨床のなかで用いている．口腔運動訓練には指示をして患者に行わせる随意的な運動訓練と，患者の自然な動きを引き出す自動的な訓練，言語聴覚士が患者の構音器官に働きかける他動的訓練がある．非発話口腔運動訓練と発話訓練の例を示す．

■ **随意的な運動訓練**

• **下顎**
① 口を大きく開け，ゆっくりと閉じる．これを数回繰り返す．間に休みをいれながら徐々に速度を上まげていく．
② 患者に下顎を前方に突き出し，左右に動かす．これを数回繰り返す．

• **口唇**
① 口唇を思い切り突き出し，次に大きく横に引く．これを数回繰り返す．間に休みを入れながら徐々に速度を上げていく．速度を上げても動かす範囲が狭くならないよう注意する．
② 口角を交互に引き上げて保つ．これを数回繰り返す．
③ 口唇に舌圧子などを挟み，そのまま保つ．言語聴覚士もしくは本人が手で舌圧子を引っ張り抜けないよう口唇をぎゅっと閉じると，より負荷がかかり，口唇が鍛えられる．最近は口輪筋を含め，表情筋を鍛える器具も販売されている．なかには医療器具としての承認を得ているものもあるので，患者の状態をみながら導入していくのもよい．
④ 口唇をしっかり閉じて，頬を膨らます．数秒間膨らました状態を保ち，その後一気に息を吐き出す．吐き出す際に両手で頬を押してもよい．

• **舌**
① 舌を思いっきり前方に出し，その後引っ込める．これを数回繰り返す．徐々に回数を増やし，速度を上げる．舌を目いっぱい前方に突出させるためには，舌圧子などで「ここまで」と目印を呈示して，目印めがけて突出を促すとよい．
② 患者が舌を突出する際に，言語聴覚士が舌圧子で抵抗を加え，その抵抗に負けないように力を入れてもらう．舌の筋力増加を目指す．
③ 舌の突出，後退の繰り返しの速度を上げていくときに，運動範囲が狭くならないよう気をつける．

④舌尖を上顎の歯槽突起まで持ち上げ下ろす．次に上口唇につけ下口唇につける．これを数回繰り返す．休みをはさみながら徐々に回数を増やし，速度を上げていく．舌圧子で抵抗を加えるのもよい．
⑤奥舌を硬口蓋につける．このとき言語聴覚士が綿棒などで，指標となる場所を呈示する（挙上する箇所を触る）と患者は場所を意識しやすくなる．
⑥舌尖で左右の口角に交互に触れる．数回繰り返す．徐々に1セットの回数と速度を上げていく．
⑦舌尖で左右の頰の内側を交互に押す．
⑧人中付近の歯茎と口唇の間に舌尖を入れ，歯茎に沿って舌尖をゆっくり右回りに回す．一周したら同じように左回りに回す．これを数回繰り返す．
⑨ディアドコキネシス（交互反復運動）：明瞭な発話には，構音器官の素早く正確な運動が必要である．上に述べてきたなかで，徐々に速度を上げていく課題が多いのは単に動くだけではなく，速く動くことが大切だからである．ディアドコキネシスは素早い動きを獲得するための練習となりえる．下顎の開閉，舌の突出後退，舌尖の左右への運動，舌尖の上下の運動，そして，発話訓練の前段階としてのオーラル・ディアドコキネシス（パ，タ，カの反復）がこれに当たる．

■ 自律的訓練

随意性の高い運動は，時として患者に過剰な緊張をもたらす．そのため，普段できている運動も達成できなくなることがある．特に失行のある患者は随意性が高い運動は苦手である．そのため，随意的な訓練だけでなく，自然な動きを引き出す訓練もあわせて行うと効果的である．

• 下顎
①嚥下障害がないのであれば，ガムなどを噛む咀嚼運動を行う．
②舌圧子を上下の歯の間に挟み，言語聴覚士が圧子を左右に少しずつ動かして，下顎の動きを誘導していく．
③失行が重度で開口もままならない患者の場合は，ペンライトやスプーンを近づけると開口できる場合がある．

• 口唇
①ティッシュを吹く．
②ろうそくの火を消す．
③棒つきキャンディを口に入れたり出したりしながらなめる．
④口に水を含ませ頰を膨らませてうがいをしてもらい，口唇から一気に口腔内の水を出す（ガラガラうがいではなく，グジュグジュペッのうがい）．

• 舌
①上口唇や下口唇にチョコレートやはちみつ，ご飯粒などをつけ，なめとらせる．
②小さなマシュマロなど少し弾力があるものを硬口蓋と舌の間に挟み，舌で押しつぶす．
③硬口蓋にはちみつやチョコレートペーストを塗り，舌尖でなめとらせる．
④舌で飴を転がす．

■ 他動的訓練

主に感覚入力を目的とする．
①寒冷刺激：ビニール袋などに氷を入れ，顔面神経が支配する筋肉周辺に触れる．触れている時間は5秒を超えないようにする．特に，感覚障害のある場合に有効である．刺激をいれてから，すぐにその筋肉を使った運動を行う．
②ブラッシング：絵具に使う筆や毛筆などを使って，筋腹を軽く，素早くなでる．寒冷刺激は短時間だが，このブラッシングはある程度（1分間くらい）なでる．その後その筋肉を使った運動を行う．
③圧刺激：言語聴覚士が指の腹を使って，顔面筋に軽く圧をかける．舌の緊張が高い場合は，下顎底から舌に圧を加えることで緊張を落とせることがある．
④ストレッチ：顔面筋を口腔内と外側から挟んで

ストレッチする．舌前方をガーゼでつつみ，患者のリズムにあわせて前方，左右にストレッチする方法もある．

(7) 発話訓練

実際に声を出して行う構音訓練である．患者の発話がどのレベルから崩れてくるかで，アプローチの方法が異なる．

①単音から会話まで

非発話口腔運動訓練から連続して行う．進め方は機能性や器質性の構音障害と同じである．
①歪みが大きい音で，しかも患者にとって取りかかりやすい音から始める．
②目標音を決めたら，まず言語聴覚士がその音を産生して，見本を示す．
③患者に言語聴覚士が行ったことを真似てもらう．鏡を使ってもよい．
④時々，他動的訓練を入れながら行うとよい．例えば，両唇音であれば，口唇に舌圧子を挟んで抵抗を加えながら保持する運動を行ってから，音を産生してもらう．
⑤単音が産生できるようになったら，2, 3モーラの単語の練習を行う．目標音が語頭にある単語から始め，語尾，語中と進めていく．
⑥目標音が入ったフレーズ，短文の練習を行う．
⑦目標音が多数入った文章の音読練習を行う．
⑧しりとりなどゲーム形式で目標音の産生を促す．
⑨短い質問に答えてもらう形(質疑応答)で対話を行う．答えに目標音が入るように質問を工夫する．
⑩テーマを選び，そのテーマについて患者に話してもらう．
⑪患者の自発話への意識を促しながら通常の会話を行う．

②発話速度コントロール訓練

Parkinson病患者のように，麻痺がなく，構音器官の運動範囲も保たれているものの，発話速度が亢進し，長い発話になると構音の歪みが目立つ患者の場合は，前述した単音からの練習よりは，

図3-35 ペーシングボード
色のついたスロットを指で指しながら話すことで，発話速度が低下する．
〔インテルナ出版より提供〕

発話速度をコントロールすることが，発話明瞭度の改善に有効なことが多い．発話速度のコントロール訓練には以下の方法がある．
①フレージング法：音読の課題を文節ごとに読んでもらう．はじめは区切る箇所に線を引き目印をつけておき，いずれは目印なしでも区切って読めるようにする．
②モーラ指折り法：指を折りながら一音(モーラ)ごとに発話してもらう．
③ペーシングボードの利用：ペーシングボードは色のついたスロットが突起で仕切られた会話補助装置である．各スロットを指で指しながら話してもらう(図3-35)．モーラごと，文節ごとなど区切り方は患者の状態に応じて変える．
④メトロノームの利用：メトロノームにあわせて，音読や復唱を行う．
⑤リズミックキューイング法：言語聴覚士がリズムをつけて文中の文字を指し，それにあわせて患者が音読や復唱を行う．ただし，この方法は熟練した指導者に教えをうけてから実施するのが望ましいとされている．

(8) 自主トレーニングの指導

入院中，あるいは通所施設での訓練場面でできたことを維持するためには，患者自身による自主トレーニングが重要になる．自主トレーニングを継続してもらうために，言語聴覚士はさまざまな

策を練らねばならない．以下に例を挙げる．

① わかりやすい資料を渡す．写真や絵などで実施する内容が簡単にわかるように工夫する．また，高齢者は老眼の人が多いため，大きな文字を使うことも大切である．
② 患者の同意を得て訓練場面をビデオにとり，DVDなどにそのデータを収めて患者に渡す．
③ チェックシートを使う．毎日やる課題をリストアップし，それができたかどうかをチェックできるシートを作って渡す．
④ 「ながら」でできる課題を多めに取り入れる．例えば「湯船につかりながら，発声練習をする」「テレビを見ながら舌の運動をする」などである．日常必ず行う行動に課題を結びつけることで，自主トレーニングへのハードルが下がる．
⑤ 仲間と一緒に行う．「周辺環境への介入」の項目で述べるデイサービスやデイケア，PD Café（➡ Note 29）など同じような障害をもっている人と一緒に練習することで，自主トレーニングが継続しやすくなる．

5）機能面への介入―包括的訓練

前述した要素別訓練ではなく，構造化されたプログラムを行うことで，姿勢，発声，構音すべてを改善することを狙った体系的な訓練法がいくつか提唱されている．本邦でよく知られている訓練法を紹介する（➡ Note 30）．

(1) リー・シルバーマン音声治療（Lee Silverman Voice Treatment；LSVT®LOUD）

Parkinson病患者の発話改善を目的にRamig博士らが開発したプログラムである．このプログラムを最初に受けた患者の名前にちなんで名づけられた．発話の訓練法としては高いエビデンスレベルを取得している唯一の治療法である．発話の細かな要素ではなく，大きな声を出すことに焦点を当てた訓練法で，それにより構音の改善もみられるというものである．

現在はParkinson病だけではなく，Parkinson病類縁疾患や小児の発話障害の訓練にも用いられており，効果の検証が行われている．LSVT®LOUDを実施するには，LSVT Globalが主催する研修会に参加し，認定試験に合格する必要がある．本邦ではここ数年，年1回のペースで東京都内で研修会が開催されている．

(2) SPEAK OUT!® and LOUD Crowd®

Boone博士の教えをもとに開発された，「意識して話す（speak with intent）」をキャッチフレーズとしたプログラム．個別の集中訓練（SPEAK OUT!®）を終了した患者は，週1回の集団訓練，LOUD Crowd®に参加する．このプログラムを行うには，非営利団体Parkinson Voice Projectが指定する講義を受講しなければならない．なお，この講義はオンラインで受講可能である．

(3) 高齢者の発話と嚥下の運動機能向上プログラム（Movement Therapy Program for Speech and Swallowing in the Elderly；MTPSSE）

西尾が開発した，日本独自の包括的プログラムである．先に挙げたリー・シルバーマン音声治療やSPEAK OUT!® and LOUD Crowd®はParkinson病患者の発話が対象であったのに対し，このプログラムは疾患やタイプを選ばない．また，運動障害性構音障害と嚥下障害に同時にアプローチするハイブリッドアプローチであり，症状が出ていない患者への予防と機能障害への訓練にも適用できる．

Note 29．PD Café

患者会ではないが，Parkinson病当事者の声に耳を傾けた理学療法士が立ち上げた，Parkinson病の「根治療法が確立されるまで動き続けられる体作り」を目指しているコミュニティである．東京都小平市で始まった月1回の定例会（身体や声のリハビリテーション）は，現在東京23区，神奈川，千葉，山梨，愛知，広島にまで広がっている．メディアにも取り上げられ，現在注目を浴びている新しい形の患者コミュニティである．本部は東京都世田谷区（Webサイト：https://pdcafe.jp/）．

> **Note 30.** 言語聴覚士のための講習会
>
> 本項で説明した，Parkinson 病のための包括的治療プログラム，LSVT® LOUD と SPEAK OUT!®，高齢者の発話と運動機能向上プログラム（MTPSSE），および確立された訓練プログラムの講習会ではないが，姿勢のコントロールや選択的な運動についての評価やアプローチについて学べる，言語聴覚士のためのインフォメーションコースについての情報が得られる Web サイトを以下に示す．学びを深めるために活用してほしい．
>
> 表　講習会の Web サイト
>
> | 講習会・研修会 | 主催 | 情報取得サイト |
> |---|---|---|
> | LSVT® LOUD | LSVT® Workshop Japan 事務局 | https://nur.ac.jp/lsvt/lsvt_session/ |
> | SPEAK OUT!® | Parkinson Voice Project | https://www.parkinsonvoiceproject.org/SPEAKOUT!Training |
> | MTPSSE | 日本ディサースリア臨床研究会 | https://www.dysarthrias.com/wp/ |
> | 言語聴覚士のためのインフォメーションコース | 日本ボバース研究会 | https://bobath.or.jp/archives/infomation/ |

6）患者が行える工夫への介入

患者の「今」の力をできる限り発揮するための介入である．機能訓練で改善が困難な場合，あるいは，機能訓練開始前にコミュニケーションを担保するために導入する．

(1) 会話場面での配慮

会話時に以下の配慮を行うことで，コミュニケーションがスムーズになる．
① 自分の発話の状態をあらかじめ相手に伝えておく．
② これから何について話すのか相手に伝えてから，詳細を話す．
③ 話題を変えるときは，その旨をきちんと伝える．
④ ポイントを押さえて，短い文で話す．
⑤ 相手が自分の話を理解しているかどうか確認しながら会話を進める．

(2) 話し方を変える

構音訓練の項では，発話速度が速すぎる患者を元の速度に戻すためのコントロール方法を紹介したが，発話速度が正常範囲にあっても，音の歪みが大きく聞き取りにくい場合，さらに速度を落とすことで発話明瞭度を上げることを目的として発話速度を調節する．方法としては➡ 195 頁の発話速度コントロール訓練を用いる．

(3) 拡大・代替コミュニケーション手段（AAC）を使う

発話だけではコミュニケーションの成立が困難な場合には，AAC（augmentative and alternative communication）が導入される．ALS など進行が速い神経変性疾患については，発話でのコミュニケーションが可能な段階から，先を見越して AAC の紹介を行う．AAC については 3 章 2 節 D 項（➡ 223 頁）に詳述されている．

7）周辺環境への介入

コミュニケーションを円滑に進めるためには，機能改善や補助手段などの併用に加えて，聞き手の配慮や環境整備が大切となる．また，患者の社会参加を促すことやコミュニケーション意欲を高めるための働きかけも言語聴覚士が担う役割である．

> **Note 31. 患者会(友の会)**
>
> 　患者会は，戦前のHansen(ハンセン)病患者の収容施設における患者たちによる活動が，やがて全国に広まり，それが筋ジストロフィーやリウマチ患者や家族の活動のもとになったといわれている．患者会は患者やその家族が，自分たちの疾患について知り，お互いに支え合い，自分たちの存在や問題について外部に発信しよりよい環境づくりをするために社会に働きかけるために，自ら設立した組織である．定期的に会報を発行したり，専門家を招いて疾患についての講演会を開いたりなど，病気を抱えながら，活動を続けている．一口に患者会といっても，形態も規模もさまざまで，全国組織の患者会，そのなかでも単一の患者会や地域支部をもつもの，地域だけの患者会があり，組織形態も任意団体，特定非営利活動法人(NPO)から宗教法人まで多様である．
>
> 　現在は疾患の数だけ患者会があるといっても過言ではないほど，多数の患者会が存在する．ここでは，本章に記載した疾患に関連する患者会を挙げる．
>
> **表　患者会の例**
>
> | 組織名 | 対象疾患 | 設立年 | 会員数 |
> |---|---|---|---|
> | 全国パーキンソン病友の会 | Parkinson病(PD) | 1976年 | 約8,500名 |
> | PSPのぞみの会 | 進行性核上性麻痺(PSP)，大脳皮質基底核変性症(CBD) | 2009年 | 約250名 |
> | 全国脊髄小脳変性症・多系統萎縮症友の会 | 脊髄小脳変性症(SCD)，多系統萎縮症(MSA) | 2008年 | 約1,400名 |
> | 日本ALS協会 | 筋萎縮性側索硬化症(ALS) | 1986年 | 約4,400名 |
> | 全国多発性硬化症友の会 | 多発性硬化症(MS)，視神経脊髄炎(NMO) | 1972年 | 不明 |
> | 筋強直性ジストロフィー患者会 | 筋強直性ジストロフィー(MyD) | 2016年 | 約230名 |
> | 全国筋無力症友の会 | 重症筋無力症(MG) | 1971年 | 約1,300名 |
> | 筋無力症患者会 | 重症筋無力症(MG) | 2015年 | 不明 |
> | 日本ハンチントン病ネットワーク | Huntington病 | 2000年 | 不明 |

(1) 会話相手への指導

次のような配慮を会話相手に指導する．
① 今，何について話しているのか確認する．
② わからないときはその旨を相手に伝える．
③ ゆっくり話すよう促す．
④ 相手をみてしっかり聞く．
⑤ 静かな環境で話す．
⑥ 近くに寄って話す．
⑦ 話すことに集中する(例：家事をしながら話をしない)．

(2) 環境整備

患者は，自分の話が相手に通じないという経験が重なる，思うように口が動かないなどの経験が重なると，話すことが億劫になってしまい，話す機会が減ってしまうことがままある．これは，話す機会が減る→構音器官を使わなくなる→ますます話しにくくなる，という悪循環に陥ることになる．患者の発話意欲を高めるための工夫をあげる．なお，地域とのかかわりには地域の支援が必要となるため，ソーシャルワーカーを通じて連携をとる．

① **通所施設や患者会での活動を促す**

同じ疾患をもっている人と交流をすると疾患に関して情報共有ができるだけではなく，頑張っている人たちの姿をみて，自分も頑張らなければという気持ちになる可能性がある．交流の場としてデイサービスやデイケア，患者会(➡ Note 31)がある．Parkinson病患者に限定されてしまうが，

PD Café(➡ Note 29)などのリハビリテーション教室もあり，活動の幅が広がってきている．

②復職をサポートする

特に若年で発症した人たちにとって，仕事を続けて収入を得ることは，単に生活の糧を得られるだけではなく，社会参加ができているという自信につながる．受け入れてくれる職場の状況にもよるが，言語聴覚士としてはコミュニケーション面でできること，できないこと，どのような助けが必要かなどについて十分な情報を職場に提供することで，職場が患者を受け入れやすくなるかもしれない．

d 臨床への応用

1) 介入の流れ

処方が出てから，言語聴覚士は情報収集→初回インテーク＆観察評価→機能評価→問題点の抽出→訓練プログラムの立案→訓練と進めていく．そして効果を判定し，改善されていなければ，また問題点の洗い出しに戻るというのが基本的な流れである(図 3-36)．

2) 非進行性と進行性疾患の違い

運動障害性構音障害を引き起こす疾患には進行性疾患が多いことは，本項で挙げた疾患から理解いただけたと思う．進行性疾患と非進行性疾患の大きな違いは，「悪いほうへの変化」である．すなわち，病気の進行とともに，発話にかかわる機能もやがて低下していく．その「やがて」がどのぐらいの速さかは疾患によって，個人によって異なるが，進行性疾患の患者と対峙する場合，言語聴覚士は「今」だけではなく「やがて」のときの状況も頭に入れてかかわっていく必要がある．図 3-36 の基本的な流れにはバリエーションがある．

3) 進行性疾患患者への介入

病名告知済みで発症初期の日常生活動作(ADL)が自立している ALS の患者の処方が出た

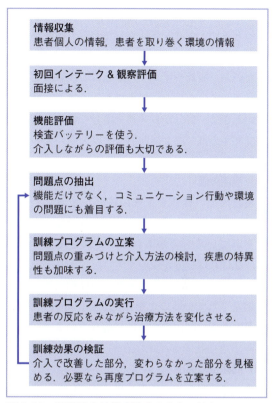

図 3-36 運動障害性構音障害の介入の流れ

と仮定して，介入の流れを考えてみよう．

(1) 情報収集

評価の項目で述べた以外に，病名告知は受けているようだが，その受け止め方はどうか，本人の精神状態，呼吸器導入や胃瘻造設についてすでに方向性が決まっているかまで情報をとるとよい．大抵はカルテに記載されている．その他，家族の疾患のとらえ方も押さえておく．またこの段階でどのような患者像かをイメージしておく．

(2) 初回インテーク＆観察評価

患者との初の顔合わせである．ラポールが形成できたら，図 3-29 に示した内容を参考に患者から情報を収集する．患者の様子をみながら会話のなかで少しずつ情報をとっていく．手足の動きはどうか，自分の発話をどのようにとらえているか，少しずつ悪くなっていると感じているのであれば，自分の現在の**発話を録音**しておく希望があ

るかについても確認できるとよい．初回インタビューのときに，患者と会話をしながら，観察評価も同時に行う．会話時に息があがって肩で呼吸していないか，疲れやすくないかはこの疾患にとっては見逃してはならない項目である．また，話しづらいときに，自分からメモを出して書く，携帯電話で文字を打つなど補助的な手段を用いていないかも評価する．

(3) 機能評価

現段階での機能を正確に評価しておく．検査バッテリーは，自分が配属された施設ですでに用いられているものがあれば，それを使えばよいし，なければ自分が使いやすいバッテリーを用意するとよいだろう．構音検査，口腔顔面機能検査が網羅されていることを確認する．呼吸の状態，舌萎縮や開口制限の有無は見落さないように心がける．

(4) 問題点の抽出

それまで得たすべての情報に基づいて，患者の問題点を分析する．機能障害，機能低下を補うために患者自身が行っている工夫，周囲の環境，それぞれの問題を洗い出してみる．そして，どの側面の問題が大きいかを考える．

(5) 訓練プログラムの立案と実行

コミュニケーション力の改善を最終目標とし，評価結果と患者の希望をもとに訓練プログラムを立てる．ここで忘れてならないのは，この疾患の進行が速いこと，機能面の改善はかなり難しいことである．つまり，重度の構音障害があり，機能の問題が大きかったとしても，機能面の改善に重点をおくことは現実的ではない．だとすれば，コミュニケーション力を改善するには，残りの2つの側面〔3章2節B項(➡ 190頁)〕を強化する必要があることがわかる．さらに，将来的に人工呼吸器の導入を希望しているのであれば，そのときのコミュニケーションも念頭においてプログラムを立てなければならない．病初期で発声や構音機能に大きな低下がないのであれば，機能維持のために積極的に訓練を行う．ただし，「**疲れない範囲で**」というのは鉄則である．

本人ができる工夫としては，区切って話す，短い文を使う，通じないときは文字盤を使う，などであろう．周辺環境の強化は最も重要となる．患者が短い単語で答えられるような質問の仕方を家族など主な会話相手に指導，一対一で静かな環境で会話の促し，患者会の紹介などがプログラムの内容となる．また，人工呼吸器導入予定であれば，早い段階からAACの紹介を行う．この場合は身体の機能障害の進行を念頭におき，わずかな身体の動きで操作できる機器や，最後まで機能が残りやすい眼球運動を使ったコミュニケーション方法を選択する．自分の声を残しておく希望があれば，その録音も行う．

(6) 訓練効果の検証

訓練は常に効果を検証しながら行う．そのためには，何を指標にするのかをあらかじめ決めておく必要がある．ALSの場合は，機能の改善を指標にするのは難しい．おそらく話し方を工夫することで，会話時の疲れが減ったか，静かな場所で会話をするなど環境を整えたことで以前より楽に意思疎通が図れるようになったか，それによって全体的なコミュニケーション力が改善したかが効果の判定の指標となるだろう．効果が認められない場合は，その理由を考え，プログラムを組み立てなおす．

(7) コミュニケーション力を維持するために

訓練により改善したコミュニケーション力はできるかぎり維持したい．ALSの場合，機能が低下していく分，補助手段や環境設定がますます大切になってくる．本人や家族に，患者の状態とそれにあわせた工夫や環境調整の方法を可能なかぎり具体的に伝えておく必要がある．書面にして，関連する資料とともに渡せればベストである．なお，コミュニケーション機器やスイッチなどは作業療法士が詳しいので，連携をとりながら進めていく．

以上，本項では運動障害性構音障害を引き起こ

す疾患，評価，訓練について述べ，さらにALSを例とした介入の流れについて説明した．包括的な訓練法を除き，本邦には運動障害性構音障害に対する決まった訓練法はない．それだけ運動障害性構音障害の原因となる疾患は多様であり，障害の現れ方も多様なのである．加えて，個人の希望やおかれた環境も異なる．適切な介入方法は患者によって異なる．まさにオーダーメイドの訓練を常に考えなければならない．機能の改善は大変重要であり，「進行性の疾患だから」という理由で，機能改善をすぐに諦めてしまうことは言語聴覚士としてとってはならない．実際にLSVT®LOUDは進行性疾患であるParkinson病患者の発話を改善させている．言語聴覚士は機能面の改善のためにも精一杯努力すべきである．しかし，最終的に目指すのはコミュニケーション力の改善である．そのためには，機能改善だけにとらわれずに，患者個人に合った訓練プログラムを組み立て，実行することが大切である．

2 発語失行

発語失行（apraxia of speech）とは，①一貫性の乏しい構音の歪み，②不自然な音の途切れや引き伸ばしといった音のつながりの問題，③アクセントや抑揚の異常を中核症状とする発話障害である．発語失行は，**運動障害性構音障害**とも**失語症（aphasia）**とも異なる独立した症候として位置づけられている[38]．

本項では，まず，発語失行の基本的概念を整理するとともに，純粋発語失行例の臨床像を解説し，発語失行の病態の輪郭を明らかにする．次に，失語症および運動障害性構音障害との鑑別にあたっての具体的方法を例示する．最後に，近年報告されている訓練法について概説する．

a 発語失行の基本的概念

1）用語法について

「発語失行」に類する表現として，「失構音」や「**アナルトリー（anarthrie；仏語）**」といった用語がある．用語法の相違については，歴史的な失語症の論争[39]や，研究者間の視点の相違が反映されているが，本項ではその詳細には立ち入らない．これらの用語は，臨床的にはほぼ同一の現象を指し示しているという見解が多く[40-42]，ほぼ同義と考えられている．

ただし，仏語の「アナルトリー（anarthrie）」と英語の「anarthria」の違いについては注意が必要である．本邦で使用されている「anarthrie（仏語）」は，仏語圏での使用法[43]に基づいている．この「anarthrie」は，特殊な「構音の障害」を指し示す語として，20世紀初頭にMarieによって提唱された用語である．「発語失行」の提唱者であるDarleyら[38]は，anarthrieについて「その内容は，…（中略）…われわれが発話運動のプログラミングとよぶものの喪失を意味した」と述べている．つまり，「発語失行」の提唱者は「anarthrie（アナルトリー）＝発語失行」とみなしており，本邦での使用法は決して特殊なものではない．一方，Marieとの失語論争を繰り広げたDejerineは，「anarthrie」を「一種の仮性球麻痺」として位置づけており[44]，この視点が，英語圏の研究者に現代まで引き継がれている．そのため，英語圏では，最重度の運動障害性構音障害に対して，「anarthria（英語）」という用語があてられている[45]．

2）発語失行の位置づけ
―言語（language）と発話（speech）の違い

脳損傷によって生じる「ことばの表出」に関する障害は，主に，「言語（language）」の水準に由来する問題と，「発話（speech）」の水準に由来する問題に分類可能である（表3-17）．言語の問題は，失語症に相当する．失語症は，「大脳の損傷に由

表 3-17　脳損傷による「ことばの表出」に関する障害

障害の水準	症状名	病態
言語(language)の障害	喚語障害	ことばが思い出せない
	語性錯語	語を言い間違える（例：ねこ→いぬ）
	音韻性錯語	音を言い間違える（例：ねこ→ねほ）
発話(speech)の障害	発語失行	一貫性の乏しい構音の歪み，音の途切れ・引き伸ばし，プロソディ障害
	運動障害性構音障害	発声発語器官の運動障害による呼吸/発声/共鳴/構音/プロソディ障害

Wertz ら[48]の4徴候
① 努力的で，試行錯誤を伴う構音の探索と自己修正の試み
② プロソディ異常（リズム，ストレス，イントネーション）
③ 同じ発話を繰り返した際の構音が一貫しない
④ 発話開始の困難

↓ 音韻性錯語と区別するための精錬

McNeil ら[44]の4徴候
① 音の歪み
② セグメントの持続時間の延長
③ セグメント間の持続時間の延長
④ プロソディ異常

発語失行にも失語症にも認められる症状
⑤ 発話施行ごとの変動性
⑥ 構音運動の探索や自己修正
⑦ 単語長の増加や，発話を加速させる要求のような発話負荷の増加に伴う誤りの増加

図 3-37　発語失行の主要症状

来するいったん獲得された言語記号の操作能力の低下ないし消失」と定義される[46]．この言語記号の操作能力が損なわれることによって，言いたい単語が思い出せない「**喚語障害**」，言いたい単語が別の単語に入れ替わってしまう「**語性錯語**」，言いたい音が別の音に入れ替わってしまう「**音韻性錯語**」などの症状が生じる．これらの問題は，「ことばの表出」のための運動を実行する前段階で生じているため，発話運動による表出であっても，書字運動による表出であっても，原則的に同様の誤りが出現する．

一方の発話の問題は，運動障害性構音障害と発語失行があげられる．英語圏では，運動障害性構音障害と発語失行を包含した「**運動性発話障害（motor speech disorders）**」という概念が提唱されている[38, 45]．運動障害性構音障害は，「発話の実行に関与する基本的運動過程のいずれかの過程が障害されて生じる発声発語器官の筋制御不全に起因する一連の発話障害の総称」と定義される[38]．言い換えると，「発話運動の実行」が困難となる病態であり，言語記号の操作能力は障害されない．したがって，筆談をはじめ，発話運動以外の表出手段を用いることで，「ことばの表出」が可能である．

発語失行は，運動障害性構音障害と同様に，言語記号の操作能力は保たれ，「発話」による表出のみが困難となる．発語失行と運動障害性構音障害の最大の違いは，発語失行では，発話の困難さを説明しうる発声発語器官の運動障害が認められない点である．つまり，「運動執行器官に麻痺，筋緊張異常，失調，不随意運動などの異常がなく，運動を遂行する能力が保たれていると考えられ，かつ命令は理解されているのに，刺激に応じて運動を正しく遂行することができない状態」[47]という「失行」の定義ともほぼ合致する病態であるといえる．

3）発語失行の基本的症状

発語失行の主要症状として，しばしば紹介されるのは Wertz ら[48]の4徴候である（図 3-37）．ただし，Wertz ら[48]が挙げた特徴のうち，「プロソディ異常」以外の3つの特徴は，音韻性錯語を主症状とする失語症でも認められるため，鑑別診断のための基準としては不適切[*1]であることが指摘されている[44]．

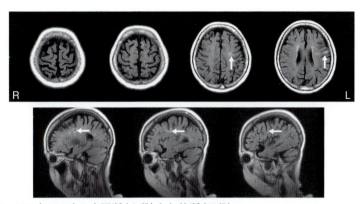

図 3-38　MRI（FLAIR）の水平断（上段）と矢状断（下段）
純粋発語失行を呈した症例（82 歳，女性）．左中心前回およびその皮質下に限局した病巣（矢印）を認める．

　音韻性錯語との鑑別をより明確にするために，McNeil ら[44]は，発語失行の主要症状として，①音の歪み（歪みのある音の置換を含む），②セグメントの持続時間の延長（子音と母音が引き伸ばされ，遅い発話として認識される），③セグメント間の持続時間の延長（音，音節，単語の分離として認識される），④少なくとも部分的には，②と③に由来する可能性があるプロソディ異常，の 4 つの徴候を挙げている（図 3-37）．さらに，失語症にも認められる特徴であると付記しつつ，⑤発話施行ごとの変動性，⑥構音運動の探索や自己修正，⑦単語長の増加や発話を加速させる要求のような，発話負荷の増加に伴う誤りの増加，も伴うとしている．Wertz ら[48]の記載との大きな違いは，構音の誤りについて，「音の歪み（sound distortions）」を重視している点である．この定義に基づくと，「発語失行」と「発語失行を伴わない音韻性錯語」を明確に区別することが可能であり，診断基準としての有用性も高い．

4）責任病巣について

　発語失行の責任病巣については，本邦では**左中心前回の中～下部**ということで，共通理解が得られていた[40, 49, 50]．しかし，国際的には島が重要であるとする説[51]や，Broca（ブローカ）領域が重要であるとする説[52]が報告され，混乱をきたしていた経緯がある．これらの報告では，主に失語症を合併した発語失行例が対象とされていたため，異なる結論が導き出されていた可能性が高い．なお，島の限局損傷によって発語失行が生じないこと[53, 54]や，Broca 領域の限局損傷によって発語失行が生じないこと[49, 55]は，臨床的事実として示されている．

　近年では，国際的にも左中心前回の重要性が認識されはじめている．Graff-Radford ら[56]は，純粋発語失行を呈した 7 例の病巣部位を検討しているが，すべての症例で左中心前回に損傷が認められている．Itabashi ら[57]は，純粋発語失行を呈した 7 例を含めた多数例を対象に，VLSM（voxel-based lesion-symptom mapping）という統計学的な画像解析法を行い，発語失行に関連する領域が左中心前回後壁であることを示している．純粋発語失行を呈した症例の MRI 画像を図 3-38 に示した．

5）発語失行の原因

　左中心前回に損傷が及ぶ種々の疾患が発語失行の原因となりうる．最も一般的な原因は，脳血管

＊1　McNeil ら[44]の論文内で例示された Wertz らの 4 徴候は，「発話開始の困難」が「頻回な構音の誤り（音の置換が優位）」に置き換わっているが，本項では Wertz らの元論文[48]であげられていた 4 徴候を示した．

> **Note 32.** 最近の発語失行研究—脳血管障害と神経変性疾患における発語失行の相違
>
> 神経変性疾患の発語失行においては，脳血管障害の発語失行には認められない特有の発話症状が出現する場合があることが指摘されている[1]．その症状とは，不自然な箇所での「息継ぎ」である．神経変性疾患の純粋発語失行例においては，以下に示すように時に単語レベルの発語においてすら，息継ぎが生じる場合があることが報告されている．この「息継ぎ」は，一貫して認められるわけではないため，呼吸・発声機能の運動障害にその原因を帰することはできない．これらの特徴から，神経変性疾患の発語失行においては，呼吸・発声レベルの調整機能を含めた発話を支えるシステム(＝神経ネットワーク)単位の障害が生じている可能性が推測されている．
>
> 引用文献
> 1) Takakura Y, et al : Sub-classification of apraxia of speech in patients with cerebrovascular and neurodegenerative diseases. Brain Cog 130 : 1-10, 2019

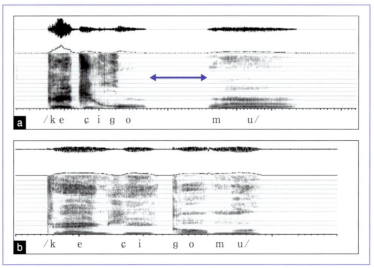

図　音声波形とサウンドスペクトログラム
神経変性疾患による純粋発語失行例(a，82歳，男性)と脳血管障害による純粋発語失行例(b，66歳，男性)の単語音読時(けしごむ)の音声波形とサウンドスペクトログラム．神経変性疾患例では，息継ぎによって，脳血管障害例よりもギャップの区間が明らかに延長している(a両矢印)．

障害である．左中心前回に損傷が及ぶ脳外傷や脳腫瘍も，発語失行の原因となりうる．また，神経変性疾患においても，発語失行が生じることは稀ではない(→ Note 32)．原発性進行性失語のタイプ分類では，「非流暢/失文法型」の診断基準の1つとして，発語失行の有無が採用されている[58]．近年では，「**原発性進行性発語失行**」という，発語失行の症状のみが緩徐に進行する臨床類型も提案されている[59]．

脳血管障害による発語失行の発症率は，Itabashiら[57]のデータが参考になる．この研究では，急性虚血性脳卒中2,146例の連続データから，「認知症がない」「右利き」「初発の左中大脳動脈領域に限局した非ラクナ梗塞」という条件に見合う136例が抽出されている．その136例のうち，純粋発語失行例は5%，失語症を伴う発語失行例は11%，発語失行を伴わない症例は84%であったことが報告されている．

6) 口部顔面失行との関係

口部顔面失行とは，発声発語筋群の非意図的な運動は可能であるにも関わらず，口頭指示または模倣の指示に応じて，「舌を出す」「口笛を吹く」「舌打ちをする」といった習慣的運動を実現するこ

とが困難となる病態である．誤り方として，舌打ちをしようとしているのに挺舌をしてしまう，あるいは「ちっちっ」と発音をしてしまう，など，目的とは異なる動作（＝錯行為）が出現することから，観念運動失行の一種と考えられている[60]．口部顔面失行を伴わずに発語失行が生じる場合や，発語失行を伴わずに口部顔面失行が生じる場合があることから，それぞれ独立した病態である可能性が示唆されている．ただし，両者が合併することで，構音の障害が補正できずに発語失行の症状が重篤化する可能性も示唆されている[60]．

b 発語失行の評価法

1）発語失行の同定にあたって

　発話の評価においては，症例の発話の「全体像」と，その「全体像」を構成する「諸要素（個々の音の表出時の特徴）」の，両者を観察することが重要である．まず，発話の「全体像」については，インタビューや会話場面などの自然な状況下での発話や，長文音読，短文・単語の復唱および音読時の発話を基に，発話の明瞭度と異常度を評価する．図 3-37 に示したそれぞれの発話特徴の有無について評価を行うことが望ましいが，1回の評価ですべての特徴の有無を判断することは難しい．そのため，録音データを複数回聴取し，それぞれの症状の有無について確認する方法が推奨されている．

　個々の発話音の評価においては，まず母音の最長発声持続を求め，呼吸・発声機能を評価する．純粋発語失行例においては，基本的に発声持続時間，声質，声量は保たれる．次に，「パ」「タ」「カ」などの単音のディアドコキネシスと，「パタカ」「イキジビキ」といった複数音のディアドコキネシスを実施する．純粋発語失行例では，単音のディアドコキネシスが可能であるにもかかわらず，複数音のディアドコキネシスでとたんに構音の歪みや音のわたりの悪さが顕在化する場合がある．さらに，構音の歪みの起こり方（ある音を構音しようとするとあるときは誤り，あるときは正しく構音される）と誤り方（誤る場合にその誤り方が一定ではなく，いろいろな誤り方をする）の2種の変動性の有無を評価する．この特徴は，「**二重の非一貫性**」[61]とよばれ，発語失行の同定にあたって重要視されている現象である．

　なお，発語失行に対する聴覚心理学的評価は，評価者の主観に依存せざるをえないという限界が常につきまとう．この問題に対しては，複数の言語聴覚士で同一の発話サンプルを聴取し，評価の一致度を検証するなど，信頼性を高める努力が重要となる．

2）発語失行のサブタイプ分類について

　純粋発語失行は，①「構音の歪み」（図 3-37；McNeil の4徴候の①に相当）が前景に立つタイプ，②「音の途切れ」（図 3-37；McNeil の4徴候の③に相当）が前景に立つタイプ，③「構音の歪み」と「音の途切れ」の両者が同程度出現するタイプ，の3パターンに分類可能であることが示唆されている[50, 62]．ここでいう「構音の歪み」とは，日本語での表記ができないような発話音の変化が生じることを指す．音の変化の程度については，不明瞭ではあるものの目標音を推測できる場合から，目標音の推測がまったく困難な場合まで，多様である．「音の途切れ」とは，単語やフレーズを形成する音のわたりが「り…，ん…，ご」のように，トツトツと途切れる現象である．顕著な音の途切れを呈した純粋発語失行例のサウンドスペクトログラムを図 3-39 に示す．本来，1つのまとまりとして表出されている単語が，1音1音ごとに分離していることが確認できる．

　これらの3種のタイプは，病巣の広がりもそれぞれ異なることが示唆されている．具体的には，①「構音の歪み」が前景に立つ症例群は左中心前回後部，②「音の途切れ」が前景に立つ症例群は，左中心前回後部と左中心前回前方，③「構音の歪み」と「音の途切れ」が同程度の症例群は，左傍側脳室皮質下の病巣との関連が示唆されている（図

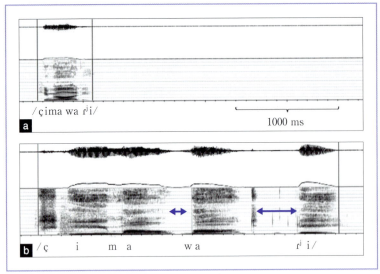

図 3-39　音声波形とサウンドスペクトログラム
健常者（a，62 歳，男性）と純粋発語失行を呈した症例（b，66 歳，男性）の単語音読時（ひまわり）の音声波形とサウンドスペクトログラム．サウンドスペクトログラムの縦軸は周波数，横軸は時間経過，濃淡は振幅の強さ（白＝エネルギーなし，黒＝エネルギーが強い）を示す．発語失行例では空白が多く，顕著な音の途切れが生じている（b 両矢印）．

①歪み＞連結不良タイプ
　→Brodmann 4 野の損傷

②歪み＜連結不良タイプ
　→4 野＋6 野の損傷

③歪み＝連結不良タイプ
　→傍側脳室皮質下
　　（4 野＋6 野の連絡線維の損傷）

図 3-40　前景に立つ発話症状と病巣の関係
〔大槻美佳：anarthrie の症候学．神経心理 21：172-182，2005 をもとに筆者作成〕

3-40）．つまり，前景に立つ発話症状に着目することで，病巣の広がりを推定することが可能となる．近年では，同様のタイプ分類が，神経変性疾患における発語失行の評価においても採用されている．構音の歪みが前景に立つタイプと，音の途切れをはじめとするプロソディの問題が前景に立つタイプでは，病巣の広がりや病状の進行パターンが異なる可能性が示唆されている[63]．

3）発語失行のほかの症状との鑑別

(1) 鑑別にあたっての注意点

　発語失行は多くの場合，失語症や運動障害性構音障害を伴って出現するため，どの要素が，実際のコミュニケーションに最も影響を及ぼしているのか，という評価が，訓練の成否を左右すると考える．

　発語失行とほかの症状との鑑別に当たって重要なことは，自分は今，どの症状との鑑別を試みようとしているのか，という「目的」を見失わないことである．なぜならば，鑑別すべき症状によって，注目すべきポイントは変化するためである．例えば，「構音の歪み」の有無は，「発語失行」と「発語失行を伴わない音韻性錯語」を区別するうえで重要な指標になりうるが，「一貫性の乏しさ」は有用となりにくい．その理由は，「発語失行を伴わない音韻性錯語」においても「一貫性の乏しさ」

は認められるためである．一方，「発語失行」と「運動障害性構音障害」を鑑別するうえでは，「一貫性の乏しさ」の有無が重要な指標となりうる．運動障害性構音障害は，発声発語器官の運動障害が基底に存在するため，構音の歪み方や起こり方の変動は生じにくいためである．ただし，発語失行でも運動障害性構音障害でも「構音の歪み」は生じるため，当然ながら「構音の歪み」の有無は，運動障害性構音障害との鑑別の指標とはなりえない．つまり，発語失行を同定するうえでは「一貫性の乏しさ」と「構音の歪み」の両者に着目することが必要となる．

このように，発語失行の鑑別に当たっては，単一の症状の有無に着目するのではなく，どのような症状が組み合わされ，そのなかで最も前景に立つ症状は何か，そしてその背景にある障害メカニズムは何かを，丁寧に紐解いていく視点が重要となる．以下に，鑑別すべき症状ごとのポイントについて，情報処理のモデル（図 3-41）を例示しながら解説する．このモデル上では，「単語の想起」の障害によって喚語障害，「音韻選択・配列」の障害によって音韻性錯語，「発話運動プログラミング」の障害によって発語失行，「発話運動実行」の障害によって運動障害性構音障害が生じると仮定している．

(2) 喚語障害との鑑別

最も有用な方法は，呼称（絵を見て名前を言う）と書称（絵を見て名前を書く）の比較である．もし，呼称が困難であっても，書称が可能であれば，喚語障害はないと判断できる．この場合には，単語の想起(A)→音韻選択・配列(B)の経路（図 3-41）までは保たれているので，書字以外にも，キーボードによるタイピングや，スマートフォンでの文字入力など，発話以外の表出手段(F)（図 3-41）であれば，問題は認められない．呼称と書称の両方が困難であれば，基底に喚語障害が認められる可能性がある．なお，呼称と書称の比較では，同一の目標語で評価を行うことが望ましい．

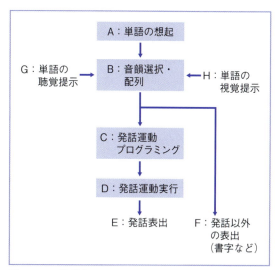

図 3-41 単語表出における情報の流れ
呼称は ABCDE，復唱は GBCDE，音読は HBCDE，書称は ABF の流れに相当する．

もし，書字が困難な場合には，呼称・復唱・音読の比較が有用である．復唱・音読は，発話すべき目標語が提示されるため，単語想起が困難であっても実現可能な課題である．したがって，呼称が復唱・音読に比べて有意に低下する場合には，喚語障害の関与が疑われる．もし，呼称・復唱・音読において，同じような誤り方を示す場合には，3つの過程に共通する出力経路(B→C→D)の問題（図 3-41），すなわち，音韻選択・配列の障害（音韻性錯語），発話運動プログラムの障害（発語失行），発話運動実行の障害（運動障害性構音障害）のいずれかが関与していることが推測される．

(3) 音韻性錯語（音韻選択・配列の障害）との鑑別

まず，呼称における「構音の歪み」の有無を確認する．「構音の歪み」を全く伴わない明瞭な発話音によって「音韻性錯語」が生じている場合は，発話運動プログラミング(C)→発話運動実行(D)の経路（図 3-41）は保たれているため，その時点で「発語失行」はないと判断できる．「構音の歪み」が認められる場合には，喚語障害と同様に，呼称と書称との比較が有用である．発語失行と音韻性錯語の鑑別を目的とした書称では，仮名を使用するこ

とが重要となる．もし，音韻性錯書(例：ねこ→ねほ)が認められる場合には，発話と書字に共通する「音韻選択・配列」(B)の障害を呈している可能性がある．もし，書称が可能であり，「音韻選択・配列」の障害がないにもかかわらず，呼称が困難な場合は，発語失行が主症状と判断できる．音韻性錯書が認められないということは，症例はBの段階で，頭のなかで「言いたい音」を正しく選択できていることを意味する．それにもかかわらず，発話に「音の誤り」が生じるということは，音が極端に歪んだ結果として，聞き手側が「違う音」として聞き取ってしまっている可能性が高い．

　書字において音韻性錯書が出現し，発話においても構音の歪みが生じている場合は，「音韻選択・配列」の障害と「発話運動プログラミング」の障害の2つの機序を想定しなければならない．発話音の評価のみでは，どちらの障害が前景に立っているのかを判断することは難しいが，鑑別にあたっての手がかりとなる知見がいくつか報告されている．1つは，誤り方の弁別素性を分析する方法である．発語失行を伴うBroca失語例では弁別素性が近い音への誤りが多く，伝導失語例では誤り方がランダムで弁別素性がかけ離れた音へ誤りが及ぶ傾向が報告されている[64]．次に，自己修正中の反応の分析も有益である．発語失行群では誤った音節のみを修正しようとするが，伝導失語群では誤った音節を含む複数音節で修正をしようとする傾向が指摘されている[65]．加えて，呼称・復唱・音読の比較，有意味語と非語の比較から得られる情報も多い．発語失行例では，呼称・復唱・音読の差異や，有意味語と非語の差異が目立たないことが報告されている[66]．さらに，構音の歪みが軽減することで音韻性錯語がむしろ顕在化する場合や，構音の歪みが残存している一方で音韻性錯書が軽減する場合など，症状の改善過程において前景に立つ症状が明らかとなることも想定される．したがって，経時的変化についても注意深く観察し，その都度，訓練の優先順位を判断することが重要である．

(4) 運動障害性構音障害との鑑別

　運動障害性構音障害と発語失行との鑑別にあたっては，まず発声発語器官の運動障害の有無を確認する．運動障害性構音障害では，発声発語器官の運動障害に対応した構音の歪みが生じるが，純粋発語失行では，基本的に呼吸・発声・鼻咽腔閉鎖・口腔構音機能のそれぞれにおいて，発話障害の原因を説明できるような運動障害は認められない．例えば，運動障害性構音障害では，軟口蓋の挙上不全が認められる場合には，一貫して非鼻音が鼻音化する[67]．一方，発語失行では，鼻音が非鼻音化するというように，むしろ余分な運動が付加されるような誤りが生じる場合がある．さらに，発語失行では，歯茎音が口唇音に近い音に歪むなど，構音器官間での誤りが生じる場合があるが，運動障害性構音障害ではこのような誤りは生じない[67]．また，ディアドコキネシスにおける反応も，重要な鑑別点となる．純粋発語失行例の場合は，単音のディアドコキネシスは可能であるにもかかわらず，複数音のディアドコキネシスとなった途端に構音の歪みや音のわたりの悪さが多発するというギャップが認められる場合があるが，運動障害性構音障害では，単音のディアドコキネシスの段階で構音の歪みが検出される場合が多い．なお，典型的な痙性構音障害や弛緩性構音障害との鑑別は比較的容易であるが，失調性構音障害との鑑別はしばしば困難さを伴う．Duffy[45]による，失調性構音障害と発語失行の鑑別のポイントを表3-18に示した．失調性構音障害との鑑別にあたっては，これらの聴覚的な評価に加えて，運動の分解や測定異常といった発声発語器官における小脳性運動失調の有無と，発話特徴とを照らしあわせながら，評価を進める必要がある．

C 発語失行の訓練法

1) 訓練の原則

　発語失行の訓練の原則として，伊藤[68]は，①意図的・意識的な発話運動を促す，②視覚・聴覚・

表 3-18 発語失行と失調性構音障害の鑑別のポイント

評価項目	発語失行	失調性構音障害
単音のディアドコキネシス	規則的	不規則的
複数音のディアドコキネス	順序の誤りあり	順序の誤りなし
不規則な構音の誤りやプロソディ異常	あり	より広範に認められる
自動性発話での改善	あり*	なし
構音運動の探索	あり	ほぼなし
歪んだ置換	あり	頻度が低い

*純粋発語失行例においては，自動性発話での改善は顕著ではないことが指摘されており[40,67]，注意を要する．
〔Duffy JR：Motor Speech Disorders：Substrates differential diagnosis and management, 4th ed. Elsevier, St. Louis, 2019 をもとに筆者作成〕

運動覚などのモニター機構を活用する，③発話材料を吟味する，④筋力増強訓練や運動範囲制限を拡大するための訓練を実施しない，という 4 項目を挙げている．特に，運動障害性構音障害との訓練法の違いは，④の項目に反映されている．例えば，運動障害性構音障害例において，舌の運動範囲制限が認められる場合には，構音を実現するための土台として，舌の可動域を拡大する訓練が必要となる．また，軟口蓋の挙上不全が認められる場合には，軟口蓋挙上装置（palatal lift prosthesis：PLP）の導入など，補綴的なアプローチも選択肢として想定される．しかし，発語失行では，発声発語器官の運動障害は原則として認められないため，発話を伴わない口腔構音器官の運動訓練や，補綴的なアプローチは推奨されていない．

2）訓練法のエビデンス

発語失行の訓練効果について，2005 年のコクラン・レビューにおいては「ランダム化試験からのエビデンスが存在せず，発語失行に対する治療的介入の有効性を支持することも，有効性に異議を唱えることもできない」と結論づけられていた[69]．しかし，2015 年に報告されたシステマティック・レビューでは，①「構音–運動学的アプローチ」と②「速度/リズム調整アプローチ」に，強い訓練効果があることが示唆されている[70]．文字どおり，「構音–運動学的アプローチ」は構音運動の再学習に焦点を当てた訓練法であり，「速度/リズム調整アプローチ」は構音運動よりも，速度やリズムの修正を重視したアプローチである．伝統的には，重度例に対してはボトムアップ的な「構音–運動学的アプローチ」が推奨され，中等度例や軽度例に対してはトップダウン的な「速度/リズム調整アプローチ」が推奨されてきたが[48]，その妥当性を裏づけるデータはいまだ乏しいのが現状である．以下に，①と②に相当するアプローチの具体例を示す．

3）「構音–運動学的アプローチ」の 1 例 ―Sound Production Treatment（SPT）

Sound Production Treatment（SPT）[71,72] は，Wambaugh ら[71]によって開発された方法で，運動学習の原則を取り入れた系統的な訓練である．基本的な訓練の手続きを図 3-42 に示した．この訓練法では，ミニマル・ペアを用いることによって，目標音とそれ以外の音との差異を際立たせ，構音運動の精緻化を図っている点が特徴である．また，聴覚・視覚・触覚など，複数の感覚モダリティを用いた手がかりの使用も重要視されている．個々の項目は，言語聴覚士が日々の訓練で取り入れている内容と大きな相違はないと考えられるが，手続きが統制されていることで，訓練効果の検証に導入しやすいことが利点として挙げられる．従来，特定の音の構音方法を再学習できたとしても，別の音への般化は生じにくいことが指摘されていたが[68]，本訓練法では，訓練音以外への般化を認めた症例も報告されている．

4）「速度/リズム調整アプローチ」の 1 例 ―Metrical Pacing Treatment（MPT）

「速度/リズム調整アプローチ」に該当する訓練法としては，メロディックイントネーションセラ

【ステップ1】
目標音を含む素材を復唱（"sit" と言ってください）
　正答→5回*繰り返し次の素材に進む
　不正答→ミニマルペアの素材を提示（"kit"）
正答すれば目標語に戻り，次のステップへ
不正解の場合は，視覚・聴覚・触覚を強調した模倣（integral stimulation）を3回まで繰り返し次のステップへ

【ステップ2】
ターゲット音の文字を提示し（s）目標語の復唱を求める
　正答→5回繰り返し次の素材に進む
　不正答→次のステップへ

【ステップ3】
目標語を引き出すために，視覚・聴覚・触覚を強調した模倣を3回まで繰り返す
　正答→5回繰り返し次の素材へ
　不正答→ステップ4へ

【ステップ4】
エラーに応じた構音点の手がかりを言語的に提示し，視覚・聴覚・触覚を強調した刺激呈示後に発話を促す
　正答→5回繰り返し次の素材へ
　不正答→次の素材へ

図3-42　SPTの流れ
*フィードバックの提供は，5回のうち3回程度とする．
〔Wambaugh JL, et al：Sound Production Treatment：Application with severe apraxia of speech. Aphasiology 24：814-825, 2010 より〕

ピー（Melodic Intonation Therapy；MIT）が代表的であるが，本項では近年報告された Metrical Pacing Treatment（MPT）[73] について概説する．MPTは，コンピュータによって生成されたリズムのパターンを聴覚呈示し，そのリズムに同期させた発話を求める方法である．発話終了後に，実際の発話の波形がディスプレイに表示され，速度・流暢性・リズムパターンなどの一致度について，フィードバックがなされる（図3-43）．本訓練の結果として，速度や流暢性だけではなく，アプローチ対象ではない構音の精度についての改善も報告されている点が興味深い．ただし，速度/リズムへのアプローチが構音の改善に寄与するメカニズムについては明らかではなく，今後の検証が必要である．

なお，本研究[73]では，聴覚呈示のリズムへの同期が得られにくい症例に対して，セラピストがテーブルの上で手をタップする視覚的なリズム呈示や，症例の手や腕をタップする触覚的なリズム呈示も導入されている．症例によっては，これらの手がかりが有益な場合もあったが，多くの患者は触覚的な手がかりに苛立ち，拒否を示したという記載がある．以上より，症例の病状によって，促通が得られやすい感覚の様式がそれぞれ異なる可能性も考えられる．本邦では，モーラ指折り法という，手指を1本ずつ折るタイミングに合わせて発話を促す方法によって，構音とリズムの崩れが改善した症例が報告されている[74]．モーラ指折り法で用いられる感覚の様式に着目をすると，筋運動覚による速度/リズムの呈示も有効である可能性が示唆される．今後，速度/リズムの呈示方法に関して，どのような症例に対して，どのような感覚様式での促通が得られやすいのか，という視点での検討が必要と考える．

5）訓練において考慮すべき運動学習研究の知見

近年，発語失行の訓練においては，運動学習の原則に基づいた知見が蓄積されつつある．例えば，訓練に使用する発話素材を一貫させるブロック条件とランダムに変化させる条件では，ランダム条件のほうが高い効果が得られたとする報告がある[75]．ただし，発話のレパートリー自体が制限されているような重度例における初期の訓練では，ブロック条件が必要な場合も想定される[45]．したがって，基本となる発話が一貫して可能となるまではブロック条件で実施し，その後ランダム条件に移行する方法も推奨される[45]．さらに，訓練の実施順序については，過剰般化（overgeneralization）を防ぐために，直前に訓練したターゲット音と後続のターゲット音は構音様式や構音点などの特徴を共有していないほうが望ましい可能性も指摘されている[71]．

訓練中に呈示するフィードバックについても，興味深い報告がある．例えば，症例の反応に対す

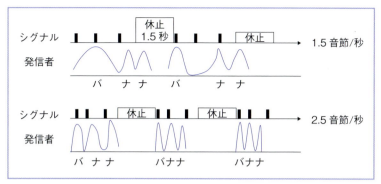

図3-43　MPTの概要
バナナを目標語とした場合．上段では，提示されたリズムと実際の発話のリズムとの差異が顕著であるが，下段では，提示されたリズムとの同期が認められる．
〔Brendel B, et al：Effectiveness of metrical pacing in the treatment of apraxia of speech. Aphasiology 22：77-102, 2008 より〕

る正誤のフィードバックを，すべての反応に対して行うのではなく60％程度にまで頻度を減らす方法や，フィードバックを運動の直後ではなく5秒ほど遅延させて呈示する方法で，学習が強化される症例が報告されている[76]．この知見は，言語聴覚士によって与えられるフィードバック情報を手がかりとしつつも，あくまで症例自身が能動的に目標運動と実際の運動との誤差を探索する過程が重要であることを示唆する．現状では，どのような発語失行例に対して，どのようなフィードバックが有効であるかは明らかではないが，フィードバックの方法1つをとっても，訓練の結果に影響を及ぼす可能性があることを念頭におきながら，個別性に応じた訓練プログラムを構築していく必要がある．

発語失行に対する代表的な訓練として「構音-運動学的アプローチ」と「速度/リズム調整アプローチ」について概説したが，前述したように，どのような発語失行例に対してどのような訓練法が最も有効なのかは，現状では明らかではない．今後は，発語失行のサブタイプごとに，効果的な訓練法を検証する視点も重要と考える．

なお，本項で紹介したような機能面へのアプローチは，あくまで発語失行の介入における一側面に過ぎない．介入にあたっては，症状の重症度，合併している病態，コミュニケーションのニーズや社会的背景など，症例の全体像を考慮し，代償手段の活用も含めた「コミュニケーションの改善」に焦点を当てた支援が重要である．

表3-19　成人の器質性構音障害の原因

- 腫瘍疾患（良性腫瘍/悪性腫瘍）
- 外傷
- 奇形
- 口唇口蓋裂の成人未手術例

3　器質性構音障害（口腔・中咽頭がん）

a　成人における器質性構音障害とは

器質性構音障害は，発声発語器官の形態の欠損や過剰部位があることが原因で起こる構音障害をいう．

成人における器質性構音障害の種類を表3-19に示す．このなかで，最も多く出会うのは頭頸部がんであろう．頭頸部がんは，顔面から頸部にできるがん（脳と脊髄を除く）で，口腔，咽頭，喉頭，鼻腔，副鼻腔，唾液腺などにできるがんを指す．

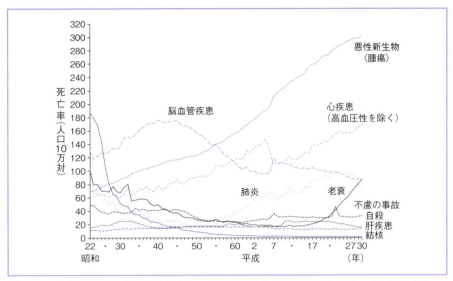

図 3-44 主要死因別に見た死亡率(人口 10 万対)の年次推移(昭和 22 年〜平成 30 年)
〔厚生労働省:平成 30 年(2018 年)人口動態統計月報年計(概数)の概況より〕

本項では，構音障害を伴う頭頸部がんのうち，喉頭がん以外について述べる．

b がん疾患について

1) がん疾患とリハビリテーション

がん疾患(統計では「悪性新生物」と表記される)は厚生労働省の人口動態統計(図 3-44)のように，日本人の死亡原因のトップである[77]．しかし，以前と比べて，がんの治療技術の進歩，早期発見が進んだことによって，「治癒可能」な疾患であり生命予後が長くなっている．このことは，がん疾患の生存者が多くなったということであり，治療においてなんらかの影響を受けた患者におけるリハビリテーションの必要性が高くなっていることを示す．日本の医療体制においても，平成 28 年から「がん患者リハビリテーション料」が診療報酬として算定できるようになっている．このように言語聴覚士の臨床においてもがん疾患のリハビリテーションは重要な位置を占めている．

2) がん疾患について

がんは，さまざまな内的要因，外的要因によって起こる遺伝子の変異によって細胞のコントロールのシステムが壊れ，生体構成組織が自律的に増殖することをいう．最初に発生した部位を原発巣といい，がんの名称になる．がんは，局所浸潤，転移，播種を生じる．

3) がん疾患の治療

(1) 全体的な流れ

治療には，**根治**を目的としたものと**症状**の緩和を目的としたものの 2 つの要素がある．根治療法は疾患の治癒を目的としたもので，緩和療法は症状の緩和を目的とし，生存年数の延長を目的としない場合がある．

治療には，手術療法，放射線療法，薬物療法があり，それぞれ単独で実施することも，2 つ以上の治療を組み合わせて行うこともある．治療法は時代とともに進化するが，診療ガイドラインで推奨する科学的根拠に基づいた標準的治療がある(頭頸部癌取扱い規約)．

(2) 手術療法

頭頸部がんの手術には，腫瘍部位の**切除術**と切除部位に体のほかの組織や金属プレートなどを移植する再建術の 2 種類がある．

切除術では，腫瘍の部位や大きさによって術式が選択される．舌がんでは，部分切除，半側切除，亜全摘，全摘などがある．また下顎骨の切除には，大きく分けて辺縁切除と区域切除がある．辺縁切除は，骨の2/3から1/2程度をそぎ取るように切除し，区域切除は骨の部分を切り取ってしまうので骨の連続性が失われる．

再建に使う筋・骨・皮膚などを皮弁とよぶ．皮弁には遊離皮弁と有茎皮弁がある．

さらに，**頸部リンパ節郭清術**が行われることがある．頸部リンパ節郭清術は，リンパ節の部位によってレベルが異なり(表3-20)，術式は根治的頸部郭清術，保存的頸部郭清術，選択的頸部郭清術がある．術後には手術のレベルによってさまざまな症状が出現する可能性がある．例えば，僧帽筋の麻痺に伴う上肢の運動障害，嚥下障害，知覚障害や構音障害などである．

(3) 放射線療法

放射線を照射することによってがんの増殖を抑える治療法である．頭頸部がんは，疾患によって根治的放射線療法の適応があるのでしばしば選ばれる．照射によってさまざまな有害事象がある．構音障害に影響のあるものとしては，口腔粘膜の炎症，唾液の性状の変化，口腔乾燥，浮腫，筋の線維化，骨の壊死などがあり，多くが非可逆的なものである．早期に発生するものもあるが，数か月から数年後に晩発症状として出現するものもあり，長期的な観察が必要である．

(4) 薬物療法

薬物によってがんの増殖を抑える方法で，狭義の化学療法(抗がん剤)，分子標的療法，免疫療法がある．化学療法の構音障害に関連する副反応として，口腔粘膜の炎症，唾液の性状の変化，末梢神経障害などがある．化学療法では骨髄抑制があり，白血球減少，血小板減少，赤血球減少などがみられる．それぞれ易感染，出血傾向，貧血などのリスクが高くなり，リハビリテーションにも影響する．

表3-20 頸部リンパ節の分類

レベル分類	頭頸部癌取扱い規約
レベルⅠ	オトガイ下リンパ節 顎下リンパ節
レベルⅡ	上内深頸リンパ節
レベルⅢ	中内深頸リンパ節
レベルⅣ	下内深頸リンパ節 鎖骨上窩リンパ節
レベルⅤ	副神経リンパ節
レベルⅥ	前頸部リンパ節

〔日本頭頸部癌学会(編)：頭頸部癌取扱い規約，第6版補訂版．pp4-8，金原出版，2019より〕

(5) 担当する診療科

現在の日本で頭頸部がんを担当する診療科は，耳鼻咽喉科，口腔外科，形成外科，放射線科，腫瘍内科，麻酔科であろう．最近では複数の診療科がまとまって頭頸部外科と標榜していることもある．手術は主に耳鼻咽喉科医，形成外科医，口腔外科医が担当する．歯科系の口腔外科では原発部位が口腔であることに限定され，上咽頭から下咽頭に及ぶ場合は医科系である耳鼻咽喉科，形成外科が手術を担当することとなる．放射線療法を実施するときは，放射線科が，化学療法を実施するときは腫瘍内科がかかわることがある．さらに，治療中・治療後の疼痛の管理は麻酔科で行うこともある．

C 頭頸部がんにおける構音障害

1) 頭頸部がんの部位

頭頸部がんの部位は表3-21に示すとおりである．連続する部位であるので，原発部位から進展したがんである場合，複数の部位にがんが浸潤していることも少なくない．全がんのなかで5%程度であるといわれており，患者数が少ないのも特徴である．

表 3-21 主な口腔がん・咽頭がんの部位

- 口腔がん
  - 口唇がん
  - 上顎歯肉がん
  - 下顎歯肉がん
  - 舌がん
  - 口腔底(口底)がん
  - 頬粘膜がん
  - 軟口蓋がん
  - 上顎洞がん
- 咽頭がん
  - 上咽頭がん
  - 中咽頭がん
  - 下咽頭がん

表 3-22 構音動作に関係する舌・口唇・軟口蓋の主な筋・支配神経

	筋	神経
舌	内舌筋	
	上・下縦舌筋	舌下神経
	横舌筋	舌下神経
	垂直舌筋	舌下神経
	外舌筋	
	舌骨舌筋	舌下神経
	オトガイ舌筋	舌下神経
	茎突舌筋	舌下神経
	(口蓋舌筋)	(咽頭神経叢経由の迷走神経)
口唇	口輪筋	顔面神経
	その他の表情筋(口角挙筋,笑筋,口角下制筋,頬筋,大頬骨筋など)	顔面神経
軟口蓋	口蓋帆張筋	下顎神経
	口蓋帆挙筋	咽頭神経叢経由の迷走神経
	咽頭挙筋(口蓋咽頭筋,耳管咽頭筋,茎突咽頭筋)	咽頭神経叢経由の迷走神経,舌咽神経
	口蓋舌筋	咽頭神経叢経由の迷走神経
	口蓋挙筋	咽頭神経叢経由の迷走神経

2) 頭頸部の筋・神経

頭頸部の筋・神経は構音に関連するものが多い．治療によって損傷される筋・神経によって異なる障害を呈することになる．構音に特に関係する舌・口唇・軟口蓋の主な筋と支配神経を表 3-22 に示す．治療によってどの筋や神経を損傷する可能性があるのかがわかるので障害を予測することができる．

3) 症状

がんの治療による構音障害は，器質性の構音障害に分類されるが，これまで述べたように，欠損によるものばかりでなく治療に伴う末梢性の神経障害であるといえる．したがって，器質性構音障害と末梢性の運動障害性構音障害の要素を考える必要がある．

(1) 舌の運動障害による構音の歪み

舌の切除や神経損傷による運動障害があることで，**構音の歪み**が引き起こされる．切除の範囲や部位によって構音障害の様相が異なる．つまり，重症度は切除範囲が広いほど重く[78]，摘出が前方の場合，舌尖がなくなることから，/t//d//n//s//z/といった舌の前方を構音点とする音の障害があるが，舌尖が残される半側切除の場合は，これらの音の明瞭度は比較的残される．舌の全摘の場合は，ほとんどの音が障害され，明瞭度は悪くなる．

また，母音は比較的明瞭度はよいが，高舌音である[i]は歪むことが多い．

(2) 口唇の運動障害による構音の歪み

顔面神経の下顎枝の障害により口輪筋の麻痺が出現すると口唇音の歪みが出現する．

(3) 鼻咽腔閉鎖不全に伴う構音の歪み

軟口蓋の麻痺が出現すると鼻咽腔閉鎖不全が出

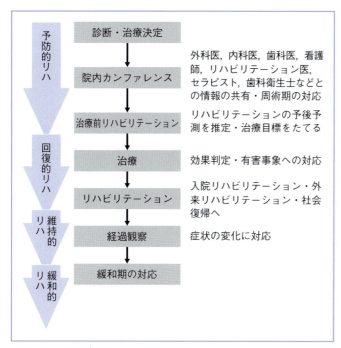

図 3-45 リハビリテーションの流れ

表 3-23 構音障害の予後に関連する因子

切除範囲の大きさ
合併切除の有無
再建を伴う手術の有無
頸部郭清術の有無，そのレベル
放射線療法の有無
化学療法の有無
合併疾患の有無
年齢
言語障害の有無

現し，それによって母音・子音の歪みが出現する[79]．

(4) 音声の障害

反回神経の麻痺があった場合，気息性嗄声が出現することがある．

4) リハビリテーションの流れ

がんのリハビリテーションは図 3-45 のように進められる．言語聴覚士の臨床のなかで，がん患者は唯一，障害のないときからかかわることができる症例である．したがってリハビリテーションは治療前から始まる．自分の所属する施設で治療を行うときは，外科医などに連絡し，治療前に面接できるようにしておくとよい．

治療前には，現在の構音機能や呼吸機能を評価する．多職種で行うカンファレンスで治療内容に関する情報を詳細にキャッチし，治療後の障害を予測する．予後に関連する因子には表 3-23 に挙げるようなものがある．職業などの社会的な背景に関する情報も重要である．営業職や教員など特に発話を使う必要がある患者に対しては達成しなければならない目標が違ってくることもあるからである．

治療が始まったあとは，まず治療に伴う変化を評価し，その後に改善に関する目標を設定し，機能訓練を実施する．医師の承諾があれば，できるだけ早期に始めるとよい．

5) 評価

(1) 発声発語器官の形態・運動・感覚の検査

治療による欠損部位，障害された神経などを明らかにする．運動や感覚の検査は，運動障害性構音障害で使われるものと同様である．

運動は，可動範囲，力，連続運動，巧緻性，効率性，疲労性などを評価する．可動範囲は自力で動かせる範囲であり，力は瞬発的な筋力やその持続性，連続運動はある運動を連続して行わせたときの可動域やリズムの変化，巧緻性は運動の協調性，効率性は連続的な運動をさせたときに非効率な動きをしないかどうかを観察する．

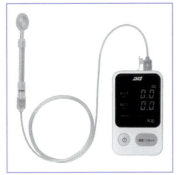

図3-46　舌圧測定器(TPM-02)
〔株式会社ジェイ・エム・エスより提供〕

図3-47　口唇圧測定器(りっぷるくん®)
〔株式会社松風より提供〕

に	が	む	きゃ	け	ひ	びゅ	と	ぺ	そ
みゅ	き	にょ	ぱ	や	じゃ	ざ	い	ぎゅ	の
し	ひゃ	た	ぐ	りゅ	ね	きょ	り	びょ	ど
ぴゅ	は	ちゃ	ぞ	にゅ	び	さ	ま	じょ	ろ
ぶ	ゆ	きゅ	あ	る	ちょ	て	びょ	ら	にゃ
へ	りょ	ぜ	も	ひょ	せ	りゃ	ぎ	く	ぴ
え	な	ち	みょ	ふ	で	ちゅ	ぬ	ぴゃ	じ
ぽ	げ	ぎゃ	こ	びゃ	よ	ば	しゃ	ほ	みゃ
ず	か	ぽ	れ	だ	じゅ	わ	う	ぶ	ぎょ
め	しゅ	つ	ひゅ	み	お	しょ	ご	べ	す

図3-48　100音節リスト

視覚的な評価のほかに，機器を使った評価もある．例えば，舌の運動の瞬発的な筋力評価では，**舌圧**として舌の口蓋に対する最大押しつけ圧の測定に図3-46の機器を使うものがある．また，口唇閉鎖時の筋力評価は，図3-47の機器を使用する．

感覚に関しては，再建された筋皮弁は表在の感覚は脱失していることが多く，また，治療によって異常な感覚が出現することもある．これらは今後のリハビリテーションや生活に影響があることが考えられる．

(2) 呼吸機能の検査
呼吸の状態(安静時・深呼吸時)，呼気持続時間の検査を行う．

(3) 声の機能の検査
声質，最長発声持続時間などの声の機能の検査を行う．音声障害の項目に準じる．

(4) 構音検査
構音を評価する．必要に応じて，単音節，単語，単文，長文，談話とレベルに応じた構音の状態を聴覚的に評価する．

(5) 発話明瞭度検査
発話明瞭度検査は，構音検査で評価する構音の正しさではなく，どのくらい伝わったかを判定するものである．主なものは**会話明瞭度**，**100音節明瞭度**がある．

①会話明瞭度
患者の会話を録音したものを言語聴覚士が評価する．段階は5段階のものと9段階のものがある[35]．一般の人がどのくらい患者の会話を理解できるかどうかを推測して判定するものであるので，簡便ではあるが，その判定は評価者の能力によって差があることは否めない．一般的には臨床経験が十分ある複数の言語聴覚士がそれぞれ判定し，差があったときは討論をして決定する．

②100音節明瞭度
患者に日本語の100音節をランダムに書いたリスト(図3-48)を音読させ，それを録音したものを，患者と面識のない複数の健聴者(5名程度)に聞かせてどんな音に聴こえたかを書かせる．その平均正答率を明瞭度とする検査である．評価者の能力をみているわけではないので，正答率のあまりに高いものや低いものは除外して算定する．正答率以外に，どんな音に異聴されたか(異聴傾向)を検討し，治療の材料とする．

6）訓練の実際

(1) 治療前のリハビリテーション

先述したように，治療前に，現在の状態を評価する．予定されている治療によって起こる障害を予測し，それを構音の場所や方法とともに患者が理解できるように説明する．治療後に行うリハビリテーションを紹介することで，治療に対する漠然とした不安を軽減し，リハビリテーションのモチベーションにつなげることができる．

ほとんどの患者は，診断のときにがんであることの「告知」をされる．多くのがん疾患が治癒可能になった現代ではあるが，患者にとってがんの告知は心理的にストレスになることは否めない．また，インターネットの普及によって患者や家族は医学的な情報を容易に得られる時代になったが，すべてが患者自身にとって根拠のあるものかどうかはわからない．治療後のリハビリテーションを進めるためにはこの時期から，患者が確実な情報を得られるような支援をすることも大切であろう[80]．

(2) 運動障害に対する機能訓練

がん患者の治療による運動障害は，末梢性の運動障害であることから，改善は難しい．しかし，術後の筋の拘縮予防に対する運動訓練の必要性は高い．さらに，残存している部位の代償的な運動を期待して，残存部位の運動の範囲の拡大，筋力の増強を図ることもある．

(3) 代償構音

切除があった場合，患者は自然に代償動作を身につけることが多い．例えば舌の前方切除があったときに，/t//d/に必要な構音動作ができないので口唇を閉鎖することで破裂音をつくろうとする．この結果，聴覚的にはそれぞれ/p//b/のように聞こえる音になる．また，口唇の閉鎖ができないとき，下顎を挙上させて下口唇を上顎の歯列で抑えるようにして破裂の様式をつくって構音することもある．/k//g/の音に必要な舌後方の動きがない場合，声門破裂音のような音で代償することもある．これらの代償構音は，異常度はあるものの明瞭度を改善させるようであれば，そのままの様式として認めることもある．

このような自然な代償構音ではなく，治療で産み出す構音様式もある．例えば，舌前部が歯茎部まで届かないが上顎歯列の下端までなら届くのであれば，/t/の破裂音をそこでつくることもできる．舌の瞬発性，筋力が不足している場合，下顎の力を使うことも考える．具体的には患者の残された機能を使って個々に考えるべきであり，そこにはオリジナルな工夫が必要である．

これらの治療によって生み出された代償構音は，患者にとっても新しい方法なので，音節単位から開始し，単語，文章と段階を踏んで会話時に使えるようにする．

(4) 機器の利用

バイオフィードバック機器の利用も考えられる．運動には適切な感覚のフィードバックがあることが必要である．がん患者の場合，欠損や感覚障害からそのフィードバックが障害されることがあり，ほかの様式からの入力が有効であることが多い．

①鏡の使用

運動障害があると，患者が自分で考えているようには運動できていないことが多いので，視覚的なフィードバックを併用して運動機能訓練をすることは必要である．頭頸部がん患者の場合，治療による容貌の変化があることから鏡を見ることを躊躇することが多いが，訓練には必要な手段であることを理解してもらう．

②パラトグラフィの利用

エレクトロパラトグラフィ（electropalatography；EPG）も効果的である．パラトグラムは舌と口蓋の接触パターンを測定するものであるが，EPGは電極を埋め込んだ口蓋を使って評価する．舌切除患者は自分の舌の運動感覚が得られないことから，3章2節A項図3-10（→149頁）のように画面に表示された口蓋パターンで運動を自覚することができる．

③ 超音波装置の利用

超音波装置を使って舌の運動を画面に表示することが可能である．特に舌を広範に切除した患者の場合，口腔外から視認できない奥舌の運動感覚を画像でフィードバックすることができる．

(5) 歯科補綴装置の利用

歯科補綴装置は口腔内に装着する装置である〔3章2節C項（→次頁）を参照〕．口腔内の器官の運動の代償となる装置で，機能訓練だけでは改善しない構音機能を補償するものとして利用する．

(6) 発話習慣の改善

会話の明瞭度を改善するためには，いわゆる話し方を変えることも必要である．一般的に，会話のテーマがわかっていれば明瞭度はアップすることから，話し始めにまず何の話なのかを話す習慣をつける．また，全体的な発話速度を遅くすることや，区切って話すといったプロソディの工夫をすることも，明瞭度の改善には有効である．

唾液が口腔内に貯留したままでは発話の明瞭度が低下する．適度な唾液の処理に対する指導を並行することが必要である．

ただし，発話習慣というものは患者の長い年月の間培われたものであることから，簡単に変えることはできないことも臨床家としては理解すべきである．患者の状態に応じてスモールステップを設定し，少しずつ新しい習慣として確立することが必要であろう．

7) 併存する問題

(1) 摂食嚥下障害

構音障害をきたす多くの患者において，がんそのものの影響や治療の結果，摂食嚥下障害を併発する．摂食嚥下障害は，患者の低栄養，脱水の問題につながり，意欲の低下，放射線療法の結果生じる口腔粘膜や消化器官の障害によって悪化することもある．

(2) 悪液質

がん疾患の栄養障害は，摂食嚥下障害だけでなく，疾患特有の複合的な代謝異常として起こる**悪液質**によっても悪化する．この結果，筋肉量の低下がみられ，患者のQOLの低下につながり，生命予後も悪くする．

(3) 感覚障害

感覚障害が治療によって生じることは述べた．感覚障害は知覚神経の損傷によって起こる知覚の消失のほか，味覚障害，関連痛のような異常な感覚などがある．こういった感覚障害はなかなか客観的に評価できないが，患者のQOLを著しく障害するものであり，軽視できない．

(4) 開口障害

手術や放射線の照射によって**開口障害**をきたすことがある．開口障害に対する機能訓練が必要である．徒手による場合や，開口器を使用することもある．

(5) 口腔の衛生

患者は術野が口腔領域にあることから，不衛生が術後の回復を妨げるので，周術期からの口腔ケアが必要である．さらに，放射線療法や化学療法の治療中，治療後は口腔乾燥が進むことや，痛みや疲労から口腔ケアをおろそかにしがちになり，口腔内管理が悪くなることがある．手術後は，運動や感覚の障害が原因となる口腔内の環境の悪化が観察されることが多い．いずれの場合も，適切な**口腔ケア**が重要である．

(6) 口腔乾燥

どの治療によっても口腔内の乾燥は出現する頻度が高い．極度の乾燥があると構音にも影響を与える．唾液腺マッサージのほか，口腔内の湿潤剤の使用を提案する．

(7) 上肢の運動障害

頸部リンパ節郭清術により頸部の運動障害が出現する．また，副神経の損傷があった場合，肩甲帯周辺の運動障害が起こる．これらに対しては適切な運動療法が望まれる．

(8) アピアランスの問題

頭頸部がん患者は，術野が顔面にあることが影響し，外見の変化があることが多い．このため，見ため（アピアランス）の問題が生じる．変化の多

少ではなく個人の問題として対応することが社会参加を促進することになる．専門家によるメイクアップの対応も効果的である[81]．

（9）がん特有の心理的問題

がん疾患は，常に再発の心配があり，それが患者の社会参加を妨げることがある．言語聴覚士は患者の心理的問題を理解して対応する．

また，頭頸部がんの患者は，発症数が少ないことから，周囲に理解してもらえる環境にないことがある．そのため，同じ疾患の人との交流を目標としたセルフサポートグループを立ちあげることや，既存の信頼できるグループを紹介することも必要となる．

表3-24 歯科補綴装置の種類

顔面補綴：エピテーゼ
口腔内補助装置
顎補綴：上顎補綴，下顎補綴
口蓋補綴：口蓋閉鎖床，Hotz（ホッツ）床
鼻咽腔部補綴
1）塞栓子型：軟口蓋塞栓子
2）挙上子型：軟口蓋挙上装置（PLP）
3）バルブ型：バルブ型スピーチエイド
舌補綴
1）舌接触補助床（PAP）
2）人工舌
歯の補綴
顎位の矯正装置：ゴム牽引，ダイナミックポジショナー，チンキャップ
口腔内装置：マウスピース，矯正装置

C 歯科補綴装置の利用

1 歯科補綴装置とは

歯科補綴装置は，舌や軟口蓋，口唇の運動障害や器質的な欠損に対して，その運動や組織の補償を行うことができる装置である．製作は歯科医師が行うので，言語聴覚士はその患者の構音の目標を定め，歯科医師と協働して形態について決定することが必要である．

2 歯科補綴装置の種類

歯科領域で製作する歯科補綴装置には表3-24に示すようなものがある．このなかで，構音障害の改善を目的とする主なものは，上顎補綴，口蓋閉鎖床，**軟口蓋挙上装置**（palatal lift prosthesis：PLP），スピーチエイド，**舌接触補助床**（palatal augmentative prosthesis：PAP）である．患者の症状によって，これらを複数使用する場合もあり，また，複合した装置，たとえば軟口蓋挙上子をつけた舌接触補助床を製作する必要がある場合もある．

3 歯科補綴装置と構音障害

歯科補綴装置は，もともとは欠損を補償するための装置として製作されたが，舌や口唇などの発声発語器官の運動障害に対しても用いられるようになった．また，進行性の疾患のある一時期の使用においても有効であるとされるようになり，適応範囲は広いといえる．

a 上顎補綴（図3-49）

1）適応

上顎がんなどで上顎切除の症例に適応がある．

2）効果

欠損部に塞栓部を装着することによって，口腔と鼻腔の交通を遮断する．そのことにより開鼻声や呼気の鼻漏出による構音のひずみを改善させる．

b 口蓋閉鎖床（図3-50）

1）適応

口蓋裂などで口蓋に間隙のある症例に適応がある．上顎がんなどで切除した場合，術後すぐに補綴装置を使えない場合に使うこともある．

2) 効果

上顎補綴同様に，口腔と鼻腔の交通を遮断することによって，開鼻声や呼気の**鼻漏出**による構音のひずみの改善が期待できる．

c 軟口蓋挙上装置（PLP）(図 3-51)

1) 適応

軟口蓋の欠損や運動障害があり，そのことによる**鼻咽腔閉鎖機能不全**が原因で起こった構音のひずみを補償する可能性のある患者である．PLPの歴史は古く，最初は口蓋裂や先天性軟口蓋挙上不全の患者に用いられた．さらに末梢性の神経・筋障害，脳卒中，脳性麻痺，薬剤の副作用などの中枢性の神経障害の患者に適応があるとされる．

2) 効果

PLPの装着によって，ブローイング時間，呼気鼻漏出の程度，呼気持続時間，発声持続時間，オーラル・ディアドコキネシスの改善が見られるとされる[82]．これらの効果はPLPの装着によって呼気の鼻漏出がコントロールされ，口腔内圧が改善されるからである．

構音障害の原因が鼻咽腔閉鎖機能不全だけでなく，たとえば舌の運動障害があった場合，効果の出現が制限される．しかし，装着によって得られた口腔内圧や開鼻声の軽減を利用して，明瞭度の改善を行うことは可能であると考えられる．

3) 製作方法

挙上動作を観察し，舌圧子などで軟口蓋を挙上させ，構音の改善があるかを評価する．床に付与した挙上子の角度と距離を計測し製作する．挙上子の大きさは鼻咽腔ファイバースコープ検査や構音時の聴覚印象などによって決定する．装置に慣れることが必要なので角度は徐々につける．また，軟口蓋の動きは構音時と嚥下時では様式が異なることから，どちらの機能も考えながら製作することが必要である．

4) モバイル型 PLP（Fujishima type）

上記で述べた構音時と嚥下時の軟口蓋の動きの違いからくる違和感の解消のために開発されたものである[83]．装着感は全例で良好で，長時間の装着が可能であるとされる．

d バルブ型スピーチエイド (図 3-52)

1) 適応

口蓋裂などによって鼻咽腔閉鎖時に咽頭に間隙がある場合に適応がある．

2) 効果

咽頭の間隙をバルブで埋めることによって，鼻咽腔閉鎖機能を代償する効果がある[84]．

e 舌接触補助床（PAP）(図 3-53, 54)

1) 適応

PAPは舌の運動障害を代償する装置である．舌が口蓋に接触することが難しい症状に対して，口蓋を肥厚することによって，接触を補助する(図 3-55)．最初は舌がんの舌切除症例に製作されたが，脳血管障害やALSのような進行性の神経・筋疾患にも適応がある[85]．

2) 効果

構音点を回復する，新しい**代償音**をつくる，運動の疲労を軽減する，訓練の道具として使用する，患者自身の自己評価が改善するなどの効果がある[86]．PAPを装着することによって口腔内の容量が狭くなることから，やや「こもった」響きになることがある．

3) 製作方法 (図 3-56)

口蓋の厚みの位置は症例の舌の運動の症状に対して決定する．

2 発話障害の評価と訓練   221

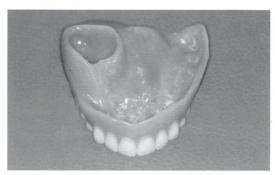

図 3-49　上顎補綴

図 3-50　口蓋閉鎖床

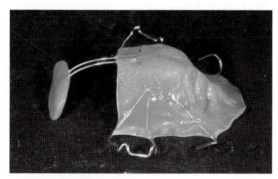

図 3-51　軟口蓋挙上装置

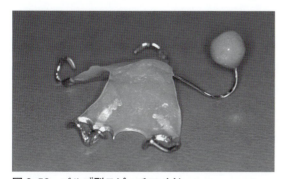

図 3-52　バルブ型スピーチエイド

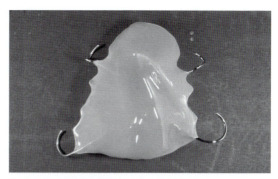

図 3-53　舌接触補助床（上から見た形）

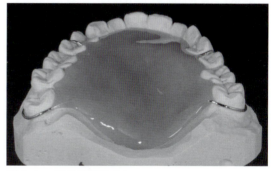

図 3-54　舌接触補助床（後ろからみた形）

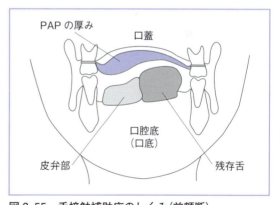

図 3-55　舌接触補助床のしくみ（前額断）
切除再建された舌の運動範囲を補うために運動障害の程度に合わせて上顎部分に厚みを付与する．

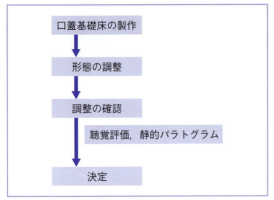

図 3-56 舌接触補助床の製作過程

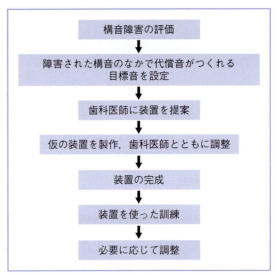

図 3-57 構音のための補綴装置製作のスケジュール

まず，口蓋基礎床を製作する．患者の舌の運動の状態から目標とする音を決め，その代償方法を決定する．例えば，舌の後方の運動範囲がもう少しあれば/k/の音が明瞭になると判断すれば，その部位に必要な肥厚を付与する．調整の確認は聴覚的に行う場合と，静的な**パラトグラム**をとる場合がある．

4 補綴装置を使った構音障害のリハビリテーション（図 3-57）

a 原則

補綴装置を完成するためには，数回の診療が必要である．また，装置は「道具」であり，それを使いこなす訓練が必要であること，即時性の効果はどの装置にもあるとはいえないことを，言語聴覚士，患者ともに理解している必要がある．口腔内の形態や運動の経時的な変化によっても調整が必要になることから，患者との関係性を保っておくことも留意したい．

b 時期

装着は障害を発症した早期から行うことが有効である．また，運動の代償として使用する場合，装着の必要性が低くなることもある．例えばPLPは脳卒中の場合，装着によって軟口蓋挙上を**賦活する効果**があるといわれている．また，舌の運動の可動性がよくなれば，PAPの厚みを薄くしたり，装着を中止することもある．

c リハビリテーション

まず，患者の構音機能を評価し，構音器官の形態や運動の状態によって，どの装置が必要であるかを決定する．さらに，装置によって明瞭度が改善する音を目標音とする．すべての音が改善することは多くの場合期待できないが，明瞭な音が増えることで会話の明瞭度は改善するはずである．

歯科医師に装置の製作と形態を提案する．実際の形態を決定する臨床場面においては，聴覚的な判定，視覚的な動きの観察をしながら調整に参加することが大切である．

装置ができあがったら，装置を装着することに慣れてもらい，構音訓練を実施する．装置で行う構音動作は新しい**代償構音**であることから，反復学習が必要である．

d 利点

装置は，機能や装着感によって形を変えることができる．患者に侵襲が少ない．万が一，気に入

らなければ外せばよいので，臨床において失敗を恐れずに試してみることができるなどの利点がある．

e 問題点

それまで義歯などの装置の経験のない患者の場合は特に，違和感があるのは当然である．また，口腔内を刺激することによって唾液の増量がある．これらは装着時間を少しずつ延ばすことによって馴化が進み，慣れるようになる．

さらに，装置を使う必要のある人は感覚障害があることが多く，装着によって起こる可能性のある傷などに気がつかないこともあるので，確認しなければならない．

以上のような補綴装置は，言語聴覚士のリハビリテーションには重要な位置を占めているにもかかわらず，多く使用されているとは言い難い．装置を歯科医師しか作れないことが原因であろうが，できるだけ機会をつくり，装置の利用を勧めていくことが望まれる．

D 拡大・代替コミュニケーション

1 拡大・代替コミュニケーション（AAC）とは

コミュニケーションに障害のある方に対して，さまざまなコミュニケーション上の工夫や支援機器・器具の活用により，障害の軽減や機能の維持・改善，発達促進などを目的として行う臨床活動が**拡大・代替コミュニケーション**（augmentative and alternative communication：AAC）である．

言語聴覚療法の目標は，障害のある方の社会参加促進とQOLの向上であり，機能回復アプローチとともに効果的な代償的手段の活用も重要な臨床領域である．

2 支援対象と支援方法

AACによる支援の対象は発声発語障害，言語機能障害，聴覚障害，発達障害など多領域に及ぶが，ここでは発声発語障害領域における意思伝達困難例の支援について述べる．

コミュニケーション支援の方法については機器・器具使用の有無によって，一般に非エイド，ローテクエイド，ハイテクエイドに分けられる（表3-25）．

a 非エイドによるコミュニケーション

文字使用が難しい場合は，質問へのYes/No反応，読唇，視線の活用などがあげられる．文字が使用できる場合は，これらの方法以外に書字，空書，聴覚走査法（50音読み上げ）などがある．

Yes/No反応による意思伝達では，指示理解のための機能と合図を発信する身体機能が保たれている必要がある．また，Yes/No反応で答える質問形式のため，質問者が想定できない内容については意思を確認できない．読唇は口形や舌の位置から患者の発話を推測するが，構音点が奥舌の場合など視覚的に確認できない音は特定が難しく，口唇や舌に運動障害を伴う場合は困難さが増す．

聴覚走査法は，受信者が50音表の段音を聴覚的に提示，次に行音を提示して，患者の合図により伝達内容を把握する方法である．例えば「あ，か，さ」と順に読み上げていき，「さ」で合図があったら，さ行音を「さ，し，す」と読み上げていくなかで合図のあった音を目標音として確定する．この手順を繰り返して伝達内容を確認する．そのため，患者は50音表がイメージできること，短期記憶が保たれている必要がある．

b ローテクエイドによるコミュニケーション

文字が使用できない場合，絵やシンボルなどを配したコミュニケーションボード・ブック・カードがある．患者は伝達したい絵やシンボルを指差しや視線などで発信する．患者にとって使用頻度

表 3-25 コミュニケーション支援の方法

機器・器具の使用		支援方法，機器・器具の例(手指，身振り，視線，瞬きなどによる発信)
なし	非エイド	・Yes/No 反応，読唇(口形)，視線の活用 ・書字，空書，聴覚走査法(50 音読み上げ)
あり	ローテクエイド	・文字盤(文字盤の指差し，透明文字盤など) ・絵・シンボル，文字を含むコミュニケーションボード・ブック・カードの指差し
	ハイテクエイド	・VOCA(携帯型音声出力装置) ・意思伝達装置(専用機器，スマートフォン，タブレット端末，パソコンなど)
	その他	・人工喉頭

の高い絵やシンボルを配置するが，ブックなどの作製では伝達効率を高めるため，例えば最初のページで食物を選択したら，次に具体的な食物を配置したページを示すなどの工夫を行う．

　文字が使用できる場合には文字盤がある．文字盤には 50 音表や表記された単語などを直接指差す方法と視線を利用する透明文字盤がある．**透明文字盤**は 50 音表などが書き込まれた透明な文字盤を用い，患者の視線の先にある文字を裏側から感知し，患者の発信する内容を確認する方法である．なお，ローテクエイドによる諸手法は，ハイテクエイドにも同様のシステムがある．

C ハイテクエイドによるコミュニケーション

　携帯型音声出力装置(voice output communication aids；**VOCA**)は音声出力機能を備えた意思疎通支援装置の総称で，用途を限定した小型のものからキーボードを備えたものまでさまざまな機器がある．小型の装置はキーにメッセージを録音しておき，押して再生させるもので，メッセージ数はキー数で決まるものが多い．操作は簡単であるが，あらかじめ録音されたメッセージ以外は対応できない．キーボード形式の機器は入力した内容を再生できるため伝達内容の自由度が高い．

　意思伝達装置・ソフトウェアには専用機器のほか，タブレット端末やスマートフォン，パソコン用ソフトウェアなどさまざま方法が開発されている．また，ハイテクエイドには機器操作に手指以外に呼吸や視線などを利用した各種スイッチや筋電図，脳波や脳血流など生体現象を用いるものもあり，使用者の病態にあった方法を構築しやすい．しかし，認知機能低下や言語機能の喪失など病態によっては導入に限界もある．

3 導入時の評価と留意点

　伝達手段や機器の選定においては，言語コミュニケーションにかかわる機能とともに機器操作に必要な諸機能・側面について評価する．

　導入検討に必要な評価側面を表 3-26 に示す．各側面はコミュニケーションに欠かせない認知機能と言語コミュニケーション機能，機器操作やサイン表出に関係する身体・運動機能が挙げられる．その他，本人のコミュニケーション意欲・ニーズ，機器操作のための集中力や**易疲労性**といった側面の評価も忘れてはならない．

　また，代償手段が有効に機能するためには，本人のみならず家族や関係する人々の理解が重要で，伝達手段・機器の使用方法，操作時の励ましやフィードバック方法などへの指導も必要である．

　非エイドやローテクエイドでは限られた情報のやりとりにより行われることが多いため，判断は推測に頼る場面が多い．推測に役立つため患者の生活歴，性格，訴えの多い内容など幅広く情報収集し，把握しておくとよい．

　臨床実践においては代償手段のみに偏ることな

表3-26 導入時の評価側面

評価側面		項目
認知機能，言語コミュニケーション機能	認知機能	全般的認知機能，表情・身振り・実物・写真・絵・シンボルなどの理解
	発声発語機能	発声機能，構音機能，発話明瞭度
	言語機能	言語理解・表出，文字理解・表出
	高次脳機能	注意障害，記憶障害，失行，失認など
	聴覚機能	聴力，補聴器装着の有無
機器・器具の操作，サイン表出	呼吸機能	発声，呼気による選択・操作など 呼気力，気管切開の有無，人工呼吸器の使用の有無
	視覚機能	合図や目標の選択・操作など 視力，視野，視線移動，瞬きなど
	運動機能動作	押す，握る，つまむなどによる機器操作，指差しによる選択，Yes/Noによる表出 上肢・下肢機能(手足)，口部・下顎・頭部の動き，座位保持など ※運動評価の側面(範囲，速度，力，巧緻性)
適応	その他	コミュニケーション意欲・ニーズ，障害受容など 集中力，易疲労性 使用環境(機器使用についての家族の理解など)

く機能の維持・回復に向けたアプローチも忘れてはならない．両側面への取り組みを併用して障害のある方の自立度を高め，社会参加を促進する姿勢が重要である．

脳性麻痺による発話障害

　脳性麻痺は発達初期に生じた脳損傷に起因する症候群であり，姿勢，運動の障害を主症状とする．本邦での定義は旧厚生省の以下のものが一般的である．「脳性麻痺とは受胎から新生児期(生後4週間以内)までの間に生じた脳の非進行性病変に基づく，永続的なしかし変化しうる運動および姿勢の異常である．その症状は満2歳までに発現する．進行性疾患や一過性運動障害または将来正常化するであろうと思われる運動発達遅滞は除外する」．

　発症率は2000年以降1,000名出生あたり2.5名前後とする報告が多い．症状として姿勢，運動の障害以外にも感覚障害，視知覚障害，てんかん，嚥下障害など多様な症状が合併する[87]．コミュニケーションに関しても，発声発語の運動面の障害のみならず，認知・言語発達，対人機能，聴覚，視覚認知など多様な障害が関与する．発声発語に障害をもつ割合は全体の4～5割，全く発話をもたない児の割合は3～4割にのぼる[88,89]．

　後天性の**運動障害性構音障害**がすでに獲得している発声発語運動に運動制限が加わることで発話の異常をきたすことに対して，脳性麻痺は**発声発語器官**に運動の制約がある状態で発話運動を習得する必要があり，その過程のなかで代償的な運動や誤学習が生じる．

　脳性麻痺による運動障害性構音障害の評価，支援に当たっては上記の点を念頭におく必要がある．評価はコミュニケーション・言語発達の全体像を把握したうえで発話の聴覚印象上の評価，**発声発語機能**の評価，発声発語器官の運動面の評価を行う．加えて，聴力，視覚認知に関する評価が必要な場合も多い．

　支援に関しては，発声発語運動そのものにアプ

ローチできるケースは限られている．幼少期には発声発語に限局した訓練というよりは認知発達や言語理解・表出全体を促進していく包括的なアプローチが主体になる．また，年長児で言語理解と発声発語能力の間に大きなギャップがある場合には**拡大・代替コミュニケーション（augmentative and alternative communication；AAC)** の導入を優先的に考える場合も多い〔3章2節D項（⇒223頁）参照〕．

> **Note 33. 脳性麻痺のタイプ**
>
> 脳性麻痺のタイプ分類に関しては，「痙直型両麻痺」といったように運動障害の性質と分布の組み合わせで表現されることが一般的である．運動障害の性質としては痙縮（spasticity）を特徴とする痙直型，不随意運動を特徴とするアテトーゼ型，振戦を伴い運動の協調性に問題を生じる失調型，重度の低緊張を特徴とする低緊張型などに分類される．障害部位としては，麻痺が体幹および四肢におよぶ四肢麻痺，相対的に下肢に麻痺が重い両麻痺，半身に麻痺がおよぶ片麻痺などに分類される．

1 脳性麻痺による運動障害性構音障害の特徴

a 発話特徴

脳性麻痺では，発声発語の生理的プロセスである，呼気の産生，発声，構音，共鳴のすべてにわたって障害される可能性がある．障害が口腔領域に及ぶ**痙直型四肢麻痺**，**アテトーゼ型**，**失調型**では運動障害性構音障害が生じやすいが，痙直型両麻痺，片麻痺においても問題が生じる場合がある（⇒Note 33）．

脳性麻痺に共通する特徴として，声の小ささ，気息性嗄声，努力性嗄声，構音の歪み，開鼻声，発話速度の低下，抑揚のなさなどがあげられる．これに加えおのおののタイプの運動障害の特徴を背景として特徴的な発話症状がみられる．

1）呼吸・呼気の産生

発声のための呼気が十分にコントロールできるためには体幹が安定し，胸郭に十分な可動性があり，**呼吸筋**（横隔膜，肋間筋，腹筋群）が共同的に活動できることが必要になる．

痙直型四肢麻痺では体幹筋の緊張が亢進し，胸郭の可動性が失われる．胸郭に付着する筋群の過剰な同時収縮により胸郭の前後径が広がり左右径が狭まるいわゆる樽状胸郭となる．体幹の低緊張が著明な一部のアテトーゼ型や失調型では，腹筋群の緊張が低いことで肋骨下部を安定させることができずフレア状の胸郭となる場合がある．以上のような呼吸機能の問題が，一息での発話長の短さ，声の小ささの原因となる．

2）喉頭における音声の変換

呼気コントロールと喉頭のコントロールの難しさからさまざまな声の問題が生じる．痙直型四肢麻痺では声帯の閉鎖が強すぎるため**努力性嗄声**となることが多い．アテトーゼ型では変動の大きさが問題となる．起声時は喉を強く詰め声を出すものの，一転して無声化するなど声帯振動を一定に保ちにくく，また**ピッチ**や**声量**も変動しやすい．失調症の中には音声振戦がみられる場合もある．

3）共鳴の問題

鼻咽腔閉鎖機能不全による共鳴の問題はさまざまなタイプの脳性麻痺でみられる．痙直型四肢麻痺は開鼻声となることが多い．アテトーゼ型では通鼻音—口音の切り替えが難しくなるのみではなく，口腔・咽頭腔の形状も大きく変異する．このためアテトーゼに特有の声の響きになる．

4）構音の問題

運動障害が口腔領域におよぶ痙直型四肢麻痺，アテトーゼ型，失調型では構音の障害が高頻度に生じる．痙直型では舌，口唇の過緊張状態により運動範囲の制限，運動の切り替えの拙劣さが生じる．運動範囲が不十分であることから子音の省略，歪み，母音の歪みなどが生じる．痙直型四肢

麻痺の構音では**音の誤り**方が比較的一貫しているために，意図した音を推測しやすく，誤り率のわりには明瞭度が保たれやすい傾向にある．

一方，アテトーゼ型では運動の安定性の欠如，過剰な運動範囲，不随意運動が特徴的で，この結果構音の誤り方にはある程度の一貫性はあるものの，実現できるときとそうでないとき，また誤りの程度も浮動的となる．音から音への遷移に余分な運動が加わるために音節の切れ目がわからなくなり，余分な音が付加されて聴取されることも生じる．舌の形態が安定しないことから母音の歪みは大きく，明瞭度低下の大きな要因となる．

5）プロソディの問題

痙直型四肢麻痺では発話速度の低下，抑揚のなさなどが特徴的である．失調型では抑揚に乏しく，一音一音が区切るような断綴性の発話が観察される．また逆に過剰にピッチ変化がみられる場合がある．アテトーゼ型では**プロソディ**の問題が特徴的で，ピッチの過剰な変動，声の大きさの変動などがみられる．

b その他発話の問題

音声言語の表出の困難さの原因としては，運動障害性構音障害以外にもいくつかの問題が考えうる．評価・介入にあたっては運動障害性構音障害との鑑別が必要となる．言語発達の遅れは高率に生じ，構音の未熟な誤りが遷延する場合も多い．また，吃音の合併も比較的高頻度で見られる．このほか**小児発語失行**（childhood apraxia of speech）が想定される場合もある．これ以外にも痙直型両麻痺，痙直型片麻痺を中心に機能性構音障害と診断される症例も散見する．これら発声発語運動に関わる障害の鑑別は発達初期にあっては難しく，認知・コミュニケーション機能の発達を待って確証が得られる場合も多い．

2 評価診断（図 3-58）

a コミュニケーションの評価

近年，脳性麻痺児の機能レベルを客観的に評価するために比較的簡便な機能スケールが開発され，国際的な共通基準として使用されている．コミュニケーションにおいては communication function classification system for cerebral palsy（CFCS）が開発された（→ Note 34）[90]．これは脳性麻痺児と他者との間でのコミュニケーションがどのように達成されているかに基づいて5段階で分類するものである（表 3-27）．

コミュニケーションの支援のためには，セラピストによる詳細な評価に基づく介入目標，介入方法の設定が必要となる．コミュニケーション機能の評価は，養育者へのインタビュー・質問紙（表 3-28），遊びをはじめとした行動観察，標準的な発達検査，言語発達検査によってなされる．重症児の場合には標準的な検査の実施は困難で，遊びをはじめとした行動観察に頼らざるをえない場合も多い．

b 運動障害性構音障害の評価

コミュニケーション全体の発達を踏まえて，音声表出面の評価を行う．評価は聴覚印象による発話特徴の抽出と発声発語機能の評価，発声発語器官の評価からなる．

1）発話特徴の抽出

発話資料としては自由会話，構音検査，音読などを使用する．脳性麻痺児では日常場面での自発的な発話と検査場面で意図的な発話の差が大きい場合がある．意図的な発話では緊張が高まり，努力的な発声や不随意的なプロソディの乱れなどが生じやすいため注意が必要である．

日本では脳性麻痺に特化した発話特徴の評価は存在しない．成人の運動障害性構音障害の発話特徴抽出検査〔3章2節B項図 3-31（→ 188 頁参

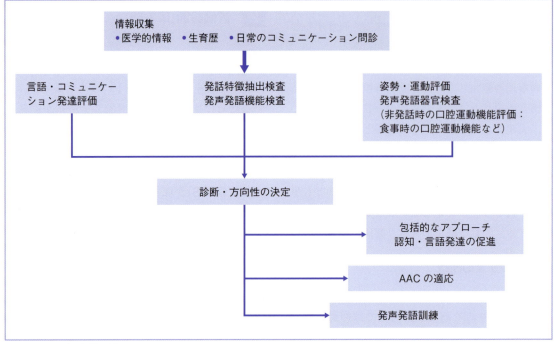

図 3-58 評価診断の流れ

> **Note 34. 脳性麻痺の機能評価**
> 脳性麻痺の機能評価のために近年いくつかの評価が開発され，国際的に使用されるようになった．粗大運動評価のための gross motor function classification system(GMFCS)，上肢操作の機能評価のための manual ability classification system (MACS)，摂食嚥下機能評価のための eating and drinking ability classification system(EDACS) などがある．

表 3-27 脳性麻痺児・者のコミュニケーション機能分類システム(CFCS)

レベル	基準
レベルⅠ	馴染みのある相手，馴染みのない相手どちらとも有効な送り手であり受け手である．
レベルⅡ	馴染みのある相手と馴染みのない相手どちらともゆっくりではあるが有効な送り手や受け手(両方もしくは一方)である．
レベルⅢ	馴染みのある相手とでは，有効な送り手であり受け手である．
レベルⅣ	馴染みのある相手とでも一貫性のない送り手や受け手(両方もしくは一方)である．
レベルⅤ	馴染みのある相手とも有効な送り手や受け手になることは滅多にない．

〔Hidecker MJC, et al：Developing and validating the communication function classification system for individuals with cerebral palsy. Dev Med Child Neurol 53：704-710, 2011 より〕

照)〕が参考になる．評価項目は声・声質，共鳴，構音，プロソディに分類される．既存の評価項目に加え脳性麻痺に特有の徴候である不適切な声の中断，不適切な起声，ピッチや大きさの過度な変動，語音の挿入(intrusion)などにも着目する[91]．聴取方法としては1つのモダリティに注目しながら聴取する．このため発話資料を録音したものを繰り返し聞くことが望ましい．

2) 発声発語器官検査

発声発語に関連する，体幹，頭頸部，口腔器官の運動に関する評価を行う．脳性麻痺は全身的な筋緊張の異常を伴う姿勢・運動の障害であり，全身の姿勢異常が発声発語器官の**アライメント(位置関係)**や筋緊張，運動に影響を与える．また

表 3-28　養育者への問診

生育歴	定頸，座位，つかまり立ち，歩行	達成時期
	喃語	有無，量
	初語，文での発話	達成月齢
	哺乳	量，スピード
	離乳食の開始および幼児食への移行	達成時期
現在のコミュニケーション状況（すべての手段を使って）	コミュニケーション手段	なし，表情・発声，発話，身振り，AAC
	コミュニケーションの対象	家族，身近な人，見知らぬ人
	コミュニケーションの機能	あいさつ，要求，質問，応答，説明
	コミュニケーションの複雑さ	単語，簡単な文，複雑な文
発声発語の状態	明瞭さ	わからない〜わかる（4件法）
	自然さ	不自然〜自然（4件法）
	気になる点	声，発音，イントネーション
	場面による差	家庭内，園，学校，知らない人と，など
	本人の自覚	伝わりにくいことを気にしているか，など

非対称な不良姿勢は，長期的には胸郭の変形，不正咬合など器質的な変化につながる場合がある．

評価は観察および検査課題の遂行からなる．観察では安静時，発話時の発声発語器官の状態の観察を行う．観察ポイントとしては各器官の筋緊張および位置関係，各器官が全身の姿勢の影響を受けずに分離的に運動することが可能か，またその時の運動の範囲，強度，スピードなどを評価する．流涎の状態や摂食嚥下運動も口腔運動機能を推測するために重要な情報となる．

発声発語器官の検査課題では，口頭指示，もしくは模倣により口腔器官の運動を評価する．口腔器官の随意運動を促すことは発達的にも難しい課題であり，定型発達児にあっても舌運動模倣の全項目の通過月齢が3歳後半であること[92]は十分に考慮に入れなければならない．

3）発声発語機能検査

指示に従える児の場合には**最長発声時間（MPT）**，**オーラル・ディアドコキネシス（Oral DDK）**や**構音検査**を実施する（表 3-29）．構音検査は「新版　構音検査」などを利用する．

C 分析・診断・介入計画の立案

1）コミュニケーション全般への支援と発声発語訓練の適応

言語聴覚士の介入の目的は脳性麻痺児・者と周囲の人々とのコミュニケーションを最適化することである．そのために言語発達の促進，AACの活用を含めた多くのアプローチが存在し，発声発語機能に対するアプローチはその一部である．発声発語訓練適応の有無は総合的な評価に基づいて判断される．判断にあたっては①発声発語機能の重症度と②言語・コミュニケーション発達段階がポイントとなる．

(1) 発声発語機能の重症度

発話量，発声発語の状態，発声発語器官の随意性などから評価する．非発話時の運動である唾液の処理や摂食時の口腔運動も重要な指標となる．将来の発声発語能力は年少時点である程度の予測は可能であり，将来的に発話でのコミュニケーションが可能になる群（軽度），発話によるコミュニケーションのみでは不十分でAACの併用が必要になる群（中等度），実用的なコミュニケーションはAACによる群（重度）に大別される．

(2) 言語・コミュニケーション発達の段階

①語彙の獲得から文レベルでの理解段階（定型発達で3歳未満）の段階，②言語理解として非現前事態への質問が理解でき，複文以上の言語表現が可能になる段階（定型発達で3歳以降），③文字の理解が進み読み書きの準備ができた段階（定型

表 3-29 発声発語器官評価(観察項目とポイント)

a：姿勢評価

	形態的問題	安静時 姿勢パターン・筋緊張	発話時の運動観察[*1]	姿勢コントロール
体幹	側弯 胸郭の変形 姿勢の左右差	全身性の伸展・屈曲パターン 過緊張・低緊張・緊張の変動	発話時の姿勢：姿勢の崩れ，体幹のおしつけ，ねじれなど 呼吸パターン：胸腹部の運動範囲 奇異呼吸	座位バランス：座位保持の可否，座位バランス
頭頸部		頭部の反り返り 頭部の前屈 頭頸部のねじれ 後頸部の短縮	頭部の反り返り 頭部の前屈 頭頸部のねじれ 後頸部の短縮	空間での頭部のコントロール：頭部の挙上，頭部の保持，頭部の運動

b：口腔運動機能評価

	形態的問題	筋緊張	発話時の運動観察[*2]	随意運動[*3]
下顎	咬合異常	過緊張：強い噛み締め 低緊張：下顎下制	発話時の運動範囲狭小 発話時の運動範囲過剰	開口，上下運動 運動範囲，交互反復運動率
口唇	過緊張による上口唇の引き上げ，口角の後退	過緊張：歯茎への押しつけ 低緊張：開口	発話時の運動範囲狭小 発話時の下顎からの分離不十分	突出ー横引き 運動範囲，交互反復運動率
舌	過緊張による形態の変化 (スプーンを伏せた形，丸い形など) 低緊張による形態の変化	過緊張：触診時の抵抗感 低緊張：触診時の弱さ	発話時の運動パターン少ない 運動範囲狭小 分離運動の乏しさ	提舌，口角への接触 運動範囲，交互反復運動率
軟口蓋	下制，短縮	軟口蓋の視診	閉鎖不全	/a/発声時の挙上

[*1] 発話に伴う姿勢全体の変化，発話に伴う頭頸部の状態を評価
[*2] 頭部・下顎(近位部)に対する口唇・舌(遠位部)の運動の分離性
[*3] 随意運動は模倣もしくは指示による：可能な症例で実施

発達でほぼ就学年齢)に分けて考える．この2軸の組み合わせにより，現在行うべきアプローチと将来的な目標を設定する．それ以外に考慮すべき要因として，対象児の生活年齢，認知機能，課題への集中度，家族・学校などの社会的背景などがある．

2) 発声発語機能の重症度に応じた目標，対応方法(表 3-30)

次に，発声発語器官の重症度に応じて目標，対応方法を記載する．

(1) 発声発語機能障害(重度障害群)

発声発語器官の障害が重度で将来的にも音声言語によるコミュニケーションの確立が困難な群である．タイプとしては痙直型四肢麻痺，アテトーゼ型が多い．運動機能の障害が重く，摂食嚥下障害の合併も多い．この群のコミュニケーション支援の目標は AAC によるコミュニケーションの確立にある．

言語理解が現前の事象に限られる段階(定型発達で2歳代レベル以下)では，認知機能全体を高めていくような**包括的なアプローチ**が必要である．遊びのなかで筋緊張の亢進やスパズムを制御

表 3-30　脳性麻痺児のコミュニケーション支援

		発声発語機能の重症度		
		重度障害群	中等度障害群	軽度障害群
	目標	AACによるコミュニケーション	コミュニケーションの一部として発話の利用	発話によるコミュニケーションの確立
言語発達段階	言語獲得期	包括的なコミュニケーション支援 • Yes-No反応・選択反応の確立（発声，表情，上肢，視線） • 音声表出の促し	包括的なコミュニケーション支援 • 音声表出の促し • 音声表出によるYes-No反応 • オノマトペなどの音遊び	包括的なコミュニケーション支援 • 音声表出の促し
	言語期以降	AACによるコミュニケーションの確立 • AACによる単語レベルでの表出 • 可能ならば音声表出の促し（一部有意味語）	AACと発話の併用によるコミュニケーションの確立 • 遊び・課題の中での発話の促し • 表出可能な音の増加	遊び・課題のなかで発声・構音への介入 • 発話量の増加 • 音韻意識の醸成
	就学期以降	AACの発展 • 可能ならば文字の導入 • 音声表出の促し，一部有意味語	AACと発話の使い分け • 意図的な構音練習	発話による明瞭度，伝達効率の向上 • 発声発語練習 • プロソディの練習 • 話し方の工夫 • 系統的な構音練習

しながら安定した身体の使い方を誘導し，前言語的なコミュニケーションの基盤を育てる．コミュニケーション支援として，他者からの働きかけに対して発声，表情，動作などで応答することを促し，**Yes-No反応**や**選択反応**を確立させる．Yes-No反応や選択反応の手段として未分化な音声が使用できるのならば，コミュニケーションの効率性の観点からも望ましいため，積極的に使用を促す．

言語・コミュニケーションの発達段階が非現前の質問が理解できる程度ならば，コミュニケーションブックやシンボルなどの導入を積極的に行い，将来的には機器を使用したAACによる文レベルの表出ができることを目標とする．

(2) 発声発語機能障害（中等度障害群）

この群は音声言語でのコミュニケーションが一部確立するものの，明瞭度は低くコミュニケーションの効率は悪い．日常生活の音声言語によるコミュニケーションが一部可能であるが，複雑な事態にはAACを利用したほうが正確に伝わる．発声発語の症状は多様である．

限られた構音操作しか習得できない場合が多いため，初語がみられたのち有意味語のレパートリーが数語にとどまる期間が長期間にわたることをよく経験する．言語理解が現前事態にとどまる場合は，包括的なコミュニケーション発達支援が主となる．

表出面に関しては**ポインティング**，**視線**，**表情**，未分化音声などを手段としながらコミュニケーションが確立することを第一優先とする．音声表出に関しては発声量の増加が目標となり，遊びのなかで喃語や未分化な音声表出を促す．過度の随意性の要求は全身の緊張を高め，呼気コントロールや声質の悪化，努力的な構音運動の遂行につながる場合が多いため，注意が必要である．姿勢，緊張をコントロールしながら遊びのなかで発声，発話を促すことが有効な場合が多い．

発話量が増加したのちも，目標となる音韻を限

られた構音操作のレパートリーで実現しようとするため，音の不正確さは大きい．

この群に対しては完全に正確な構音操作を求めることは現実的ではないため，ある程度の正確さで妥協していくことが必要である．この点は機能性構音障害に対するアプローチと本質的に異なる．書記言語（リテラシー）の発達にも配慮し，文字の意識，知識が得られはじめているならば，文字学習の導入は音韻への意識づけやAACへの発展を含めて意義がある．

(3) 発声発語機能障害（軽度障害群）

比較的軽度の発声発語機能障害をもちながら，音声言語によるコミュニケーションが確立する群である．自然度に関しては，バリエーションが広く非常に奇異な印象をあたえる発話から構音の若干の不自然さまでさまざまである．脳性麻痺のタイプとしては痙直型四肢麻痺，アテトーゼ型に加え，失調型，痙直型片麻痺，痙直型両麻痺に及ぶ．発声発語練習の対象となる．

脳性麻痺児では，発声発語器官の運動障害を認めない，もしくは軽微な例であっても初語が遅れることは多く，3歳前後で初語が見られ，1～2年を経過し文章レベルでの会話に達する児は多い．

理解言語と音声言語による表出の間にギャップが見られる場合には，一時的にでも**マカトン法**，**コミュニケーションブック**のようなAACを導入することは，コミュニケーション発達を補償するために意味がある．

発声・構音へのアプローチが意図的にできるためには日常的に発声量が一定程度あり，発話に対する意識が高まり，随意的な発声・呼称などができることが前提となる．遊びのなかで指示に従って発声，音声模倣などを行い，音声言語によるコミュニケーションの促進に努める．目標は明瞭度と伝達効率の向上にある．遊びのなかなどの自然場面で発声しやすい条件を整え，発話行動を多くとれるように誘導する．

課題に対する意識化の程度や要求する発話の難易度の設定，発声時の姿勢設定などを行う．構音

> **Note 35. 口腔運動の随意性と分離性**
> 脳性麻痺では舌や口唇による巧緻性の高い運動を実現しようとした場合，舌や口唇のみを選択的に動かすことが困難で下顎を含め口腔全体が動いてしまう場合がある．系統的な構音練習を行うにあたって，口腔器官の一部を随意的に，かつ選択的に動かせることが前提条件となる．

のみならず発声，声質の改善，声の大きさ，ピッチ・強弱のコントロールなどにも着目する．

言語・認知発達が一定の段階に達したあとは集中的な発話練習のよい適応になる群である．構音に関しては誤り音が限定されており，誤り方に一貫性がある場合には機能性構音障害で行うような系統的構音訓練の適応となる場合もある．適応の可否は口腔運動の随意性と分離性にある（→ Note 35）．

文字の導入も並行して，もしくは先行して行う．文字を利用することで，構音の練習が促進される場合もある．脳性麻痺児の発話では音韻の障害と発話の実行面での障害が判別しにくいが，文字の導入によって音韻体系の誤りが明確になる場合もある．音韻-構音運動の再構築を図る必要がある．

(4) 養育者へのアドバイス

セラピストによる介入は日常生活のなかのごく一部に限られる．日常生活をともにする養育者，保育士，教師などへの説明は十分に行い，コミュニケーションの向上に向けて協力しあえる関係を構築する．

3 発声発語訓練─具体的な練習方法

脳性麻痺の発話の問題は，重症度，症状などのバリエーションが広く，発達段階などの条件も含め個別性が高い．このため訓練にあたっては1人ひとりの特性に応じたオーダーメイドの練習方法を設定することが求められる．

設定にあたっての条件は，ターゲットとなる音の種類，音節，単語，文など発話単位，練習を行

う姿勢設定，発話の産生を促す誘導の方法，意図性の程度などである．

a 発話における姿勢への介入

姿勢管理の具体的な方法としては，徒手的な操作により筋緊張や姿勢運動パターンに影響を与えるハンドリング，クッションなどを使用して良肢位を確保するポジショニング，座位保持装置の適用などがあげられる．アプローチにあたっては理学療法士，作業療法士との協働が必要となる．姿勢の管理は言語聴覚療法の実施時のみならず家庭，学校での生活のなかで常に考慮していくべき課題である．

具体的には呼気コントロールを行いやすいように体幹の姿勢・筋緊張のコントロールを行い，口腔器官が協調的に運動しやすいように頭部を安定させ位置関係が整った状態に設定する．胸郭の緊張が強く，可動性に乏しい場合は準備として徒手的に胸郭の可動性を高める運動を実施する（図3-59）．このような準備を行いながら遊びのなかで深い吸気に伴う発声を誘導する．非対称性が強く後方へ反り返る場合には，対称性姿勢を誘導し頭部が空間のなかで安定する状態をつくる（図3-60）．

姿勢の設定のための座位保持装置や机などの環境設定は重要で，体幹の伸展位の確保，上肢の机上での支持などのため**ベルト**，**ヘッドレスト**，**ネックサポート**，**肘受けロール**などの設定を行う．緊張の低い腹部に対しては腹帯などの使用や立位台を使用した立位での練習も効果的である．

b 発声・構音運動のための準備

脳性麻痺児では遠位に当たる舌，口唇を分離的に動かすことが難しく，より近位の頭頸部や下顎の動きを伴うことが多い．頭部，もしくは下顎を安定させることでターゲットとなる口唇や舌を分離的に動きやすくする．安定化を図る方法は第一には前項で述べた姿勢コントロールへのアプローチであるが，加えて頭部や下顎を徒手的に保持す

ることで頭部の安定をえることができる（図3-61）．

口唇，舌の緊張が強く運動域の制限がある場合には構音練習の前に当該の部位を伸長し，緊張を低減してから練習を行う．

c 発声の練習

呼気の支えは声の持続，大きさ，声質，またイントネーションに影響を与える．このため前述した体幹・頭頸部の姿勢の準備状態をつくったうえで発声課題を行う．このとき，意図的な発声努力は体幹・喉頭の緊張を強め，かえって課題の遂行が困難になる場合が多い．このため遊びの場面などで非意図的に発声を促すような設定が必要となる．

頭部の伸展・屈曲と下顎の開口度，声質とは連動しやすい．このため練習として母音の種類の選択がポイントとなる．良好な声質の得られる母音から開始し次第に母音の種類を増加させる．

年長で意図的な課題遂行が可能な児にあっては，発話速度をコントロールしながら声の大きさやフレージングを注意するなど発声へのアプローチが明瞭度の改善に奏効する場合も多い．

d 構音操作の誘導

中等度症例にあっては産生できる音が限定的である．このような例では構音操作が少しでも分化しバリエーションが増え，歪んでいても「それらしく聞こえる音」を増やすことが目標となる．例えば痙直型の症例で舌が後方に引き込まれ，産生できる子音が軟口蓋音[ŋ][k]に限定されている場合がある．このような場合には後続母音が広母音の音では舌が後方へ引かれる傾向にあるため，後続母音の開口度が狭い[ɲi][tɕi][dʑi]などの音を促すようにする．舌前方と口蓋の接近，接触による構音が実現することで構音操作の分化を図っていく．

また，頭部の後屈と過剰開口により両唇音が省略される場合には，徒手的に頭部の後屈を防ぎ下

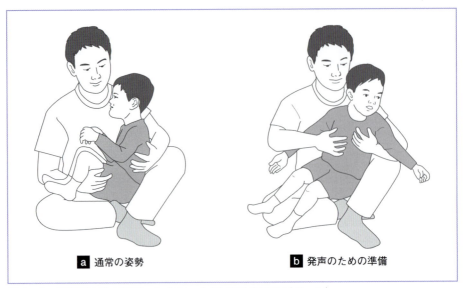

図 3-59　発話練習時の姿勢コントロール（全身性の屈曲パターン）
a：上肢屈曲内転位，胸郭の可動性減少．
b：上肢伸展外転位，体幹の回旋を誘導し胸郭の可動性を改善．体幹を伸展位に誘導し，より深い吸気に伴う発声行動を促進．

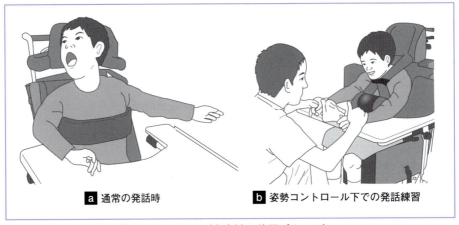

図 3-60　発話練習時の姿勢コントロール（全身性の伸展パターン）
a：頭部を後方へ押しつける．過剰開口となり，両唇音は省略．
b：座位保持装置設定としては体幹の前方で支持，ベルト，肘受けロール，頭部は前傾位の安定，ネックサポート．セラピストの誘導としては両上肢を前方に保持，伸展パターンを抑制し頭部の前傾位を誘導．

顎が安定するように操作し，閉位方向に両唇の運動を誘導することも有効である．使用する音としては下顎が開きにくい[mu][bu]などが用いやすい．

軽度例であっても個別的な音に対しての構音練習を実施する場合には，適応を十分に考慮する必要がある．構音器官の随意性がある程度保たれている場合には機能性構音障害に使用する構音位置づけ法（phonetic placement），既得している音からの誘導法（modification of other sound already mastered），漸次接近法（progressive approximation）などの技法が使用できる．系統的な構音操

図 3-61　アテトーゼ児の発声発語練習
前方からの支持で下顎を安定，舌，口唇の運動の基盤を作る．姿勢の安定のため，①前方にクッションを入れて体幹前方支持，②両上肢を前方で机上支持．

作の練習では，ターゲットとなる音の獲得，音節のなかでの使用，単語，句，文での使用，日常会話への般化とつなげる．軽度例であっても音の正確さには配慮が必要で，ある程度の正確さで妥協することも必要となる．

e プロソディの改善

　明瞭度，自然度に関してはプロソディからの影響も大きい．意図的な発声発語訓練のなかでいかにプロソディにアプローチするかが課題となる．これらの練習は安定した姿勢と呼気の使い方が必要となる．

　呼気を十分に保持した話し方に変更する．突発的な起声やピッチの変化幅を小さく留める．逆にピッチを意図的にコントロールすることもよい練習になる．練習課題としては**歌唱**や詩歌の**朗唱**なども適している．

F 事例報告と報告書の作成

a 小児

1）事例

■ 対象児
4 歳 11 か月，男児

■ 主訴
発音がはっきりしない．自分の名前が正しく言えない（母より）．

■ 現病歴
3 歳頃に母が，同年代の子どもより発音がわかりにくいことに気がつき，3 歳児健診で保健師に相談した．様子をみるよう助言を受けたが，4 歳になり，幼稚園で言いたいことが伝わらないことが原因のトラブルが増えたため，訓練を希望し受診した．

■ 生育歴
特記事項なし．

■ 既往歴
滲出性中耳炎（3 歳 6 か月時）

■ 集団生活での様子
幼稚園に 3 歳（年少）から通園している．積極的で誰とでも話をするが，発音のことを指摘された次の日は幼稚園への行き渋りがあった．

■ 家庭環境
父（会社員），母（主婦），兄（小 2）との 4 人家族．兄に言語発達や発音の心配はなかった．

2）評価

(1) 評価項目（検査実施：4 歳 11 か月）

■ 構音
新版構音検査を実施し，①[k, g] (-a, o, u) → [t, d]，[k, g] (-e, i) → [tɕ, dz]，②[s, ts, dz] → [t, d]，③[r] → [d] の誤りが認められた．これらの誤りは音節から会話まで一貫して認められ，浮

動性や被刺激性はみられなかった．会話明瞭度は3（内容を知っていればわかる）だった．

■ 声・共鳴

嗄声はなく，開鼻声，閉鼻声などの共鳴の異常は認められなかった．

■ 構音器官

舌などの形態，機能に問題はなかった．

■ 聴力

正常範囲内．

■ 知的発達

田中Binet（ビネー）知能検査Ⅴを実施し，精神年齢5歳0か月，IQ 102．

■ 言語発達

PVT-R絵画語い発達検査を実施し，語彙年齢5歳1か月，SS 11（平均）．

■ コミュニケーション

良好

(2) まとめ

軟口蓋音の前方化（[k, g]→[t, d]など），歯茎摩擦音・破擦音の破裂音化（[s]→[t]など），弾き音の破裂音化（[r]→[d]）がみられ，**発達途上の構音の誤り**と考えられた．構音器官の形態と機能に明らかな問題はなく，聴力は正常範囲内，知的発達，言語発達は年齢相応であった．以上のことから**機能性構音障害**と考えられた．

3) 目標

■ 長期目標

誤っているすべての音について，就学までに正しい構音を獲得し，日常会話で無意識に使いこなすことができる．

■ 短期目標（1か月）

[ka]が音節で正しく構音できる．

4) 訓練計画

系統的構音訓練を週に1回40分実施する．訓練は，音の習得が早いとされ，明瞭度への影響が考えられる軟口蓋音[k, g]から開始し，歯茎摩擦音・破擦音[s, ts, dz]，弾き音[r]の順で行う．

訓練全体の流れを図3-62に示す．

■ 第1期（2か月）

[ka]構音時の軟口蓋と奥舌の閉鎖が確実にできるよう，構音操作（奥舌の挙上）から音，音節，無意味音節，単語，句・文へと系統的に訓練を進める（表3-31）．

■ 第2期（2か月）

[ka]が単語～句・文で安定したら，後続母音が異なる[ko, ku, ke, ki]の訓練も開始する．この段階から本人が自分自身の発話の正誤を判定できるように**自己モニターの形成**を行う．

■ 第3期（3か月）

[k, g]の般化訓練と[s, ts, dz]の構音訓練を行う．

■ 第4期（3か月）

第3期までに練習した音の般化訓練と，般化の状況を観察して必要なら[r]の訓練を行う．

5) 解説

4歳11か月で発達面の遅れがなく，発達途上の構音の誤りが固定化している．積極的に話をするが誤り音が多いため明瞭度が低く，誤りの自覚があり2次的問題が生じていることなどから構音訓練の適応と考えられる．

訓練音の順序は，音声学的視点に基づき誤り音をいくつかの**音群**に分けて，構音発達の順序や発話の明瞭度への影響，ほかの音への**般化**を考慮して決定する．本例では，子音の獲得時期が早く，明瞭度に影響を与えると考えられる[k, g]を最初の訓練音と考えた．その後構音操作を教えやすい[s]を習得させ，[ts, dz]へ般化を狙う．[r]は[s]の訓練で舌先の動きが改善すると自然改善の可能性も期待できると考えられた．構音位置づけ法による音の産生訓練を中心に訓練計画を立案したが，構音訓練中は随時，自己モニターの形成を並行する．自分自身の発話の誤りに気づき，自己修正能力を高めることは構音訓練において非常に重要である．

構音訓練中，ほかの音への般化や自然改善など

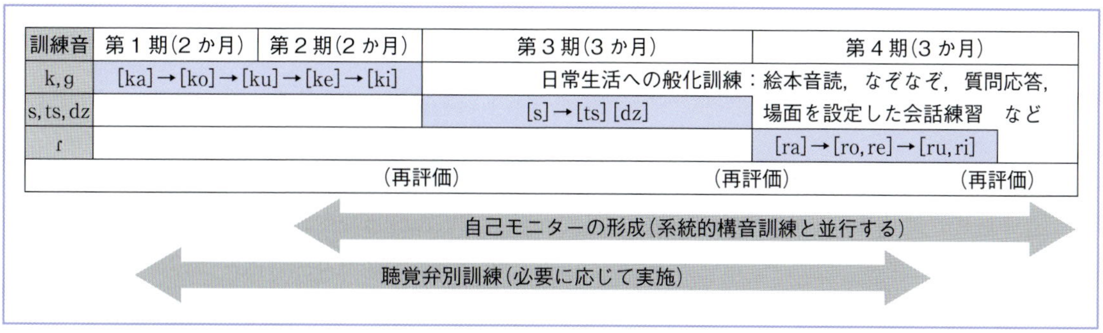

訓練音	第1期(2か月)	第2期(2か月)	第3期(3か月)	第4期(3か月)
k, g	[ka]→[ko]→[ku]→[ke]→[ki]		日常生活への般化訓練:絵本音読,なぞなぞ,質問応答,場面を設定した会話練習　など	
s, ts, dz			[s]→[ts][dz]	
ɾ				[ra]→[ro, re]→[ru, ri]
	(再評価)		(再評価)	(再評価)

自己モニターの形成(系統的構音訓練と並行する)

聴覚弁別訓練(必要に応じて実施)

図3-62　構音訓練全体の流れ
色枠は音の習得〜音をことばに移行する段階(目標音の基本操作→音→音節→単語→句・文).色枠内は,音や音群のなかで練習しやすい順番を示した.

表3-31　第1期(構音操作から[ka]の句・文レベルまで)の訓練計画

段階	訓練項目	方法	留意点
音の習得の段階	①奥舌の挙上	開口したまま「んー」を言わせる	奥舌の挙上〜[ka]音節の訓練は,子どもが取り組みやすい方法を選択する(本事例では[ŋ]から導く方法を用いた). 舌の動きを図示したり鏡で確認させながら練習する. 模倣→自発,単音節→連続音節,ゆっくり→普通の速さなど,子どもの習熟度にあわせて難易度を調整しながら練習する. 構音時の奥舌の挙上が確実になったら次のステップへ進む.
	②[ŋ]→[ga]の産生	①[ŋ]に[a:]を後続させる ②[ŋa]が安定したら,聴覚刺激と,鼻に指を当てて振動の有無を確認させながら[ga]を導く ③軟口蓋と奥舌の閉鎖が確実にできるまで練習	
	③音節	①[g]の無声化から[k]を導く. ②[k]が安定したら[a:]を後続させ[ka]を産生	
	④無意味音節	①[ka]+母音 ②母音+[ka] ③母音+[ka]+母音の順に練習	母音でできるようになったらほかの音節との組み合わせの練習を取り入れてもよい.
音をことばに移行する段階	⑤単語	①語頭に[ka] ②語末に[ka] ③語中に[ka]の順に練習	音環境だけでなく,モーラ数や語中に含まれる[ka]の数にも配慮しながら訓練語を選択する.文字が読める場合は音読の練習も適宜取り入れる.
	⑥句・文	「〇〇〇(形容詞)かめ」「あかい〇〇」などの反復練習から始め,慣れてきたら自由にことばをつなげて練習	

で子どもの構音の状態は変化するため,3〜6か月ごとに再評価を行う.再評価をふまえ,訓練の負担を最小限に抑え,短期間で正常構音を獲得するために訓練計画を見直していくことが必要である.

構音訓練と並行して,家庭や幼稚園での環境調整を行っていくことも必要となる.特に対象児は構音の誤りに対する自覚があり,2次的問題が生じているため,言いたいことがうまく伝わらなかった場合のサポートの仕方,練習場面以外では発音の誤りを正さずに楽しくコミュニケーションをするなど,家族への助言や指導を行っていくことも大切である.

なお,この節では新版構音検査で使用される簡略音声記号表記で記述したが,IPAの音声表記を記述に用いてもよい.

b 成人

1) 事例

■ 対象者
76歳，男性，右利き（利き手交換訓練を行い，現在は左手を使用）

■ 主訴
舌や口がうまく動かない．発音が悪い．涎がたれる．

■ 家族構成
妻，長女，長女の夫，孫と同居

■ 医学的診断名
多発性脳梗塞

■ 合併症
動脈硬化，高血圧

■ 既往歴
脳梗塞（1回目，72歳，1週間の入院加療後，後遺症を感じずに生活），脳梗塞（2回目，74歳，右片麻痺，ADLほぼ自立，直接対面しての会話では聞き取れないことが時にある程度）

■ 家族歴
特記事項なし

■ 現病歴
自宅の庭で倒れ，救急搬送．多発性脳梗塞の診断で保存的治療（3回目の脳梗塞）．3日後からリハビリテーション開始．1か月後に回復期リハビリテーション病院に入院．5か月後に介護老人保健施設である当施設に入所．2か月先に自宅へ退所予定．

■ 神経学的所見
両側片麻痺〔Brunnstrom（ブルンストローム）ステージ左：上肢・下肢・手指すべてⅤ，右：上肢・下肢・手指すべてⅢ〕，顔面・舌・咽頭の両側麻痺（いずれも中枢性）

■ 神経心理学的所見
分配性注意の障害

■ 画像所見
左内包後脚～皮質，右内包後脚～放線冠に散在性の梗塞巣，両側前方分水嶺領域に虚血性変化

■ ADL
車いす使用．入浴介助．食事は軟飯，軟菜あら刻み，とろみつき水分をスプーンで自力摂取．

■ 前担当の言語聴覚士からの情報
会話明瞭度は4.5（発症1か月）～3（発症3か月）に改善．発症3か月～回復期リハビリテーション病院退院時の間には，発声発語器官検査の所見には著変はない．

2) 評価

(1) 全体像
コミュニケーション態度は良好で，リハビリテーションへの意欲も高い．行動面で特記すべき問題はみられず，自ら必要な援助を求めることもできる．作業・動作中に発話が不明瞭になる．会話に夢中になると，動作や作業がとまってしまうこともある．

(2) コミュニケーションについての当事者の訴え

■ 本人
相手が話すのが速いと，返答を焦ってうまく発音できない．話し始めに口や舌がうまく動かない．相手が離れた場所にいるときや，何かしているときには伝わりにくい．家族には5～6割は伝わっている．家族以外にはうまく伝わらない．

■ 長女
よいときで8割ほどわかる．寝起きやテレビを観ているときや，唐突に話題が変わると，半分ほどしかわからない．

(3) 発声発語（発話）機能

① 発話特徴
会話明瞭度は3（聞き手が話題を知っていればわかる），自然度（異常度）は3（0：正常～4：最も異常），単語明瞭度[37]は48％．検査時よりも自由会話時に明瞭度の低下（歪み，省略の増加）を認める．

声質はG2 R2 B0 A0 S1．声の高さはやや低く単調で，声の大きさは徐々に小さくなる．話す速さは，検査時はやや遅いが，家族によると，自由

会話時は発症前と同様と思われる速さ. 開鼻声あり. 母音・子音に歪み・省略を認める.

②構音検査

単音節に比べ単語・短文で歪み・省略が生じやすい. 歯茎音, 奥舌音, 口唇音の順で誤りが多く, 破裂音の弱化, 摩擦音・破擦音の破裂化を認める.

③発声発語器官評価

■ 呼吸機能

呼吸数18回/1分, 最長呼気持続時間12秒, 呼気圧持続時間11秒で, ほぼ正常範囲内.

■ 発声機能

最長発声持続時間11秒. /a/の交互反復運動では徐々に声のon-offが曖昧になる.

■ 鼻咽腔閉鎖機能

/a/発声時, 左右とも(左よりも右で)軟口蓋の挙上が不十分. 鼻漏出は, ブローイング時は左1度, 右3度. /a/発声時は左2度, 右4度.

■ 口腔機能

(舌)突出は右に偏位するが下唇上まで可. 左右移動では右口角までは達するが, 左口角には達しない. 前舌・奥舌ともに目標点にようやく到達する程度. (口唇)閉鎖は右で不十分, 左は可. 横引き・突出は, 左より右で弱い. 両側筋緊張亢進. (下顎)開口時に右へ偏位. (交互反復運動)規則性は保たれているが, 速くしようとすると運動範囲が制限される.

(4) その他

Raven(レーブン)色彩マトリックス検査は23/36と健常範囲内. Trail Making Testでは, 数字-五十音の切り替えに混乱あり. 言語機能・聴力の障害の疑いなし. 左手で書字を行うため文字に崩れがあるが, 文レベルでの書字が可能. 摂食嚥下障害(口腔・咽頭への残留, とろみなし水分での誤嚥)を認める.

(5) まとめ

■ 障害名

運動障害性構音障害(痙性, 中等度), 摂食嚥下障害, 注意障害

2回目(74歳時)の脳梗塞によって発声発語器官の右側に中枢性麻痺が生じたものの, 日常会話には大きな問題がない程度にまで回復していた. 今回, 新たに生じた3回目の脳梗塞によって発声発語器官の両側に中枢性麻痺が生じ, 痙性構音障害を呈している.

呼吸・発声機能に比べ, 構音機能の障害が強い. 単語レベル以上で構音の歪み・省略による明瞭度の低下を認める. 発症前と同じ速さで話すため, 構音が不正確となり明瞭度に低下が見られる. 注意障害もあり, 動作・作業中, あるいは考えながらの発話で, 明瞭度がさらに低下する. 「家族との普段の会話」では「評価時の音読・復唱」に比べ, 明瞭度がより低下する. 発症3か月以降は発声発語器官検査の所見に著変なしとの情報を考慮すると, 発声発語器官の機能障害は多少の改善はあるとしても, 今後も持続する可能性が高い. しかし, 本人の意欲・理解力が良好なため, 構音動作・発話スピードの調節によって明瞭度および伝達性が改善する可能性が高いと考える. このようなことから, 言語訓練の適応ありと判断される.

3) 目標

■ 長期目標(6か月)

- コミュニケーション上の工夫を当事者間で共有し, 実践努力ができる.

■ 短期目標(2か月)

- 発話による家族への伝達性の向上(本人評価・家族評価ともに8割を目指す).

4) 訓練計画

- 訓練頻度:5回/週, 40分/日(個別訓練)

■ 構音器官の運動

- 構音器官の筋緊張の抑制を目的に行う.

■ 構音訓練

- 構音動作の調節による歪み・省略の軽減を目的に, 最小対語(1つの音素だけが異なる語の対)を用いた構音訓練を行う.

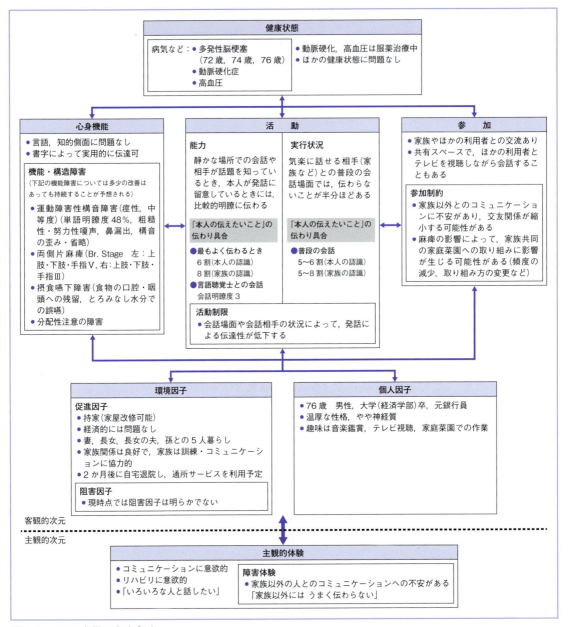

図 3-63 ICF を用いたまとめ
言語聴覚士の介入に関連する事項を中心に,出典文献を参考に記載し整理した.
〔上田 敏:ICF(国際生活機能分類)の理解と活用―人が「生きること」「生きることの困難(障害)」をどうとらえるか,p59,きょうされん,2005 の図 5 より改変〕

■ 作業・思考をしながらの会話練習
- 動作・作業・思考中の明瞭度の向上を目的とし,作業をしながら,比較的考える必要のあることを話題とした会話練習を行う.不明瞭な発話が生じた際には聞き返し,発話スピードや構音動作の調節を促す.

■ 家族との会話練習
- 伝わりやすい条件や工夫を家族と共有し,会話に取り入れていく.
- (例)「相手が話すのが速いと,返答を焦ってう

まく発音できない」に対して，相手にもゆっくり話してもらう，焦らなくてもよいことを共有する．「聞き手が話題を知らないとわからないことが多い」に対して，はじめに話題の確認をする．「離れた場所にいるときやほかのことをしながらでは伝わりにくい」に対しては，なるべく近づき，面と向かって集中して会話する．

5）成人構音障害の評価と訓練方針立案のポイント

- 発声発語器官検査と発話の評価（発話特徴，構音検査）をともに実施し，双方の結果を統合して解釈する．
- 摂食嚥下障害を伴うことも多い．疑いがある場合には精査・対応する．コミュニケーションや訓練適応に影響する高次脳機能や言語機能，聴力の評価も大切である．
- ICF（国際生活機能分類）を用いてまとめることで，プラス面，マイナス面ともに見落としなく全体像をとらえることができる．各要素の関係性を踏まえて方針・目標を検討する．
- 能力（できる活動）と実行状況（している活動）に乖離がある場合が多い．日常コミュニケーションをよく観察・聴取し，把握・想定すること，当事者評価を確認することも重要である．なお，本症例のまとめでは，コミュニケーション活動（発話による伝達性）が環境（場所，状況，話題）によってどのように異なるのかをとらえるために，「活動」に当事者評価[93]を含めて記載した（図3-63）．
- 訓練適応・治療方針は，機能予後予測に加えて，意欲や障害認識の程度から検討する必要がある．
- 短期目標は，機能・能力がどのくらいの期間で改善するのかについての予測や，目標とする事象・環境変化が生じる時期などを考慮して設定するが，長期的な見通し・目標を踏まえて治療方針を検討することが大切である．本症例では，6か月間の長期目標を設定したうえで，自宅退院までの2か月間における短期目標を設定

した．

引用文献

1) 西村辨作：構音障害児の構音機能獲得．笹沼澄子（編）：シリーズことばの障害3 ことばの遅れとその治療．pp99-132，大修館書店，1979
2) 今村亜子：基礎知識．平野哲雄，他（編）：言語聴覚療法臨床マニュアル，改訂第3版．p156，協同医書出版社，2014
3) 今村亜子：構音訓練に役立つ 音声表記・音素表記記号の使い方ハンドブック．pp94-99，協同医書出版社，2016
4) 今井智子：小児の構音障害—多様性の対応．音声言語医 57：359-366，2016
5) 船山美奈子：子どもの構音障害．笹沼澄子（監修）：入門講座/コミュケーションの障害とその回復 第1巻 子どものコミュニケーション障害．pp99-126，大修館書店，1998
6) 岡崎恵子：口蓋裂言語．岡崎恵子，他（編）：口蓋裂の言語臨床，第2版．pp25-41，医学書院，2005
7) Harding A, et al：Active versus passive cleft-type speech characteristics. Int J Language & Communication Disorders 33：329-352, 1998
8) 藤原百合，他：口蓋裂の構音障害．藤田郁代（監修）：標準言語聴覚障害学 発声発語障害学，第2版．pp148-172，医学書院，2015
9) 福迫陽子，他：口蓋裂術後の言語症状の経過．音声言語医 15：37-46，1974
10) 阿部雅子：口蓋裂言語にみられる異常構音．音声言語医 29：296-298，1988
11) 藤原百合，他：エレクトロパラトグラフィ（EPG）を用いた口蓋裂術後症例の歯茎音構音動態の分析—「口蓋化構音」は"palatalized"か"retracted"か—．音声言語医 51：26-31，2010
12) 山本一郎，他（監修）：目で見る構音障害 Electropalatography. EPG研究会，2014
13) Tezuka M, et al：Perceptual and videofluoroscopic analyses of relation between backed articulation and velopharyngeal closure following cleft palate repair. Oral Science International 11：60-67, 2014
14) 今井智子：口蓋裂に伴う言語障害の特徴．廣瀬肇（監修）：言語聴覚士テキスト，第2版．pp361-362，医歯薬出版，2011
15) 原田百合子：22q11.2欠失症候群であることを確認するには．大澤真木子，他（監修）：22q11.2欠失症候群ガイドブック．pp10-14，中山書店，2010
16) 岡本朗子，他：ITPAで偏りがみられた1口蓋裂児の構音訓練．聴能言語研 9：26-33，1992
17) Tachimura T, et al：Nasalance score variation in normal adult Japanese speakers of mid-west Japanese dialect. Cleft Palate Craniofacial J 37：463-467, 2000
18) 高橋庄二郎：口唇裂・口蓋裂の基礎と臨床．p700，ヒョーロン・パブリッシャーズ，1996
19) 日本耳科学会，他（編）：小児滲出性中耳炎診療ガイド

20) 石川保之：口蓋裂例の鼻副鼻腔疾患．耳鼻臨床 82：995-1015, 1989
21) 武田康男：口唇口蓋裂のう蝕罹患．斉藤裕恵（編著）：言語聴覚療法シリーズ8　器質性構音障害．pp28-30, 建帛社，2002
22) 今村亜子，他：ことばが不明瞭な子どもの診かた，臨床の流れ．平野哲雄，他（編）：言語聴覚療法臨床マニュアル，改訂第3版．pp366-367, 協同医書出版社，2014
23) 日本コミュニケーション障害学会（編）：口蓋裂言語検査（言語臨床用）．インテルナ出版，2007
24) Fletcher SG, et al：Measurement of nasality with TONAR. Cleft Palate J 7：610-621, 1970
25) 緒方祐子，他：ナゾメータ検査による口蓋裂患者の鼻咽腔機能評価―鼻咽腔閉鎖機能の客観的評価基準の検討―．日口蓋誌 28：9-19, 2003
26) 今村亜子：構音訓練における「意味」と「構音」への意識．コミュニケーション障害学 36：66-69, 2019
27) 早川統子（訳）：異常構音を除去する方法．Golding-Kushner KJ（著），夏目長門（監訳）：口蓋裂言語のスピーチセラピー．pp70-73, 一般財団法人口腔保健協会，2018
28) Shprintzen RJ, et al：A new therapeutic technique for the treatment of velopharyngeal incompetence. J Speech Hear Disord 40：69-83, 1975
29) Hoch L, et al：Speech therapy. In：McWilliams BJ (ed)：Seminars in speech and language：Current methods of assessing and treating children with cleft palates. pp313-326, Thieme, New York, 1986
30) 緒方祐子：小児における特異な構音操作の誤りとそれに対するアプローチ．言語聴覚研究 17：3-10, 2020
31) Kuehn DP：New therapy for treating hypernasal speech using continuous positive airway pressure (CPAP). Plast Reconstr Surg 88：959-966, 1991
32) 原　久永，他：持続的鼻腔内陽圧負荷装置を用いた鼻咽腔閉鎖機能賦活法（CPAP療法）の nasalance による評価．日口蓋誌 23：28-35, 1998
33) 石野由美子，他：舌小帯短縮症の重症度と機能障害について―舌の随意運動機能，構音機能，摂食機能についての定量的評価の試み．日科誌 50：26-34, 2001
34) 構音検査法．田口恒夫：言語障害治療学．p37, 医学書院，1966
35) 伊藤元信：単語明瞭度検査の感度．音声言語医 34：237-243, 1993
36) 降矢宜成：言語障害の語音発語明瞭度（語明度）に関する研究．日耳鼻 61：1922-1948, 1958
37) 伊藤元信：成人構音障害者用単語明瞭度検査の作成．音声言語医 33：227-236, 1992
38) Darley FL, et al (eds)：Motor Speech Disorders. WB Saunders Co., Philadelphia, 1975〔柴田貞雄（訳）：運動性構音障害．医歯薬出版，1982〕
39) 大東祥孝：失語論争（1908）．大橋博司，他（編）：Broca中枢の謎―言語機能局在をめぐる失語研究の軌跡．pp83-100, 金剛出版，1985
40) 松田　実，他：純粋語唖は中心前回症候群である；10例の神経放射線学的・症候学的分析．神心理 21：183-190, 2005
41) 水田秀子：発語失行．種村　純（編）：やさしい高次脳機能障害用語事典．pp502-503, ぱーそん書房，2018
42) 大槻美佳：失語の診断：臨床に役立つポイント．老年精医誌 30：57-65, 2019
43) Lecours AR：The "Pure Form" of the phonetic disintegration syndrome (pure anarthria)：anatomo-clinical report of a historical case. Brain Lang 3：88-113, 1976
44) McNeil MR, et al：Apraxia of speech theory, assessment, differential diagnosis, and treatment. In：van Lieshout P, et al (eds)：Speech Motor Control in Normal and Disordered Speech：Future Developments in Theory and Methodology, pp195-221, ASHA Press, Rockville MD, 2017
45) Duffy JR：Motor Speech Disorders：Substrates differential diagnosis and management, 4th ed. Elsevier, St. Louis, 2019
46) 山鳥　重：神経心理学入門．医学書院，1985
47) 山鳥　重：失行の神経機構．脳と神経 48：991-998, 1996
48) Wertz RT, et al：Apraxia of speech in adults：The disorder and its management. Grunse & Stratton, Orland, 1984
49) 田邉敬貴，他：Broca領野とBroca失語―Broca領野に病変を有する自験2例の検討から．脳と神経 34：797-804, 1982
50) 大槻美佳：anarthrieの症候学．神心理 21：172-182, 2005
51) Dronkers NF：A new brain region for coordinating speech articulation. Nature 384：159-161, 1996
52) Hillis AE, et al：Re-examining the brain regions crucial for orchestrating speech articulation. Brain 127：1479-1487, 2004
53) Alexander MP, et al：Correlations of subcortical CT lesion sites and aphasia profiles. Brain 110：961-991, 1987.
54) 大槻美佳：言語機能における島の役割．神心理 30：30-40, 2014
55) 相馬芳明：Broca領域損傷による流暢性失語．神経内科 41：385-391, 1994
56) Graff-Radford J, et al：The neuroanatomy of pure apraxia of speech in stroke. Brain Lang 129：43-46, 2014
57) Itabashi R, et al：Damage to the left precentral gyrus is associated with apraxia of speech in acute stroke. Stroke 47：31-36, 2016
58) Gorno-Tempini ML, et al：Classification of primary progressive aphasia and its variants. Neurology 76：1006-1014, 2011
59) Josephs KA, et al：Characterizing a neurodegenerative syndrome：Primary progressive apraxia of speech. Brain 135：1522-1536, 2012
60) 遠藤邦彦：口腔顔面失行．神経内科 68：313-322, 2008

61) 杉下守弘：発話失行．失語症研 14：129-133, 1994
62) Takakura Y, et al：Sub-classification of apraxia of speech in patients with cerebrovascular and neurodegenerative diseases. Brain Cog 130：1-10, 2019
63) Josephs KA, et al：Syndromes dominated by apraxia of speech show distinct characteristics from agrammatic PPA. Neurology 81：337-345, 2013
64) 物井寿子，他：伝導失語とブローカ失語における音の誤りについて．音声言語医 20：299-312, 1979
65) 春原則子，他：失語症者の音の誤りにおける自己修正の量的，質的分析．音声言語医 37：1-7, 1996
66) 大槻美佳，他：局在性病変による錯語．失語症研 19：182-192, 1999
67) 紺野加奈江：失語症言語治療の基礎―診断法から治療理論まで．診断と治療社，2001
68) 伊藤元信：発語失行症の訓練．失語症研 16：233-237, 1996
69) West C, et al：Interventions for apraxia of speech following stroke. Cochrane Database Syst Rev 19：CD004298, 2005
70) Ballard KJ, et al：Treatment for acquired apraxia of speech：a systematic review of intervention research between 2004 and 2012. Am J Speech Lang Pathol 24：316-337, 2015
71) Wambaugh JL, et al：Sound production treatment for apraxia of speech：Overgeneralization and maintenance effects. Aphasiology 13：821-837, 1999
72) Wambaugh JL, et al：Sound production treatment：Application with severe apraxia of speech. Aphasiology 24：814-825, 2010
73) Brendel B, et al：Effectiveness of metrical pacing in the treatment of apraxia of speech. Aphasiology 22：77-102, 2008
74) 會澤房子，他：モーラ指折り法によって顕著な発話改善を呈した aphemia の1例．失語症研 14：258-264, 1994
75) Wambaugh JL, et al：Effects of blocked and random practice schedule on outcomes of sound production treatment for acquired apraxia of speech：results of a group investigation. J Speech Lang Hear Res 60：1739-1751, 2017
76) Austermann Hula SN, et al：Effects of feedback frequency and timing on acquisition, retention, and transfer of speech skills in acquired apraxia of speech. J Speech Lang Hear Res 51：1088-1113, 2008
77) 厚生労働省：平成30年（2018年）人口動態統計月報年計（概数）の概況．https://www.mhlw.go.jp/toukei/saikin/hw/jinkou/geppo/nengai18/dl/gaikyou30.pdf accessed 2020-07-09
78) 熊倉勇美：舌切除後の構音機能に関する研究―舌癌60症例の研究．音声言語医 26：224-235, 1985
79) 大澤毅晃：上顎・軟口蓋切除症例の言語障害とその治療に関する研究．口科誌 39：405-424, 1990
80) Thomas JE, 他（著），菊谷　武（監訳），田村文誉，他（訳）：喉頭がん舌がんの人たちの言語と摂食・嚥下ガイドブック．原著第4版．医歯薬出版，2008
81) かづきれいこ，他（編）：デンタル・メディカルスタッフのためのリハビリメイク入門．医歯薬出版，2004
82) 山下夕香里，他：鼻咽腔閉鎖不全を伴った後天性運動障害性構音障害患者における軟口蓋挙上装置の効果．聴能言語研 7：44-54, 1990
83) 片桐伯真，他：弾力のある可動域をもった軟口蓋挙上装置（モバイル軟口蓋挙上装置 Fujishima type）の考案と使用経験．日摂食嚥下リハ会誌 7：34-40, 2003
84) 道　健一：補綴的発音補助装置（スピーチエイド）の適応と効果．音声言語医 43：219-237, 2002
85) 日本老年歯科医学会，他：摂食・嚥下障害，構音障害に対する舌接触補助床（PAP）の診療ガイドライン．http://minds4.jcqhc.or.jp/minds/pap/pap.pdf accessed 2020-07-09
86) 西脇恵子：舌接触補助床の構音障害に対する効果．顎顔面補綴 36：75-77, 2013
87) Odding E, et al：The epidemiology of cerebral palsy：Incidence, impairments and risk factors. Disabil Rehabil 28：183-191, 2006
88) Parkes J, et al：Oromotor dysfunction and communication impairments in children with cerebral palsy：A register study. Dev Med Child Neurol 52：1113-1119, 2010
89) Himmelmann K, et al：Function and neuroimaging in cerebral palsy：A population-based study. Dev Med Child Neurol 53：516-521, 2011
90) Hidecker MJC, et al：Developing and validating the Communication Function Classification System for individuals with cerebral palsy. Dev Med Child Neurol 53：704-710, 2011
91) Workinger M, et al：Perceptural Analysis of the Dysarthria in Children with Athetoid and Spastic. In Moore C, et al（eds）：Dysarthria and Apraxia of speech：Perspectives on management. pp97-108, Paul H. Brookes Publishing Co., Baltimore, 1991
92) 山根律子，他：改訂版　随意運動発達検査．音声言語医 31：172-185, 1990
93) 小澤由嗣，他：日常コミュニケーション遂行度測定（CPM）の開発．ディサースリア臨研 9：16-21, 2019

第4章

流暢性障害（吃音）

1 流暢性障害（吃音）の概念と分類

> **学修の到達目標**
> - 流暢性障害の基本概念を説明できる．
> - 流暢性障害の原因と発症・進展のメカニズムを説明できる．
> - 流暢性障害に関する主要な理論を説明できる（歴史的に著名な理論から最新の研究動向まで）．
> - 吃音の進展段階について説明できる．

A 流暢性障害の基本概念

1 定義と特徴

流暢性障害（吃音）は，音から音，語から語，文から文へのスムーズな話の流れが阻害される発話障害である．発生機序や発症時期，症状の種類などにより**発達性吃音**，**獲得性吃音**に分類される．また，吃音とは特徴の異なる流暢性障害に**クラタリング**（早口言語症；**cluttering**）がある．

a 発達性吃音

DSM-5の診断名は，「小児期発症流暢症（吃音）／小児期発症流暢障害（吃音）Childhood-Onset Fluency Disorder（Stuttering）」とされている（DSM-5とICD-10の診断基準は**表4-1, 2**）．本章ではこの発達性吃音を中心に解説する．

吃音に特徴的な非流暢性（**吃音中核症状**）は，**音の繰り返し（連発）**「ぼぼぼぼくね」と，**引き伸ばし（伸発）**「ぼーーくね」，ことばが出てこなくてつまる〔**阻止（ブロック）**〕「……ぼくね」の3種類である[*1]．

一方，多くの人は，「えーと，あのー」など，意味のない言葉を挿入する話し方や，「おかあさん，おかあさんがね」のように単語や句全体を繰り返す話し方，また，「かん，けんびきょう」のように言葉を言い間違えてもう一度言い直すような話し方をするときがある．これは吃音でない人もよく行う話し方であり，**正常範囲の非流暢性**とされており，吃音の症状とは異なる．

吃音は，ほとんどが幼児期（2～5歳）に発症し，発症率は5～8%といわれている（Yairi[1]，Månsson[2]，Reilly[3]）．発吃後，なんの介入もなく自然治癒する子どもが70～85%はおり，就学後の有症率は1%程度[1, 4]といわれている．低年齢の発吃初期には，男女比は1：1に近いが，女児のほうが自然治癒率が高く，就学後には3～5倍ほど男児のほうが多くなる．

発吃当初は力の入らない繰り返しが多いが，段々，最初の音を引き伸ばしながら話す，言いたいことばはわかっているのに，ことばが出にくくなり，身体に力を入れ（緊張性が高まり）不必要に手足や首を振りながら話すなどの**随伴症状**がみられるようになる．

幼児期は症状の変動が大きく，全く症状の出ない時期もあるが，徐々に，吃音がありながら話すことが常態化してくる．この頃になると，周囲から，吃音をからかわれたり，真似されたりすることが起こり，吃音に対してネガティブな印象をもち，「またどもったらどうしよう」という**予期不安**をもつようになる．すると吃音が出そうなことば

---
*1 吃音検査法第2版では吃音中核症状の分類を「繰り返し」「引き伸ばし」「阻止（ブロック）」としているが，それぞれ「連発」「伸発」「難発」という用語を用いる臨床家もいる．

表4-1 DSM-5による小児期発症流暢症（吃音）/小児期発症流暢障害（吃音）の診断基準

A. 会話の正常な流暢性と時間的構成における困難．その人の年齢や言語技能に不相応で，長期間にわたって続き，以下の1つ（またはそれ以上）のことがしばしば明らかに起こることにより特徴づけられる．
  (1) 音声と音節の繰り返し
  (2) 子音と母音の音声の延長
  (3) 単語が途切れること（例：1つの単語の中での休止）
  (4) 聴き取れる，または無言状態での停止（発声を伴ったまたは伴わない会話の休止）
  (5) 遠回しの言い方（問題の言葉を避けて他の単語を使う）
  (6) 過剰な身体的緊張とともに発せられる言葉
  (7) 単音節の単語の反復（例：「I-I-I-I see him」）
B. その障害は，話すことの不安，または効果的コミュニケーション，社会参加，学業的または職業的遂行能力の制限のどれか1つ，またはその複数の組み合わせを引き起こす．
C. 症状の始まりは発達期早期である（注：遅発性の症例は成人期発症流暢症と診断される）．
D. その障害は，言語運動または感覚器の欠陥，神経損傷（例：脳血管障害，脳腫瘍，頭部外傷）に関連する非流暢性，または他の医学的疾患によるものでなく，他の精神疾患ではうまく説明されない．

〔日本精神神経学会（日本語版用語監修），高橋三郎，他（監訳）：DSM-5 精神疾患の診断・統計マニュアル．pp44-46, 医学書院, 2014より〕

表4-2 ICD-10（2013年版）による吃音症の診断基準

F98.5 吃音症
音声，音節又は単語を頻回に繰り返したり延長させたりする特徴を持つ言葉．あるいはその代わりに言葉の律動的な流れを中断する頻回のためらい又は中断を特徴とする．もしもその重篤さが言葉の流ちょうさを著しく損なう程度に至る場合にのみ，障害としては分類されるべきである．

〔厚生労働省：疾病，傷害及び死因の統計分類．第V章　精神及び行動の障害(F00-F99)．厚生労働省, 2016 (https://www.whlw.go.jp/toukei/sippei/dl/naiyou05.pdf accessed 2020-06-29) より〕

の前に「えーと，えーと，えーと」などほかの言葉をつけたり，言いやすいことばに置き換えたり，本当はわかっているのに，「わからない」と答えたりする**工夫や回避**を始めるようになる．さらに，心理的な悩みが深く，不安が怖れにまでなると，話す場面そのものを避けるようになる（**場面回避**）．具体的には「委員を頼まれたが，話さなければならないので断った」「自己紹介のある日は休んだ」などである．こうなると社会的な支障は大きくなる．工夫や回避により，一見，吃音は目立たなくなるが，本人の悩みが大きい場合もある．このように吃音は，年齢や吃音に対する心理的反応により様相が変化，進展してくる．

その他の吃音の特徴として，歌うときは出にくい，斉読では出にくい，DAF（**遅延聴覚フィードバック：delayed auditory feedback**）をかけな がら話すと軽減される人がいる，同じ文章を音読すると同じ場所で吃音が出やすいが（**一貫性効果**），回を重ねると吃音は減少する（**適応性効果**）などがある．

b 獲得性吃音（acquired stuttering）

青年期以降，それまで発達性吃音のなかった人に，なんらかの原因（脳損傷，変性疾患，精神疾患など）を契機に非流暢性が出現する場合がある．これらは獲得性吃音といい，DSM-5の小児期発症流暢症（吃音）の診断基準からは除外された．獲得性吃音はさらに，以下の2つのタイプに分類される．

1）神経原性吃音（症候性吃音）

脳血管障害，頭部外傷，脳腫瘍，中枢神経系疾患，薬物などによって生じる吃音を指す．原因は単一の障害ではなく，症状が一時的な場合もあるが，継続する場合もある．構音・言語・認知の問題を合併する場合もある．

遠藤[5]は自験例と症候性吃音単独15症例の文献報告をまとめ，その特徴として，①症状のタイプは，繰り返し，引き伸ばしの順に多くみられる，②症状は，語頭で多くみられたが，語中語尾でも生じた，③適応性効果はみられない，④自発話に比べ，復唱・音読・歌唱で症状の軽減する例が多い，⑤随伴症状を有する例は少ない，としている．また府川[6]は，「神経疾患に伴う吃音は，

言語形成や精神医学的問題の結果ではなくて，不随意的に生じる繰り返しや引き伸ばしによって顕著に特徴づけられる流暢性障害をいう」とし，発達性吃音と区別する点として，①話し手は困っているが不安はない，②2次的症状（渋面，瞬き，首ふり）は非流暢な瞬間には起きない，③適応性効果がない，④あらゆるタイプの言語課題に比較的一貫して吃音が生じる，としている．④の課題差についての見解には研究者により差がみられるが，病変も多様であり，一概に判断は難しいと思われ，今後も症例報告の積み重ねが必要である．

いずれにしても，疑いがある場合には，①詳細な現病歴，既往歴を聞き取ること，②症状の種類と生起位置，適応効果の有無と複数の言語課題による変化を確認することが大切である．

2）心因性吃音

脳血管疾患や神経筋疾患などとの関連がなく，重大な心理的な問題と関連して起こったと思われる吃音を指す．神経原性吃音より少数で，特徴としては，①突発的に発症する，②極度のストレスや不安，あるいはその両方により引き起こされる，③語頭音の繰り返しが多い，④随伴症状がみられる，⑤言語課題での差はほとんどない，⑥吃音を避けたり隠したりする2次的症状はほとんどない，とされている．

治療成績は患者の抱える問題によるが，心理的な問題が解決されると吃音は正常レベルまで戻ったという報告がしばしばみられる．また，数回の治療で効果がみられるとしている．共感的態度で臨むこと，数は多くないが症例報告を参考にすること，信頼のおける専門医，臨床心理士との連携が大切である．

C クラタリング（早口言語症，cluttering）

吃音とは異なる特徴を示す流暢性障害にクラタリングがある．

国際疾病分類第10版（ICD-10，WHO 2013）では表4-3のように定義され，吃音症から除外さ

表4-3 ICD-10（2013年版）による早口言語症の診断基準

F98.6　早口＜乱雑＞言語症
流ちょうさの破壊を伴う急速な言葉であるが，反復やためらいは見られず，言葉が損なわれてわからなくなるほどの重篤さが見られる．言葉は不規則で律動に欠け，通常は誤った表現パターンを含む急激で発作的な噴出を伴う．

〔厚生労働省：疾病，傷害及び死因の統計分類．第Ⅴ章　精神及び行動の障害（F00-F99）．厚生労働省，2016（https://www.whlw.go.jp/toukei/sippei/dl/naiyou05.pdf accessed 2020-06-29）より〕

図4-1　クラタリングの発話例

れている．

主たる特徴は，以下の5つである．
① 発話速度が速いか，不規則である．
② 吃音中核症状とは異なる非流暢性（挿入や語句の繰り返し，言い直しなどの正常範囲の非流暢性）の生起頻度が高い．
③ 過度な調音結合により，構音が融合したような発話となり不明瞭である．
④ 言語構造の乱れや統語の困難さを含む．
⑤ 障害の自己認識が少ない．

クラタリングの発話例を図4-1に示す．

クラタリングの有症率は吃音のある人の12～30％という報告があるが，宮本[7]は208名の吃音主訴の児童を評価し，純粋な「クラタリング」は2名（1.0％），「吃音とクラタリング」の混在例31名

表 4-4 発達性吃音，獲得性吃音，クラタリングの比較

	発達性吃音	神経原性吃音	心因性吃音	クラタリング
発症時期	ほとんどが幼児期	通常 13 歳以上の青年成人	通常 13 歳以上の青年成人	診断がつくのは学童期以降
発話症状	音・モーラ・語の一部の繰り返し，引き伸ばし，阻止（ブロック）が中核症状	繰り返し，引き伸ばし，阻止	繰り返し，引き伸ばし，阻止	正常範囲の非流暢性（挿入，言い直し，語句の繰り返し）が多い衝動的な発話で，発話速度が非常に速いか不規則．不明瞭な構音
非流暢性の生起位置	語頭・文頭が多い	語中・語尾でも	語中・語尾でも	語間
症状の変動性	日や状況，課題により変動する	変動なし	課題による変動少ないが，試行的訓練により劇的に改善することあり	緊張場面のほうが改善
適応性効果（繰り返し音読）	あり	ほとんどなし	なし	慣れてくると悪化
症状の自覚	あり	あり	あり	ほとんどなし
予期不安	あり	なし	なし	なし
二次的症状	工夫・回避行動あり	ほとんどなし	ほとんどなし	なし

（14.9%）であったとしている．クラタリング単独で生じる場合は少なく，吃音と合併して生じることが多いとされている．

Weiss[8]は，クラタリングを中枢での言語の不均衡の問題であるとし，さまざまな症状を呈する状態であるとした〔4 章 3 節 E 項図 4-18（➡ 307 頁）を参照〕．まだ解明されていない問題が大きいが，吃音単独例とは特徴，対応が異なることを留意し，評価，治療を検討する必要がある〔4 章 3 節 E 項（➡ 305，307 頁）参照〕．

発達性吃音，獲得性吃音，クラタリングの類似点と相違点は表 4-4 にまとめた．

B 吃音の発症と進展のメカニズム

1 原因論の歴史的変遷

吃音の原因の科学的な探究は，20 世紀初頭に米国で始まった．そこから多くの研究者による精力的な研究が行われ，さまざまな吃音の原因論が提唱されてきた．そのなかには，かつては吃音の原因と広く信じられたにもかかわらず，その後の研究で否定されたものもある．

現時点でも，吃音の原因は特定されていない．しかし，前述した先人の努力により，吃音の原因に迫る興味深い知見や原因論が発表されている．本項ではまず，これまで提唱されてきた代表的な吃音の原因論を概観する．そして，現時点で有力視される吃音の発症と進展（悪化）のメカニズムと，そこから得られる臨床への示唆を解説する．

a 大脳半球優位説

1931 年に Travis[9]によって発表された**大脳半球優位説**（hemispheric dominance theory）は，吃音に関する最初の科学的な理論とよべるものである．Travis は，当時明らかになった大脳の左半球が体の右側，右半球が体の左側をそれぞれ交差して制御していることや，言語中枢が大脳の左半

球に局在していることといった神経生理学的知見と，吃音のある人には左利きや両手利きの人が多いという自らの臨床知見から，以下のような理論を提唱した．

すなわち，右利きの人は，大脳の左半球の優位性が確立しており，優位な左半球が中心になって発話を含めた運動の指令を行うため円滑な運動が可能となる．しかし，左利きや両手利きの人は，大脳の左半球の優位性が確立されておらず，左半球と右半球の双方が同時に，同じ運動の指令を行おうとするため，発声発話器官は両半球から同じ運動の指令を微妙に異なったタイミングで受け取ることになる．そして，その際に生じる混乱により吃音が出現すると考えたのである．

しかし，この理論を証明するために行われた，吃音のある人の利き手に関する膨大な研究において，吃音のある人の左利きや両手利きの人の占める割合が吃音のない人と変わらないことが明らかとなり，大脳半球優位説は否定された．

ところが近年，発話時の脳の活動に関する研究の隆盛で，吃音のある人に大脳の右半球の活動の過活性や，言語野などの左半球の活動の低下，脳梁を介しての左右大脳半球の白質結合の不具合があることなどが明らかになり（➡ Note 36），大脳半球間の結合の不備で吃音が出現するという大脳半球優位説の理論が再評価されている．

b 診断起因説

1959年にJohnsonによって発表された**診断起因説**（diagnosogenic theory）は，「吃音は，子どもの口からでなく，周囲の人の耳からつくられる」ととらえるものであり，吃音の原因を吃音のある人の素因的要因に求める従来の理論と大きく異なるものであった[10]．

Johnsonは，幼児期の子どもの発話の特徴を調べ，吃音の有無にかかわらず力の入らない語音や語句などの繰り返しや引き伸ばし，言い間違え，挿入などの非流暢性発話がみられることを明らかにし，これらの非流暢性発話をこの時期の子どもであれば誰においても経験される**正常範囲の非流暢性**（normal disfluency）と名づけた．さらに，吃音のある子どもの周囲の人には，これらの正常な非流暢性を問題ととらえたり心配したりする傾向があるのに対して，吃音のない子どもの周囲の人には，そのような傾向がないことを見い出した．Johnsonはこれらの知見から，吃音は幼児期の子どもなら誰もが示す正常な非流暢性を「吃音である」と周囲の人が「診断」することによって生じるとしたのである．

診断起因説は，**素因論**中心であった当時の吃音研究の方向性を大きく転換させ，本邦を含む世界中の吃音研究・臨床に大きな影響を与えた．しかし，その後の研究で，吃音のある子どもは発吃直後の時期からすでに吃音の中核症状である語音の繰り返しや引き伸ばしなどの出現頻度が吃音のない子どもに比べ多いことが明らかになったことなどから，現在はこの説は否定されている．ただ，診断起因説は1960～80年代に吃音の原因と広く信じられていたことから，現在でも「子どもの吃音は，親の対応が悪いから生じる」「お母さんの気にしすぎ」「子どもに吃音による話しにくさがないか尋ねると，子どもが吃音を意識して悪化するから，放っておくのがよい」といった診断起因説に立脚した保護者指導がされる場合があり，そのことで保護者が傷ついたり，適切な時期に必要な支援を受ける機会を逃したりする場合がある．そこで，吃音の専門家である言語聴覚士は，診断起因説がすでに否定されていることをふまえた保護者支援を行う必要がある．

c 二要因理論

1967年に，Bruttenらによって発表された**二要因理論**（two factors theory）は，古典的（レスポンデント）学習と道具的（オペラント）学習の吃音の進展への関与について論究している[11]．

この理論では，第1段階として，吃音に対する嫌悪や恐怖といった負の感情や，力の入った繰り返しや引き伸ばし，阻止（ブロック）といった緊張

> **Note 36. 吃音の最新研究（脳研究）**
>
> ポジトロンCT(PET)，機能的磁気共鳴撮像(fMRI)，拡張テンソル画像(diffusion tensor image；DTI)，脳磁図(magnetoencephalogram；MEG)，近赤外線分光法(near infrared spectroscopy；NIRS)などの脳の構造や活動を把握する機器が開発されるのに伴い，それらを用いて吃音のある人の発話時の脳の構造や活動を調べる研究が発表されている．これらの研究では，吃音のある人は吃音のない人と比べて，①右半球や補足運動野の活動の増大，②聴覚野や運動野などの活動の低下，③小脳など大脳以外の活動の増大，④左下前頭回と右聴覚野の非典型的な活性化や構造の差異などがみられることが指摘されている[1,2]．
>
> また，発話訓練前後の脳活動を比較した研究には，発話訓練前にみられた右半球の過剰な活動や左半球の活動の低下などの非典型的な脳活動が発話訓練後に消失するという興味深い結果を示すものがある[3]．
>
> さらに近年，小児にも実施可能な測定機器が開発されたことを受け，吃音のある小児の脳の構造や機能を探究する研究が盛んになっている．これらの研究では，吃音のある小児の聴覚領域と運動領域間，脳梁，大脳皮質と大脳基底核などの皮質下，小脳などの白質の神経解剖学的構造や発話運動・注意・実行機能・知覚・情緒にかかわる神経ネットワークの構成が，吃音のない小児とは異なっていることが指摘されており[4,5]，吃音のある人の脳の構造と機能が，生得的に，あるいは発達のごく初期の段階ですでに，吃音のない人とは異なっていることを示唆するものとして注目されている．
>
> 引用文献
> 1) Etchell AC, et al : A systematic literature review of neuroimaging research on developmental stuttering between 1995 and 2016. J Fluency Disord 55 : 6-45, 2018
> 2) Budde KS, et al : Stuttering, induced fluency, and natural fluency : A hierarchical series of activation likelihood estimation meta-analyses. Brain Lang 139 : 99-107, 2014
> 3) Neumann K, et al : Neuroimaging and stuttering. In Guitar B, et al(eds) : Treatment of Stuttering : Established and emerging integration. pp355-377, Lippincott Williams and Wilkins, Baltimore, 2010
> 4) Chang SE, et al : White matter neuroanatomical differences in young children who stutter. Brain 138 : 694-711, 2015
> 5) Chang SE, et al : Anomalous network architecture of the resting brain in children who stutter. J Fluency Disord 55 : 46-67, 2018

を伴う吃音症状が，古典的学習によって習得されるとしている．つまり，吃音が出る→周囲から叱責やからかいなど否定的な評価を受ける→負の感情や緊張が生じる，ということを繰り返すことで，本来は無関係な「吃音で話すこと」と「負の感情や緊張」が直接結びつくようになり，最終的には周囲からの叱責やからかいがなくても，吃音が出ると負の感情や緊張が生じるようになるとしている．

そして，第2段階として，上述した吃音が出ることに対する負の感情や緊張を回避するためのさまざまな方略が，道具的学習によって習得されるとしている．例えば，話しはじめに「あのー」をつけることで吃音が出なかった経験をすると，どもりそうな予感がするときは一貫して「あのー」をつける行動を選択するようになるとしている．

d 聴覚処理過程に関する理論

Leeは，**遅延聴覚フィードバック装置(delayed auditory feedback；DAF)**を用いて吃音のない人に遅延した発話のフィードバックを聞かせると，語音の繰り返しなどの吃音に類似した発話が生じることを発見した[12]．ところがその後の研究で，吃音のある人にDAFを用いた遅延した発話のフィードバックを聞かせると，吃音のない人とは逆に，吃音の言語症状が消失する場合があることが見い出された．これらのことから，吃音のある人の聴覚情報処理に関する研究が行われ，音韻・抑揚の脱馴化刺激（音韻や抑揚の異なる2種類の発話がランダムで提示される）の反応に左右差が認められない[13]，不要な聴覚入力を排除する聴覚ゲーティング(auditory sensory gating)が働かない傾向がある[14]，などが示されている．さらに，脳研究で吃音のある人に非典型的な聴覚野の活動もみられることから(➡ Note 36)，吃音の発症における聴覚処理過程の関与を想定する理論が提唱されている．

府川は，吃音のある人の発話の聴覚フィードバックの特徴について，ボーデンの言葉の生成モデルに基づき以下のように考察している．ボーデ

ンは，発話の聴覚フィードバック制御には，速度が遅く不安定な受容器(耳)を経由する認知制御型と，速度が速く安定している受容器を経由しない自動制御型の2つのタイプがあり，通常は発話が習熟するにつれて認知制御型から自動制御型への移行が起こるとしている[15]．しかし府川は，吃音のある人には自動制御型の形成が遅いか弱いという素因的な特徴があるために，認知制御型を使い続けざるをえない状況にあり，そのことが吃音の発症・進展の背景要因になっていると推察しているのである[16]．

e 言語処理過程に関する理論

吃音が言語発達が急速に進展する幼児期に発症することから，吃音のある人の言語能力に関する研究が行われている．これらの研究では，吃音のある人には，標準化された検査で測定される全般的な言語能力が低かったり，理解および表出語彙，平均発話長(mean length of utterance；MLU)が少なかったりする傾向が示されている[17]．さらに，脳研究では吃音のある人に非典型的な言語野の活動もみられることから(➡ Note 36)，吃音の発症における言語処理過程の関与を想定する理論が提唱されている．

Kolkらが提唱した**潜在的修復仮説**(covered repair hypothesis)では，言語処理過程の不備から吃音の発症がもたらされるメカニズムを以下のように推定している[18]．発話時の言語処理過程には，音韻辞書から該当する音韻を選択した後に選択した音韻が正しいかチェックするしくみがあり，これらの音韻の選択やその後のチェックは高速かつ自動的に行われていると考えられている．しかしKolkらは，吃音のある人は音韻辞書から音韻を選択する速度が遅い傾向にあるため，発話の速度に音韻の選択が追いつかず，エラーが生じやすい状態にあるとしている．そして，音韻選択で生じたエラーをチェックする過程で，新しい音韻の選択をいったん中断し，エラーの修復を行う際に吃音が生じると考えたのである．例えば，

「カメラ」の「メ」の選択に誤りが生じると，「ラ」の選択をいったん中断し，「メ」の選択をやり直す必要がある．その際に，「メ」の再選択が済むまでの時間の空白を埋めるために，すでに音の選択が完了している「カ」の音を「カ，カ，」と繰り返したり，「カ——」と引き伸ばしたりする．また，「カメラ」の「カ」の選択に誤りが生じると，「メ」の選択をいったん中断し，「カ」の選択をやり直す必要がある．しかし，その場合は「カ」の再選択が済むまでの時間の空白を埋める音がないため，「……カ」と無音の阻止(ブロック)となる．

f 多因子ダイナミック経路理論

1990年にSmithらが提唱した**多因子ダイナミック経路理論**(multifactorial dynamic pathways theory)は，吃音の発症と進展における運動，認知，言語，感情の関与について考察している[19]．

この理論では，吃音を運動，認知，言語，感情の間の複雑で非線形的な相互作用の結果，発症・進展する多要因でダイナミックな障害であるとしている．つまり，吃音は運動，認知，言語，感情のなかの1つの要因の発達の遅滞や障害によって生じるのでなく，例えば言語力の向上に伴いより長く複雑な発話を企図できるようになると，より多くの構音運動制御が求められる発話運動の負荷が増して不安定になるなど，これらの要因同士の相互作用の不具合によって生じるととらえているのである．

このように，多因子ダイナミック経路理論は，吃音発症と進展の原因を1つの要因に求めるのではなく，さまざまな要因を包括して統合的にとらえるところに特徴がある．

g DCモデル

1990年にStarkweatherが提唱した要求-能力モデル(**DCモデル**：demands and capacities models)は，吃音の出現における子ども自身や周囲の人のdemand(要求)と子どものcapacity(能力)との関係について言及している[20]．

この理論では，吃音は子ども自身や保護者，教師，保育士，友達などの周囲の人の発話や生活全般への要求と，子どもの認知や言語，運動，情動などの能力・状況とが乖離することによって生じるとしている．つまり，例えば，子ども自身が年長児と同じように速い発話速度で話したり長く複雑な言い回しで話したりする，周囲の人が子どもの言語能力に比して速すぎたり長く複雑すぎる言い回しで話したりするなど，子ども自身や周囲の人の子どもの発話に対する要求が当該年齢の標準範囲より高い場合は，たとえその子どもが当該年齢の平均水準の言語や運動などの能力を有していても，要求と能力との間に乖離が生じることになる．また，子ども自身や周囲の発話に対する要求が当該年齢相当でも，その子どもの言語や運動などの能力が当該年齢の標準範囲より低ければ，やはり要求と能力との間に乖離が生じるだろう．

このようにDCモデルは，吃音の出現には言語や運動などの能力の絶対的な欠如でなく，子ども自身や周囲の要求と子どもの能力との相対的な不均衡がかかわっているととらえるところに特徴がある．

h 社会学や社会言語学的側面の検討

社会学(sociology)とは，人間の社会生活に関する事象を取り扱う社会科学の1領域である．また**社会言語学**(sociolinguistics)とは，言語を社会的要因との関係でとらえようとする言語学の1領域である．生理学や心理学などでは，主に吃音のある人の内部要因に関心が払われ「どうして吃音のある人には語音の繰り返しや引き伸ばし，阻止（ブロック）といった吃音の言語症状や，予期不安や言い換え，回避などの心理症状が生じるのか」が追究される．それに対して社会学や社会言語学では，聞き手や社会一般などの吃音のある人を取り巻く外部要因に関心が払われ「どうして吃音のある人の周囲の人や社会一般は，吃音の言語症状や吃音のある人を『どもる』『どもる人』として特別視するのか」が追究される．

St. Louisらは，社会学の観点から，吃音のある人への社会一般による**ステレオタイプ**（固定概念），**スティグマ**(stigma，障害など個人のもつ属性に社会一般が一方的にネガティブなレッテルをつけること），差別・偏見について言及するとともに，社会一般の吃音への態度を測定する吃音に対する社会一般の態度尺度(public opinions survey of human attributes-stuttering；POSHA-S)を開発した[21]．

渡辺は，社会言語学の観点から，吃音を①タイミングよくなされるべき話者交代が吃音のためにうまく行えないなどの，吃音の話し方が引き起こす会話の連続性の問題に言及する「連続性のコンテキスト(context，コミュニケーションで用いられる言葉や発話表現，コミュニケーションスタイルを決定する背景要因）」，②吃音がもたらす相互行為のリズムのずれなどの，吃音が「話者-話者」の対人関係に与える影響に言及する「対人コンテキスト」，③吃音に対する世間一般の否定的な評価などの吃音のもつ社会的な側面が会話に与える影響に言及する「社会・文化的コンテキスト」から検討することを提案している[22]．

2 吃音の進展段階と出現メカニズム

a 吃音の進展段階

今から90年近く前，Bluemelは，小児の吃音には①軽い繰り返しや引き伸ばし中心で，子ども自身は吃音にはほとんど気づいていない「1次性吃音」と，②力の入った繰り返しや引き伸ばし，阻止（ブロック）が中心で，子ども自身も吃音に対し不安や緊張を感じている「2次性吃音」の2つの進展段階があると指摘した[23]．

またBloodsteinは，第1～4層からなる吃音の進展段階を提唱した（表4-5）[24-26]．Bloodsteinの吃音の進展過程は，吃音の状況や程度を表す指標として，研究や臨床で広く用いられている．

表4-5 吃音検査法に示されている進展段階

項目	吃音症状	吃音症状が生起する場	自覚および情緒性反応
第1層	・モーラ・音節・語の部分の繰り返し ・引き伸ばし ・流暢な時期もあり	・コミュニケーション上の圧力下 ・特に興奮時や長い話をするとき ・文頭の語	・どもることに気づいていない ・情緒性反応，恐れ・困惑は，基本的にない ・すべての会話で自由に話す ・非常に強い症状が出て発話が中断することに対してフラストレーションを示すことがある
第2層	・繰り返し ・引き伸ばし(緊張あり，持続時間が長くなる) ・阻止(ブロック) ・随伴症状 ・慢性化	・家，学校，友人など，同じようにどもる ・特に，興奮時や速く話すとき ・話しことばの主要な部分	・どもることに気づいているが，自由に話す ・いつもより話しにくい瞬間以外はどもることをほとんど気にしていない
第3層	・緊張性にふるえが加わる ・解除反応，助走，延期を巧みに使う ・語の置き換え ・慢性的	・いくつかの特定の場面が特に困難で，それを自覚している ・困難な語音がある ・予期の自覚が生じることあり	・吃音を自覚し，欠点・問題としてとらえている ・強くどもるときに，憤り，いら立ち，嫌悪感をもつが，恐れ，深い困惑に悩まされている様子はない
第4層	・繰り返しや引き伸ばしは減る ・語の置き換え以外の回避が加わる ・解除反応，助走，延期，回避を十分発展させる ・慢性的	・特定の音や語，場面，聞き手に特に困難 ・困難な場面への持続的なはっきりした予期	・深刻な個人的問題とみなす ・強い情緒性反応 ・特定場面の回避 ・恐れ・困惑

Bloodstein O：The development of stuttering. I - III. J Speech Hear Disord 25：219-237, 366-376, 1960, 26：67-82, 1961/Luper HL, et al：Stuttering：Therapy for Children. Prentice-Hall, Englewood Cliffs, NJ, 1964 より再構成した.
〔小澤恵美，他：吃音検査法，第2版解説. p67，学苑社，2016 より〕

b 吃音のサブタイプ分類

吃音のある人の生理・心理の特徴に関する一貫した研究結果が得られにくいことから，吃音のある人を単一の集団でなく，いくつかのサブタイプの集合体としてとらえる考え方が支持されている．これまで提唱されているサブタイプ分類には，吃音の原因論(気質的要因，精神的要因，発達的要因など)，吃音の言語症状(言語症状のタイプ，適応効果の有無，重症度など)，薬物への反応(ドーパミン拮抗薬への適応など)，生理的な特徴(性別，DAFへの適合，吃音のある家族の有無など)，他障害の合併(言語障害，運動障害，注意欠如・多動性障害など)，吃音の進展状況(発症年齢，自然治癒の有無など)，統計的手法を用いた分類(単一要因の抽出，複数要因の抽出)などがある[27]．

これらの研究は，吃音のサブタイプ分類を考えるうえで示唆に富むものであるが，これらのどのサブタイプ分類が適切かは研究者間で議論が分かれている．

c 1次性吃音の出現メカニズム

Guitar は，Bluemel の吃音の進展段階に基づき，これまで提唱されている吃音の原因論を整理・統合した**2段階モデル**(two-stage model of stuttering)を提唱した(図4-2)[28]．2段階モデルでは，吃音の発症と進展には主に吃音の発症を説

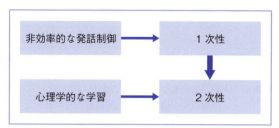

図4-2 2段階モデル(two-stage model of stuttering)の概略図
〔Guitar B：Stuttering：An integrated approach to its nature and treatment, 5th ed. Wolters Kluwer, Baltimore, 2019 より〕

明する1次性吃音の出現メカニズムと，主に吃音の進展を説明する2次性吃音の出現メカニズムとがかかわっていると想定する．そこで本項では，Guitar の2段階モデルに基づき，1次性，2次性の各出現メカニズムを解説する．

Guitar は，1次性吃音の出現メカニズムとして，**非効率的な発話制御**を想定している[28]．これは，吃音のある子どもに，①聴覚処理過程に関する理論，言語処理過程に関する理論に示されている発話制御の脆弱さがある，②多因子ダイナミック経路理論で示されている運動，認知，言語，感情の間の相互作用が生じている，③DC モデルで示されている子ども自身や周囲の人の要求と子どもの認知，言語，運動，情動などの能力・状況との乖離が生じているなど，効率的に発話制御が行えない状況にあることをいう．Guitar は，非効率な発話制御の背景に，遺伝的要因や，生得的あるいは幼少期の脳・神経系の外傷の関与があると推定している．これらは，吃音の遺伝形態が多要因型モデルだとする遺伝研究の知見や，吃音のある子どもと吃音のない子どもとの白質の構造や神経ネットワークの構成などの脳構造の違いや，右半球の過活性化や聴覚野や運動野の活動の低下などの脳機能の相違があるとする脳研究の知見と一致する（➡ Note 36）．

d 2次性吃音の出現メカニズム

Guitar は，2次性吃音の出現メカニズムとして，**心理学的な学習**を想定している[28]．これは，2要因理論で述べた古典的学習と道具的学習によって，力の入った繰り返しや引き伸ばし，阻止（ブロック），吃音に対する負の感情や緊張が高まったり，これらを回避したりすることが増えたりすることをいう．脳研究で，吃音のある人と吃音のない人との，右半球の活動の相違や，大脳皮質と大脳基底核などの皮質下の白質の神経解剖学的構造や発話運動と情緒に関わる神経ネットワークの構成の違いがみられることは，吃音のある人の発話運動が，不安や緊張などの負の情緒・情動の影響をより受けやすい可能性があることを示唆する．また，過敏性が高い，欲求不満耐性が低い，悲観的，自罰性が高いなどの気質や情動特性があったり，「吃音を悪いこと，ダメなこと」と否定的にとらえ，吃音がある自身への自己効力感や自尊感情が低下したりすると，心理学的な学習はより進展するだろう．さらに，周囲の吃音への理解がなかったり，吃音への叱責やからかいがあったりする場合も，心理学的な学習はより進展すると考えられる．

2段階モデルにおける各段階の生理・心理学的特性，心理学的学習，環境の各要因を**表4-6**に示す．なお Guitar は，多くの吃音のある人は1次性，2次性の双方の出現メカニズムを有するが，なかには1次性の出現メカニズムのみ有する，2次性の出現メカニズムのみを有する人もいると指摘している[28]．

3 臨床への示唆

これまで述べてきた吃音の発症と進展のメカニズムに関する知見や理論から得られる臨床への示唆には，以下のようなものがある．

a 1次性吃音と2次性吃音の治療内容の相違

1つめは，1次性吃音と2次性吃音とで，治療内容が異なることである．

吃音の出現メカニズムとして，非効率的な発話制御が想定されている1次性吃音では，①非効率

表4-6 2段階モデルにおける各段階の生理・心理学的特性，心理学的学習，環境の要因

	1次性吃音	2次性吃音
生理・心理的特性	・発声発語機能の脆弱さ（聴覚処理過程，言語処理過程） ・運動・認知・言語・感情の間の複雑で非線形的な相互作用 ・子どもの自身に対する認知，言語，運動，情動などの能力・状況を超えた要求 ・脳構造の相違（白質の構造，神経ネットワークの構成など） ・脳機能の相違（右半球の過活性化，聴覚野や運動野の活動の低下など）	・気質や情動特性（過敏性が高い，欲求不満耐性が低いなど） ・自己効力感や自尊感情の低下 ・脳構造の相違（脳梁や大脳皮質と大脳基底核の白質の構造や，発話運動と情緒にかかわる神経ネットワークの構成など） ・脳機能の相違（右半球の活動の増大など）
心理学的学習		・古典的学習 ・道具的学習
環境	・周囲の人の子どもに対する認知，言語，運動，情動などの能力・状況を超えた要求	・周囲の吃音への理解がない ・吃音への叱責やからかい

〔Guitar B：Stuttering：An integrated approach to its nature and treatment, 5th ed. Wolters Kluwer, Baltimore, 2019 に筆者の見解を加え作成〕

な発話制御であっても対処可能な環境をつくる，②発話制御の非効率さの改善を図る，の2つのアプローチが有効と考えられる．具体的には，例えば①に関しては，発話制御の脆弱さを考慮し，子どもの聴覚処理過程や言語処理過程にあわせた「ゆっくり，ゆったりな」発話スタイルや「短く，単純な」表現を用いて対応するなどをする．また，非効率的な発話制御が感情や情緒の影響を受けやすいことを考慮し，毎日の生活から不安や緊張となる要因を極力減らしたり，情緒が安定し穏やかに過ごせるようにしたりするなどをする．②に関しては，子どもに適切な発話モデルを示したり，小児版流暢性訓練，リッカムプログラム，斉読法などを通して子どもの発話の流暢性の発達を促したりする．また，家庭や園などの日常生活のなかで，認知・言語・運動の成長を促すかかわりや遊びを行う．さらに，他の障害や困難をあわせもつなど，認知・言語・運動発達により明らかな遅れや障害がある子どもについては，これらの遅れや障害の状況に応じた認知・言語・運動発達の促進を狙った治療（言語聴覚療法や理学療法，作業療法など）を行う．

吃音の出現メカニズムとして，心理学的な学習が想定されている2次性吃音では，①心理学的な学習が生じにくい環境をつくる，②心理学的な学習のこれ以上の進展を阻止したり，吃音心理的な問題の改善をもたらす新たな心理学的学習を行ったりする，の2つのアプローチが有効と考える．具体的には，例えば①に関しては，保護者や園・学校の保育士や教員，職場の同僚や上司などへの吃音の啓発を図ったり，吃音のある子どもへの適切な対応についてのガイダンスを行ったりする．また，園や学校，職場などでの吃音へのからかいを放置せず，断固たる対応をとるなどをする．②に関しては，吃音のある人に，「吃音は悪いこと，ダメなこと」ではないことをしっかりと伝える，吃音緩和法や認知行動療法，自然で無意識な発話への遡及的アプローチ（Retrospective Approach to Spontaneous Speech；RASS），セルフヘルプグループへの参加などをする．

b 取り巻く環境への働きかけ

2つめは，吃音のある人を取り巻く環境に働きかける重要性である．吃音のある人を取り巻く環境に働きかける際は，①それぞれの吃音のある人が生活している家庭や園，学校，職場などに働き

> **Note 37. 吃音の最新研究（遺伝）**
>
> 　吃音の遺伝研究には，吃音のある人の家系図を調べる家族研究（family study）や，遺伝情報と環境要因の双方が一致している一卵性双生児と環境要因のみが一致している二卵性双生児との間の吃音の出現頻度を比べる双生児研究（twin study），養子として育てられた吃音のある人の，生物学的な家族，養育先の家族における吃音の出現頻度を比べたり，同じ家族で育った実子と養子との吃音の出現頻度を比べたりする養子研究（adoption study）などがある．これらの研究では，吃音が出現する背景になんらかの遺伝的要因が関与している可能性が高いこと，吃音の遺伝形態は，単一もしくは複数の遺伝的要因と環境要因の双方が関与する**多要因型モデル**をとる可能性が高いことが示唆される[1]．
>
> 　また近年，吃音の出現に関与する遺伝子の解明が精力的に行われている．これらの研究では，吃音の出現に，*GNPTAB*, *GNPTG*, *NAGPA*, *AP4E1* などの遺伝子が関与している可能性が示唆されている[2]．これらの遺伝子がどのように吃音の出現に関与しているかは現時点では不明である．しかし，これらの遺伝子を操作したマウスの発声特徴を調べる研究[3]や，これらの遺伝子が灰白質容積（gray matter volume：GMV）に与える影響を調べる研究[4]などが進められており，近い将来その全容が明らかになるかもしれない．
>
> 引用文献
> 1) Guitar B：Stuttering：An integrated approach to its nature and treatment, 5th ed. Wolters Kluwer, Baltimore, 2019
> 2) Frigerio-Domingues C, et al：Genetic contributions to stuttering：The current evidence. Mol Genet Genomic Med 5：95-102, 2017
> 3) Barnes TD, et al：A mutation associated with stuttering alters mouse pup ultrasonic vocalizations. Curr Biol 26：1009-1018, 2016
> 4) Chang SE, et al：Functional and neuroanatomical bases of developmental stuttering：current insights. Neuroscientist 25：566-582, 2019

かけるミクロの視点と，②吃音に対する社会一般のステレオタイプやスティグマなどのネガティブなとらえや，差別・偏見の解消を目指すマクロの視点の双方をもつ必要がある．ミクロの視点に対する働きかけは前述したとおりである．そして，吃音のある人の主要な支援従事者である言語聴覚士には，ミクロの視点に加え，マクロの視点からも吃音のある人の環境改善に向けた働きかけを行うことも期待されるだろう．

　吃音の原因論追究は日進月歩で進んでおり，今後も次々と新しい知見や理論が発表されることが期待される（→ Note 37）．吃音のある人に妥当性・信頼性の高い支援を行うためには，これらに敏感になり，情報のアップデートを継続し続ける必要がある．

引用文献
1) Yairi E, et al：Epidemiology of stuttering：21st century advances. J Fluency Disorders 38：66-87, 2013
2) Månsson H：Childhood stuttering：Incidence and development. J Fluency Disorders 25：47-57, 2000
3) Reilly S, et al：Predicting stuttering onset by the age of 3 years：A prospective, community cohort study. Pediatrics 123：270-277, 2009
4) Bloodstein O, et al：A handbook on stuttering, 6th ed. Thomson-Delmar Learning, 2008
5) 遠藤教子，他：脳梁の梗塞性病変による症候性吃音．音声言語医 31：388-396, 1990
6) 府川昭世：吃音の生理学的側面．日本聴能言語士協会講習会実行委員会（編）：吃音．pp19-25, 協同医書出版社，2001
7) 宮本昌子：クラッタリングと吃音の鑑別診断用チェックリストの作成に関する研究．科研費報告書，2014
8) Weiss DA：Cluttering：Foundations of speech pathology series. Prentice-Hall, Englewood Cliffs, NJ, 1964
9) Travis LE：The cerebral dominance theory of stuttering：1931-1978. J Sppech Hear Disord 43：278-281, 1978
10) Johnson W, et al：The onset of stuttering：Research findings and implications. University of Minnesota Press, 1959
11) Brutten EJ, et al：The modification of stuttering. Prentice-Hall, Englewood Cliffs, NJ, 1967
12) Lee BS：Artifical stutter. J Speech Disord 16：53-55, 1951
13) 森　浩一：脳機能研究から吃音治療を展望する．コミュニケーション障害 25：121-128, 2008
14) 菊池良和，他：吃音症を聴覚で科学する．音声言語医 54：117-121, 2013
15) Borden GJ, et al（著），廣瀬　肇（訳）：新ことばの科学入門．医学書院，2005
16) 府川昭世：言語障害カウンセリング．駿河台出版社，2006
17) Ntourou K, et al：Language abilities of children who stutter：a meta-analytical review. Am J Speech Lang Pathol 20：163-179, 2011

18) Kolk H, et al：Stuttering as a covered repair phenomenon. In Curlee RF, et al(eds)：Nature and treatment of stuttering. New Directions. pp182-203, Allyn & Bacon, Boston, 1997
19) Smith A, et al：How Stuttering Develops：The Multifactorial Dynamic Pathways Theory. J Speech Lang Hear Res 60：2483-2505, 2017
20) Starkweather CW：The epigenesis of stuttering. J Fluency Disord 27：269-287, 2002
21) St Louis KO, et al：Stuttering meets stereotype, stigma, and discrimination. An overview of attitude research. West Virginia University Press, 2015
22) 渡辺義和：社会言語学から見た吃音．言語聴覚研 2：88-97, 2005
23) Bluemel CS：Primary and secondary stammering. Quarterly Journal of Speech 18：187-200, 1932
24) Bloodstein O：The Development of Stuttering：I. Changes in Nine Basic Features. J Speech Hear Disord 25：219-237, 1960
25) Bloodstein O：The Development of Stuttering：II. Developmental Phases. J Speech Hear Disord 25：366-370, 1960
26) Bloodstein O：The Development of Stuttering：III. Theoretical and Clinical Implications. J Speech Hear Disord 26：67-82, 1961
27) Yairi E：Subtyping stuttering 1：a review. J Fluency Disord 32：165-196, 2007
28) Guitar B：Stuttering：An integrated approach to its nature and treatment, 5th ed. Wolters Kluwer, Baltimore, 2019

2 流暢性障害の評価診断

学修の到達目標
- 流暢性障害の評価診断の基本概念と方法が説明できる．
- 流暢性障害の発話症状を説明できる(中核症状，そのほかの非流暢性，2次的症状，発話速度を含む)．
- 心理面の評価方法(性格特性，吃音の自覚，予期不安の有無を含む)を説明できる．
- 環境面の評価方法を説明できる．
- 関連領域の評価方法を説明できる．
- 収集した情報から障害の程度を説明できる(重症度・進展段階)．
- 問題点を整理して障害の全体像を説明できる．
- 治療の適応および予後に関する要因を説明できる．

評価診断の原則と流れ

1 流暢性障害の評価診断における基本的な概念

話しことばが「流暢」か「流暢ではない」かの客観的な区別は難しい．その要因としては，①発話発達過程や発話状況，心理状態が影響することにより，②正常か否かの境界域が大きく，③聞き手によってその判定にばらつきが生じやすいためである(図4-3)．さらに，特異な非流暢性状態が他疾患との重複症例にまで及ぶ場合は，出現症状のみで明確な判定はさらに難しくなる．

2 各種流暢性障害間における鑑別要点および主要な鑑別評価

流暢性障害の評価では，各発達段階に応じて境界域症状から吃音中核症状にかけて，いくつかの鑑別が必要となる．流暢性障害を構成している各

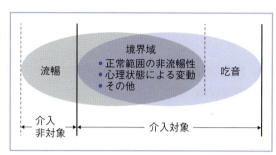

図4-3 発達性吃音の評価対象範囲

種症状において心理的側面は重要な鍵となるため，すべての症状において，自己発話（非流暢性や吃音）に対する自意識の有無やその感度を評価することが治療アプローチを組み立てるうえで不可欠な評価となる．

3 主要な症状間の鑑別評価

主に鑑別の必要性が求められるのは小児期である．早い時期の鑑別によって非流暢性が固定化される前に適切な介入が可能となる．しかし，幼児期は確定診断が困難なため，診断のために臨床介入（**診断的治療；diagnostic therapy**）を継続していくことになる〔4章2節B項表4-12（➡ 268頁）参照〕．

a 正常範囲の非流暢性と発達性吃音の鑑別

発達性吃音が発症する2歳代は，顕著な言語発達に伴って格助詞が出現し，さまざまな文を生成しはじめる時期である．より長い発話を可能にさせるための呼吸調節機能も向上されていくが，これらの発育と比例して流暢な発話が実現されていくわけではない．吃音に似た流暢性のつまずきが多く出現する．例えば，「えーと」や「あのね」といった挿入，語句の繰り返し，言い誤り，長めの間（考えている間），そして力の入らない1回程度の語頭音の繰り返しも頻回にみられる．まるでたくさんのことを伝えたいという思いと発達途上にある発語運動が空回りしているようにもみえる．

これらは，発話時の呼吸調節や発語運動機能の発達に伴って減少していく．つまり正常な発話流暢性を獲得していく過程にみられるつまずきであり，これらは吃音症と区別され「**正常範囲の非流暢性**」とされる．

また，この時期の発話状態から吃音の可能性を考える場合は，複数回の語頭音の繰り返しの頻度と，吃音が進展して，引き伸ばしや阻止（ブロック），力を入れて手足を動かすような随伴症状がみられないかどうかが重要な目安となり，かつ吃音症の可能性がある場合は指導介入のタイミングを見計らうポイントとなる．

b 発達性吃音と併存する問題との鑑別

小児期は発達性吃音と**その他の障害の併存の鑑別**も重要である．発達障害や学習障害，注意欠如・多動性障害の多くは学齢期になって確認される（➡ Note 38）．また，吃音と似た流暢性障害としてクラタリング（早口言語症）があり，その実態は長年議論を重ねられてきたが，最近では，特徴的な症状，吃音や発達障害との併存の多さも明らかとなってきている．介入方法の違いもあるため，その鑑別診断は重要であるが，詳細は後述する．

c 獲得性吃音との鑑別

獲得性吃音は後天的な症状であるため，比較的成人期に多い．成人期の発達性吃音，神経原性吃音，心因性吃音のなかでの鑑別となる．

4 吃音・流暢性障害の包括的評価

吃音が生涯にわたって続く場合，話し方だけの問題ではなく，発達各期に応じたさまざまなコミュニケーション場面における心理社会的要因の評価も重要となる．

吃音検査法第2版[1]は発話症状を中心に評価できる．心理社会的要因の評価としては，吃音の自覚の有無と程度に応じた感情と態度，またはコミュニケーションの在り方などがある．**吃音の多**

> **Note 38. 併存する問題の評価**
> 　吃音に併存する主なその他の障害は「構音障害」「発達障害全般」「知的障害」である.
>
> ■ 構音障害併存例の評価
> 　評価ツールは新版構音検査と吃音検査法のどちらを適用してもよい. ただし, 構音障害とは異なり吃音症状には変動性があること, また吃音児は初対面などの緊張時には吃音が抑制される場合があることに留意する. 必要に応じて初診時の検査は実施せず, 数回のセッション後に実施する.
>
> ■ 発達障害併存例の評価
> 　言語聴覚士は吃音だけでなく, 発達障害, 特に対象児の特性について理解している必要がある.
> 　未診断の場合は, 発達特性の可能性が推察される行動に対応するスクリーニング検査の実施, または診断的治療を行いつつ, 必要に応じて専門医による診断(早期発見)と早期介入の必要性および吃音検査法の実施を検討する.
>
> ■ 知的障害併存例の評価
> 　医師の診断に基づいた知的障害の重症度に基づき, 自由会話時の対象児の吃音症状を把握する. また, 知能検査を実施し, 知的レベルの程度に応じて認知面と非流暢性を中心とした吃音症状のどちらを優先するかを検討する.

面的側面を評価できるものとしては, CALMS(カルムズ)モデル[2]に基づく評価尺度[3], 日本語版OASES(オエイシス)[4], ICFに基づいたアセスメントプログラム[5]があり, その他, 自記式の質問紙などがある. これらの評価バッテリーをうまく組み合わせることにより, 吃音のある個人の重症度や心理状態に沿った**包括的な評価**が可能となる.

a 評価のための基本情報

　吃音を主訴として来室された場合に, 必ず収集すべき情報がいくつかある. 年齢により多少異なるが, 主訴, 吃音歴, 現在の吃症状, 環境と対応, 吃音の理解に関する情報である. 発吃時期と経過, 吃が生じやすい・困っている場面, 周囲の対応, 相談歴, 家族歴, 吃音について知っていること, セラピーに期待すること, などである. 各発達段階で, 必要な情報収集と注意点について以下の項目で述べる.

b 各発達段階期に応じた観察(面接)・情報収集

1) 幼児初期(2〜3歳児期)

　この時期に認められる発話は正常範囲の非流暢性の可能性があることに留意し, その可能性が高い場合は, 自己発話(非流暢性)に対する自覚の有無を推定する. この時期に自覚していることは少ないが, 自覚がある場合は話し方や表情などから推定することができるため, 会話の観察を慎重に行う.

　また, 保護者が子どもの発話やコミュニケーション行動をどのようにとらえているか, 子どもと話す際の保護者の発話速度, 子どもの非流暢性発話に対する言語的干渉(「ゆっくり」や「深呼吸して」など)がある場合の具体的な対応状況などを確認する.

2) 幼児後期(4歳)〜学齢初期(小学3年)

　自由会話時と親が指摘する症状との同定を図り, 初対面でいつもの吃音症状が出現するとは限らないことに留意する. 自由会話で吃音症状の出現しやすい状況や主症状のタイプ, あるいは流暢性が得られやすい条件などを確認する. また, 吃音の自覚が明確化しはじめる時期であること, この時期から指導を始める場合は, すでにネガティブな吃音の自覚が生じている可能性もある.

　学齢期になると, 自身のコミュニケーション態度を含め, 吃音に対してどのような気持ちをもっているのか発言できる場合もある. しかし, この時期の子どもと吃音や言葉の話題を導入する際は, 子どもがわかりやすい表現を用いるなどの留意が必要となる.

　保護者に対しては, きょうだいがいる場合のかかわり方, 家族内での子どもの立ち位置, 子どもが所属する保育園や幼稚園, 小学校での過ごし

方，友達関係，担当教諭との関係などの情報を入手する．

3）学齢後期（小学4年生）～中学生

この時期の吃音臨床は子どもの将来や生き方に大きく影響する可能性が高く，保護者，学級担任，そして吃音指導担当者の連携が極めて重要となることに留意する．吃音の自覚が明確にあることに加え，この時期の子どもはコミュニケーションをとる際に相手の反応をみながら対応を変えることができる．

本人からの情報が有益になることが多いため，吃音の話題を慎重に取り上げながら自身の吃音に対する態度や感情を確認する．例えば，吃音がある他児（吃音のグループ訓練など）との関係性をふまえた自分自身の吃音の状態，クラス内での吃音がある自分の立ち位置，または特別な友人（親友）の存在などは，介入要点が心理社会的要因や吃音と向き合う課題に展開していくうえで大いに役に立つ．しかし，この時期は自我の形成が初期であることから，吃音を隠したいという思いや親しい相手には自分をネガティブにとらえてほしくない，両親（特に母親）に迷惑をかけたくない，といった複雑な心理状態にあることにも留意する．しっかりとした信頼関係を構築しておくことで，本人に質問したり，明確な発言を要請しなくても，学校生活上における吃音に関連したリスクやSOSを拾い上げることができる場合もある．

保護者に対しては，自己主張（思春期）に吃音が絡むことによる複雑な心理状態から，自ら吃音のことを言及しなかったり（あえて言わない），吃音の有無と関係なく親とのコミュニケーションに消極的である場合も少なくないことを伝える．保護者目線でできることとして，例えば，日常生活場面における"本人らしさ"に変化が生じていないかどうかを観察する程度とし，何か変化があると感じた場合は，その情報を吃音指導担当者と共有し連携を図ることができる．

4）高校生～大学生

吃音のある自分の過去のエピソードを素直に表現してくれる場合が多い．そのときから変化した部分と変化していない部分をふまえ，今後の目標などを話し合うことができる．高校卒業前は，面接を伴う大学入試や就職試験の面接の不安，学生の場合は新しい友達環境（組織活動）に加わることへの不安，大学卒業前は就職試験（面接）への不安などがある．吃音に関する感情と態度について，面接や自記式アンケートなど（後述）を用いて情報を入手し，指導に役立てることができる．

5）青年期～成人期

この時期は，就職活動や新社会人の就労状況[6]，職場や業務内容といった面での合理的配慮の問題[7]がある．配慮を希望するか否かは当該職場の業務内容との関係もあるので，慎重な話し合いをふまえて助言する．精神障害者保健福祉手帳（認定）の問題は本領域における重要な課題である．

c 吃音検査法

発達に沿った課題で吃音症状を抽出できる〔4章2節B項 表4-9～11（➡265～267頁）参照〕．吃音は話しことばの流れのなかで生じるものである．分析に多少の時間を要するが，一定の長さで話されたことばの区切り方と症状分析に一定の基準を設けている点は吃音症状を客観的な方法で評価できるバッテリーといえる（図4-4）．

d CALMS

CALMS〔4章2節B項 図4-7（➡275頁）参照〕は，吃音を多次元の障害ととらえる概念に基づいて，主に「知識・認識面」「心理・感情面」「言語能力」「口腔運動能力」「社会性・社交性」の5要因に分類し，個人内の各要因における力量の変化を5段階（1. 懸念なし，2. ボーダーライン，3. 少し懸念あり，4. 中等度に懸念あり，5. 大きな懸念あ

図 4-4　吃音検査法の図版
文による絵の説明の例を示す．
〔小澤恵美，他：吃音検査法，第2版　検査図版，学苑社，2016 より〕

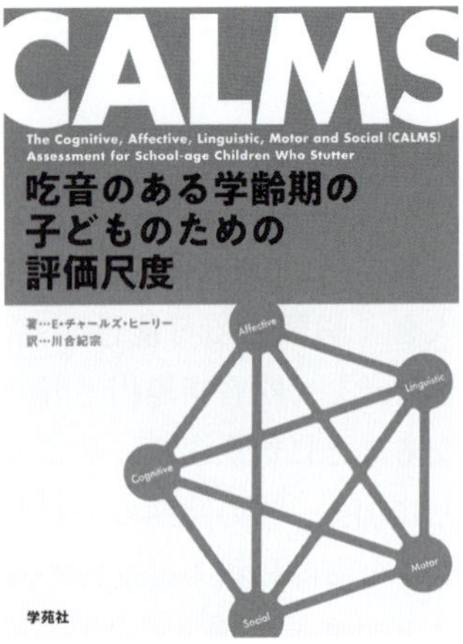

図 4-5　CALMS
〔株式会社学苑社より提供〕

り）でとらえる評価尺度である（図 4-5）[3]．症状の変動が大きいという特性をもつ吃音は，相対的ではなく，個人内の絶対評価を重要視することが大切である．

e　日本語版 Overall Assessment of the Speaker's Experience of Stuttering（OASES）

吃音の多面的側面を評価できるツール[4]の1つである．4つの領域（①吃音の程度や発話能力などの「全般的な情報」，②本人の「吃音への反応」，③「日常の状況でのコミュニケーション」，④吃音が日常生活に及ぼす影響として「生活の質」）から構成されている（表 4-7）．言語臨床ではとらえられない日常生活場面での状況（「レストランで注文する」など）を評価できる．

f　ICF に基づいた学齢吃音児の評価

吃音は言語聴覚士，通級指導教室担当者，臨床心理士など複数の職種がかかわっている．吃音の多面性に対する包括的対応は，職種を問わず共通する部分が多い．吃音の多面性を ICF の枠組みで整理して評価する「ICF に基づいたアセスメントプログラム」[5]では，吃音症を医療・福祉や教育・心理の各分野において同じ視点でとらえることが可能となる（表 4-8）．

g　各種質問紙

1）コミュニケーション態度テスト（Communication Attitude Test；CAT）

自己のコミュニケーション能力を知ることができる．33項目の質問について，「そう思う」「そう思わない」のいずれかで答え，ポジティブにとらえている回答に1点を加える．つまり，累計得点が高いほどコミュニケーション態度が良好という解釈となる[8]〔表 4-12, 13（➡ 268 頁）参照〕．

表4-7 OASES-A-J 質問項目の例

セクション1：全般的な情報

A. あなたの話し方についての全般的な情報	いつも	よく	ときどき	あまりない	全くない
1. なめらかに（どもらずに）話せることがどのくらいありますか？	1	2	3	4	5
2. 自分の話し方が「自然に」（つまり，他の人と同じように）聞こえることがどのくらいありますか？	1	2	3	4	5

セクション2：吃音へのあなたの反応

A. 自分の吃音について考えるとき，次のような感じはよくありますか	全く感じない	あまり感じない	ときどき感じる	よく感じる	いつも感じる
21. 無力さ	1	2	3	4	5
22. 怒り	1	2	3	4	5

C. 次の考えに同意しますか，反対しますか（逆だと思いますか）	強く反対	やや反対	中立	やや同意	強く同意
41. 自分の吃音についてほとんどいつも考えている	1	2	3	4	5
42. みんなは私のことを，主に私の話し方で評価している	1	2	3	4	5

セクション3：日常のコミュニケーション

A. 全体的に考えて，以下の状況はどれくらい困難ですか	全く難しくない	あまり難しくない	いくぶん難しい	とても難しい	極度に難しい
51. 1対1で話す	1	2	3	4	5
52. 急いでいるとき，あるいは時間的な制約のあるなかで話す	1	2	3	4	5

セクション4：生活の質

A. 以下のことは，あなたの生活全体にどれくらい悪影響を与えていますか	全くない	あまりない	いくぶん	多く	完全に
76. あなたの吃音	1	2	3	4	5
77. あなたの吃音に対する自分の反応	1	2	3	4	5

〔Yaruss JSの許可を得て酒井奈緒美氏が作成〕

2) 改訂版エリクソン・コミュニケーション態度尺度（Modified Erickson Scale of Communication Attitudes；S-24）

CATと同様の2件法で（「はい」「いいえ」）回答し，ネガティブな回答に1点加える．すなわち，累計得点が高いほどコミュニケーション態度が苦手という解釈になる[8]〔表4-14, 15（➡269頁）参照〕．

3) その他

ある症状の評価ツールは，ある症状の機序や特性をふまえて作成される．吃音・流暢性障害は，以前に比べて機序や症状特徴のより客観的知見が得られるようになってきた．すなわち，症状特徴が明らかであるならば，その症状を評価するために独自の評価ツール（質問紙など）を作成することも可能である．例えば，吃音の自覚時期や発達障

表 4-8　ICF に基づく吃音のある人の困難の例

構成要素	困難の例
心身機能・身体構造	・対人過敏性が高かったり，欲求不満耐性が低かったりする ・認知・言語・運動・注意などの発達の遅れや障害がある ・吃音の言語症状がある ・随伴症状がある ・発話速度が速かったり，不安定だったりする
活動・参加	・音読ができない ・ほかの言葉に言い換えられない固有名詞やあいさつなどが言えない ・会話で円滑な話者交代ができない ・ディスカッションで意見が言えない ・店舗や電話で注文などができない ・友人関係構築などを避ける ・学校で授業の発表や当番の仕事などができない ・就職活動の面接で話せない ・職場で電話や商談，業務の引き継ぎなどができない
環境因子	・家庭や学校，職場などの吃音への理解や配慮が乏しい ・吃音の支援を受けられる病院やことばの教室がない ・入学試験や就職試験，資格試験などで合理的配慮が得られない ・近くに自助団体や親の会などがない ・就労支援が得られない
個人因子	・吃音への緊張や予期不安が大きい ・吃音を回避するために不本意な選択をする（答えがわかっていても「わかりません」と回答するなど） ・吃音のある自身を責める

〔Yaruss JS, et al：Stuttering and the International Classification of Functioning, Disability, and Health（ICF）：An update. J Commun Disord 37：35-52, 2004，小林宏明：学齢期吃音の指導・支援—ICF に基づいたアセスメントプログラム，改訂第2版．学苑社，2014 を参考に小林宏明氏が作成〕

害を併発する吃音の特徴などは，近年，その詳細が客観的に明らかになりつつあり，その知見を抽出するための課題を検討することで独自の評価法を作成することができる．

B 評価の実際

　吃音は，発話の流れ・リズムの障害である．その多くは，言語をはじめとするさまざまな能力（運動・認知・情動）が急速に発達する幼児期に発症することから，吃音（発話症状）の出現・維持はこれらの能力の影響を受けると考えられる．また，発話は対人コミュニケーションのなかで学習されることから，吃音はコミュニケーション環境（例えば周囲の人の話し方）の影響をも受ける．さらに，流れやリズムの乱れが頻繁に生じるなかでコミュニケーションを取り続けることは，吃音のある児・者にさまざまな心理・行動面の反応・対処（2次的症状）を生じさせることがある．これらのことから，吃音を評価する際には，発話症状そのものだけでなく，発話症状の出現・維持に関わる要因の評価，加えて発話症状から派生するさまざまな心理・行動の問題，生活への影響を評価する必要がある．以下において，これら各側面の評価の実際について述べる．

1　発話を中心とした観察可能な吃音症状の評価

　日本で開発され市販されている，唯一の吃音の検査は，「吃音検査法」[1]である．この検査は，観察可能な行動（発話症状と，表に現れてくる話し手の吃音への反応）から吃音を評価しようとするものである．米国でも同様に Stuttering Severity Instrument（SSI）[9]という，目に見える症状から吃音の重症度を評価する検査が，古くから開発・改訂され，英語圏では広く使用されている．吃音検査法を作成した小委員会は，SSI も含めた欧米の吃音研究を参照しながら，日本語に現れる非流暢性（リズムや流れを阻害する特徴）や，特に吃音のある児・者が示す特有の非流暢性を同定して，これらの症状がどの程度の頻度で現れる場合に吃

表 4-9 吃音中核症状およびその他の非流暢性の分類

	略号	症状	説明
吃音中核症状	SR	音・モーラ・音節の繰り返し	特定の音・モーラ・音節に聴取できるほどに音声化されて反復する. 反復する間に「挿入」「間」などが入らない. 1 モーラ語もこれに含める(例：手，目).
	PWR	語の部分の繰り返し	語の一部が音声化されて反復する. 間に「挿入」「間」などが入らない.
	Pr	引き伸ばし	子音部・半母音部・母音部または，1 モーラ全体が音声化され，不自然に引き伸ばされる. 強調や個人の発話特徴ではないもの.
	BI	阻止(ブロック)	構音運動の停止．発話運動企画がありながら，音声化直前に構音運動を停止させてしまった場合とする．語頭・語中・語尾のいずれでも生じる. 持続時間は，停止に瞬間から明確な目的音が音声化されるまでとする. 緊張性を伴うことが多い. ＊阻止(ブロック)には，以下のような特徴を伴う場合もあるので，付記すると臨床上有用である. ・準備 preparation(Pre)：発話開始前の構音器官の準備的構えや運動，不完全な音声化 ・強勢 stress(St)：顕著な強勢・暴発 ・歪み distortion(Ds)：発話努力の結果生じる音の歪み ・異常呼吸 abnormal respiration(AR)：発話直前の急な呼吸，随伴症状
その他の非流暢性	WR	語句の繰り返し	語句以上のまとまりの反復．強調や感動の表現でないもの. 間に「挿入」「間」がないこと.
	Ij	挿入	「えー，えっと，うーん，あのー，あのね」など文脈からはずれた意味上不要な語音，語句の挿入.
	Ic・Rv	中止・言い直し	語・文節または句が未完結に終わった場合，または，音声上の誤り，文法上の誤り，読み誤りなどを，正しく言い直した場合. 表現内容を変更して言い直した場合も含む(間に挿入が入る場合もある). 言い間違え(読み間違え)ても，言い直さない場合は教えない.
	Br	とぎれ	語中や文節中の音の連続性の瞬間的な遮断と把握されるもの. 緊張性を伴わない.
	Pa	間	語句の前または間の不自然な無言状態．発話意図はありながら，発話運動が認められない．話者の発話の流れにおいて不自然な場合とする(通常 2 秒以上とするが話者の年齢，言語能力も考慮する)．緊張性を伴わない.

＊：なお，話速度の急な変更(Rt：change of rate)，声の大きさ・高さ・声質の急な変化(Voi：change of loudness, pitch & quality)，残気発声(RA：speaking on residual air)といったプロソディなどの変化が発話特徴として現れることもある．頻度にはいれないが，指導方針を立てる際に役立てることができる.
〔小澤恵美，他：吃音検査法．第 2 版　解説．p12．学苑社，2016 より〕

音と判断するのかを検討した．以下に，吃音検査法を中心に，観察可能な吃音症状の評価について述べる．

a 発話症状

　発話症状の評価は，主に①症状の種類，②出現頻度，③症状の性質の 3 側面から行う．まず症状の種類については，吃音検査法に基づき，「**吃音中核症状**」である音・モーラ・音節の繰り返し，語の部分の繰り返し，引き伸ばし，阻止(ブロック)の同定が必要である．語句の繰り返し，挿入，中止・言い直し，とぎれ，間は，吃音のない者にも比較的よくみられる「**その他の非流暢性**」である(表 4-9)．次に，出現頻度については，中核症状およびその他の非流暢性がどのくらいの頻度で出現するのかを算出する．検査法では，発話された

表 4-10　2 次的症状(随伴症状)

	略号	説明	症状部位	例
随伴症状	Asc	正常な発語に必要とされる以上の身体運動や緊張．これは，吃音症状から抜け出そうとする解除反応と解釈できる場合が多い．	呼吸器系の運動や緊張	異常呼吸・喘ぎ．
			口腔・顔面の運動や緊張	舌突出，舌打ち，口をねじる，開口，口唇・顎の開閉，瞬き，目を閉じる，目を見開く，顎をしゃくりあげる，鼻孔をふくらませる，渋面．
			頭部・頸部の運動や緊張	首を前後方向・側面などへ動かす．
			四肢の運動や緊張	手足を振る，手で顔や体を叩く，足で床を蹴る，こぶしを握る．
			体幹の運動や緊張	硬直させる．前屈，のけぞり，腰を浮かす．

〔小澤恵美，他：吃音検査法．第 2 版　解説．p13，学苑社，2016 より〕

文節数を分母，そのなかで出現した非流暢性(吃音中核症状，あるいはその他の非流暢性)の数を分子にして 100 をかけたものを，吃音中核症状頻度，あるいはその他の非流暢性頻度としている．この吃音中核症状頻度が 3 以上の場合，吃音と判断することになっている．症状の性質については，各症状の緊張性が高いか(力が入っているかどうか)，繰り返しにおける繰り返し回数は何回か(「でででんわ」の場合は 3 回)，引き伸ばしの持続時間は何秒か，1 つの音・単語に複数の症状が連続してあるいは同時に生じているか(継起症状の有無)，などが評価視点として挙げられている．吃音検査法では，吃音中核症状の頻度，症状の持続時間，緊張性の程度が，重症度の評価に反映される．

b　2 次的症状

2 次的症状は，「話し手の吃音への反応」である．その 1 つが**随伴症状**(表 4-10)であり，吃音検査法では，「通常の発話に必要とされる以上の身体運動や緊張」と定義されている．目を閉じる，鼻孔を膨らませる，舌を突出するなどの顔面の動きから，手足を振る，手で体を叩く，足で床を蹴るなどの四肢の動き，また首を前屈させたり，体をのけぞらせたりするような頭頸部・体幹の動き，さらには喘ぎのような異常呼吸をも含むものである．

吃音検査法の 2 次的症状には**工夫・回避，情緒性反応**(表 4-11)も含まれる．ここでは目に見える行動そのものを同定するというより，それらの解釈をも含んで行動を評価することが求められる．例えば「質問をされたときにしばらく回答を考えている」という行動が，「すぐに答えようとすると，ことばが出てこないので，考えているふりをして自身の話しやすいタイミングで答えを言おう」という意図をもってなされた行動だとすると，それは，工夫・回避の「延期」という症状に該当する．このようなものは，注意して観察していないと，あるいは話し手本人に確認しないと同定が難しいため，あくまで可能な範囲で評価するものとなっている．

この 2 次的症状(secondary behaviors)については，Guitar[10]がその機能に基づいて，発話に生じた吃音から抜け出そうとする**逃避行動**(escape behavior)と，発話に吃音が生じないようにする**回避行動**(avoidance behavior)とに分類・定義している．目に見える症状をとらえるという点からは，吃音検査法の分類も有用であるが，その行動のメカニズムについて考える際は，Guitar の分類が有用である．

表 4-11　2次的症状（工夫・回避，情緒性反応）

	略号	症状	説明	例
工夫・回避	RM	解除反応	吃音が生じた状態から脱しようとする工夫．	随伴的運動，力を強める，一度話しやめて再び試みる．
	Sta	助走	どもらないために意図的に使用された助走的工夫． 最終的には，目的語音が発せられる．	随伴的運動，挿入，速さやプロソディなどを変化させる，先行語句を繰り返す．
	Pp	延期	困難な発語への直面を遅れさせる工夫． 最終的には，目的語音が発せられる．	婉曲な表現を先行させる，考えているふりをする，間を空ける．
	Av	回避	目的語音の発声自体を避けること． 目的語音は発せられないままとなる． 解釈の際には本人の報告も参考にする．	ほかの語を代用する，わからないと答える，ゼスチャーなど話しことば以外の方法を使う． 発話場面そのものを避ける．
情緒性反応	Emo	情緒性反応	発話中の吃音に伴う情緒の動きを推測できる身体反応． 解釈の際には本人の報告も参考にする．	はにかみ，はじらい，虚勢などの表出，平静を装う． 咳払い，赤面，目をそらす，照れ笑い．

〔小澤恵美，他：吃音検査法，第2版　解説．p13，学苑社，2016 より〕

c 発話速度

吃音検査法の評価の観点に発話速度は含まれていないが，英語圏では発話速度と重症度が関連するとの報告に基づき，1分間に発話される音節数や単語数を算出して〔音節数あるいは単語数をその発話時間（分）で割ることで〕発話速度を評価する[10]．この分子となる音節数や単語数には，吃音症状は含まれない（つまり情報伝達のために必要であった音節や単語のみがカウントされる）ため，症状が多発する場合は自ずと発話速度が低下し，発話速度の低さは重症度の指標となる．一方，クラタリング（早口言語症）である可能性を考慮に入れて発話の速度を評価する場合は，全発話音節数を長い間（2秒以上の間）を除いた，発話に要した時間（秒）で割って構音速度（音節数/秒）を算出することが望ましい[11]．日本語は，モーラ言語であるため，発話モーラ数を所要時間（秒）で除した構音速度（モーラ数/秒）を算出する必要がある．一般的な学齢児の平均構音速度は5モーラ/秒[12]，成人の平均構音速度は7〜9モーラ/秒程度である[13]．

2 心理・認知面の評価

吃音のある人に対し，神経質，緊張しやすい，内気などの印象をもっている人もいるかもしれない．文学作品において，そのような性格特性をもつ吃音のある人が出てくることもある．しかし，吃音になりやすい性格・気質については，研究者の見解が一致しておらず，現在のところ特定されていない（数々の研究結果が一致しない）．

一方で，吃音が続く結果，吃音のある児・者がさまざまな**心理・行動**面の反応，さらには**認知**（**考え方**）を発展させることがある．これらは特に小学校高学年以降〜成人において，吃音による困難の大きな部分を占めるようになるため，重要な評価の視点となる．

a 吃音の自覚・コミュニケーション態度

幼児期に発症する初期の吃音では，自覚がないことがほとんどであるが，吃音が継続するなかで周囲から指摘されたり，自身の発話の認知や発話時の運動感覚によって，幼児期後半から学齢前期には自覚に至ることが多い．また，吃音に対する周囲の反応がネガティブなものであると，吃音や

話すこと自体に対して，そして吃音をもつ自分自身に対してマイナスのイメージをもつようになりやすい．このような吃音に関する心理的反応や認知の形成は，吃音を持続・悪化させ，吃音の問題を複雑化させやすいことから，評価・介入の対象とすべきである．これらを評価する質問紙の1つに，Brutten[14]が開発したコミュニケーション態度テスト(Communication Attitude Test；CAT)がある．これは学齢児を対象に作成されたもので，35(改訂版では33)の質問からなっており，吃音によって生じやすいコミュニケーション態度(例えば，「話すことが好きではない」「自分の話し方を気に入らない」など)の有無とその程度が確認でき，治療・介入のターゲットとすべきかを把握できる．日本語版も作成され，標準データも示されている(表4-12, 13)[15, 16]．このCATには，幼児に実施可能なKiddyCAT[17]，成人に実施可能なBigCAT[18]もある．また，成人を対象とする同様のコミュニケーション態度テストには，より古くから利用されている，改訂版エリクソン・コミュニケーション態度尺度(Modified Erickson Scale of Communication Attitude；S-24)[19, 20]もあり，これは24項目から構成されている(表4-14, 15)[21]．

b 予期不安

吃音のある者が苦しむ心理的反応の1つとして**予期不安**がある．発話の前，発話の最中などに，「このあと吃音が生じるのではないか」と吃音を予期して不安に思う感情である．この不安は，発話の際の心身の緊張を上昇させるため，結果的に予期が的中する(吃音が生じる)という経験を生じさせやすい．そうなるとさらに予期不安は強くなり，いっそう予期が的中しやすくなるという悪循環が生じ，発話症状・2次的症状ともに悪化することとなる．このような進展した吃音の治療・介入においては，この悪循環を断ち切ることが重要になるため，吃音のある者が抱える予期不安の内容・状況，強さなどを評価する必要がある．海外

表4-12 コミュニケーション態度テスト(CAT)

1*	思ったとおりにうまく話せない．
2	授業中，先生に質問するのは平気だ．
3*	話すとき，ことばがつまってなかなか出ないことがある．
4*	私の話し方を心配している人がいる．
5*	友達と比べて授業中に発表するのは苦手だ．
6	クラスの友達は，私の話し方をおかしいと思っていない．
7	自分の話し方が好きだ．
8*	誰かが，私の言いたいことを代わりに言ってくれることがある．
9	親は私の話し方が好きである．
10	たくさんの人に向かって話すのは簡単だ．
11	ほとんどスラスラと話せる．
12*	誰かに話しかけるのは苦手だ．
13*	友達みたいに上手に話せない．
14	自分の話し方について気にしていない．
15*	話すことは難しいことだと思う
16	ことばがスラスラと出てくる．
17*	知らない人と話すのは苦手だ．
18	友達は，私みたいに話したいと思っている．
19*	友達が私の話し方をからかう．
20	話すことは簡単なことだ．
21*	誰かに自分の名前を言うのは難しい．
22*	言いにくいことばがたくさんある．
23	誰とでも上手にしゃべれる．
24*	よく話しにくくなる．
25	書くよりも話すほうがいい．
26	おしゃべりするのは好きだ．
27*	私は上手に話せない．
28*	友達のように話せたらいいなと思う．
29*	ことばがスラスラと出てこない．
30	電話で上手に話すことができる．
31*	多くの人は，私の話し方が好きではない．
32*	自分の代わりに他の人に話してもらう．
33	授業中，大きな声で本を読むのは簡単だ．

「そう思う」「そう思わない」の2択で回答，「そう思わない」に1点を与える．*は逆転項目．
〔野島真弓，他：吃音児のコミュニケーション態度と吃音重症度，吃音の自意識，指導方法との関係についての検討―Communication Attitude Testを用いて．特殊教育学研究48：169-179，2010 より〕

表4-13 コミュニケーション態度テスト(CAT)における日本の小学生(1～6年)の平均得点

吃音のない子の平均得点：	9.59
吃音のある子の平均得点：	14.68

〔Kawai N, et al：Communication attitudes of Japanese school-age children who stutter. J Commun Disord 45：348-354, 2012 より〕

表 4-14　改訂版エリクソン・コミュニケーション態度尺度（S-24）

1	話をしているとき，いつも人に好印象を与えていると思う．
2	たいてい誰とでも気軽に話ができる．
3	聴衆を見ながらとても楽に話ができる．
4	先生や上司と話すのは苦手だ．
5	人前で話をすると考えただけでぞっとする．
6	言うのが難しい単語がいくつかある．
7	ひとたび話し始めると，間もなく自分自身のことは全く意識にのぼらなくなる．
8	人づきあいがよい．
9	時々人は，自分が話すのを聞いて気まずそうにしている．
10	誰かを人に紹介するのは好きではない．
11	グループディスカッションではよく質問をする．
12	話をしているとき，自分の声の調子を簡単にコントロールできる．
13	グループの前で話すのをなんとも思わない．
14	上手に話せないので，本当にしたいと思う仕事になかなか就けない．
15	自分の声は，感じのよい，聴きやすい声だ．
16	時々，自分の話し方を恥ずかしく思う．
17	たいていの場合，話をする状況に自信をもって立ち向かえる．
18	気軽に話ができる人があまりいない．
19	書くよりも話すほうが得意だ．
20	話をするとき，たいていドキドキする．
21	新しい人に会って話をするのは苦手だ．
22	自分の話す能力には，まあまあ自信がある．
23	ほかの人のように，はっきり話せたらと思う．
24	正しい答えを知っていても，話すのをおそれてよく言いそびれる．

「はい」「いいえ」で回答し，下記に一致する回答に，それぞれ1点を与える．
1. いいえ　2. いいえ　3. いいえ　4. はい　5. はい　6. はい　7. いいえ　8. いいえ　9. はい　10. はい　11. いいえ　12. いいえ　13. いいえ　14. はい　15. いいえ　16. はい　17. いいえ　18. はい　19. いいえ　20. はい　21. はい　22. いいえ　23. はい　24. はい．
〔橘川佳奈：吃音．笹沼澄子（監修），伊藤元信（編）：成人のコミュニケーション障害．p118, 大修館書店, 1998/Guitar B（著），長澤泰子（監訳）：吃音の基礎と臨床一統合的アプローチ．p189, 学苑社, 2007 より改変〕

表 4-15　改訂版エリクソン・コミュニケーション態度尺度（S-24）の標準点

吃音者：	平均 19.22（最小 9，最大 24）
非吃音者：	平均 9.14（最小 1，最大 21）

には Perceptions of Stuttering Inventory[20, 22] という，吃音に対するもがき・回避・予期を評価する質問紙が存在するが，日本の標準データを有する質問紙は存在しない．評価の際には，直接の聞き取りが必要となる．

C 生活の質（QOL）

最初に，吃音の評価においては，発話症状のみならず，そこから派生するさまざまな心理・行動の問題，生活への影響までをも評価する必要があると述べた．米国では WHO が提唱する障害の社会モデルを参照して，吃音に対する感情・行動・認知，日常のさまざまな場面におけるコミュニケーションの難しさ，吃音が生活全般に及ぼす影響などを包括的に把握する質問紙 OASES（Overall Assessment of the Speaker's Experience of Stuttering）[23] が作成されている．その後，OASES は多言語に翻訳され臨床・研究に使用されている．この質問紙は 100 項目から構成され実施に時間がかかること，また日本語版[24]が現時点では発売されていないことから（発売準備中），すぐに評価に使用することはできないが，吃音の評価において困難を包括的にとらえる視点をもつことは重要である．

3 環境面の評価

話しことばは対人的やりとりのなかで習得され，情報・感情の伝達や共有の手段として使用されるものである．そのため，人的環境からの影響を大きく受ける．幼児期においては，話しことばの一側面である流暢性の獲得にコミュニケーション環境が影響する．また学齢期以降になると，吃音の悪化を防ぐ観点から，生活環境を整えることが重要になる．さらに成人になると，仕事が生活の大きな部分を占めるようになるため，その環境が吃音のある者の生活の質（QOL）に影響を与える．以下，それぞれの環境の評価について説明する．

a　コミュニケーション環境

吃音の発生や進展は子ども側の要因(発話に関連するさまざまな能力)と環境との相互作用によって決まると考える理論(DCモデル)[25]では，**コミュニケーション環境**の評価が重要になる．脳内資源に限りがある幼児の治療・介入においては，できるだけ言語・認知・運動・情動面での負荷を減らして流暢性を向上することを狙うため，評価の段階ではコミュニケーション環境からの圧力の程度を把握する．子どもにとって圧力となりうる発話状況は，発話中に頻繁に割り込まれる，話を聞いてもらえない，発話中に急かされるなどの状況であり，また，子どもにとって負担となりうる大人の発話スタイルは，発話速度が速い，難しい単語や難しい文法を使う，頻繁に質問するなどである[20]．

b　生活環境

臨床のなかで，吃音が始まったときのエピソードを尋ねると，弟や妹が誕生した，引越しをした，大きな地震があったなど，子どもになんらかのインパクトを与える**生活上の出来事**が報告されることを経験する．強いエビデンスはないものの，生活上の大きな出来事は，特に物事に対して過敏に反応する子どもから安心感を奪い，その結果，発話が非流暢になることが報告されている[20]．これらの出来事をなくすことは難しいが，これらが吃音の発症や悪化に影響しうることを把握し，それらの出来事に子どもが対応できるよう支援したり，非流暢な発話が落ち着くまでには多少の時間を要するという見通しをもつことが重要である．また，家族の子どもへの高い期待，家族の慌ただしいスケジュールも吃音を維持させやすい要因の1つであるため，聞き取りなどで把握することが必要である．

学齢期になると，学校での生活時間が長くなる．そして，学校では日々時間割に沿って活動する，授業中は着席して先生の話を聞く，などの制約が多くなり，それはある子どもにとっては圧力となりうる．また授業のなかでは，国語の音読や掛け算の九九などで流暢に話すことが求められたり，グループでの話し合い活動や発表などでは積極的な発話が求められる．さらに授業以外の活動のなかでも，日直当番や健康調べ(その日の体調を報告する)，委員会活動など，発話を求められるさまざまな場面がある．学齢期の支援においては，学校を中心としたさまざまな場面・課題に子どもが不安なく取り組み，学校生活を楽しめるようにすることが目標の1つであることから，まずはこれらの環境において，子どもがどのように活動しているかを評価する必要がある．また友人関係のなかで，吃音についての指摘やからかいを受ける場合もあることから，友人との関係の把握も重要である．吃音によって学校の各種活動で十分に力が発揮できない，また友人関係を築けないなど，子どもが自信をなくすようなことが生じていないかをしっかり把握する必要がある．

c　就労環境

学齢期の子どもが多くの時間を学校で過ごすのと同様，成人は生活時間の多くを仕事に使うこととなる．成人にとって仕事はアイデンティティの1つであり，職場は居場所の1つである．なんらかの役割を期待され，その成果に対して高い評価を得られれば自己肯定感も高まり，職業生活は充実したものとなる．しかし，吃音のある者のなかには，就労面接や就労後の業務遂行上に必要なコミュニケーションに困難を感じ，十分に能力を発揮できず悩み苦しむ者もいる．また，同僚や上司から，吃音に対するからかいや叱責を受けることもあり，このような状況では，流暢に話そうともがいたり，不安や恐怖，恥の感情を抱いたり，うまく話せない自分に落ち込んだりして，能力を十分に発揮できないだけでなく，発話症状・2次的症状の悪化を招くこととなる．成人の吃音の支援を行う際には，この悪化を防ぎQOLを高めるためにも，就労者については職場環境を把握するこ

とが必要である．近年は障害者差別解消法の制定により，障害のある者が職場における**合理的配慮**を求めることができることも把握しておく必要がある．

4 関連領域の評価

先にも述べたように，吃音が多く発症する幼児期は，運動，認知，言語，情動，社会性などさまざまな領域で急速な発達がみられる時期である．話すという行為には，これらすべての領域が関与していることから，特に幼児期においては，吃音とこれらの領域の特徴・発達との関連について評価することが，治療・介入を考えていくうえで重要である．吃音と関連があると報告されている関連領域の評価について，以下に述べる．

a 音韻・構音能力

古くから，吃音をサブタイプに分類した場合に，構音発達が遅れている（あるいは構音障害を有している）グループが存在することが報告されてきた[26]．近年の研究でも，発吃時期の音韻発達について，吃音のある子とない子を比較すると，吃音のある子で発達が遅れていること，加えて吃音が続いている子は吃音が治癒した子よりも，発達初期の音韻能力が低いことが報告されている[27]．吃音の理論の1つに，発話前の音声企画段階で音韻的エラーを検出し訂正しようとする結果，非流暢な発話が生じるとする理論（潜在的修復仮説）[28]があることからも，音韻能力は重要な関連要因の1つと考えられる．**音韻・構音能力の発達**が遅れている子どもの治療・介入においては，音韻的な負荷をかけず発達を待つようなかかわり，あるいは吃音の状況や年齢を考慮した積極的な音韻・構音の指導をも検討する必要があることから，これらの能力に関する視点をもつことは重要である．

b 言語能力

吃音のある子とない子の**言語発達**を比較した研究では，一致した見解が得られていない．早期（2歳代）に発吃している子においては，吃音ではない同年齢の子より言語発達が早いという報告[29]がある一方で，吃音のある子は標準的な言語能力を示すとも言われている[27]．また，吃音の経過に言語能力が関与するという報告[30]があるが，これらについても一貫した結果は得られていない．このように研究結果に差が認められるのは，おそらく，吃音の有無や進展は，子どもの能力と環境からの圧力との関係，あるいは子どもの各種能力間のバランス関係によって決まるのであり，言語能力が独立して影響を与えるわけではないためだと考えられる．具体的には，2歳代に始まる吃音は，一時的に言語能力が発話能力を上回ったことで，脳内で組み立てられる言語ほど，スムーズに発話が進まない結果かもしれない．あるいは，言語発達が遅い子の場合は，その子がもつ言語能力を超えるほどの言語的負荷が環境からもたらされやすくなる（例えば，その子の言語能力を超えた難しい話しかけが続く）結果，発話が非流暢になるのかもしれない．子どものもつ各種能力の1つとして言語能力を評価することは重要である．

c 気質（情動と社会性）

初期の吃音は，主に幼児期（各側面の発達が急速に生じる時期）に認められる話しことばの流れやリズムの乱れに対して，過度の緊張をもって反応することで持続・進展しうると考えられている．このようなメカニズムに基づき治療・介入方法を検討する際には，物事への過敏性・高い反応性（怖がり，不安が高い，など）の把握も重要である．また近年は，吃音のある子どもは吃音のない子どもと比較して，日々の出来事に対する注意，感情，行動のコントロールが難しいこと，さらにこれが重症度にも影響するといわれている[31]．特に「注意，感情，行動のコントロールの難しさ」は

発達の偏りともいえることから、これらの特徴をふまえた、あるいはこれらの特徴へのアプローチもあわせた介入方法の検討が必要になる。このような幼児の**気質や行動特徴**を評価できる一般的な質問紙として，Strengths and Difficulties Questionnaire（SDQ；子どもの強さと困難さアンケート）[32]，Children's Behavior Questionnaire（CBQ）[33]，Childhood behavior checklist（CBCL；子どもの行動チェックリスト）[34] などが存在するが，日本において入手・実施が簡単なものはSDQである。

d 運動・認知能力

発話には運動能力，および知的能力もかかわってくる。発話運動は発声発語器官の協調運動であるが，吃音のある子の一部に協調運動が苦手な者が存在する。また認知発達の遅れと非流暢性の増加に関連があるとの報告もある。発達的観点から，これらの要因が吃音の発生や維持に影響を与えているかどうかの評価も必要である。

5 進展段階

吃音は主に幼児期に発症し，その多くは発達とともに消失するといわれている。しかしながら，一部の吃音は，学齢期・青年期・成人期まで続く。子どもは，徐々に非流暢性へ反応するようになり，なんらかの対処をしようともがく（2次的症状を示す）段階へと移行する。この段階では，吃音に対する苛立ちや嫌悪感などの感情的反応を示すことも多い。さらには、成長とともに環境からの影響を受けて、吃音や吃音のある自身へのマイナスイメージ（認知・態度）を発展させたり、吃音が出現する前の予期不安や恐怖、吃音が出たあとの落ち込み、無力感などの複雑な感情を強く抱いたり、ある特定のことばや場面を回避するなどの行動的特徴も示すようになる。このように、初期の吃音と進展した吃音では全く様相が異なるため、目の前の吃音のある児・者がどの段階にある

のかを把握し，治療・介入・支援の内容・方法を検討しなければならない。各**進展段階**の具体的な特徴を示した表として、吃音検査法[1]に示されているもの〔4章1節B項**表 4-5**（→ 254 頁参照）〕，Guitar[10, 20] が示すもの（**表 4-16**）が存在する。吃音検査法に示される進展段階は、吃音症状、吃音症状が生起する場、自覚および情緒性反応の項目について、第1層から第4層までの4段階の特徴を示している。一方 Guitar では、幼児期によくみられる、吃音とは判断されない非流暢性が示される段階をも含む5段階（典型的な非流暢性，境界期吃音，初期吃音，中期吃音，後期吃音）について、中核症状，2次的症状，感情と態度，それらの特徴が形成されるプロセスを示している。

6 吃音の全体像の把握と評価の解釈

吃音をどのような観点から評価するかを述べてきた。これらの評価に基づき、問題を全体像として把握・解釈したうえで，予後予測をしつつ、治療・介入・支援の内容・方法を検討していかなければならない。適宜，評価の枠組みに触れながら，幼児，学齢児・青年期以降の発達段階に分けて，問題の全体像の把握や評価の解釈を述べる。

a 幼児期

まず幼児期においては，発達途上によく認められる正常範囲の非流暢性との鑑別が必要である。子どもにみられる非流暢な発話が，中核症状であるのか、その他の非流暢性であるのか、それらの頻度や症状の持続時間はどの程度かなどを把握し、吃音としてとらえるべきか、発達途上で認められる典型的な非流暢なのかを判断しなければならない。症状には波があること、また境界レベルの子どもも存在することから、その場合は経過を追いながら評価を続けて行くことが必要である。次に、吃音と判断した場合、進展段階・重症度がどのレベルなのかを把握する。進展段階の**表 4-16** では、各段階に対して、各側面（中核症状、

表 4-16　Guitar による進展段階

進展・臨床レベル	中核症状	2次的症状	感情と態度	根底にあるプロセス
典型的な非流暢性	100語につき10以下の非流暢性．1単位の繰り返し（例：ねねこ）．主に繰り返し，挿入，言い直し．	なし	気づき・関心なし．	発話・言語の発達および心理社会的発達の典型的な圧力．
境界期吃音	100語につき11以上の非流暢性．2単位以上の繰り返し（例：ねねねねこ）．言い直しや挿入より，繰り返しや引き伸ばしが多い．	なし	一般的に気づきなし．時に瞬間的な驚きや軽いフラストレーションを示すことがあるかもしれない．	発話・言語の発達および心理社会的発達の典型的な圧力と，素因との相互作用．
初期吃音	速くて不規則，そして緊張を伴った繰り返し，阻止（ブロック）のときの固定化した構音の構え．	逃避行動（瞬き，声の高さの上昇，大きな声など）	非流暢性に気づいていて，フラストレーションを示す場合がある．	過度の緊張を引き起こす条件づけられた情動反応．逃避行動をもたらす道具的条件づけ．
中期吃音	音や呼気流が閉ざされる阻止．	逃避・回避行動	恐れ，フラストレーション，困惑，恥	上記のプロセス，および回避条件づけ．
後期吃音	長く緊張のある阻止，時にふるえを伴う．	逃避・回避行動	恐れ，フラストレーション，困惑，恥，否定的な自己概念	上記のプロセス，および認知学習．

〔Guitar B：Stuttering：An integrated approach to its nature and treatment, 5th ed. p149, Wolters Kluwer, Baltimore, 2019, Guitar B（著），長澤泰子（監訳）：吃音の基礎と臨床―統合的アプローチ．p156，学苑社，2007 より改変〕

2次的症状など）の特徴が示されているが，この側面ごとに進展度合が異なる場合があるためそれぞれの側面において，目の前の者がどの段階にあるのかを把握する必要がある．特に Guitar[10] に示される進展段階には，それぞれの段階の根底にあるプロセス（そこに至るメカニズム）も示されているため，治療方針を立てる際に役立つ．また先述した吃音検査法には，重症度プロフィールが示されている．**重症度**は，ごく軽度，軽度，中等度，重度，非常に重度の5段階に分かれており，吃音中核症状頻度，持続時間，緊張性，随伴症状，工夫・回避の5項目について，それぞれ0〜5の重症度判定をする．プロフィールとして示されるので（表 4-17），各項目に注目しつつも全体像が把握可能である．

重症度の次は，予後予測と治療方針の決定である．吃音に関する疫学的情報（例えば，吃音が治癒していない家族がいること，男児であることは，吃音の持続のリスクファクターである）を踏まえ，これまで評価を行ってきた結果をまとめ，どの要因が吃音の持続・悪化に関連していそうか，またどの要因ならば変化をさせやすいかを見極め，どこに介入していくかを決める．子ども側，環境側の維持リスク要因を示した評価の枠組みを図 4-6 に示す．

b 学齢期

学齢期における介入でも，幼児期同様，鑑別は重要である．しかし学齢期，特に中学年・高学年では，発達途上にある正常範囲の非流暢性である可能性はかなり低くなっているため，必要な鑑別診断の視点はクラタリングの有無である．吃音の中核症状があるのか，速度の上昇や発話の不明瞭さがあり，その他の非流暢性が多いなどのクラタリングの症状があるのか，あるいはその両方があるのかなどを評価する．そして，学齢期にはある程度吃音が進展している子どもが存在するので，発話症状の進展度合い（繰り返しにおける速度上

表 4-17 重症度プロフィール

	0 正常範囲	1 ごく軽度	2 軽度	3 中等度	4 重度	5 非常に重度
吃音中核症状頻度 (生起数)	なし，ごく稀 (0〜3 未満)	たまに (3〜5 未満)	ときどき (5〜12 未満)	ほぼ文ごと 1 症状 (12〜37 未満)	文ごとに複数 症状 (37〜71 未満)	ほとんどの 文節 (71 以上)
持続時間	ほぼ 0	0.5 秒未満	0.5 秒〜1 秒 未満	1 秒〜5 秒未満	5 秒〜10 秒未 満	10 秒以上
緊張性 (中核症状内の割合)	なし	稀に	ときどき	しばしば	ほぼすべて	ほぼすべて 非常に強い
随伴症状	なし	注意深く観察 すれば気づく	何気なく見て いても気づく	目立つ	とても目立つ	著しく目立 つ
工夫・回避	なし	稀に	ときどき	しばしば	よく	非常によく

〔小澤恵美, 他：吃音検査法, 第 2 版 解説. p16, 学苑社, 2016 より〕

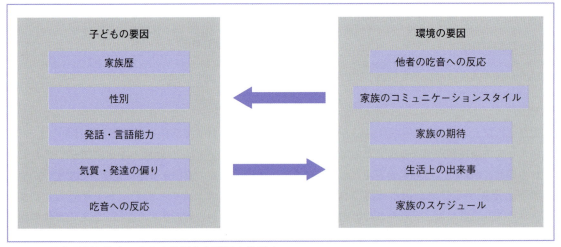

図 4-6 予後予測と治療・介入を見据えた評価の枠組み
〔Guitar B：Stuttering：An integrated approach to its nature and treatment, 5th ed. p217, Wolters Kluwer, Baltimore, 2019 を参考に筆者作成〕

昇や不規則さの出現，阻止（ブロック）の増加，症状出現の際の緊張性の上昇など）とともに，2次的症状（随伴症状）の程度，吃音の自覚やコミュニケーション・吃音に対する否定的な感情・態度，そして生活上の具体的な困りごと（本人や家族の主訴）の評価が重要になってくる．

また治療・介入の内容を検討する際には，関連領域における子どもの能力の評価も重要である．子どもの強み・弱みを把握したうえで，強みを活かしつつ弱みを強化するような介入方法を検討したい．このような子どもの能力を多次元的に評価するモデルに **CALMS モデル**[3]がある（図 4-7）．cognitive（知識・認知面），affective（心理・感情面），linguistic（言語能力），motor（口腔運動能力），social（社会性・社交性）の観点から子どもの有する力を評価し，吃音の問題を多次元的にとらえるモデルである．このように，なんらかのモデルに沿って関連要因を整理すると，全体像の把握

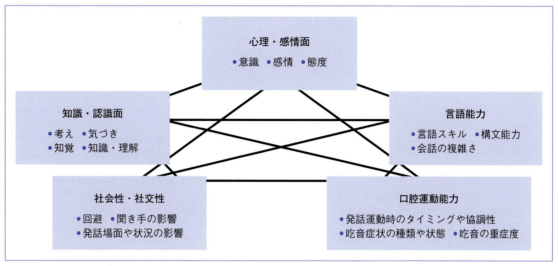

図4-7 CALMS モデル
〔Healey EC（著），川合紀宗（訳）：CALMS—吃音のある学齢期の子どものための評価尺度．p4，学苑社，2019 より〕

がしやすくなる．

C 青年期・成人期

　青年期・成人期では，まず，吃音の経過が長い発達性吃音なのか，あるいは脳損傷などのあとに出現した神経原性吃音なのか，はたまた心理的な圧力のあとに出現した心因性吃音なのかの鑑別診断が必要である．それぞれ特徴が異なり，治療・介入方法が異なるからである．また学齢期と同様，クラタリングの可能性も考慮し，評価を行う必要がある．鑑別診断において発達性吃音と診断された場合は，多くの発達性吃音は進展していることを念頭におき，発話症状を評価する．一部の成人では，緊張性が高く，随伴症状を伴った持続時間の長い阻止（ブロック）が頻回に出現するような，非常に目立つ症状を示す．このような症状が観察される場合は，日常生活上のコミュニケーションに直接的な影響が及んでいることが推測される．一方で，発話症状を巧みに隠しているため，一見して症状が非常に軽度に見える者も存在する．このような者は，吃音の問題が軽度であると評価されてしまう場合があるが，実際は吃音を日々警戒し，回避しながら生活しているため，悩みが強く，吃音に対する否定的態度も強いなど，必ずしも吃音全体の問題は軽度ではない．

　成人の吃音の全体像を把握するには，世界保健機関（WHO）の提唱する，障害を社会モデルでとらえる ICF（International Classification of Functioning, Disability and Health）のモデルを使用することも1つの方法である．Yaruss ら[35]はこの **ICF のモデル**を参考に，障害の各構成要素に対応する吃音の問題を整理しており，吃音の問題の全体像を把握するとともに，治療・介入・支援においてどの要因にアプローチしていくかを検討するのにも有用である．

引用文献

1）小澤恵美，他：吃音検査法，第2版 解説．学苑社，2016
2）Healey EC, et al：Clinical applications of a multidimensional approach for the assessment and treatment of stuttering. Contemp Issues Commun Sci Disord 31：40-48, 2004
3）川合紀宗（翻訳）：CALMS—吃音のある学齢期の子どものための評価尺度〔Healey EC, et al：The Cognitive, Affective, Linguistic, Motor and Social（CALMS）Assessment for school-age children who stutter. University of Nebraska-Lincoln, 2012〕．学苑社，2019
4）酒井奈緒美，他：日本語版 Overall Assessment of

the Speaker's Experiences of Stuttering から見た「成人吃音相談外来」を受診した患者の特徴と臨床応用への示唆. 音声言語医 57：18-26, 2016
5) 小林宏明：学齢期吃音の指導・支援―ICF に基づいたアセスメントプログラム, 改訂第2版. pp49-62, 学苑社, 2014
6) 飯村大智：吃音者の就労と合理的配慮に関する実態調査. 音声言語医 58：205-215, 2017
7) 菊池良和：吃音の合理的配慮. 学苑社, 2019
8) 小林宏明, 他（編著）：特別支援教育における吃音・流暢性障害のある子どもの理解と支援. 学苑社, 2013
9) Riley G：Stuttering Severity Instrument, 4th ed. Pro-Ed, Austin, 2009
10) Guitar B：Stuttering：An integrated approach to its nature and treatment, 5th ed. Wolters Kluwer, Baltimore, 2019
11) van Zaalen Y, et al（著）, 森 浩一, 他（監訳）：クラタリング　早口言語症　特徴・診断・治療の最新知見. 学苑社, 2018
12) 宮本昌子：クラタリング・スタタリングを呈する児童の発話特徴―構音速度と非流暢性頻度の測定. 音声言語 60：30-42, 2019
13) 籠宮隆之, 他：自発音声における大局的な発話速度の知覚に影響を与える要因. 音声研究 12：54-62, 2008
14) Brutten G, et al：The Communication Attitude Test：A normative study of grade school children. J Fluency Disord 14：371-377, 1989
15) 野島真弓, 他：吃音児のコミュニケーション態度と吃音重症度, 吃音の自意識, 指導方法との関係についての検討-Communication Attitude Test を用いて. 特殊教育学研究 48：169-179, 2010
16) Kawai K, et al：Communication attitudes of Japanese school-age children who stutter. J Commun Disord 45：348-354, 2012
17) Vanryckeghem M, et al：Communication Attitude Test for Preschool and Kindergarten Children Who Stutter. Plural Publishing, San Diego, 2007
18) Vanryckeghem M, et al：The BigCAT：A normative and comparative investigation of the communication attitude of nonstuttering and stuttering adults. J Commun Disord 44：200-206, 2011
19) 橘川佳奈：吃音. 笹沼澄子（監修）, 伊藤元信（編）：成人のコミュニケーション障害. pp100-125, 大修館書店, 1998
20) Guitar B（著）, 長澤泰子（監訳）：吃音の基礎と臨床―統合的アプローチ. 学苑社, 2007
21) Andrew G, et al：Stuttering therapy：the relation between changes in symptom level and attitudes. J Speech Hear Disord 39：312-319, 1974
22) Woolf G：The assessment of stuttering as struggle, avoidance, and expectancy. Br J Disord of Commun 2：158-171, 1967
23) Yaruss JS, et al：Overall Assessment of the Speaker's Experience of Stuttering(OASES). Pearson, New York, 2010
24) Sakai N, et al：The Japanese version of the overall assessment of the speaker's experience of stuttering for adults(OASES-A-J)：Translation and psychometric evaluation. J Fluency Disord 51：50-59, 2017
25) Starkweather CW：The epigenesis of stuttering. J Fluency Disord 27：269-287, 2002
26) van Riper C：The Nature of Stuttering. Prentice-Hall, Englewood Cliffs, NJ, 1971
27) Yairi E, et al：Early childhood stuttering：For clinicians by clinicians. Pro-Ed, Austin, 2005
28) Kolk H, et al：Stuttering as a covered repair phenomenon. In Curlee RF, et al(eds)：Nature and Treatment of Stuttering：New Directions. pp182-203, Allyn & Bacon, Boston, 1997
29) Reilly S, et al：Natural history of stuttering to 4 years of age：a prospective community-based study. Pediatrics 132：460-467, 2013
30) Yairi E, et al：Predictive factors of persistence and recovery：pathways of childhood stuttering. J Commun Disord 29：51-77, 1996
31) Kraft SJ, et al：The role of effortful control in stuttering severity in cheldren：replication study. Am J Speech Lang Pathol 28：14-28, 2019
32) Matsuishi T, et al：Scale properties of the Japanese version of the Strengths and Difficulties Questionnaire(SDQ)：A study of infant and school children in community samples. Brain Dev 30：410-415, 2008
33) Rothbart MK, et al：Investigations of temperament at 3-7 years：The Children's Behavior Questionnaire. Child Development 72：1394-1408, 2001
34) 船曳康子, 他：ASEBA 行動チェックリスト（CBCL：6-18歳用）標準値作成の試み. 児童青年精医と近接領域 58：175-184, 2017
35) Yaruss JS, et al：Stuttering and the International Classification of Functioning, Disability, and Health：An update. J Commun Disord 37：35-52, 2004

3 流暢性障害の治療

学修の到達目標
- 発達性吃音の治療に関する基本概念を説明できる．
- 幼・小児期の発達性吃音の言語治療について説明できる．
- 発話に関する直接訓練について説明できる．
- 認知行動療法を用いた間接訓練について説明できる．
- メンタルリハーサル法を用いた間接訓練について説明できる．
- 周辺環境への働きかけについて説明できる．
- セルフヘルプグループなどの役割について説明できる．
- クラタリングの評価と治療について説明できる．

A 治療の原則と流れ

　発達性吃音は，年齢，発話症状の重症度，進展段階，吃音に対する心理的反応(情緒・コミュニケーション態度)，吃音に対する理解，合併する問題，生活環境などさまざまな条件によりその状況は異なり個別性が高い．多くの対象児・者は，発話の問題だけでなく，日常生活で否定的な経験をしており問題を抱えている．対象児・者の状況をさまざまな側面から評価し「今，何が必要なのか？」を対象児・者やその家族と話し合い，日常生活への影響まで配慮して目標を設定，治療方針を決めていく必要がある．

　吃音の治療[*1]は，吃音症状あるいは発話の流暢性をターゲットにした**発話面へのアプローチ**と，吃音をどのようにとらえるか，吃音に対する予期不安や回避行動などを扱う**心理面へのアプローチ**，対象児・者を取り巻く**周辺環境への啓発的アプローチ**の3側面を視野にいれて検討していく必要がある．

　以下に年齢に沿った治療方法の要点について述べる．

1 幼児期

　初めて吃音に気づいた保護者から発達支援センター，保健所，病院などへ相談が多く寄せられる．家庭での対応が主となる時期である．

a 流暢性を促進する環境をつくる指導（環境調整）

　保護者への間接的指導．吃音が生起しやすい環境と，流暢になりやすい環境を理解し実践してもらう．保護者が会話のなかで楽な発話モデルを示すことも含まれる．

b 流暢な話し方の直接指導

　流暢な話し方を子どもにわかりやすい方法で教示し，系統的に流暢性を促進していく小児版流暢性形成訓練や，子どもの発話に対して保護者が決まったフィードバックを与えることで流暢な発話を強化するリッカムプログラムなどが行われている．

[*1] 本章では，治療・介入・指導・訓練という用語が混在して使用されている．対象年齢や方法，著者の考え方により用いる用語が異なるので，今版では用語の統一は行っていない．

c 心理面・周辺環境

幼児であっても，話しにくさに対し，なんらかの気づきをもっていることがわかってきている．「話しにくい」「お友達に真似された」と訴えてきたときの対応を保護者と相談し，お話好きな自己肯定感の高いお子さんを目指す．

同時に幼稚園・保育園などへからかいなどが生じないよう依頼を行なう．

2 学童期

「ことばの教室」の教員が対応することが多いが，病院やリハビリテーションセンターなどの言語聴覚士も対応している．

a 発話面（流暢な話し方の直接指導）

斉読法や流暢性形成訓練により流暢に話せる体験をし，自己効力感をもたせる．

b 心理面

個別指導や集団指導により，吃音に対する思いを共有したり，吃音の正しい理解を得たりする．これにより吃音に対する怖れや不安を軽減する効果がある．

c 環境面

学級担任へ具体的な配慮などの情報提供を行う．在籍学級の児童に対して，言語聴覚士が吃音の理解授業を行い効果をあげている．

3 思春期（中高生）

相談窓口が少なく，1人で問題を抱え込みやすい時期であり，吃音に関する正しい情報提供は不可欠である（心理面）．頻繁な来室は困難な場合が多く，具体的な目標（弁論大会での発表，面接試験など）に向けて，発話練習や認知面へのアプローチ，学校に対しての支援要請などを行う．

4 青年期・成人期

大学生はゼミ発表や就職活動，社会人は営業活動や窓口業務，電話対応など問題はさまざまである．発話に対する訓練や，吃音に対する怖れや回避を扱う訓練などがある．後者は，カウンセリングによる認知行動療法的アプローチもあれば，発話訓練は一切行わない「自然で無意識な発話への遡及的アプローチ」もある．対象者の問題の大きさに対応して発話面，心理面の比重は変わってくる．

また年齢によらず，セルフヘルプグループとの出会いが心理面の変化の契機になる場合もある．

吃音がその人にとっての重大なマイナスの問題とならずに，少しでも楽にコミュニケーションを楽しめるようになることが目指すところと考える．さまざまな治療法が考案され実践されており，今後は治療効果のエビデンスの蓄積が期待されている．

B 幼・小児期の発達性吃音の治療

幼・小児期の発達性吃音の言語治療では，主に子どもの環境面，発話面，心理面という3つの側面に働きかける．以下ではこれら3つの側面へのアプローチについて概説するとともに，吃音に併存する問題がある場合の対応についても述べる．

1 環境面へのアプローチ

幼・小児期の発達性吃音の言語治療で，まず基本となるのが環境面へのアプローチである．子どもの吃音症状は，環境面の影響を受けて変動することがある．子どもの心理面の状態も吃音症状に影響を及ぼしうるが，この心理面の状態もまた環境面の影響を受ける．これらのことから，環境面にアプローチすることにより，吃音の状態に間接

的に好ましい影響を与えうることがわかる．これが環境面へのアプローチが重視される理由である．

ただ，環境面へのアプローチの実際は多様であり，どのような要因に重点的に働きかけるかは，言語聴覚士がよって立つ理論的立場により異なってくる．例えば**要求-能力モデル**〔DCモデル，4章1節B項(➡ 252頁)参照〕では，発話の流暢性に関連する多様な要因(例えば大人の発話速度)がアプローチの対象となる．他方，自然で無意識な発話への遡及的アプローチ(Retrospective Approach to Spontaneous Speech；RASS)[1]における環境調整では，①吃音児の発話行動に対する周囲からの干渉を除去すること，②過剰であると判断される吃音児への心理的圧力を除去すること，③安定した母子関係を確保することに重点がおかれる．このRASSにおける環境調整の詳細は他書[1]にゆずり，本節では要求-能力モデルの観点から環境面へのアプローチについて述べる．

環境面へのアプローチの対象となる主な場は，幼児期においては家庭と園であり，学童期においては家庭と学校である．これらの場で，具体的にどのような配慮を行うかを以下に詳述するが，これに先立ち言語聴覚士が認識しておくべき重要な点を1つ述べる．それは「吃音のある子どもの家庭や園，学校の環境は多くの場合，異常なものではない」ということである．環境面のアプローチは通常，普通の環境を，吃音のある子どものために「特別に配慮された環境」にすることを目指すものであって，悪い環境を普通の環境にするものではない．言語聴覚士が家庭環境を変える提案を保護者にした場合，保護者は「今の環境が悪いから吃音が治らないのだ」と思いがちである．「現在の家庭環境は普通であり，環境面へのアプローチを行うのは，普通の環境を吃音のある子ども向けの『特別に配慮された環境』にすることである」という点を丁寧に説明し，保護者が自責の念をもつことがないよう言語聴覚士は努めなければならない．

a 家庭

家庭で行いうる環境面の配慮には，時間的側面に関するものや言語的側面に関するもの，心理的側面に関するものなどがある(表4-18)．

1) 時間的側面

吃音のある子どもは，焦って話す内容の組み立てに十分な時間をとれなかったり，発話速度が速くなったりすると，吃音症状が増える傾向がある．そのため，周囲の大人の発話速度を下げる，発話ターンの間に間を空けるといった対応が奏効する場合がある．このような対応を行う際，**楽な発話モデル**[2]とよばれる「ゆったりとして柔らかく，音と音がつながっているようで，かつ抑揚と声の大きさは適度に保たれた発話パターン」が役立つ．また，以下のような対応も有効な支援となる．

- 他者が話しているときに割り込まないことを家庭のルールとして浸透させる
- 行動全般をゆったりとしたものにする
- スケジュールに余裕をもたせる

なお，子どもに直接的に「ゆっくり話して」と指示しても，単純な指示のみで子どもの発話速度が下がるのは通常その場限りであり，持続的な効果は乏しい．そのため，このような対応は勧められない．

2) 言語的側面

吃音のある子どもは，言語的負荷が高い場面，特に何かを説明する場面(なかでも目の前にない物事を説明するといった場面)で，吃音症状が増える傾向がある．子どもが幼い場合は，特に簡単な語彙や短い文を使用し，開放型の質問をできるだけ控えるといった配慮も有効である．

3) 心理的側面

吃音のある子どもは，心理的に不安定になった場合に吃音症状が増えることがある．日常生活に

表 4-18　家庭で行いうる環境面の配慮の例

側面	具体的な配慮の例
時間的側面	周囲の大人の発話速度を下げる 発話ターンの間に間（ま）をあける 他者が話しているときに割り込まないことを家庭のルールとして浸透させる 行動全般をゆったりとしたものにする スケジュールに余裕をもたせる
言語的側面	大人が簡単な語彙や短い文を用いる 開放型の質問をできるだけ控える
心理的側面	自己肯定感が高まるような支援をする ・吃音のある子どもが保護者と1日に短時間でも一対一でかかわれる時間をつくる ・心理的な甘えを満たす ・肯定的な表現を用いる ・叱らずに済む対応法を考える 子どもの話し方ではなく話の内容に注目する 吃音についてオープンに話題にできる雰囲気を家庭内につくる 「どもることは決して悪いことではない」と率直に本人に伝える
その他	きょうだいに吃音についてオープンに説明する 真似やからかいに対応する

おいて，子どもの情緒が安定するような対応を心がけることも重要な支援となる．また，自己肯定感が高い子どもは対人場面で緊張することが少ないため，自己肯定感が高まるような支援は吃音にとってよい影響がある．具体的には，以下のような対応が考えられる．

- 吃音のある子どもが保護者と1日に短時間でも一対一でかかわれる時間をつくる
- 心理的な甘えを満たす
- 肯定的な表現を用いる
- 叱らずに済む対応法を考える

また，吃音のある子どもは「どもってはダメだ」と思うと，話す際に不安が増し，余計にどもることがある．保護者は通常，子どもの話し方が気になるものだが，話し方への指摘は控え（リッカムプログラムを実施している場合は除く），できるだけ話の内容に注目するのがよい．吃音について自覚のある子どもの場合，吃音についてオープンに話題にできる雰囲気を家庭内につくることも重要である．また，子どもはベストを尽くして話しているのであり，「どもることは決して悪いことではない」と率直に本人に伝えることも1つの支援となる．

4）その他

きょうだいが，吃音のある子どもの吃音症状について疑問に感じることがある．そうした場合，きょうだいの発達年齢に応じて吃音についてオープンに説明し，「わざとやっているわけではない」「ゆっくり聞いてあげると助かる」といったことを伝える．また，きょうだいが吃音のある子どもをからかう場合，以下のことを伝える．

- わざとやっているわけではない
- 人をからかうことは受け入れられない
- からかうことで吃音が悪化する可能性がある

そしてからかいをやめ，吃音のある子どもが話しているときはゆったりと聞いてあげるよう依頼する．通常このような対応でからかいはなくなる．ただ，これらの点を説明したうえでもきょうだいがからかいをやめない場合，そのきょうだいに対する支援が必要であることが少なくない．こういったケースでは，保護者がきょうだいの話によく耳を傾け，きょうだいに注目や関心を十分に向けることで事態が好転することがある．

b 園

園において行いうる環境面の具体的配慮としては，次の4点が挙げられる．
①保育士・幼稚園教諭による子どもへのかかわり方
②吃音に関する他児からの疑問への対応
③からかいへの対応，
④劇などの口頭での表現活動における配慮

①については，家庭における配慮事項が参考になる．園という集団生活の場では実施が難しい配慮も多いが，吃音のある子どもと一対一で接する

場面であればできる配慮も多く，可能な範囲で配慮していくことが求められる．また②や③についても，家庭におけるきょうだいへの対応が参考になる．④については，どもっても否定的な評価を受けない安全な環境を保障したうえで，本人の希望に沿って口頭での表現活動に参加させることが基本となる．ただ，吃音症状が重く，口頭での表現活動による負荷が本人にとって大きい場合には，次のような対応を行うことも検討する[3]．

- 台詞を本人の言いやすいものに変更する
- 台詞を他児と声をそろえて言うものに変更する
- 歌唱や楽器演奏といった台詞以外の表現活動で活躍する

c 学校

学校において行いうる環境面の具体的配慮として最も重要なのは，以下のことである．

- どもっても否定的な評価を受けない安全な環境を保障する．

吃音症状が出ても言い直させたり，ゆっくり話すことを求めたりすることなく，吃音症状をその子の自然な話し方として受け止める雰囲気をクラス内でつくることは，吃音のある子どもにとって大きな支援となる．また，どもることに対する他児からの疑問への対応やからかいへの対応も，説明の仕方は対象児の年齢に見合ったものにしつつ，幼児と同様に行う．なお学童期では，音読や授業での発表といった口頭での表現活動の機会が幼児期以上に増える．これらについては，必要に応じて具体的な配慮点を学級担任に情報提供する．例えば授業での音読について子どもの困難が大きかったり不安が強かったりする場合，斉読の効果〔4章3節B項(➡ 286頁)参照〕を活用したり，音読の宿題で用いる音読カードの評価項目を見直したりといった配慮が考えられる[4]．

園や学校への情報提供を目的として作成されたリーフレット[5,6]を，保育士や幼稚園・小学校教諭に渡すことも有効な支援となる．

2 発話面へのアプローチ

発話面へのアプローチには，子どもの発話パターンを変えさせたり，流暢な発話に対して直接的に強化子を与えたりする**直接訓練**と，このようなことは行わず周囲の人のかかわり方に焦点を当てたり，心理的な側面から発話面に働きかけたりする**間接訓練**とがある．

a 直接訓練

1) 小児版流暢性形成訓練

吃音症状が生じない発話パターンというものは存在しないが，吃音症状が生じにくい，流暢性が増しやすい発話パターンは存在する．このような発話パターンの例として，先に環境面のアプローチでも言及した，**楽な発話モデル**[2]とよばれる，ゆったりとした柔らかい発話パターンが挙げられる．**流暢性形成訓練**とは，このような流暢性が増しやすい発話パターンを利用し，難易度の低い状況から高い状況へと流暢な発話を積み上げていく訓練法である．

この訓練については思春期以降の言語治療に用いられることが多いが，幼・小児期に用いる場合もある．その際には，流暢性が増しやすい発話パターンを形成するうえで，子どもにわかりやすい具体物(例：ゆったり動く玩具や柔らかいぬいぐるみ)や比喩(例：ゆったりとした発話を「カメさんの話し方」とする)を用いるといった工夫が必要となる．

(1) 発話パターンの形成

標的とする発話パターンの形成は，主にモデリングを通して行われる．言語聴覚士がまずモデルを示し，それを子どもに模倣させる．言語聴覚士による発話モデルを大げさなパターンにしたり，発話にあわせて手をゆったりと動かしたり，いろいろな手立てを用いて標的とする発話パターンを誘導する(図 4-8)．

図4-8　流暢性形成法の訓練場面
絵カードを用い，単語レベルで「ゆったり柔らかい」発話パターンの訓練を行っている場面．目標の発話パターンについて，子どもがイメージしやすい工夫を行う．図では「ゆったり柔らかい」発話パターンを「カメさんの話し方」と表現し，手がかりとしてカメのぬいぐるみを提示するとともに，言語聴覚士の指をゆったりと動かしている．
〔坂田善政：吃音・流暢性障害．藤田郁代（監修）：言語聴覚障害学概論，第2版．p26，医学書院，2019より〕

(2) 課題の難易度の調整

　課題の難易度には，**表4-19** に示したような，さまざまな要因が関与する．例えば発話の長さや複雑さという観点では，単語，短文（2語連鎖，3語連鎖），文章といった段階が考えられる．話題の内容としては，落ち着いて話せる内容のほうが，興奮しやすい内容よりも通常は容易である．また，目の前の状況を話すほうが，目の前にない物事について話すよりも容易である．モデルの有無という観点では，大人が直接的な発話モデルを示す場合（復唱条件），間接的な発話モデルを示す場合（発話内容は異なるが，標的となるプロソディのパターンは示す），発話モデルを示さない場合（大人は通常の発話パターンで話す）といった段階が考えられる．場面については，言語聴覚療法室のほうが家庭よりも通常は容易である．また話す相手については，適切な発話モデルを提示してくれる言語聴覚士と話す場合が通常は最も容易であり，保護者，きょうだい，友人の順に難易度

表4-19　課題の難易度に関与する要因の例

要因	易から難への具体例
発話の長さや複雑さ	単語 → 短文（2語連鎖，3語連鎖）→ 文章
話題の内容	落ち着いて話せる内容 → 興奮しやすい内容
	目の前の物事（現前事象）→ 目の前にない物事（非現前事象）
モデルの有無	直接的な発話モデル → 間接的な発話モデル → 発話モデルなし
話す場面	言語聴覚療法室 → 家庭 → その他
話す相手	言語聴覚士 → 保護者 → きょうだい → 友人

が上がることが多い．
　訓練ではこれらの要因の組み合わせを工夫し，易から難へと段階を設定して，子どもが徐々に困難な場面でも流暢に話せるよう進めていく．段階の例を **表4-20** に示す．

(3) 保護者の役割

　幼・小児期の子どもに流暢性形成訓練を行う場合，保護者は家庭での練習場面や日常生活場面で，子どもに発話モデルを提示する役割を担う．そのため，標的とする発話パターンで保護者が適切に発話できることが重要となる．言語聴覚士の発話モデルを見聞きしただけで，このような発話パターンを行える保護者ばかりではない．そのような場合，子どもに行うのと同様，系統的で丁寧な訓練を保護者にも行う．

(4) 学童への適用

　学童に流暢性形成訓練を行う場合，音読を利用すると練習が行いやすい．楽な発話モデルを単語音読で用い，その後は短文，文章へと進む．文章音読が容易になった後に，呼称や絵の叙述，質問応答や会話といった，幼児に行うものと同様の練習を行う．高学年の児童の場合，会話の前にモノローグを行うと，会話への移行が実施しやすい．学童の場合，発話全体を楽な発話モデルで行い，文章音読や会話が容易になってきた段階で，徐々

表 4-20　小児版流暢性形成法における段階設定の例

難易度の目安	状況	発話の長さや複雑さ	相手	場面	モデルの有無	備考
易 ↑ ↓ 難	呼称	単語	言語聴覚士	言語聴覚療法室	直接モデル／間接モデル／なし	言語聴覚士の楽な発話モデルを復唱させる．間接モデルでは，「これは〜」などのことばでプロソディのモデルを示す．
			保護者	言語聴覚療法室	直接モデル／間接モデル／なし	言語聴覚士が行っている役割を，保護者が適切に行えることを確認する．保護者の発話モデルが適切でない場合，保護者への練習が必要となる．
			保護者	家庭	直接モデル／間接モデル／なし	言語聴覚療法室で適切に行えた内容を，家庭でも行ってもらう．しりとりや神経衰弱など，遊び的な要素を取り入れると楽しく取り組みやすい．
	動作絵の叙述	短文	言語聴覚士	言語聴覚療法室	直接モデル／間接モデル／なし	単語レベルの課題と，段階の進め方は同様である．短文レベルでの間接モデルでは，「だれが〜どうしてる〜」などのことばで，プロソディのモデルを示す．2語連鎖から3語連鎖へと進み，その後はより複雑な文へ進むといった形で，短文レベルのなかでも，必要に応じて段階を設定する．絵カードだけでなく，「絵本を見ながら描かれている絵について短文レベルで叙述してもらう」などの課題も考えられる．
			保護者	言語聴覚療法室	直接モデル／間接モデル／なし	
			保護者	家庭	直接モデル／間接モデル／なし	
	定型的な質問応答	単語〜短文	言語聴覚士	言語聴覚療法室	間接モデル	その日に園で遊んだ内容や友達の名前，昼食の内容など，定型的な質問をする．大人は楽な発話モデルを心がける．
			保護者	言語聴覚療法室	間接モデル	
			保護者	家庭	間接モデル	
	状況絵の叙述	単語〜文章	言語聴覚士	言語聴覚療法室	間接モデル	絵本を使って，そのページの内容を説明してもらうなどの課題が考えられる．絵本は家庭にあることが多く，取り組みやすい課題である．
			保護者	言語聴覚療法室	間接モデル	
			保護者	家庭	間接モデル	
	自由会話	単語〜文章	言語聴覚士	言語聴覚療法室	間接モデル	絵本やアルバム，スマートフォンに保存してある写真などを見ながら話すと取り組みやすい．現前事象と非現前事象の違いにも留意する．大人が楽な発話モデルを用いた状況での会話で，子どもが流暢に話せるようになると，大人は徐々に発話速度等をより自然なものにしていく．自由会話では，話題によって難易度が異なってくる．子どもが落ち着いて話せる内容からはじめ，徐々に楽しい話題や興奮しやすい話題を導入する．
			保護者	言語聴覚療法室	間接モデル	
			保護者	家庭	間接モデル	
			言語聴覚士	言語聴覚療法室	なし	
			保護者	言語聴覚療法室	なし	
			保護者	家庭	なし	
			きょうだい	家庭	なし	
			友人	家庭外	なし	

難易度は目安であり厳密なものではない．次の段階に移る際に子どもの吃音症状が大きく増える場合，①まずはより容易な段階のさらなる習熟を目指す，②より細かく難度の段階を設定する，といった対応を行う．

に発話速度を上げ，発話の自然さを向上させていくことが考えられる．また，吃音症状が文節頭で生じやすいことを考慮し，発話全体ではなく文節頭に楽な発話モデルを用いると，発話の自然さが維持されやすい．

2）リッカムプログラム

リッカムプログラム（Lidcombe program）は，幼児吃音の治療法としてオーストラリアで開発された行動療法である．

(1) 言語的随伴刺激

このプログラムでは強化子や罰として，**言語的随伴刺激**とよばれる特定のことばかけを用いる（図4-9）．具体的には，増やしたい行動である流暢な発話の後に①褒める，②流暢であったことを知らせる，③流暢性についての自己評価の促しという3種類，減らしたい行動である「明らかな吃音症状」の後に④吃音症状が生じていたことを知らせる，⑤自己修正の促しという2種類，合計5種類の言語的随伴刺激を用いる．

言語的随伴刺激を用いるにあたっては，流暢な発話に対して用いる割合を，明らかな吃音症状に対して用いる割合よりも十分に多くすることが肝要である．また明らかな吃音症状に対する言語的随伴刺激は，批判的ではなく中立的な雰囲気で用いるよう留意する．さらに言語的随伴刺激は，常に用いられるわけでも一定の割合で用いられるわけでもなく，子どもが楽しめる程度の頻度，かつ子どもが嫌がらない形で間欠的に用いられる．

(2) 練習タイム

言語的随伴刺激は，まず**練習タイム**とよばれる15分程度の練習場面で用いられ，徐々に普段の会話でも用いられるようにしていく．練習タイムでは，大人は子どもとさまざまな活動（例：①絵本を見ながら話す，②トランプなどの発話を伴うゲーム）を行いつつ，そのなかでみられる子どもの発話に対して言語的随伴刺激を与える．また練習タイムにおいては，子どもの吃音がごく軽度以下の水準にとどまるよう，大人は質問の難易度を

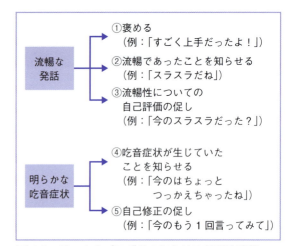

図4-9 リッカムプログラムにおける言語的随伴刺激

調整するなどさまざまな配慮を行う．

(3) 2つのステージ

このプログラムは，ほぼ流暢な発話が3週間続くまでのステージ1と，そこで安定してきた流暢な発話を約1年にわたって維持するステージ2という2つの段階によって構成される．

①ステージ1

ステージ1では，保護者は子どもとともに原則週1回言語聴覚士のもとを訪れ，練習タイムの適切な実施方法や，普段の会話における言語的随伴刺激の用い方について，言語聴覚士から指導・助言を受ける．リッカムプログラムは家庭中心で行われるホームプログラムであり，言語聴覚士の役割はプログラムについて保護者に説明し，プログラムが適切に行われるよう練習タイムの実施方法を保護者に実演したり，保護者と子どもが行う練習タイムを観察して修正すべき点を助言したり，普段の会話における言語的随伴刺激の用い方について助言したりすることである．

②ステージ2

ステージ2では，子どもの流暢性が維持されていることを確認しながら，保護者と子どもが言語聴覚士のもとを訪れる間隔を2週，2週，4週，4週，8週，8週，16週と徐々に空けていく．またそれとともに，練習タイムの実施頻度や普段の会

話のなかで用いる言語的随伴刺激の量を徐々に減らしていく．ステージ2において来所の間隔を空けていく過程で，吃音症状の増加がみられた場合には，練習タイムの実施頻度や言語的随伴刺激の量を増やすといった対応を行う．

(4) 豊富なエビデンスと学童への適用

リッカムプログラムは幼児吃音に対するアプローチのなかで，最も高いエビデンスレベルを誇るアプローチであり，日本のみならず世界各国で実施されるようになってきている．また近年では学童への適用例[7]も散見され，一定の成果を上げている．学童は子どもの状態像が多様であり，吃音をあまり気にしていない子どもも多い．このような子どもの場合，学童であってもリッカムプログラムが奏効する可能性がある．ただし学童に対してリッカムプログラムを実施する場合，どもることに対する否定的な価値観を強めてしまうことのないよう幼児以上に留意する必要がある．また学童では，大人に褒められることの強化子としての価値が弱い場合も少なくない．このような場合，幼児期においてもポイント制といったトークンを用いることがあるが，学童ではこのような強化子の工夫が幼児期以上に求められる．

(5) 研修会への参加

リッカムプログラム指導者協会では，同プログラムの研修会を定期的に開催している．この研修会への参加経験がある言語聴覚士の治療は，参加経験のない言語聴覚士の治療よりも効果的であることを示すエビデンス[8]が存在する．そのためプログラムの実施にあたっては，同協会主催の研修会への参加が強く推奨される．なお，日本において開催される研修会の情報は，リッカムプログラム臨床研修会のWebサイト[9]で確認できる．またリッカムプログラムは手引きがWeb上に公開されており[10]，日本語訳もWeb上で入手できる[11]．

3) 吃音緩和法

流暢性形成訓練とは異なるタイプの直接訓練に吃音緩和法がある．流暢性形成訓練が基本的には吃音症状を減らすこと，どもらないことを目指す方法であるのと対照的に，吃音緩和法はどもることを前提に，どもった際の症状を程度の軽いものに緩和していこうとするアプローチである．

(1) 冷静な観察と楽などもり方

吃音症状に対して否定的な意識が強くなると，「どもらないようにしなければ」という気持ちが強くなり，結果としてより吃音が悪化するという悪循環が生じる場合がある．吃音緩和法ではこのような悪循環が生じないよう，吃音症状を避けることなくそれに向き合い，吃音に対する否定的な意識を脱感作し，どもっている際も冷静さを保ち，吃音症状自体を緩和していく．具体的には，どもっているときにことばを出そうともがくのではなく，どもっている状態を冷静に観察することから始める．また，このような活動と並行して，子どもの吃音症状のなかに，もがくことなく比較的楽にどもっている場合（例：軽い繰り返しや引き伸ばし）があることに注目させる．どもっている際に冷静さを保てるようになると，どもった瞬間にもがくのではなく，先に指摘したような楽などもり方で話すことを目指していく．

(2) 3つの対処法

どもった瞬間を楽などもり方に置き換えていくうえで，まずはどもってしまった後に一度立ち止まり，その後で楽などもり方で（流暢にではなく）言い直すこと（取り消し法）から始める．その後，どもった瞬間にとどまったまま，楽などもり方で言うこと（引き抜き法）を試みる．最終的にはどもりそうな瞬間，まさにひどくどもる直前に，楽などもり方で話す（準備的構え）ことも試みる．どもらないようにするのでなく，わざとどもっていくことがこの方法の要点である．わざとどもるのに慣れることで，吃音症状に対する恐怖心が緩和され，話すことに対する不安や緊張が緩和される．

(3) 学童への適用

吃音緩和法は主に思春期以降で用いられることが多いが，学童の指導でも用いられることがあ

る．吃音症状の頻度はそれほど高くないものの，個々の吃音症状の程度が重い中高学年の子どもであれば実施できるアプローチである．

4）統合的アプローチ

先に流暢性形成訓練と吃音緩和法について述べたが，両者を組み合わせたアプローチが統合的アプローチとよばれることがある[12]．流暢性形成訓練を行うなかで，発話速度を上げるなど発話の自然さを上げていくに従って吃音症状が再び生じることがある．このようなどもった瞬間に対して，吃音緩和法ではもがくのではなく楽などもり方に置き換えることを試みる．一方，どもった瞬間に対して楽などもり方ではなく，流暢性形成訓練で練習する楽な発話パターンに置き換えるといった対応が，統合的アプローチの例として考えられる．その他，流暢性形成訓練を行った際に「どもりたくない」といった吃音に対する否定的感情が強くなることを防ぐため，吃音緩和法で行われる「わざとどもってみる」（随意吃）ことを訓練に取り入れることも，統合的アプローチの１つの例といえる．

5）斉読法

他者と声をそろえて音読することを斉読(せいどく)という．発達性吃音のある子どもは，斉読条件下であれば流暢に音読できることが多い．この現象は，直接的な発話へのアプローチとしても用いられることがある（斉読法）．例えば遠藤[13]は，斉読法を用いて指導を行った学童吃音の改善例を報告しているが，斉読条件から子どもが１人で音読する単独音読条件へ，流暢さを保ちつつ手がかり（プロンプト）を徐々に弱めていく指導（フェイディング）を行うことで，単独音読条件でも流暢性が向上する場合がある．

b 間接訓練

子どもの吃音症状はさまざまな環境要因によって影響を受ける．例えば，子どもは急かされたときや，情緒的に不安定になったときに吃音症状が増える場合がある．そのため，周囲の大人がゆったりとした発話速度で話し，子どもを急かさないように心がけ，子どもの情緒が安定するような配慮を行うといった対応は，吃音症状を軽減させるうえで意義がある．このように子どもの周囲の環境要因を，吃音症状が軽減する方向に調整すること（**環境調整**）は，基本的には環境面へのアプローチと考えられる．ただその一方で，環境を変えることで発話面に間接的にアプローチしているといった見方も可能であり，その意味で環境調整は発話面への**間接訓練**ともいえる．なお，環境調整の詳細については前述した４章３節Ｂ項（→278頁）を参照されたい．

その他，後述する心理面へのアプローチも，心理面にアプローチすることで吃音症状を軽減させるという意味で**間接訓練**ととらえることもできる．

なお学童でも高学年になると，４章３節Ｃ項（→297頁参照）で詳述されるRASSの一部としてメンタルリハーサル法が用いられる場合もある．詳細は該当箇所を参照されたいが，このアプローチは訓練場面で声を出した発話訓練は行わないため**間接訓練**に位置づけられる．

3 心理面へのアプローチ

発吃後間もない時期では通常，吃音のある子どもは吃音症状に対して否定的感情をもってはいない．しかし発吃後の経過期間が長くなるにつれ，吃音症状に対する他者の心無い反応に出会ったり，ことばが滑らかに出ずにもどかしい思いをしたりするなかで，吃音のある子どもはどもることを恥ずかしく思ったり，話す場面で「どもったらどうしよう」と**予期不安**を感じたりするようになる．この恥ずかしさや予期不安は，それ自体苦痛を伴うものであり，これらを軽減することは支援において重要である．また吃音のある子どもは，「どもることに対して不安を抱いていると吃音症

状が出やすい」というように，心理的な状態によって発話に影響を受けることがある．この観点からも，子どもが心理的に安定した状態で，日常生活を過ごしたり発話場面に臨んだりできるように支援することの意義は大きい．

(1) 吃音についてオープンに扱う

子どもが自身の吃音症状に気づいていない場合や困り感をもっていない場合，心理面にアプローチする必要性は低い．他方，子どもが吃音について困り感をもっている場合，心理面にアプローチする重要性は特に高くなる．本人が吃音を自覚している場合，「なんでつっかえちゃうんだろう」「おはなしできない」などと自身の吃音症状に言及することがある．このような場合，「気にすることないよ」といった対応をするのではなく，子どもの発達年齢に応じて「お母さんも子どものころ，そんなふうによくなってたんだ」「ことばの先生に聞いてみようか」といった形で，吃音についてオープンに扱うことが望ましい．このような対応を通じて子どもは吃音について，タブー視するようなものではなく，「他者と相談できる生活上の困りごとの1つ」といった認識をもつことができる．またこのような認識をもつことで，吃音に対する恥の意識や過剰な不安をもつことの予防となる．日常的な指導場面でも吃音についてオープンに扱い，吃音に関する子どもの質問に答えたり，一緒に考えたりすることは有意義な指導といえる．

(2) 正しい知識

また子どもが吃音について，発達年齢に応じた正しい知識を得られるよう支援することも心理面へのアプローチとして有効であり，このような目的で作られた小児向けの教材[14〜16)]も刊行されている．

(3) 心理的反応が大きい場合

吃音に対する心理的反応が大きくなっている小学校高学年の子どもの場合，これらの対応に加え4章3節C項(➡ 288頁参照)で取り上げられる内容も適応となる場合がある．

a グループ指導

学童期は，吃音のある子どもにグループ指導が行われることも多い[17)]．グループ指導で行われる内容は，吃音に関する知識の学習や，吃音で困る場面についての話し合い，集団遊びなど多岐にわたる．このような活動を通して子どもは，自分以外にも吃音のある子どもがいることを実感し，「どもるのは自分だけ」といった孤立感から解放される．吃音に関する知識の学習や吃音で困る場面についての話し合いも，他児とともに行うことで個別指導の場で行うよりも促進されやすい場合がある．また，グループ指導で経験した内容について個別指導で再度話し合うことで，より深い学びにつながる．加えて，グループ指導で他児の吃音症状を目にしたり他児と吃音について話し合ったりすることは，吃音に対する脱感作にもつながる．このようにグループ指導は，心理面へのアプローチとして優れた面を多くもっている．

4 併存する問題へのアプローチ

幼・小児期の発達性吃音には併存する問題がある症例も少なくない〔Note 38(➡ 260頁)参照〕．そのような場合，先述した環境面，発話面，心理面という3つの側面に加え，併存する問題にも適宜対応する必要がある．

併存する問題に適切に対応することで，子どもが発話に対する自信を深めたり，子どもや保護者が心理的に安定したりする場合がある．これら自体が臨床的に有意義であるのはもちろん，このような変化が吃音症状に肯定的な影響を与えることも少なくない．幼・小児期の発達性吃音の指導・支援を行う場合には，併存する問題にもよく留意し，包括的な対応を行っていくことが重要である．

幼・小児期の発達性吃音において併存しやすい問題としては，構音障害や自閉症スペクトラム障害，注意欠如・多動性障害が挙げられるが，以下

ではこれらが吃音に併存した場合の対応について要点を述べる．

a 構音障害

構音障害が併存する症例では，構音と吃音の状態に応じて，①吃音への対応を優先する場合，②構音障害への対応を優先する場合，③両者に並行して対応する場合の3つが考えられる．①については，構音の誤りはあるものの構音指導を行う状態ではない場合(例：子どもの年齢が構音指導を行うには小さい)や吃音が重度である場合が想定される．②については，吃音が軽度であり，かつ構音指導の適応が高い(例：子どもが構音の誤りを気にしている)といった場合が挙げられる．③については，環境調整を行いつつ構音指導を行うといった場合が考えられる．

構音指導は復唱条件で行われることが多く，吃音症状は抑制されやすい．そのため，吃音がある子どもでも必要に応じて構音指導を実施する．ただし，吃音が構音指導を阻害するほど重度である場合は，先述したとおり吃音への対応が優先される．また，構音指導を実施する過程で吃音に悪化がみられた場合，いったん構音指導を中断することも検討する．なお，吃音の症状が重い子どもに構音検査を実施する場合は，呼称ではなく復唱で検査を実施すると吃音症状が抑制されることが多い．

b 自閉症スペクトラム障害，注意欠如・多動性障害

吃音に加えて自閉症スペクトラム障害(autism spectrum disorder；ASD)や注意欠如・多動性障害(attention deficit hyperactivity disorder；ADHD)が併存している場合，まず周囲の大人が子どもの発達特性を適切に理解することが重要である．周囲の大人が子どもの発達特性を理解し，適切に対応することで，子どもや保護者が心理的に安定する．このような変化はそれ自体が臨床的に有意義であるが，それに加えてこのような心理的な安定が，吃音症状に肯定的な影響を及ぼすことも考えられる．

吃音を主訴として相談に訪れる幼・小児の場合，ASDやADHDの併存が疑われるものの，専門医による診断は受けていない子どもも少なくない．相談に訪れた主訴が吃音である場合，発達特性へのアプローチを指導の前面に出しづらいこともあると思われる．そのような場合，吃音に対する環境調整の一環として，子どもの発達面の特性を理解して適切に対応することが，吃音症状の軽減にとって有益であると保護者に説明し，このような対応を行うとよい．その過程のなかで，保護者が子どもの発達特性への理解を深め，専門医による診察を希望することもある．

ASDやADHDを併存する症例では，直接訓練を行う場合にも，その特性に応じた配慮を行う必要がある．例えばASDであれば，セッションで行う指導内容を視覚的にわかりやすく提示するなど，視覚的な手がかりを多く用いたり，ADHDであれば，指導室の環境を注意の転導が生じにくいものにしたりするといった対応が考えられる．

C 思春期・成人期の吃音の治療

1 直接訓練

中学生以上を想定した青年期以降の吃音症例に対して用いる**直接訓練**は発話に直接働きかけるアプローチである．直接訓練では，流暢性を促進する発話スキルや，緊張性の高いどもり方をより程度の軽い楽などもり方に変えるスキルを身に着け，吃音中核症状の生起頻度の軽減や高い緊張性を軽減させることを目標とする．伝統的な直接訓練としては，**流暢性形成訓練**(fluency shaping therapy)，**吃音緩和法**(stuttering modification therapy)，そして両者を合わせた**統合的アプローチ**(integrated approach)がある[18]．いずれの方法

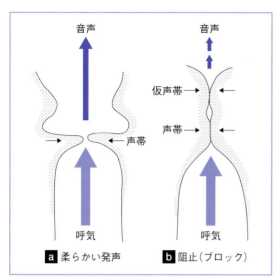

図 4-10　柔らかい発声と阻止（ブロック）の違い

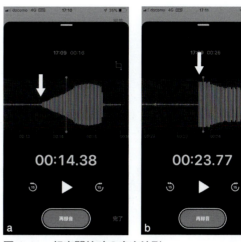

図 4-11　起声開始時の音声波形
（/a:/発声時）
a：柔らかい起声．緩やかな立ち上がりから徐々に強まる（矢印）．
b：強すぎる起声．立ち上がりが急激（矢印）．

も訓練室で基本的なスキルを学習し，訓練室外で実践してスキルを定着させる．また実際の場面への般化に向けて細かいステップを設定して実践を支援する．

a　流暢性形成訓練

流暢性形成訓練は流暢性の促進を目標としており，用いるスキルは複数ある．対象となる患者の発話症状の軽減に必要とされるスキルを組み合わせて系統的に訓練を行う．スキルの定着には練習した時間と内容，そして実施した際の感想などの記録をとることが推奨される．

一方，特定の場面や単語に限定した吃音が生じることもあるため，特定場面や特定の単語への訓練も必須となる[19]．系統的な訓練と特定の場面や表現に対する訓練をバランスよく行うことが必要である．

1）流暢・非流暢な発声のメカニズムの理解

阻止（ブロック）が生じている際に，過度に力の入った声門閉鎖によって，肺からの呼気が声門部で通過障害を起こす（図 4-10）．多くの患者が感じる胸や喉がつまる感覚がこの現象から起こっていることを説明する．また，阻止と類似の動作が重いものをもつ動作やいきみ動作であることを指摘し，いかに喉や全身に力が入る動作であるかを確認する．今後，行う訓練に共通して発声時の不要な力みを抑制する必要性について理解を促す．

2）軟起声（easy onset voice, soft attack）

軟起声は，声の立ち上がり（起声）を優しく丁寧に行い，過度に力の入った声門閉鎖による阻止を軽減することを目標とする．具体的には呼気を先行させ，その後に柔らかく母音を発声する．母音から始めることもあるが，阻止が生じやすい患者の場合は呼気が先行する摩擦音の「さ行」や「は行」，あるいはハミングを用いてもよい．呼気から起声に移行する際に急激な立ち上がりになっていないか留意する．

言語聴覚士が実際に軟起声を示して聴覚的にモデルを示すことや，模式図で示す．最近ではスマートフォンなどのデバイスで声の振幅を示すことのできる機器を用いて起声の柔らかさを視覚的に確認することも有効である（図 4-11）．自宅で練習する際に，軟起声ができているか不安になる患者も多いため，訓練室のなかで軟起声と力んだ

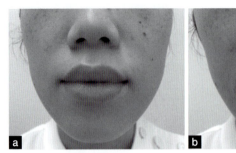

図 4-12　軽い接触と阻止生起時の接触の違い
a：軽い接触，b：阻止生起時．

声を交互に出して，喉の筋緊張の違い，あるいは喉を通る呼気の量や喉が開放されている感覚の違いを体験させ，自宅でも軟起声ができている実感がもてるようにする．

3）構音器官の軽い接触(light contact)

発話症状が生じる前やその最中に，口唇や舌に過度な力が入ったまま構音点から離れないという現象が多くみられる．これに対して，**構音器官の軽い接触**の訓練では構音に必要な最低限の筋力や構音器官同士が接するエリアについて，柔らかい構音と力の入った構音でその差を確認させる．柔らかい構音の誘導には単音節を無声音で構音することで誘導する．「内緒の声（ささやき声）で」などと説明し無声音でターゲットの単音節の構音を促す．次に吃音が出ているときのイメージを浮かべながらわざと力の入った単音節の構音を行い，無声音での構音との力の差を数値化させる．臨床的には，楽な構音に対してどもっているときの構音は5〜10倍の力が入っていると内省する患者が多い．

言語聴覚士が柔らかい構音と力の入った構音でそれぞれやってみせて，視覚的に構音器官が軽く接していることを確認させる(図4-12)．その後，構音器官を軽く接触させることを意識しながら，単音節を用いた無声音の構音を練習し，そこから緩やかに母音をのせる訓練へとつなげる．

4）発話速度の低下

発話速度の低下は吃音中核症状の繰り返しを減じることにつながるとともに，発話に不要な筋緊張の高まりを抑える効果がある．速度を低下させる従来の方法としては，メトロノーム[19]，斉読や音読などがあげられる．母音を引き伸ばしながら次の音へとわたっていくことや，決められた速度での反復練習から実際の会話に徐々に用いていく点は共通する．音読を用いた方法では，50〜100文節程度の音読教材を1つ定める．言語聴覚士は文の始めは斉読から入り，途中でフェードアウトする．フェードアウト後も患者が斉読のスピードを維持して音読できているかを確認する．発話症状が生じにくく，日常生活で使用する際に発話の自然度を大きく損なわない速度を探索して1つ定め，その速度で繰り返し練習を行う．練習で定着した速度で実際の会話場面に般化させていく．

5）ゆったりとした吸気と持続的な呼気

浅く速い呼吸は発話速度を速め，緊張を上げるため，発話症状の出現を助長する．ゆったりとした吸気から穏やかな起声につなげ，その後は持続的な発声につなげる話し方は発話症状を抑制する．

2〜3文節程度の短文のリストを用意し，軟起声や構音器官の軽い接触を用いて文頭から開始し，発声を切らさずに一息で音読し続け，文末も

急激に声を切らず，少し引き伸ばし気味にして読み終えさせる．十分な吸気の後に，また同様の手続きで次の文を音読させる．言語聴覚士は一息でゆったりと一文を音読できているか，文が変わる際の吸気もゆったりと十分に行われているか確認する．その後，文節数の多い短文や文章でも同様の手続きで練習を行い，自発話への般化を目指す．

b 吃音緩和法

吃音緩和法は発話の停滞や強い緊張性を伴いやすい阻止をより**楽などもり方**に変容する訓練法である[20]．訓練の構成は，同定（identification），脱感作（desensitization），緩和（modification），安定化（stabilization）からなり，それぞれが重なり合うように展開する．流暢性形成訓練と異なり，恥ずかしさや恐怖心，工夫や回避を減らすアプローチもプログラムに組み込まれている点が特徴的である．

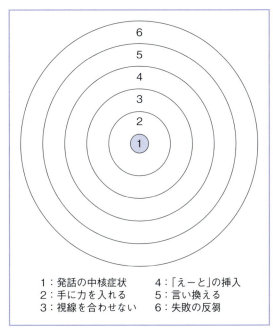

1：発話の中核症状　　4：「えーと」の挿入
2：手に力を入れる　　5：言い換える
3：視線を合わせない　6：失敗の反芻

図4-13　発話症状を包む悪化要因の例

1）同定

同定の段階では発話症状や随伴症状，吃音から逃れようとする工夫や回避，そして恥ずかしさや不安などの感情・態度など，自分の身体や心理に自ら接近し，何が起きているかを明らかにしていく．吃音者の発話症状や身体に現れている行動を言語聴覚士が模倣してみせたり，自分がどもっている姿を鏡で見ることや，症状が生起している場面の録音・録画を一緒に観察することなどを行う．吃音者にとって症状と直接向き合うことはストレスが高い．そのため，図4-13のように，発話症状を覆う，随伴症状，工夫や回避，そしてネガティブな感情が症状を重くしていることや，相手からの反応に過敏に反応することにつながっている可能性があることを説明する．これらを1つずつ除去していくことが改善につながり，そのために症状と向き合う必要性があることを話し合っていく．

2）脱感作

脱感作では，発話症状や聞き手に対する過剰な反応を弱める．発話症状に対しては，どもった瞬間をとらえ，身体にどのようなことが起こっているのか，またその際にどのような感情がわくのかを探っていく．聞き手の反応に対する脱感作では，繰り返しや引き伸ばしを意図的に使って話す**随意吃**（voluntary stuttering）を用いる．随意吃における繰り返しでは，音節を切るような繰り返しではなく，母音を引き伸ばしながら音節がゆるやかにリズムよくわたっていく繰り返しを指導する．繰り返す回数や引き伸ばす時間は一定にせず，柔軟に変化させて使用する．随意吃を用いて相手の反応を実際に見ることで，予想していたネガティブな結果が生じたか否かがわかる．どもった話し方でも受け入れられ，会話が成立していることを体験を通して理解することで，聞き手の反応に対する偏ったとらえ方や思い込みが改善し，どもることへの過剰な反応が緩和する．訓練室内で言語聴覚士と本人とで随意吃を使用することか

ら開始し，心理的負担の少ない場面や相手から少しずつ使用する．

3) 緩和

阻止からより楽などもり方へ変容するスキルである．**取り消し法**(cancellations)，**引き抜き法**(pull outs)，**準備的構え**(preparatory sets)を習得することが**緩和**の段階である．言語聴覚士がまずモデルを示したのち，訓練室での実践に入り，日常場面での般化へとつなげる．

(1) 取り消し法

強くどもった後で一度話し終えたら，その強くどもったところを楽などもり方で言い直す．言い直す前に十分な間をとり，発声発語器官をゆったりと動かしながら随意吃を用いてのんびりと話しはじめる．

(2) 引き抜き法

どもった際にそのままの状態で維持し，緊張が変化するのを観察しながら，後続の要素をゆったりと発話していける瞬間をつかむ．力を入れ続けて無理やり出す代わりに，ことばが出てくることを辛抱強く待ち，コントロール可能と感じられたら再び話しはじめるよう指導する．

(3) 準備的構え

阻止が生じると感じた単語や音を実際に発話する前に，発声発語器官の軽い接触を用いて筋緊張を下げ，話しはじめの速度を落として丁寧に声を出しはじめる．

4) 安定化

引き抜き法，準備的構え，随意吃の習熟度を上げるとともに，日常生活での使用を安定化させることを目指す．また言語聴覚士は吃音者とともに課題解決を図ることに終始せず，さまざまな会話場面で直面する，あるいは今後直面する可能性のある困難場面について吃音者自身で解決していくことができるように支援する．

表 4-21 成人吃音例において流暢性形成訓練と吃音緩和法を組み合わせる際の指針

アプローチ	中核症状頻度			
	低い		高い	
	感情・態度面		感情・態度面	
	軽い	重い	軽い	重い
流暢性形成訓練	○	△	◎	◎
吃音緩和法	△	◎	△	○
認知行動療法	○	◎	△	○
セルフヘルプグループ	○	◎	△	○

〔坂田善政：成人吃音例に対する直接法．音声言語医 53：281-287，2012 より改変〕

c 統合的アプローチ

統合的アプローチは，流暢性形成訓練と吃音緩和法のエッセンスを柔軟に組み合わせたアプローチである[21]．組み合わせるエッセンスと順序はさまざまで，感情態度面に対して心理療法を加えたアプローチもあり，多様な統合的アプローチの成果が国内外で報告されている[22〜25]．認知行動療法やセルフヘルプグループを含めた統合的アプローチの組み合わせを示した坂田の指針（表4-21）は吃音者の発話症状と感情態度面の相互作用から示されたものであり，吃音者の状態にあわせた組み合わせ方の示唆となる[26]．

d 直接訓練に類するその他のアプローチ

直接訓練に類するアプローチとして，機器を用いたアプローチでは**遅延聴覚フィードバック**(delayed auditory feedback；DAF)[27]や，モデル音声を追唱することで流暢な発話体験を得る**シャドーイング**[28]，個別訓練と**グループ訓練**を併用する Camperdown（キャンパーダウン）プログラム[29]や，吃音緩和法の部分的使用と回避行動の軽減を主としたグループ訓練である Avoidance Reduction Therapy for Stuttering[30] などがある．

2 間接訓練

間接訓練とは，発話症状を抑えるための発話訓練は一切行わずに発話の改善を促進させる訓練を指す．吃音者の感情・態度面に焦点を当てたさまざまな心理学的アプローチもそれにあたるが[31]，近年では**認知行動療法**(cognitive and behavioral therapy；**CBT**)が多く用いられる[32]．

a 認知行動療法

認知行動療法は，これまでに確立されてきた**行動療法**の技法と**認知療法**の技法を組み合わせて用いることで問題の改善を図ろうとする治療アプローチを指すが，近年では「第3世代」の認知行動療法とよばれる，マインドフルネスといった要素を含む治療体系(マインドフルネス認知療法・アクセプタンス&コミットメント・セラピーなど)も含むようになっている[33]．

認知行動療法が吃音の治療に用いられだしたのは，吃音が発話症状のみの問題ではなく，表面的には見えにくい感情・態度面の問題も大きいことによる(図4-14)．例えば，発話前にどもる予感(予期不安)や否定的な考えが浮かび，どもらないための準備をする．発話の場面では工夫や回避を用いてどもらないように安全を確保する(安全確保行動)．会話の後，なぜまた安全確保行動をとったのか考え，後悔や恥ずかしさを覚え，その出来事について反芻する．このような一連の行動や思考は悪循環が維持される要因になっている．流暢性形成訓練や吃音緩和法などによる発話症状の緩和を阻害する要因にもなる．

1) 行動療法の実際

行動療法では，人間の行動は大部分が学習によって獲得されたものと見なし，症状を不適切な行動の学習(誤学習)，あるいは適切な行動が学習されていない(未学習)ととらえる．**古典的**(レス

図4-14 吃音の氷山モデル
海水面より下に隠れる感情・態度面は見えにくいが問題は大きい．

ポンデント)**条件づけ**や**道具的**(オペラント)**条件づけ**などの行動理論を基礎に，不適切な行動が学習されていればその行動を解学習する，適切な行動が学習されていなければその行動を再学習する，という方略をとる[34]．ここで，レスポンデント条件づけは，【刺激】-【反応】関係に基づく行動・反応の形成を意味する(例：特定の場面で【刺激】，発話器官が緊張する【反応】)．またオペラント条件づけは，【先行刺激】-【行動】-【結果】の3項随伴性に基づく行動・反応の形成を意味する(例：特定の言葉を話す際に【先行刺激】，どもらない言葉への言い換えを行い【行動】，一時的に安心することで【結果】，当該行動が維持するようになる)．

(1) エクスポージャー

行動療法における恐怖や不安に対する代表的な技法であるエクスポージャーでは，不安場面を避けずに繰り返し体験することで，当該場面での不安が自然に下がるようになるとともに，快い体験につながる，適切な行動の増加へと導く．

患者が不安場面を体験する際に，刺激度の大きな場面からさらすフラッディング法と，**不安階層表**(表4-22)を用いて刺激度の小さい場面から大きな場面へと順次さらしていく段階的エクスポー

表 4-22 不安階層表の例

	場面	不安の強度
11	100人以上の人を前にした発表で名前を言う	100
10	50人以上の人を前にした発表で名前を言う	90
9	10人前後の人を前にした発表で名前を言う	80
8	集団面接で名前を言う	70
7	個人面接で名前を言う	60
6	予約電話で名前を言う	50
5	予約した店に行って名前を店員に言う	40
4	初めて会う友人の知り合いに名前を言う	30
3	言語訓練室で言語聴覚士に名前を言う	20
2	家族に名前を言う	10
1	部屋で一人のときに名前を言う	0

〔坂野雄二：不安障害に対する認知行動療法—エクスポージャー法をどのように導入するか，そのコツを探る．精神経誌 115：421-428, 2013 より改変〕

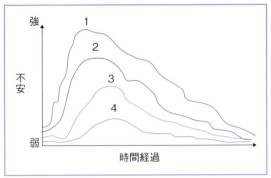

図 4-15　不安の性質と馴化
グラフの数字は体験の回数を表す．

ジャーの2つの方法があるが，後者を用いて中程度の不安場面から開始することが現実的である[35]．吃音者のなかには不安をなくすことを目標に据えることや，不安がなくなれば発話のスキルを使用できるのではと考えることがしばしばある．このような場合，まず不安は身を守るために必要な感情であり，なくなることは決してないことを説明する．しかし，図 4-15 に示すように不安は起こるままにして避けたり止めたりしなければ，一時的に上がっても下がる経過をたどる性質があると説明を加え，不安な場面へのチャレンジを促す．

エクスポージャーには，第1に，刺激-反応関係（レスポンデント条件づけ）を修正する機能がある．一般に，同じ状況の体験（刺激）を重ねると，不安（反応）の高さのピークが徐々に下がる馴化が生じる（図 4-15）．不安（刺激）を感じながらも，回避行動をとらず，思った通りのことばを流暢性スキルも用いて伝えていく．何度もチャレンジした結果として得られた体験を味わうことで，望ましい行動が身についていく．

第2に，ある刺激に対して従来とは異なる行動をとり，その結果を体験することで，適切でない行動を減らし，適切な行動を増やすといった，オペラント条件づけを修正する機能もある．例えば，言うことは決まっているが実際に発話するまでに間があり，いざ発話のときとなると強くどもったり，言えるか不安になって工夫や回避を行ったりしてしまうという体験は吃音者からよく聞かれる．発話の順番を待つ場面（自己紹介，挨拶，本読み，電話，会計など）は多く，待ち時間に吃音者は不安を緩和しようとしてセリフを頭のなかでリハーサルしたり，緊張や不安やネガティブな考えにふけったりして，それらの行動が強いどもりや回避行動を誘発する．同じ場面で他者がとっている気楽な行動を観察し，それを模倣すること（モデリング）や，後述するマインドフルネスによる気づきなどを新しい行動として用いることで，強くどもることや，どもらないようにしようとする非機能的な工夫や回避行動の生起頻度を低下させるとともに，適切な新しい行動を増やすことが可能であると考えられる．

2）認知療法（認知行動療法）の実際

認知療法は，もとはうつ病を対象にしており，

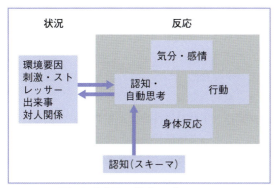

図 4-16　認知行動療法の基本モデル
〔伊藤絵美：認知療法系 CBT の理論とモデル．臨心理 16：385-388，2016 より改変〕

考え方の（認知）スタイルの変容によって感情や行動の問題解決を図るアプローチである[36]．その後，社交不安障害，強迫性障害，パニック障害など，疾患ごとのさまざまな認知・行動的要素を含む認知モデルや，それに基づいた治療アプローチが開発された．一般的に認知行動療法というときは，疾患ごとの認知モデル，あるいは後述するような基本モデルに基づく治療アプローチを指す．

　認知行動療法においては，認知的要素・行動的要素が含まれる治療モデル（図 4-16）に基づき，**ケースフォーミュレーション**（事例定式化）を行うことで，問題の悪循環を理解する．Beck（ベック）の認知モデルにおいては，感情や行動に伴ってふと生じる考え（**自動思考**）の背景に，認知の偏りや非機能的な考え（**媒介信念**）があり，さらにそのような媒介信念には，価値観や人生観などに特徴を与えるもの（**スキーマ**）が関与していると考えられている．治療では感情・行動，自動思考，スキーマの関係を明らかにし，自動思考やスキーマを修正する．このとき言語聴覚士は，クライアントとともに協同的な態度でケースフォーミュレーションを行うことが重要である．また問題の解決に向けて**認知再構成法**や**行動実験**，その他の方法を用いて解決を図る場合がある[37]．

(1) 認知再構成法
　認知再構成法は，繰り返し現れ，確信度の強い非機能的な自動思考を適応的で機能的なものに変

表 4-23　コラム表

状況	職場に着き，先に来ていた自分の部署の人たち数人に挨拶をしたときに，ひどくどもってしまい，最後まで言い切らずに終わらせてしまった．
気分	恥ずかしさ 90％，あきらめ 70％
自動思考	挨拶もきちんとできない自分はダメな人間だ 90％ 人前でどもるべきではない 70％→これを検討
根拠	小さいころちゃんと話しなさいといわれたことがある
反証	人前でどもるべきではないと考えるメリットはない． むしろそう考えると余計に緊張する． どもったことで今の職場の人から指摘をされたことはない． ほがらかに元気よくすらすら挨拶して，皆がにこやかに挨拶を返してくれると最高． どもって一言も言えず，あとで上司にそのことを責められると最悪． 現実的にはどもったことへの指摘はなく，みな挨拶をしてくれる． 自分が周りの人だったら別に気にしてないし，挨拶は人それぞれ言い方も違っているからいいのでは，とアドバイスする． 他の人だったら気にせずそのまま仕事を始めるだろう．
適応思考	今は自分があいさつでどもることを気にしたり指摘する人はいない．どもらないようにと思うと緊張して余計にどもるので，気にしないようにする．たとえどもっても何も起きないのでそのまま気にせず仕事にとりかかろう．
現在の気分	恥ずかしさ 90％→55％，あきらめ 70％→30％，人前でどもるべきではない 70％→40％

容させていく技法で，一般的には**コラム表**（表 4-23）を用いる．手順（表 4-24）をもとに，ストレスを感じた場面での気分・感情，自動思考について共同で整理し，質問に答えていく形であらゆる角度から自動思考を検討する[38]．セッションおよび自宅学習で繰り返し練習し，非適応的な考えに陥っている自分への気づきと，非適応的な考え

表 4-24　認知再構成法の手順

1. ストレスを感じた場面を1つ選び，具体的にありありと表現する．
2. そのときの気分・感情を同定し，その強度を％で評価する．
3. そのときの自動思考（イメージも含む）を同定し，その確信度を％で評価する．
4. 検討の対象とする自動思考を1つ選択する．
5. 自動思考について，さまざまな角度から検討する．
6. 自動思考の代替となる，より適応的・機能的な思考を案出し，確信度を％で評価する．
7. もとの自動思考に対する確信度を％で再評価する．
8. もとの気分の強度を％で再評価したり，現在の気分を同定したりする．
9. 一連の手続きを振り返り，効果を検証する．

〔吉村由未：自動思考のモニタリングと認知再構成法．臨心理 16：394-398, 2016 より改変〕

への反証を経由して適応的な考えが定着するよう支援する．

(2) 行動実験

行動実験は，患者の信念を反証するための証拠を収集し，自分がありのままでも受け入れられるという気づきを得るための方法である[39]．行う前に，実験のイメージを浮かべることや，ロールプレイの実践，問題が生じた際の対策などを立てておくことで，不安を最小限にして実験に臨むことができる．吃音臨床における行動実験の応用は，緩和法である随意吃のトレーニングにおいて，さまざまな場面や相手に対して随意吃を用いる般化の段階でなされることが臨床的に多い（表 4-25）．

3）マインドフルネス

マインドフルネスは，「意図的に，今この瞬間に，価値判断をすることなく注意を向けること」と定義される[40]．不安や恐怖，過去の失敗体験からくる後悔，疼痛や掻痒などを感じると，意識が，今ここでのありのままの体験や，行うべき物事の本質から離れて，望ましくない，いつもと同じような習慣的な感情や行動にとらわれやすくなる（自動操縦状態）．マインドフルネスにより，自動操縦状態で自分の考えや感情にとらわれるのではなく，今この瞬間に注意を集中し，中立的な気づきを促す．それにより自分が何に対して反応し，どのような行動に至ったのかを正しく認識し，メタ認知的気づきから，非機能的な認知の影響力を減弱させることにつながる．

例えば，電話で用件を伝える必要性が生じたときに，どもって電話で失敗した体験や，どもったときに起こるネガティブな反応の予想，体や喉の緊張など，さまざまなことが浮かびあがる．この際，どのように用件を端的に効果的に伝えるかといった電話の本質から注意（注目）が離れている．マインドフルネスでは，浮かぶ考えに浸ることや感覚にとらわれず，それらをただ湧き上がったものとして価値判断を加えずに眺め，電話の本質である用件や伝え方に注意を再び戻し，行動に移す．浮かんでくるネガティブな考えや苦痛な感覚から無理に逃れようとせず，それらをただ眺め，その状況での本質に注意を向けていくのである．

マインドフルネスを高めるために瞑想が行われるが，マインドフルネスストレス低減法，マインドフルネス認知療法といった治療プログラムにおいては，呼吸による瞑想法を基本とし，食べるマインドフルネス，歩くマインドフルネス，ヨーガ瞑想法，ボディスキャンなどさまざまな方法が体系的に組み込まれている．また，ただ注意を向けるだけではなく，基本的な態度として，①自分で評価を下さないこと，②忍耐強いこと，③初心を忘れないこと，④自分を信じること，⑤むやみに努力しないこと，⑥受け入れること，⑦とらわれないこと，を実践することも重要である．

呼吸瞑想法では座ったまま目を閉じて力を入れず背筋をまっすぐに伸ばし，呼吸に集中する．このとき，自然な呼吸のリズムに任せ，呼吸をコントロールしないようにする．さらに，そのまま腹部の膨らみや縮み，空気の出入りなどを観察する．呼吸に注意を向けているときに考えが浮かんだり，あるいは体に感覚（かゆみ，痛みなど）が生じても，それに気づいただけにして，ふたたび呼吸に注意を向ける．先述のような体系的なプログ

表4-25 行動実験

状況	予想	実験方法	結果	学んだこと
詳細な状況を書きましょう	どのようなことが起こりますか？それはどのようにしてわかりますか？予想が正しいという確信度は？	何をしますか？回避せずに行う方法はありますか？	何が起こりましたか？予想は正しかったですか？	どんなことを学びましたか？予想したことがまた起こる可能性は？予想を変える実験を重ねるには？
レストランで店員に食べ物を注文する	どもったら変な人と思われる．変な顔をされたり，視線を避けられたりする．確信度60％	随意吃を使って楽にどもりながら注文する．店員の視線や表情をよく観察する．	店員は笑顔でこちらを見ながら注文を取り，その後去っていった．確信度20％	店員は注文を聞くことと丁寧な対応を心がけることに集中していたのだろう．どもっていることは気になっていないようだった．別の店でもまた試してみる．

ラムにおいては，1日40分程度の瞑想がホームワーク（自宅で行う課題）として課されるが，簡易的には，はじめは3分間から開始し，徐々に10分まで延長するなどの工夫が求められる．マインドフルネスを維持するためにも，ホームワークを日々続けていくことが推奨される．

4）吃音治療への認知行動療法の適用について

川合[41]は，吃音は発話症状が中核にあり，心理学的アプローチに偏重せずバランスのとれたアプローチを推奨している．認知行動療法は吃音者の感情態度面の改善に寄与することはあるが，それだけでは発話症状の緩和は得られにくい．近年の国内外の報告も発話症状へのアプローチと認知行動療法とを組み合わせることを推奨している[22, 24]．今後発話面にも効果のある認知行動療法も期待されるが，現状では認知行動療法を単独で使用するより，発話訓練と組み合わせて，発話および感情・態度を包括的にアプローチすることが望ましい．

b 自然で無意識な発話への遡及的アプローチ（RASS）

吃音は，「心理的圧力がかかる場面」でより重度になることや「ストレス」や「不安」は非流暢性を悪化させることが示されており[42]，Riperも吃音の

表4-26 吃音の悪化要因

- 罰：吃音に対して罰が加えられたとき，あるいは過去に与えられた罰の記憶があるとき．
- フラストレーション：経験または記憶に残っているすべてのタイプのフラストレーション
- 不安：不安があるとき
- 罪：罪の意識
- 敵意：はけ口の必要な敵意
- 場面に対する恐れ：過去の不愉快な経験にもとづく，場面に対する恐れ
- 語に対する恐れ：過去の不愉快な記憶にもとづく特定の音または語に対する恐れ
- 話すことに関する心理的圧力：話すことに関する心理的な圧力の大きな場面

〔van Riper C（著），田口恒夫（訳）：ことばの治療—その理論と方法．pp248-249，新書館，1967より〕

悪化要因（表4-26）[43]として，「話すことに関する心理的圧力」や「不安」などを挙げている．これらのことから，吃音の評価では「どのような場面でどの程度の心理的圧力があるのか」を把握する必要があり，訓練では「吃音者が心理的圧力を感じる種々の場面」に対応する必要がある．

自然で無意識な発話への遡及的アプローチ（Retrospective Approach to Spontaneous Speech；RASS）では，吃音質問紙[44]で種々の日常生活場面（444場面）に対して吃音児・者が感じる「恐れと行動の状態」と「発話の状態」を評価したうえで，吃音児・者が日常生活で「恐れ」を感じて

いる場面に対して年表方式のメンタルリハーサル法(**MR法**)を行う．なお吃音質問紙[44]に記されている日常生活場面では，同じ場面であってもコミュニケーションをとる相手によって恐れの状態と発話の状態が異なるため，相手ごと(父親，母親，祖父母，兄，姉)の評価と対応が必要な場面がある．

1) RASSの枠組
(1) 評価

RASSでは，吃音質問紙による評価が必須となる．吃音質問紙は，「基本情報」「言語環境」「養育環境」「吃音以外の問題」「語音，発話への注目や工夫」(表4-27)[45]，日常生活場面での「恐れと行動の状態」と「発話の状態」で構成されている[44]．

「語音，発話への注目や工夫」は，注目(8項目)，意図的発話(1項目)，構音運動・発話の意図的コントロール(11項目)，助走(10項目)，延期(4項目)，解除反応(6項目)，回避(5項目)，その他の工夫(9項目)について，「はい」か「いいえ」での回答を得るものであり，進展段階の第2層，第3層，第4層を判断する際〔4章1節B項表4-5(➡254頁)参照〕，また吃音検査法の重症度プロフィールの工夫・回避の段階を判断する際に有用な情報となる[44,45]．

日常生活場面での「恐れと行動の状態」では，444の日常生活場面(例:「ファストフード店で注文する」)のうち過去から現在までに実際に経験したことがある場面について，「6:恐れが強く場面を回避した」から「0:恐れはなかった．考えもしないで行動した」までの7段階での評価を吃音児・者自身が行う．また日常生活場面での「発話の状態」も，443の日常生活場面(例:「ファストフード店で注文する」)のうち過去から現在までに実際に経験したことがある場面について，「6:発語または発話できないで終わった」から「0:発話症状はなかった」までの7段階で対象者自身が評価を行う．

なおRASSでは，進展段階を用いて吃音の状

表4-27 語音，発話などへの注目や工夫(吃音質問紙からの抜粋)

1. 注目(8項目)
1)発話前に，語音(言葉の音)に注目している．
8)発話後，上手く言えた，言えなかったと分析する．
2. 意図的発話(1項目)
言葉を出そうと意図している(言葉を意識的に出そうとしている)
3. 工夫
(構音運動・発話の意図的コントロール) (11項目)
1)発話中に舌，口，呼吸器官の動きを意識的に行おうとする．発声発語器官を意図的に動かそうとする．
11)話す直前に，口を少し動かして言い易くする．
(助走または構音器官のコントロール)
(助走) (10項目)
12)つまらないように咳払いをする．
21)他の言葉を目的の言葉の前に入れる．例:テレビ……(無言状態)→そのテレビ
(延期) (4項目)
22)詰まったときに少し間をおく．
25)詰まって出ないときは考えているふりをして言うのを先に延ばす．
(解除反応) (6項目)
26)詰まって出ないときに意識的に一時止めて，再度話しはじめる．
31)詰まって出ないときに，言葉や体，口，舌からいったん注意を逸らす．
(回避) (5項目)
32)もう一度言わなければならない時は言わない．
36)笑われそうなときは，言わないことがある．
その他の工夫(9項目)
37)表現形式を変える．
45)吃った時に吃っていないと自分に言い聞かせる．

〔塩見将志, 他:吃音質問紙による工夫・回避, 恐れに対する評価が有効であった成人吃音の1改善例. 音声言語医61:188-195, 2020より〕

態を評価することから，たとえ訓練室内での吃音検査法で吃音中核症状(音・モーラ・音節の繰り返し，語の部分の繰り返し，引き伸ばし，阻止

(ブロック)[46]が減少したとしても日常生活の発話場面で工夫や回避などの2次的症状[46]が減少・消失しなければ吃音が改善したとは判断しない.

(2) 訓練[44]

① RASS と MR 法との関係

RASS は進展段階を遡り, 健常者の発話行動である正常域の「自然で無意識な発話行動」に戻ろうとする考え方を基本としたアプローチであり, MR 法は RASS の考え方を実現するための訓練技術に位置する.

② RASS の大枠

■ MR 法

MR 法はまず頭のなかで幼児期から現在までのエピソード記憶にかかわる場面を用い, 日常生活場面の様々な条件と類似したものを含む場面を描く(対立内容). 次に想い描いた場面のなかで, その場面に適した発話以外の行動と自然で無意識な発話行動を頭のなかで数多く遂行することで, 話すことに対する心理的圧力などの吃音の悪化要因に対して一種の脱感作を行う(**表 4-28**).

■ 禁止事項

吃音質問紙の「語音,発話への注目や工夫」に記されている, 音・ことば・身体の状態などへの「注目」, ことば自体を意識して出そうとする「行動(意図的発話行動)」, さらには2次的症状[46]である「構音運動・発話の意図的コントロール」「助走」「延期」「解除反応」「回避」「その他の工夫」は RASS では禁止し, 意図的にやめるよう指導する.

■ 追加の実施事項

必要な際には, 活動時の否定的感情の反芻の防止と否定的側面に注目する習慣的行動からの脱却についての対策を追加する.

2) RASS の効果と限界

吃音の原因は不明ではあるが, 成人吃音者においては対面のコミュニケーション場面で感情・情動に関与する右扁桃体の活動と吃音の発生に有意な相関関係が認められている[47]. そこで RASS

表 4-28 年表方式のメンタルリハーサルで用いる対立内容の例

1. ファストフード店で注文する場面.
2. 自分の番が来たら, 周囲の状況をよく観察しながら, 後ろに他者が並んでいても, 自分のペースで注文している. 店員の「○○はどうしますか」の質問にも, 自分のペースで返答している.
3. 店員は笑顔で注文の確認をしている.

では, 吃音者が「恐れ」を持つ様々な日常生活場面と類似した条件下で, 「自然で無意識な発話」を数多く頭のなかで行うことにより, 生活場面で**自然で無意識な発話**を取り戻すことと**否定的な感情・情動反応**への対応を行っている.

訓練効果としては, 症例研究では工夫・回避の軽減, 吃音中核症状頻度の減少, 標準化された心理検査(新版 STAI 状態-特性不安検査など)を用いた評価での改善が認められている[48, 49]. 症例集積研究では, 進展段階第4層の吃音児・者に対しRASS を実施した結果, 75%程度の改善率(正常域・第1層・第2層)が示されている[50].

近年の研究結果から, RASS は進展した吃音児・者に対する有効な吃音訓練法の1つとして挙げられるが, 訓練効果が認められない吃音児・者も一定数存在することから, 今後は RASS の適応条件についても検討していく必要があると考える.

3 環境面へのアプローチ

a 環境面へのアプローチの基本的考え方

青年期以降はライフステージのなかで環境の変化が最も激しい時期である. それぞれのステージにおいて良好な環境での生活は, 発話症状の緩和, 心理面の安定にもつながり, 吃音者の自己実現にも直接影響する.

障害者の権利に関する条約(障害者権利条約)の第2条における合理的配慮の定義とは「障害者が他の者との平等を基礎としてすべての人権及び基

本的自由を享有し，又は行使することを確保するための必要かつ適当な**変更及び調整**であって，特定の場合において必要とされるものであり，かつ，均衡を失した又は過度の負担を課さないものをいう」としている[51]．つまり，配慮とは単なる気遣いや気配りのことを指すのではなく，具体的な変更や調整を行うことを指す．

また菊池[52]は学校や就労の現場における吃音者への合理的配慮について，**双方の建設的対話による相互理解**が必要と指摘している．すなわち，周囲から一方的に本人に働きかけるのではなく，吃音者本人が自ら主体的に周囲に要望や意見，代替案を示すことも環境へのアプローチとなる．学校や職場その他の周囲から，どのような配慮や環境整備を望んでいるかを本人に問いかけると同時に，吃音者も自らの状況や要望を周囲に伝えることによって互いにとっての良好な環境がはじめて成立する（図 4-17）．言語聴覚士は，この双方の具体的なかかわりの調整役として働きかけることが求められる．

ところで，環境に対して自ら要望や意見を伝えるということは，吃音があることを周囲に伝えることでもある．**吃音の開示**についての研究でByrd ら[53]は，就職場面を想定して２種類の吃音の開示映像を，吃音がない人に見せて印象を尋ねた．１つは「吃音が出てわからないところがあれば遠慮せず聞いてください」と肯定的な感じで相手に有益となるような情報を入れて伝えた映像であり，もう１つは「吃音が出てところどころ大変だと思いますが，どうぞ辛抱してください」と申し訳なさそうに吃音を伝える映像であった．結果は前者のほうが，愛想がよく自信があるように感じられたということになった．青年期以降では開示が必要となる場面はさまざまであるが，言語聴覚士は吃音者が自らの吃音について肯定的に相手に伝えることや，後からではなくあらかじめ伝えておくことが有効であることを臨床のなかで説明し，効果的な開示を支援する．

また吃音の開示とともに重要なことは，困難な

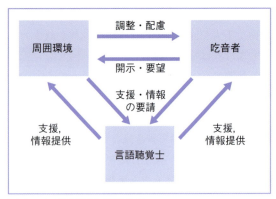

図 4-17　環境調整の概念図

場面で具体的な代替案や配慮について説明することである．例えば面接であれば時間の延長や，筆談，スマートフォンやタブレットで打ち込んだ文面による代替手段の利用などが挙げられる．

b さまざまなステージでのアプローチ

環境調整を行ううえで，ライフステージによって本人および環境が変化することに留意する．各ステージにおいて一般的に起こる可能性のある諸問題とその対処方法について理解する．

1）中学校，高等学校時代（中高時代）

見上ら[54]が行った中高時代の吃音のある生徒の配慮・支援の調査では，音読，発表，号令，自己紹介と続いており，これらへの対応は必須である．中高時代はクラス担任のほかに教科ごとの教諭がいるため，授業中の具体的な配慮について，担任および教科ごとの教諭と話し合いをもつことが望まれる．また部活の顧問も学年が異なると，吃音が周知されない可能性があることも念頭におく．また，進級時の自己紹介も大きなプレッシャーとなるため，新たな担任への周知が必要となる．

進学における面接試験も大きな負担となりうる．事前に受験校の担当者と相談し，面接時間の延長や発話以外の代替手段での回答の可能性などを取り決める．これは英語検定やほかの資格試験

にも共通する．書類提出の要請を受けた場合は，意見書あるいは診断書など指定された書類を学校あるいは試験機関に提出する．この時期の身近な相談役としては担任のほか，スクールカウンセラーが挙げられ，言語聴覚士は協働して環境調整を行う．

2) 大学，専門学校時代

飯村[55]の調査では，大学や専門学校で吃音による困難さを感じる場面は，授業，就職活動，対人関係の順であった．具体的には授業やゼミにおける発表，インターンシップや就職面接，サークルやゼミなどでの自己紹介や交友などが想定される．発表や試験については，クラス全体での発表ではなく別室での試験や，録音での発表，またはレポート提出への形式変更などの要望といった選択肢をもつ．インターンシップや就職面接において，吃音の開示とともに，主治医の意見書や診断書，また要請があれば精神保健福祉手帳を示しながら具体的な要望を伝え，相互に理解のあるなかでインターンシップや面接に臨めるように調整する．身近な相談先としては学内にある学生相談課や就職支援課などがあり，言語聴覚士は情報の共有を図りながらともに環境調整を図る．

3) 就労，成人期

就労場面や社会生活では電話が吃音者のなかで最も苦手な場面として台頭する[56]．電話に対する配慮を確実にしておくことは吃音者の不安の軽減のために必須の介入となる．すでに就職する際に吃音の開示をしていた場合であっても，改めて配属された先の上司や同僚に吃音の開示と電話に対する配慮の要望を伝えることが望ましい．提出の必要があれば，意見書や診断書，手帳を提出する．また，朝礼での発表や社訓の唱和当番なども同様に吃音者が苦手とする場面であり，電話と同様の対応を必要時に行う．身近な相談先としては，産業医，保健師などがあり，言語聴覚士は本人と会社側との間に入る調整役となるため，適宜相談に応じることが望まれる．その他に，吃音者の就労を支援する機関や，セルフヘルプグループによっては面接練習や就労の悩みを相談することが可能であること，そして吃音のある女性のための取り組みなど[57]，就労・成人期に利用可能な情報を必要に応じて提供する．

c 家族への支援

思春期は親からの自立と依存の葛藤の時期である[58]．就学前や小学校時代に比べると，青年期以降は親が前面にたってサポートする立場から，本人が希望を伝える際のサポートや調整をする役割へと変容する．本人のこうありたいという意思と，守られたいという気持ちのいずれにも柔軟に応じることが，自己形成や安定した将来像をもつことにつながる．中高時代を終えたあとでも，親がよき相談相手となり，最大の理解者であることが望まれる．

d 制度・法律

環境面へアプローチする際，意見書，診断書，そして精神障害者福祉保健手帳[59]および身体障害者手帳[60]に関して，取得の可否やその効果などついて言語聴覚士が質問を受けることは多い．また障害者差別解消法[61]，障害者雇用促進法[62]などについても就労に関する支援を行う際に知識が必要となる．言語聴覚士はこれらの法律に関する理解を深めておくことが求められる．

D セルフヘルプグループなどとの連携

1 セルフヘルプグループとは

セルフヘルプグループ（以下，自助グループ）は，同じ障害などをもつ仲間（ピア）同士でお互いの援助を行うこと（**ピアサポート**），あるいはその活動のことである．古くは欧米で1930年代にア

ルコール依存からの回復を目指すグループから始まり，日本でも戦後に多くのグループがつくられるようになった．

2 吃音の自助グループ

吃音の自助グループは世界各地で展開されている．**ISA**（International Stuttering Association：国際吃音連盟）や**NSA**（National Stuttering Association：全米吃音協会）は活動の規模が大きく，ISAでは3年に一度，NSAでは1年に一度の集会（会議）が開催されている（これらは「サポート」グループとしての色彩も強く[63]，本来は区別して論じる必要があるが，本項では区別せずに用いる）．NSAの年次集会には1,000名近い吃音当事者や支援者・専門家の参加者がいる[64]．日本では**言友会**が最も歴史が古く，1966年に東京で発足し，現在は全国35か所で活動が行われている（2020年8月時点[65]）．年に1回全国大会（吃音ワークショップ）が開催され，日本各地から参加者が集まっている．言友会には理念として1976年に出された『吃音者宣言』がある．従来吃音は精神的な弱さが原因にあり，治す（克服する）べきものととらえられていた．その思考を転換し，「どもってもいいんだよ」と吃音の受容や自己開示を肯定的にとらえることで，吃音への認識を大きく変え，吃音者の精神的・社会的尊厳を取り戻すものとなった．言友会や『吃音者宣言』の詳細は他書（池田[66]など）を参照されたい．

吃音に対する考え方や価値観，そして吃音を取り囲む自助は多様化の流れにある．年齢や女性などの属性で分けられるもの，医師や言語聴覚士など職域で分けられるもの，吃音のある子どもやその親を対象とした集まりなど，多様なニーズを汲んだ活動が広がっている．注目すべきは，自助が担う役割は吃音当事者（特に青年以降）に限定されないことであろう．吃音当事者だけの支援にとどまらず，親などの周囲の人も重要な支援の対象である．

3 自助グループの意義

自助グループについての考察は多々あるが，ここでは岡[67, 68]を参照する．岡[67, 68]は自助グループの働きの基本的要素として，「わかちあい」「ひとりだち」「ときはなち」の3つを挙げている．「**わかちあい**」は，複数の人が気持ちや情報，考え方などを平等な関係のなかで自発的に交換することで，それは互いの人柄が明らかになり情緒的に抑圧されていない形であること．「**ひとりだち**」は，自分自身の問題を自分自身で管理・解決し，社会に参加していくこと．「**ときはなち**」は自分自身の意識のレベルに内面化されてしまっている差別的・抑圧的構造を取り除き自分への尊敬を取り戻すこと，としている．吃音の自助グループとして例えば言友会の活動内では，その役割が自然な形で担われている[69]．

4 吃音の自助の効果

吃音当事者同士の吃音の悩みを相談し，認知，感情，態度面などへの支援を実現できる場所として，自助グループの存在は大きい．吃音の自助の側面として，①感情と体験の共有，②話すことに恐怖のない場所の提供，③自己イメージの助け，④ほかの吃音当事者と会うこと，⑤吃音についてのより深い学習，⑥言語聴覚療法の補助的役割の提供[70]がある．

これまでの実証的研究により，吃音当事者が自助/サポートグループへ参加することで，自己の内面の否定的な態度の変容や，自尊心・自己効力感・生活満足度の向上[63]，自己イメージの再構成，吃音の受容・公表・社会参加の促進[71, 72]など，心理・社会面にプラスの影響があることがわかっている．「吃音があるのは自分だけではない」と孤独感や不安から解放され，安心感が得られることは非常に有用である．周囲に吃音だとわからないように普段は工夫をしている場合でも，吃音を恐れずに話すことができ，話す楽しさを感じら

れる．普段は出会う機会の少ない多様な仕事や年代の人と接することもでき，吃音当事者の視野を広げることも期待できる．

　自助グループの効果は，個々人にとどまるものではない．吃音当事者同士の「語り」や「わかちあい」は，時にその人自身の認知を変え，実生活で役立つ知識となる．そうした経験は新しく参加する人にも伝えられ，次の年代へ引き継がれていく役割もある[70]．吃音の悩みを相談に来た人が，今度はほかの人の相談に乗る役割をもつ．これはピアサポートの大切な側面であり，自身の吃音を客観視する手がかりにもなる．

5 自助グループと言語聴覚士，医療機関との連携

　吃音当事者の支援において，自助グループとの連携はないがしろにできるものではない．特に成人においては，訓練室での練習（特に発話面へのアプローチの場合）の課題の1つが，訓練室から日常場面へ段階的な般化を図ることである．

　自助グループは，訓練室と日常場面との中間的な側面をもつ．訓練室における個別の基礎的な練習と，自助グループでの多人数の実践的な練習が噛み合わさることで，発話症状の改善が期待できる．自助グループ内では吃音の理解や受け入れがあるため，吃音への恐れや不安の少ない環境での会話が可能である．吃音があるのは自分だけではないという安心感や「わかちあい」を通した心理面への効果も期待できるため，言語聴覚療法と相補的な役割が担われる．自助グループは単なる「素人的知識」ではなく，問題解決に有用となる**経験的知識**をもっている[73]．そこに言語聴覚士のもつ「専門的知識」と協同[64]することで，社会参加を見据えた吃音当事者への援助が可能となる．

　近年は吃音児への自助的な活動も行われるようになった[74]．学齢期には通級指導教室などでグループ指導が行われることもあるが，自助グループがこれを実施する例もあるため[75]，その有用性と連携の重要性は高い．親への支援も同時に重要であり，親の集まりに参加すると，子ども・教師・親戚・友人・言語聴覚士と吃音を話すことがより快適になったという報告もある[76]．

　Trichon[64]は自助グループに参加しない理由として，自助グループの存在を知らないこと，専門家からの紹介がないことを挙げている．あわせて吃音の自助グループへの参加と訓練の成功に関連があることも示されている[64]．吃音当事者のQOL向上に向けて，必要に応じて言語聴覚士から自助グループを紹介することが求められる．吃音当事者の体験談などの「生の声」を聞き，情報交換が行える場所として，言語聴覚士の参与も時に有用である．

E クラタリングの評価と治療

　クラタリング（cluttering；早口言語症）は，長い間臨床や研究の場で取り上げられることが少ない障害であった．古くから東ヨーロッパでは知られていたが，1964年にWeiss[77]が執筆した"Cluttering"という著書によりその存在が知られた．さらに1996年，国際流暢性障害学会（International Fluency Association；IFA）が発行する学術誌で特集が組まれたのをきっかけに，徐々に吃音の専門家を中心に広まった．2007年にブルガリアで国際クラタリング学会（International Cluttering Association；ICA）が発足され，現在も臨床家たちの関心を集め続けている．

　しかし，クラタリングを対象に臨床や研究に従事する者を悩ませてきた点がいくつかあり，そのなかでも最大の難点は臨床で使える診断基準が定まらないことであった．この状況は，St. Louisら[78]が報告した記述的定義の登場で好転し診断が可能となった．本章では，St. Louisらの定義を出発点とした評価方法について説明し，治療方法を紹介する．

1 クラタリングとは

国際疾病分類第10版(ICD-10, WHO 2013)における定義は4章1節A項**表4-3**(➡248頁)で示されたとおりである．提案された種々の定義に共通するのは，「**発話速度の速さ**」であり，通常の発話の様子ではなく，著しく聞き取りにくい状態を説明していることである．クラタリングを正確に記述するということは，この聞き取りにくい状態をいかに表記できるかにかかる．これが最も成功しているのが上記のSt. Louisらの基準であるといえる．

a クラタリングの診断基準

St. Louisら[78]によると，「クラタリングは，話し手の母語の典型的な速度に比して全般的に速すぎると知覚されたり，速度が不規則すぎたり，あるいはその両方であるような部分が会話に出現する流暢性の障害である．その速い，かつ/または，不規則な発話速度の部分は，さらに次のうちの1つ以上を伴っていることが必須である」とされ，
①過剰な正常範囲の非流暢性
②過剰な音節の崩壊，あるいは省略
③異常なポーズ(話の間)，音節の強勢，あるいは発話リズム
以上が挙げられている．

1) 過剰な正常範囲の非流暢性

過剰な正常範囲の非流暢性(normal disfluency)は，**吃音中核症状**(stuttering-like disfluency)に対して用いられる用語である．吃音症状のような苦しさや緊張性のない繰り返しや「あの」「えっと」というような間投詞の頻度が異常に多い場合を指す．吃音検査法 第2版における「その他の非流暢性」に該当し，「語句の繰り返し(WR)」「挿入(Ij)」「中止・言い直し(Ic・Rv)」「とぎれ(Br)」「間(Pa)」が含まれる．

2) 過剰な音節の崩壊，省略

クラタリングがある者の発話不明瞭性は，機能性構音障害のような規則性のある誤りによるのではない．落ち着いて話すことができている場面では構音自体の誤りはみられないのが通常である．しかし，クラタリング症状が目立つ発話場面では，話される単語は凝縮され(例:「ありがとう」が「ありとう」)，一部分が省略されることがある．あるいは，元の単語の原型が損なわれるほどに音が潰れて崩壊している場合もある(例:「ラブラドルレトリバー」が「ラリバー」)．

3) 異常なポーズ，音節の強勢

クラタリングのある者は適切なフレージングが苦手であるといわれる．ほとんど区切ることなく，抑揚もつかずに平坦な口調で話す者もある．あるいは，一般的な話者が区切らない場所でポーズをとる場合もある．これは，クラタリングのある者が息継ぎをするタイミングの予測を立てずに話し始める傾向を示す．息継ぎのタイミングだけでなく，文法の構成や単語の選択に関しても見通しがないままに話しはじめるということがよく紹介される．

また，クラタリングのある者は適度な抑揚をつけて話すことが苦手であるといわれる．抑揚をつけられず，単調になる場合が多い．これは，彼らが無計画に話しはじめており，十分に流暢性を保つことができる発話速度で話していないため，文の構造化などにリソースが割かれていることと関連があるとされる．つまり，発話を整えるための細部にまで注意が行き届かなくなっている状態であるともいえる．

上記のSt. Louisらの記述的定義が臨床現場で使用しやすい理由は，中核症状が明示されていることである．冒頭で紹介したWeissの著書[77]では，クラタリングがいかに多くの症状を含むかについて述べられている．一方，St. Louisら[78]は発話症状の記述に焦点を当てた．これにより中核

症状が明確になったため，臨床家間でのクラタリングへの理解が高まったといえよう．

一方，クラタリングのある者を評価・治療するためには，同時に出現しているさまざまな症状についても知るべきである．

b クラタリングの中核以外の症状

クラタリングの中核症状は前述したとおりだが，実際に治療を開始する際には，中核以外の周辺的症状を把握することも重要である．

まず，この症状の多様性について論じたのはWeiss[77]であるが，Dalyもその流れを引き継いでいる．Miyamoto[79]はDaly's Checklist for Possible Clutteringを参考に日本版クラタリングチェックリストを作成している（表4-29）．

因子分析の結果，「注意欠如・衝動性」の因子が抽出され，クラタリングの特徴を説明する際に欠かせない要素であると考える．さらに「言語」や「運動・発達」の項目を見ると限局性学習障害（specific learning disorder；SLD）や特異的言語発達障害（specific language impairment；SLI）にみられる症状も混在することがわかる．Scaler ScottはAsperger（アスペルガー）障害のある者のなかに，吃音とクラタリングを同時に示す者がよく含まれることを報告した．このように神経心理学的症状とクラタリングの併存は報告があるが，現状では関連性に関する詳細は明らかでない．例えば注意欠如・多動性障害（attention deficit hyperactivity disorder；ADHD）のある者全員がクラタリングを示すわけではない．どう説明するのか，今後の研究での解明が求められる．

上記のことは，Weiss[77]による中枢的な言語の不均衡（central language imbalance）に当てはめて考えることができる（図4-18）．Weissは，クラタリング発症の原因に中枢性の広範囲な言語障害を想定した．この言語の不均衡により，さまざまな症状が同時に生起するという．生起する部分は個人によって異なり，クラタリングのみ出現する場合もある．

2 クラタリングの評価

a 吃音との鑑別

クラタリングの疑いがある対象児・者は，自らがクラタリングであるかもしれない，という主訴をもってインテークを受けることはほとんどない．多くは吃音のなかに混ざっている．よって，まずは吃音が主訴である対象児・者を対象にクラタリングを疑うことが重要である．どのような特徴がある場合にクラタリングを疑ったらよいのか，両者の主な相違点を表4-30に整理した．

表4-30のなかで，特に「障害の認識」を観察し評価することが重要である．クラタリングの多くは吃音との併存であるクラタリング－スタタリングであるが，吃音のほうがメインであれば自分の話し方に気づいており，なんらかの問題について言及できるはずである．

b 吃音との併存

これまでにも述べたように，クラタリングは単体で生起することが稀である〔4章1節A項（→248頁）参照〕．クラタリングを吃音と鑑別しなくてはならないといいつつ，両者は併存するということに一見，矛盾が生じる．

クラタリング－スタタリングは吃音とクラタリングの要素が合体したものではない．もともとのクラタリングに，吃音が2次的に付加されたものである．つまり，クラタリングが生得的にあり，その非流暢な話し方が2次的に進展した形がクラタリング－スタタリングである．しかしこれは，すべての吃音の原因がクラタリングにあるということの説明ではない．あくまで，クラタリングと吃音が併存する場合の説明である．通常のクラタリング－スタタリングはクラタリングのほうが重症である．もし吃音のほうが難発などの症状で目立つ場合，そちらへの介入を優先にすべきである．

表4-29 日本版クラタリングチェックリスト ver.3(試案)

		全くあてはまらない	あてはまる	かなりあてはまる
	発話			
1	発話速度が速い	0	1	2
2	発話の抑揚が乏しい	0	1	2
3	話しているときの息つぎの箇所が不自然である	0	1	2
4	非流暢性症状が出はじめたのは，始語がみられたすぐ後である	0	1	2
5	音や音節の省略があり，発話が不明瞭である	0	1	2
	言語			
6	言いたいことがあるのに次の言葉がスムーズに出せず，間が空いたり，「えっと」「だから」「あの」などが挿入される，あるいは頻繁に言い直したりする	0	1	2
7	言葉の想起ができないために，最初の言葉を発するときに，構音の構えをしたまま止まることがある	0	1	2
8	言語構造に誤りがみられる．文法，構文の能力が低い	0	1	2
9	順序立てて話すことが難しい	0	1	2
10	頭の中でまとまる前に話している	0	1	2
	注意欠如・衝動性			
11	注意散漫で集中力が乏しい	0	1	2
12	外向的な子どもで発話意欲が高く，衝動的におしゃべりをする	0	1	2
13	指示に従うことが苦手で，人の話をよく聞かない	0	1	2
14	短気，衝動的で癇癪を起こしやすい，あるいは不注意でだらしない	0	1	2
15	課題場面など統制された場面では非流暢性がみられない	0	1	2
16	作文に，文字や語の省略がある．語内で文字が入れ替わったりする	0	1	2
	運動・発達			
17	運動的な不器用さや協調運動能力の乏しさがある	0	1	2
18	読みづらい文字，形が崩れた字を書く	0	1	2
19	利き手の確立が遅れる．左右の認識に混乱がみられる	0	1	2
20	実年齢に比べて身体的に，性格的に幼く見える	0	1	2
		合計		

15点を暫定的なカットオフ値の目安とする．
〔Miyamoto S：Development of Japanese Checklist for Possible Cluttering ver.2 to differentiate Cluttering from Stuttering. Jpn J Spec Education 6：71-80, 2018 より〕

C クラタリングの同定

まず，吃音を主訴とした対象児・者がインテークしたら，表4-30の内容を確認し，クラタリング傾向があるかどうかの検討をつけるべきである．そこで可能性が高い場合は，チェックリストを行うとよい．児童の場合は表4-29の実施でよいが，中学生・高校生以上の場合には，Predic-

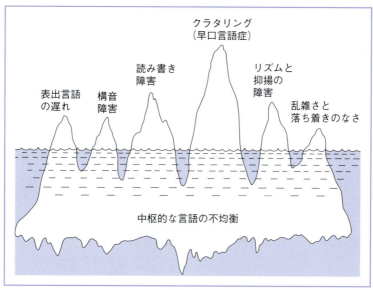

図 4-18 中枢的な言語の不均衡
〔Weiss DA：Cluttering. Prentice-Hall, Englewood Cliffs, NJ, 1964 より〕

表 4-30 吃音とクラタリングの違い

	クラタリング	吃音
障害の認識	なし	あり
緊張して話す場合	改善	悪化
リラックスして話す場合	悪化	改善
慣れた本の音読	悪化	改善
慣れない本の音読	改善	悪化
自己の言葉に対する態度	不注意	より多く注意を向ける，不安・恐怖心をもつ
治療のゴール	話しことばへの注意を促す	話しことばから注意を逸らす

〔Weiss DA：Cluttering. Englewood Cliffs, Prentice-Hall, NJ, 1964 より〕

tive Cluttering Inventory-Revised(PCI-r)(クラタリング予測項目改訂版)[80,81]を行う．

3 クラタリングの治療

クラタリングの治療介入研究は少ない．Zaalen ら[80]は，クラタリングのある者の非流暢性や発話の不均衡の問題は，速度を低下させることで解決可能であると述べる．それで改善されない場合は，言語障害などの合併が疑われるのだという．しかし，訓練についてはまだ報告が少なくエビデンスに乏しい．より適切な訓練法を選択するために，今後の研究成果を期待したい．

F 事例報告と報告書の作成

a 小児

1) 事例
- **対象児**
  初診時4歳11か月（発吃後2年5か月），男児
- **主訴**
  最初のことばを繰り返す．なかなか治らないので心配（保護者より）．
- **現病歴**
  発吃は2歳6か月．文頭の繰り返しから始まり，症状の増減を繰り返しながら経過した．ひどいときは阻止（ブロック）が多く，全く話せないときもあった．焦っているときや，興奮したときに症状が多くなる傾向があった．
- **家族歴**
  父親に吃音歴があるが，現在は気にならない程度．
- **生育歴・合併症**
  特記事項なし．

2) 評価
(1) 評価項目
- **吃音検査法**
  吃音中核症状頻度は13/100．1～2回の繰り返しが中心だが，時折3～4回の繰り返しになり，やや力が入った．また，「う，う」と有声の阻止（ブロック）がみられ，手を叩いたり，息を吸ったりする随伴症状がみられた．繰り返しが多くなると，困ったような表情で言語聴覚士の方を見ることがあった．吃音症状は，会話や文レベルの発話で多かったが，単語呼称においても繰り返しがみられた．検査の途中で，子ども自身が「僕ね，あああとか言っちゃう」と話す様子がみられた．

- **その他**
- SDQ：情緒のみHigh Need．その他（行為，多動・不注意，仲間関係，向社会性）はLow Needで，Total DifficultiesスコアはLow Needであった．
- PVT-R：語彙年齢（VA）3：7，評価点（SS）6

(2) まとめ
吃音検査法の結果，中等度の吃音を認めた．また，会話場面において語彙の少なさや表現力の未熟さが疑われ，言語発達面の評価を行った結果，言語発達の遅れを認めた．発吃後2年以上経過しても症状が軽減しないこと，子ども自身が吃音症状に気づき，不安に感じている様子がみられたことから言語訓練を行う必要があると判断した．

3) 目標
言語力の向上を目指しながら，子どもにできるだけ多くの流暢な発話を体験させる．

4) 訓練計画
(1) 内容
- **遊びや簡単な課題のなかで，流暢な発話を誘導する**
  単語レベルで流暢な発話を誘導することから開始し，発話長や構文の複雑さを系統的に変更する（表4-31）．家庭において，毎日15分程度，本児とかかわる時間をとり，そのなかで本児の症状にあわせて発話を誘導することに取り組んでもらう．そのため，毎回の指導で保護者に「今回の練習の目標・方法」について記載したレジュメ（図4-19）を渡し，言語聴覚士がどのような方法で，流暢な発話を誘導しているか理解を得るようにする．また，訓練に用いた教材を貸し出したり，家庭で取り組みやすい教材を提供したりして，家庭での練習に取り組みやすくする．吃音症状について記録用紙に毎日記録をつけることを依頼する（図4-20）[82]．

- **家庭でのコミュニケーション環境を調整する**
  子どもに多くの質問をしないこと，難しい語彙

表4-31 訓練プログラムの具体例

	発話長	課題	方法
易 ↑ ↓ 難	単語	呼称(絵カード・物など)	「こ-れ-は……？」に続けて，子どものよく知っている単語を呼称する．
		絵合わせ	合わせると1枚の絵になるカードを合わせて，単語を呼称する．
		すごろく	子どもや言語聴覚士のコマが止まったところに描かれている絵を呼称する．
		神経衰弱(絵カード)	事物絵や動作絵が描かれた絵カードで神経衰弱をしながら，絵の呼称や動作語の表出をする．
		あてっこクイズ	袋に入れてあるものについて，手で触って何かを当てて，名称を呼称する．
	2〜3語連鎖 短文	ビンゴゲーム(絵)	何の絵が揃ったか，あと何が揃えばビンゴかなど，数語つなげて話す．
		間違い探し	絵の相違点を見つけ，どこがどのように違うかを説明する．
		なぞなぞ	絵カードや物について，用途・特徴などを説明して出題する．
	文章	ボードゲーム	ルールを説明したり，ゲームを進めるために必要なことを話す．
		折り紙・工作	製作をしながら手順などについて話す．
		ごっこ遊び	ままごとなど場面を設定して遊びながら，自由に話す．
		自由会話	幼稚園の出来事などについて自由に話す．

○月○日（○曜日）

今週の目標
- 1日15分お子さんと楽しくお話しする時間をとりましょう．
- お子さんのお話は単語レベルになるように調整しましょう．

方法
お子さんの目の前に絵や物がある状況で，
「こ-れ-は-……？」と
単語レベルのお話を促します．

今日の練習
1. 箱積み：単語
   箱を積んで遊びながら，箱に書いてある動物の名前などを言います．
2. お店屋さんごっこ：単語(1〜2語)
   お店に商品を並べながら，食べ物の名前などを言います．

図4-19 保護者用レジュメ例

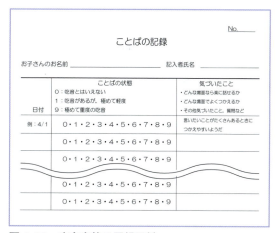

図4-20 吃音症状の記録用紙
〔坂田善政，他：環境調整法と流暢性形成法を組み合わせた介入の後にリッカム・プログラムの導入を試みた幼児吃音の1例．コミュニケーション障害学 34：1-10, 2017 より改変〕

や構文を使用しないことを保護者に依頼する．
　普段の生活において，子どもが興味をもったものについて保護者が「○○だね」と語りかけたり，「〜しているね」と子どもの行為を言語化したりすることを依頼する．

(2) 経過
　言語訓練開始から1年3か月後の評価所見を示す(表4-32)．吃音中核症状頻度は正常範囲内になり，SDQの情緒面も Low Need となった．

表 4-32 訓練前後の変化

	訓練前	訓練後
生活年齢	4歳11か月	6歳2か月
吃音中核症状頻度	13	2
症状の種類	1〜2回の繰り返し，阻止（ブロック）	1回の繰り返し
重症度	中等度	正常範囲
SDQ 情緒のスコア	High Need	Low Need
PVT-R(SS)	6	9

5) 解説

幼児期吃音の訓練目標は「自然な流暢性を獲得し，おしゃべりで元気な子ども」を目指すことである[83]．本児も訓練開始1年後には「僕スラスラになったもん」と話す様子がみられ，吃音症状の軽減により発話に対する否定的な感情が減少し，発話に自信をもてるようになった．

本児においては，言語発達の遅れも認められ，流暢な発話を誘導する際の系統的に発話長や構文の複雑さを変化させていく手法が，言語発達面への負荷も軽減し，吃音と言語発達の遅れの両方において有効であったと考える．家庭での練習やコミュニケーション環境の調整には，保護者の理解と協力が欠かせない．言語聴覚士は保護者と信頼関係を築き，保護者が前向きに言語訓練に取り組めるよう丁寧に支援していくことが重要である．

b 成人

1) 事例

■ 対象者

20歳代，男性，会社員

■ 主訴

職場で電話応対で吃音が出て困っている．

■ 現病歴

3歳で発吃．小学3年生から6年生まで通級指導教室に通級した．中学以降は言いにくいことばを別の言いやすいことばに置き換えたり，話す場面を避けたりしてなんとか吃音に対応していた．大学卒業後，一般企業に就職し，2年めに電話業務が多い部署に異動した．顧客との電話応対で流暢に話せず，業務に支障が出るようになった．電話応対の際に，「吃音が出るかもしれない」という予期不安が増え，次第に電話を避けるようになった．少しでも楽に話したいと考え，言語聴覚療法を希望し受診した．

■ 家族歴

母，兄

2) 評価

訓練前後で，吃音検査法の重症度プロフィールは，吃音中核症状頻度が20回から2回，持続時間が2.2秒から0.3秒，緊張性が「ほぼすべて」から「まれに」，随伴症状が「目立つ」から「注意深く観察すれば気づく」，工夫・回避が「非常によく」から「まれに」にそれぞれ改善した（表4-33）．

コミュニケーション態度は，改訂Erickson（エリクソン）・コミュニケーション態度調査票の得点が22点から11点になった．

社交不安は，Liebowitz（リーボビッツ）社交不安尺度日本語版（LSAS-J）の得点が92点から21点に減少した．

3) 目標

統合的訓練の技法を習得し，職場の電話応対の際に使用する．

4) 訓練計画

(1) 内容

訓練室内では，言語聴覚士が細く長い呼気を意識した呼吸法を指導した．次に，軟起声と構音器官の軽い接触の技法を模倣から誘導した．軟起声の指導は，最初に50音を1音ずつ発声させ，ついで単語，挨拶，文章（短文，長文）へと段階的に練習させた．構音器官の軽い接触の指導は，カ

表4-33 訓練前後の重症度プロフィール

	訓練前	訓練後
吃音中核症状頻度	中等度	正常範囲
持続時間	中等度	ごく軽度
緊張性	重度	ごく軽度
随伴症状	中等度	ごく軽度
工夫・回避	非常に重度	ごく軽度

表4-34 訓練経過

	訓練回数	1 2 3 4 5 6 7 8 9 10 11 12
訓練室内	呼吸法	→→→→→→→→→→→→
	軟起声	→→→→
	構音器官の軽い接触	→→→→
	電話応対の練習	→→→→→→→→
訓練室外	自主練習	→→→→→→→→→
	セルフヘルプグループ	→→→→→→→

行、タ行からはじまる単語を発音する際に舌を上歯の裏側に軽く接触することを意識させた．

これらの技法を習得後，職場の電話場面を想定し，言語聴覚士が顧客役となって電話練習をした．「もしもし，どちら様ですか？」というフレーズで会話時の息継ぎのタイミングを練習した．

訓練室外では，軟起声と構音器官の軽い接触の技法を音読課題を用いて自主練習させた．家族との会話，挨拶など，本人が平易に感じる場面で技法を使用するように促した．電話はまず顧客以外の人との会話で軟起声を使用させた．練習の際は，吃音が生じたか否かではなく，統合的訓練の技法を使用できたか否かを基準に，成功体験のみをノートに記録させた．不安を感じたときは，ノートを読み返させ，過度に心配しすぎぬように指導した．言語聴覚療法では日常の練習の実施状況を確認し，練習を継続できるように支援した（表4-34）．

(2) 経過

言語聴覚療法は，月1回，約1年間に合計12回実施した．初診時，電話への恐怖心は非常に強かった．そこで，職場の上司に書面で事情を説明し，電話業務を当面免除してもらうように配慮を求めた．また職場の産業医と症例の心理面について情報共有した．その結果，不安は軽減し，訓練に集中できるようになった．訓練4回め，訓練室内では統合的訓練技法（軟起声，構音器官の軽い接触）を習得した．一方，電話への恐怖心は依然あった．訓練5回め，吃音のセルフヘルプグループに参加した．「自分と同じように電話で困っている人と話せてよかった」との報告があった．訓練7回め，電話への恐怖心は徐々に軽減し，顧客からの電話を取り継ぐ受信業務を再開した．訓練9回めに「調子がよいと思う日は，発信業務も行っている」との報告があった．訓練11回め，「電話への不安はほぼなくなった」との発言があった．訓練12回め，すべての電話業務に復帰したとの報告があり，訓練を終了した．

5) 解説

本症例は約1年間の言語聴覚療法によって，統合的訓練の技法を習得し，電話業務の支障はなくなった．訓練早期から職場の上司や産業医と情報共有を図り，症例の心理面に配慮した．また，家族や友達の協力を得て，吃音の悩みを1人で抱え込まないように環境を調整した．

症例は在職中であり，頻回に通院することは困難であったが，発話の自主練習を継続していくなかで，少しずつ電話を克服していった．またセルフヘルプグループに参加し，ほかの吃音のある人たちと悩みを分かちあえたことは，練習を継続するモチベーションになった可能性があった．

このように，吃音のある成人への言語聴覚療法では，日常生活での吃症状および回避行動を軽減させることによって，社会的自立を支援できたことに意義があると考えられた．

引用文献

1) 都筑澄夫(編著)：間接法による吃音訓練—自然で無意識な発話への遡及的アプローチ—環境調整法・年表方式のメンタルリハーサル法．三輪書店，2015
2) Hill D：Differential treatment of stuttering in the early stages of development. In Gregory HH, et al：Stuttering Therapy：Rationale and Procedures, pp143-185, Pearson, Boston, 2003
3) 菊池良和：吃音の合理的配慮．学苑社，2019
4) 小林宏明：イラストでわかる子どもの吃音サポートガイド—1人ひとりのニーズに対応する環境整備と合理的配慮．合同出版，2019
5) 山崎和子(監修)，広島市言語・難聴児育成会きつおん親子カフェリーフレット制作チーム(著)：幼児期用吃音啓発リーフレット．広島市言語・難聴児育成会，2018
6) 山崎和子(監修)，広島市言語・難聴児育成会きつおん親子カフェ(著)：学齢期・思春期用吃音啓発リーフレット．広島市言語・難聴児育成会，2017
7) Koushik S, et al：Follow-up of 6-10-year-old Stuttering Children After Lidcombe Program Treatment：A Phase I Trial. J Fluency Disord 34：279-290, 2009
8) O'Brian S, et al：Effectiveness of the Lidcombe Program for early stuttering in Australian community clinics. Int J Speech Lang Pathol 15：593-603, 2013
9) リッカムプログラム臨床研修会協議会：リッカムプログラム臨床研修会．http://lidcombejp.blogspot.com/ accessed 2020-07-10
10) Onslow M, et al：The Lidcombe Program treatment guide. Lidcombe Program Trainers Consortium. http://www.mystutteringspecialist.com/uploads/4/6/0/6/46061081/march_2019_lidcombe_program_treatment_guide.pdf accessed 2020-07-10
11) Packman A, et al (著)，小見和恵，他(訳)：Lidcombe プログラム治療の手引き．Lidcombe Program Trainers Consortium. http://www.lidcombeprogram.org/wp-content/uploads/2016/12/LP_Treatment Guide_Japan%20March_2016.pdf accessed 2020-07-10
12) Guitar B(著)，長澤泰子(監訳)：吃音の基礎と臨床—統合的アプローチ．学苑社，2007
13) 遠藤 眞：吃音児の斉読法を用いた指導．飯高京子，他(編)：吃音の診断と指導．pp223-250, 学苑社，1990
14) ことばの臨床教育研究会：どもるってどんなこと—吃音をよく知るために．第2版．ことばの臨床教育研究会，2014
15) 小林宏明：アセスメント，指導・支援で用いる教材．小林宏明：学齢期吃音の指導・支援—ICFに基づいたアセスメントプログラム．改訂第2版．pp207-241, 学苑社，2014
16) Scott L(編)，長澤泰子(監訳)：吃音のある学齢児のためのワークブック—態度と感情への支援．学苑社，2015
17) 中村勝則：3人で行ったグループ指導の事例．小林宏明，他(編著)：特別支援教育における吃音・流暢性障害のある子どもの理解と支援．pp196-200, 学苑社，2013
18) 北條具仁：小児期発症流暢症(吃音)．日本認知・行動療法学会(編)：認知行動療法事典．pp154-155, 丸善出版，2019
19) 安田菜穂，他：自分で試す吃音の発声・発音練習帳．pp50-65, 学苑社，2018
20) van Riper C：The Treatment of Stuttering. pp220-267, 398-420, Prentice-Hall, Englewood Cliffs, NJ, 1973
21) 後期吃音の臨床．Guitar B(著)，長澤泰子(監訳)：吃音の基礎と臨床—統合的アプローチ．pp372-403, 学苑社，2007
22) Amster BJ, et al：Perfectionism in people who stutter：Preliminary findings using a modified cognitive-behavioural treatment approach. Behav Cogn Psychother 36：35-40, 2007
23) Langevin M, et al：Five-year longitudinal treatment outcomes of the ISTAR Comprehensive Stuttering Program. J Fluency Disord 35：123-140, 2010
24) Pollard R：A Preliminary Report on Outcomes of the American Institute for Stuttering Intensive Therapy Program. Perspec Fluen Fluen Disord 22：5-15, 2012
25) 仲野里香，他：吃音のある中学生が「不登校準備段階」から回復できた1例—直接的な発話訓練と認知行動療法的アプローチの経過．音声言語医 57：32-40, 2016
26) 坂田善政：成人吃音例に対する直接法．音声言語医 53：281-287, 2012
27) 酒井奈緒美，他：日常場面における耳掛け型遅延聴覚フィードバック装置の有効性—成人吃音1症例を対象に．音声言語医 49：107-114, 2008
28) 阿英娜，他：短期シャドーイング訓練の吃音に対する効果．音声言語医 56：326-334, 2015
29) O'Brian S, et al：The Camperdown Program：Outcomes of a new prolonged-speech treatment model. J Speech Lang Hear Res 46：933-946, 2003
30) Sisskin V：Avoidance Reduction Therapy in a Group Setting. Stuttering Foundation of America, Memphis, 2012
31) Fraser J(ed)：Effective Counseling in Stuttering Therapy. Stuttering Foundation of America, nemphis, 2013
32) Menzies RG, et al：Cognitive behavior therapy for adults who stutter：a tutorial for speech-language pathologists. J Fluency Disord 34：187-200, 2009
33) 熊野宏昭：新世代の認知行動療法．pp9-32, 日本評論社，2012
34) 山本竜也，他：行動療法と行動理論．日本認知・行動療法学会(編)：認知行動療法事典．pp8-11, 丸善出版，2019
35) 坂野雄二：不安障害に対する認知行動療法—エクスポージャー法をどのように導入するか，そのコツを探る．精神経誌 115：421-428, 2013
36) 小堀 修：認知療法と認知理論．日本認知・行動療法

学会（編）：認知行動療法事典．pp12-15，丸善出版，2019
37) 伊藤絵美：認知療法系CBTの理論とモデル．臨心理 16：385-388, 2016
38) 吉村由未：自動思考のモニタリングと認知再構成法．臨心理，16：394-398, 2016
39) 清水栄司（監修）：社交不安障害（社交不安症）の認知行動療法マニュアル（治療者用），第3版．p11，厚生労働省，2016
40) Kabat-Zinn J（著），春木　豊（訳）：マインドフルネスストレス低減法．pp25-74，北大路出版，2007
41) 川合紀宗：吃音に対する認知行動療法的アプローチ．音声言語医 51：269-273, 2010
42) 日本精神神経学会（日本語版用語監修），髙橋三郎，他（監訳）：DSM-5 精神疾患の診断・統計マニュアル．pp44-46，医学書院，2014
43) van Riper C（著），田口恒夫（訳）：ことばの治療—その理論と方法．pp248-249，新書館，1967
44) 都筑澄夫（編著）：間接法による吃音訓練—自然で無意識な発話への遡及的アプローチ—環境調整・年表方式のメンタルリハーサル法．pp90-103, 124-132, 三輪書店，2015
45) 塩見将志，他：吃音質問紙による工夫・回避，恐れに対する評価が有効であった成人吃音の1改善例．音声言語医 61：188-195, 2020
46) 小澤恵美，他：吃音検査法，第2版　解説．pp7-17, 学苑社，2016
47) Toyomura A, et al：Speech Disfluency-dependent Amygdala Activity in Adults Who Stutter：Neuroimaging of Interpersonal Communication in MRI Scanner Environment. Neuroscience 374：144-154, 2018
48) 荻野亜希子，他：自然で無意識な発話への遡及的アプローチにより，吃音重症度と不安状態改善を認めた成人吃音の1症例．音声言語医 60：155-161, 2019
49) 福永真哉，他：成人吃音者に対するメンタルリハーサルの効果—吃音検査法での評価．音声言語医 60：162-169, 2019
50) 都筑澄夫：第4層の発達性吃音に対する年表方式のメンタルリハーサル法の訓練効果と軽減・改善過程．音声言語医 53：199-207, 2012
51) 外務省：障害者の権利に関する条約．https://www.mofa.go.jp/mofaj/gaiko/jinken/index_shogaisha.html accessed 2020-07-10
52) 菊池良和：吃音の合理的配慮．pp26-35, 学苑社，2019
53) Byrd CT, et al：Clinical utility of self-disclosure on for adults who stutter：Apologetic versus informative statements. J Fluency Disord 54：1-13, 2017
54) 見上昌睦，他：吃音者の学校教育期における吃音の変動と通常の学級の教師に対する配慮・支援の要望．聴覚言語障害 34：61-81, 2005
55) 飯村大智：高等教育機関における吃音者の困難と合理的配慮について．聴覚言語障害 45：67-78, 2016
56) 飯村大智：生活実態調査による成人の吃音者の就職・就労に関する研究．コミュニケーション障害 32：204-208, 2015
57) 飯村大智：吃音と就職—先輩から学ぶ上手に働くコツ．pp98-128, 学苑社，2019
58) 福田正人：思春期における自我の確立とその脳基盤．長谷川寿一（監修）：思春期学．pp159-172, 東京大学出版会，2015
59) 厚生労働省：精神障害者保健福祉手帳．https://www.mhlw.go.jp/kokoro/support/3_06notebook.html accessed 2020-07-10
60) 厚生労働省：身体障害者手帳．https://www.mhlw.go.jp/stf/seisakunitsuite/bunya/hukushi_kaigo/shougaishahukushi/shougaishatechou/index.html accessed 2020-07-10
61) 内閣府：障害を理由とする差別の解消の推進．https://www8.cao.go.jp/shougai/suishin/sabekai.html accessed 2020-07-10
62) 厚生労働省：障害者雇用促進法の概要．https://www.mhlw.go.jp/stf/seisakunitsuite/bunya/koyou_roudou/koyou/shougaishakoyou/03.html accessed 2020-07-10
63) Boyle MP：Psychological characteristics and perceptions of stuttering of adults who stutter with and without support group experience. J Fluency Disord 38：368-381, 2013
64) Trichon M, et al：Peer support for people who stutter：history, benefits, and accessibility. In Amster BJ, et al（eds）：More Than Fluency：The Social, Emotional, and Cognitive Dimensions of Stuttering. pp187-214, Plural Publishing, 2018
65) 全国言友会連絡協議会：加盟団体．Retrieved from https://www.zengenren.org/加盟団体一覧/ accessed 2020-8-24
66) 池田邦彦：吃音者のセルフヘルプグループ．都筑澄夫（編）：改訂　吃音．pp173-178, 建帛社，2008
67) 岡　知史：セルフヘルプグループの援助特性について．上智大学社福研：18：3-21, 1994
68) 岡　知史：セルフヘルプ・グループ　わかちあい・ひとりだち・ときはなち．星和書店，1999
69) 小林宏明：セルフヘルプグループによる吃音がある人への支援の現状と展望—言友会を中心に．コミュニケーション障害 25：164-171, 2008
70) Krauss-Lehrman T, et al：Attitudes toward speech-language pathology and support groups：Results of a survey of members of the National Stuttering Project. Texas J Audiol Speech Pathol 15：22-25, 1989
71) Trichon M, et al：Self-help conferences for people who stutter：A qualitative investigation. J Fluency Disord 36：290-295, 2011
72) Yaruss JS, et al：Speech treatment and support group experiences of people who participate in the National Stuttering Association. J Fluency Disord 27：115-133, 2002
73) Borkman TJ：Mutual Self-Help Groups. Strengthening the Selectively Unsupportive Personaland Community Networks of Their Members. Gartner A, et

73) al (eds)：The Self-Help Revolution. pp205-216, Human Science Press. New York, 1984
74) 横井秀明, 他：成人吃音者の自助団体による吃音児支援の実態調査：言友会を対象として. コミュニケーション障害 36：113-117, 2019
75) 水町俊郎, 他：治すことにこだわらない, 吃音とのつき合い方. ナカニシヤ出版, 2005
76) Klein JF, et al：A Questionnaire for Parents of Children Who Stutter Attending a Self-Help Convention. Perspect Fluen Fluen Disord 25：10-21, 2015
77) Weiss DA：Cluttering. Prentice-Hall, Englewood Cliffs, NJ, 1964
78) Ward D, et al（eds）：Cluttering：A handbook of research, intervention and education. Psychology Press, East Sussex, 2011
79) Miyamoto M：Development of Japanese Checklist for Possible Cluttering ver. 2 to differentiate Cluttering from Stuttering. Journal of Special Education Research 6：71-80, 2018
80) van Zaalen Y, et al：Cluttering：Current Views on Its Nature, Diagnosis, and Treatment. I Universe, Bloominton, IN, 2015
81) van Zaalen Y, et al(著), 森 浩一, 他(監訳)：クラタリング　早口言語症—特徴・診断・治療の最新知見. 学苑社, 2018
82) 坂田善政, 他：環境調整法と流暢性形成法を組み合わせた介入の後にリッカム・プログラムの導入を試みた幼児吃音の1例. コミュニケーション障害 34：1-10, 2017
83) 原 由紀：幼児の吃音. 音声言語医 46：190-195, 2005

参考図書

第1章 発声発語障害学の基礎知識

- 斎藤純男：日本語音声学入門，改訂版．三省堂，2006

第2章 音声障害

- Aronson AE, et al：Clinical voice disorders, 4th. Thieme, New York, 2014
- van den Berg J：Myoelastic-aerodynamic theory of voice production. J Speech Hear Res 1：227-244, 1958（発声の原理を解き明かした総説論文）
- Shewell C：Voice work-Art and Science in Changing Voices. Wiley-Blackwell, UK, 2009
- Titze IR：Fascinations with the human voice. National Center for Voice and Speech, 2010
- 辻 哲也（編）：標準理学療法学・作業療法学・言語聴覚障害学別巻がんのリハビリテーション．医学書院，2018
- 日本がんリハビリテーション研究会（編）：がんのリハビリテーションベストプラクティス．金原出版，2015

第3章 発話障害（構音障害と発語失行）

- Davis L, et al：NDT and Speech Sound Production. In Redstone F（ed）：Effective SLP interventions for children with cerebral palsy. pp187-224 Plural Publishing, San Diego, 2014
- Duffy JR：Motor Speech Disorders：Substrates differential diagnosis and management, 4th ed. Elsevier, St. Louis, 2019
- Hustad KC：Childhood Dysarthria Cerebral Palsy. In Yorkston K, et al（eds）：Management of Motor Speech Disorders in Chidren and Adult, 3rd ed. pp359-384, Pro-Ed, Austin, 2010
- Yorkston KM（著），伊藤元信，他（監訳）：運動性発話障害の臨床―小児から成人まで．インテルナ出版，2004
- 阿部雅子：構音障害の臨床―基礎知識と実践マニュアル，改訂第2版．金原出版，2008
- 今井智子：小児構音障害．大森孝一，他（編）：言語聴覚士テキスト，第3版．pp377-385, 医歯薬出版，2018
- 今村亜子：構音訓練に役立つ音声表記・音素表記記号の使い方ハンドブック．協同医書出版社，2016
- 小野高裕，他（監著）：新版　開業医のための摂食嚥下機能改善と装置の作り方超入門．クインテッセンス出版，2019
- 椎名英貴：脳性麻痺．伊藤元信，他（編）：言語治療ハンドブック．pp101-120, 医歯薬出版，2017
- 日本聴能言語士協会講習会実行委員会（編）：運動障害性構音障害．協同医書出版社，2002
- 日本聴能言語士協会講習会実行委員会（編）：脳性麻痺．協同医書出版社，2002
- 日本リハビリテーション医学会（監修）：脳性麻痺リハビリテーションガイドライン，第2版．金原出版，2014.
- 溝尻源太郎，他（編著）：口腔・中咽頭がんのリハビリテーション―構音障害，摂食・嚥下障害．医歯薬出版，2000
- 山下夕香里，他：わかりやすい側音化構音と口蓋化構音の評価と指導法―舌運動訓練活用法．学苑社，2020
- 山鳥 重：神経心理学入門．医学書院，1985

第4章　流暢性障害(吃音)

- Guitar B(著)，長澤泰子(監訳)：吃音の基礎と臨床―統合的アプローチ．学苑社，2007
- Liebowitz MR(原著)，朝倉 聡(日本版作成)：LSAS-J リーボヴィッツ社交不安尺度．三京房，2015
- van Zaalen Y, et al(著)，森浩一，他(監訳)：クラタリング(早口言語症)―特徴・診断・治療の最新知見．学苑社，2018
- 飯村大智：吃音と就職―先輩から学ぶ上手に働くコツ．学苑社，2019
- 伊藤絵美：ケアする人も楽になる　認知行動療法入門BOOK1．医学書院，2011
- 伊藤絵美：ケアする人も楽になる　認知行動療法入門BOOK2．医学書院，2011
- 小澤恵美，他：吃音検査法　解説．第2版．学苑社，2016
- 堅田利明，他(編)：保護者の声に寄り添い，学ぶ　吃音のある子どもと家族の支援―暮らしから社会へつなげるために．学苑社，2020
- 菊池良和：吃音の世界．光文社，2019
- 小林宏明：イラストでわかる子どもの吃音サポートガイド―1人ひとりのニーズに対応する環境整備と合理的配慮．合同出版，2019
- 小林宏明，他(編著)：特別支援教育における吃音・流暢性障害のある子どもの理解と支援．学苑社，2013
- 都築澄夫(編著)：改訂　吃音．建帛社，2008
- 都築澄夫(編著)：間接法による吃音訓練―自然で無意識な発話への遡及的アプローチ―環境調整法・年表方式のメンタルリハーサル法．三輪書店，2015
- 宮本昌子：クラッタリング．小林宏明，他(編)：特別支援教育における吃音・流暢性障害のある子どもの理解と支援．pp41-47，学苑社，2013
- 宮本昌子：クラッタリングのある子どもの評価と支援の実際．小林宏明，他(編)：特別支援教育における吃音・流暢性障害のある子どもの理解と支援．pp235-239，学苑社，2013
- 安田菜穂，他：音声分析ソフトを用いた吃音の文章音読の検討―流暢性スキル獲得前後の比較．音声言語医　53：27-31, 2012
- 安田菜穂，他：自分で試す吃音の発声・発音練習帳．学苑社，2018

# 索引

欧文

数字

1回換気量　5
1次運動野　28, 29
1次性吃音　254
1次体性感覚野　29
1秒率　5
2次性吃音　255
2次的症状　266
2次的調音　50
2段階モデル　254
22q11.2欠失症候群　24, 151
100音節明瞭度　216

A

a two-stage model of stuttering　254
accent method　109
acquired stuttering　247
active speech error　146-148
amplitude perturbation quotient（APQ）　90
AMSD　187
amyotrophic lateral sclerosis（ALS）　180
anarthrie　201
ankyloglossia　154
apraxia of speech　137, 201
articulation　42
articulation disorders　128
ataxic dysarthria　141
audible nasal emission　146
auditory sensory gating　251
augmentative and alternative communication（AAC）　197, 223, 226
avoidance behavior　266
avoidance reduction therapy for stuttering　292

B

Basedow病　74
Beck Depression Inventory（BDI）　83
blowing　171
body　21, 39
body-cover theory　40
breathy　21

C

CALMS　261, 274
CAPS-A　160
cerebral palsy　134
child directed speech（CDS）　52
childhood apraxia of speech（CAS）　132, 227
chronic obstructive pulmonary disease（COPD）　72
cleft palate　135
cluttering　248, 303
Communication Attitude Test（CAT）　262, 268
communication function classification system for crebral palsy（CFCS）　227
Computer Speech Labo（CSL）システム　89
congenital velopharyngeal insufficiency（CVPI）　135
Consensus Auditory-Perceptual Evaluation of Voice（CAPE-V）　82
continuous positive airway pressure（CPAP）　173
cortical cerebellar atrophy（CCA）　180
cover　21, 39
covered repair hypothesis　252
Crouzon病　24
CT　33, 80

D

deep brain stimulation（DBS）　178
delayed auditory feedback（DAF）　247, 251, 292
demands and capacities models（DCモデル）　252, 279
dentatorubral-pallidoluysial atrophy（DRPLA）　180
diagnosogenic theory　250
diagnostic therapy　259
digital manipulation　112
disturbances in muscular control　138
dysarthria　34, 137, 138

E

easy onset voice　289
eating and drinking ability classification system（EDACS）　228
electrolarynx（EL）　120
electropalatography（EPG）　149, 217
escape behavior　266
evidence based medicine（EBM）　25
Extensions to the International Phonetic Alphabet　45

F

flaccid dysarthrias　141
fluency shaping therapy　288
foot　44
formant　50
forward focused voice　103, 104
functional articulation disorders　129
fundamental frequency（F0）　89

G

Ganong効果　51
gastroesophageal reflux disease（GERD）　64, 101
glottal stop　147

GRBAS 81, 187
gross motor function classification system (GMFCS) 228

H

harmonic-to-noise ratio (HNR) 90
heat and moisture exchanger (HME) 119
hemispheric dominance theory 249
Hoehn & Yahr 重症度分類 178
Hotz 床 170
Huntington 病 182
hyperkinetic dysarthrias 142
hypokinetic dysarthria 142

I

inaudible nasal emission 146
integrated approach 288
International Classification of Functioning, Disability and Health (ICF) 92, 189, 240, 262, 275
International Phonetic Alphabet (IPA) 43, 158

K・L

Kayser-Gutzmann 法 112
laryngopharyngeal reflux disease (LPRD) 64
Lee Silverman Voice Treatment (LSVT) 196
Lessac-Madsen 共鳴強調訓練 108
Lidcombe program 284
Liebowitz Social Anxiety Scale 日本語版 (LSAS-J) 83
light contact 290
LOUD Crowd 196

M

Machado-Joseph 病 180
manual ability classification system (MACS) 228
maximum phonation time (MPT) 88
McGurk 効果 51
mean air flow rate (MFR) 88
messa di voce 109
Metrical Pacing Treatment (MPT) 210
MFT 167
mixed dysarthrias 142
modified Erickson scale of communication attitudes (S-24) 263, 268
mora 44

motor planning 132
motor programming 132
motor speech disorders 137, 202
Movement Therapy Program for Speech and Swallowing in the Elderly (MTPSSE) 196
MR 法 298
MRI 33, 81
multifactorial dynamic pathways theory 252
multiple sclerosis (MS) 181
multiple system atrophy (MSA) 179
muscle tension dysphonia (MTD) 78
mutism 71
myasthenia gravis (MG) 182
myotonic dystrophy (MyD) 181

N

narrow band imaging (NBI) 78
nasal airflow inducing maneuver (NAIM 法) 120
NMO 181
non-speech ベース 104
normal disfluency 250, 304

O

open byte 135
optic neuromyelitis (NMO) 181
oral diadochakinesis (ODK) 56
oral myofunctional therapy (MFT) 167
Overall Assessment of the Speaker's Experience of Stuttering (OASES) 262, 269

P

palatal augmentative prosthesis (PAP) 219, 220
palatal lift prosthesis (PLP) 172, 219
Parkinson 病 31, 36, 68, 142, 178
passive speech error 146
PD Café 196
period perturbation quotient (PPQ) 90
PET 33
pharyngeal fricative/affricate 148
pharyngeal stop 148
phoneme 42
phonemic restoration 50
phonological disorders 128
Pierre Robin 症候群 24
Praat 89
presbilarynx 42

progressive supra nuclear palsy (PSP) 179
public Opinions survey of Human attributes-stuttering (POSHA-S) 253

R

r 音の歪み 135
Reinke 腔 39
Reinke 浮腫 62
re-pushback 術 172
resonant voice 108
Retrospective Approach to Spontaneous Speech (RASS) 279, 297
rough 21

S

S-24 263, 268
scanning speech 38, 141
secondary behaviors 266
Self-rating Depression Scale (SDS) 83
semi-occluded vocal tract exercises (SOVTE) 103
SLTA-ST 187
slurred speech 141
social anxiety disorder (SAD) 83
sociolinguistics 253
sociology 253
soft attack 289
somatotopic representation 29
sound 42
Sound Production Treatment (SPT) 210
spasmodic dysphonia (SD) 67
spastic dysarthria 141
SPEAK OUT 196
SPECT 33
speech delay 145
speech error 145
speech sound disorders 71, 128
speech ベース 108
spinocerebellar degeneration (SCD) 180
Strengths and Difficulties Questionnaire (SDQ) 272
stuttering-like disfluency 304
stuttering modification therapy 288
submucous cleft palate (SMCP) 135
syllable 43

T

The Cleft Audit Protocol for Speech-Augmented（CAPS-A） 160
TNM 分類 25
tongue tie 135
Treacher Collins 症候群 24
trial therapy 79, 90

U・V

two factors theory 250
unilateral upper motor neuron dysarthria（UUMND） 36, 141
velopharyngeal closure function 135
velopharyngeal dysfunction 152
vocal function exercise（VFE） 106

Voice Handicap Index（VHI） 83
voice output communication aids（VOCA） 224
Voice-Related Quality of Life（V-RQOL） 83
voluntary stuttering 291

和文

あ

相づち練習 109
悪液質 218
悪性腫瘍 25
アクセント 44
アクセント法 109
あくび・ため息法 111
アセチルコリン 28
アテトーゼ型，脳性麻痺 226
アデノイド 22
アデノイド肥大症 153
アナルトリー 201

い

異常構音習慣 22
胃食道逆流症（咽喉頭酸逆流症） 64, 101
一貫性効果 247
一期縫縮 26
一側性上位運動ニューロン性構音障害 36, 141
易疲労性 35
咽・喉頭摩擦音/破擦音 148
咽頭喉頭全摘出術 61
咽頭収縮筋 8, 13
咽頭神経叢 8
咽頭発声 121
咽頭破裂音 148
咽頭弁形成術 172
韻律 44, 184
韻律単位 42, 44

う

う蝕，口唇口蓋裂 153
歌声障害 70
うつ病 75
うつ病自己評価尺度 83
運動核 28

運動学習 32
運動過多性障害 34, 36, 142
運動機能障害 134
運動障害性構音障害 23, 34, 130, **137**, 138, 177, 208
運動性発話障害 137, 202
運動前野 29
運動単位 28
運動低下性障害 34, 36, 142
運動ニューロン 28

え

永久気管孔 117
詠唱練習 108
エクスポージャー 293
エレクトロパラトグラフィ 149, 217
遠隔転移 25
嚥下機能 5
延髄錐体 30

お

横隔膜 2
横舌筋 17
黄斑 42
オーラル・ディアドコキネシス 56
オトガイ舌筋 17
オペラント条件づけ 293
音位転換 158
音韻 42
音韻修復 49, 50
音韻障害 128
音韻性錯語 202, 207
音韻操作 55
音韻知覚の最適化 53
音響音声学 42
音響分析 89
音声 20
音声記号 45
音声外科 94
音声酷使 61
音声障害 19, 58

音声障害診療ガイドライン 62
音声振戦 68
音声治療 94
音節 43
音素 42

か

開音節 44
開咬 22, 135
開口障害 218
外喉頭筋 8
カイザー-グッツマン法 112
外舌筋 16
外側翼突筋 15
外側輪状披裂筋 8
改訂版エリクソン・コミュニケーション態度尺度 263, 268
外的語音弁別 145
外転型痙攣性発声障害 67
回避行動，吃音 266
開鼻声 22, 151, 160, 184
解剖学的死腔量 18
会話明瞭度検査 184, 189, 216
会話練習 109
下咽頭 12
下咽頭がん 61
下気道 2
過緊張性発声障害 69
顎関節 14
核磁気共鳴 33
拡大・代替コミュニケーション 197, 223, 226
拡張 IPA 45
獲得性吃音 247, 259
顎変形症 23
下縦舌筋 17
仮性球麻痺 35
仮声帯発声 70
仮声帯ひだ 9
画像検査 14
画像診断 33

索引

カテゴリー知覚　50, 145
寡動　37
カニューレ　113
過分極　32
仮面様顔貌　37
加齢性声帯　42
加齢性声帯萎縮　64
感音性難聴　144
換気　18
環境調整, 吃音　286
環境面へのアプローチ, 吃音　299
喚語障害　202, 207
患者会　198
感情失禁　36
干渉波形　32
がん性悪液質　25
間接訓練, 音声障害　95
間接訓練, 吃音　286, 293
間接喉頭鏡検査　9
完全同化　50
顔面裂　24
緘黙　71
簡略表記　45

き

気管切開　59, 113
起始, 筋肉　27
器質性音声障害　61
器質性構音障害　130, 142, 146
規準喃語　54
気息性嗄声　21, 58
吃音　246
　──の自覚　260
吃音緩和法　285, 291
吃音検査法　261
吃音中核症状　246, 265, 304
気道　2
機能性音声障害　61
機能性構音障害　129, 130, **131**, 145
機能性発声障害　96
機能的死腔量　18
基本周波数　39, 89
逆メガフォン型発声　107
逆行同化　50
ギャノン効果　51
キャンパーダウンプログラム　292
嗅覚リハビリテーション　120
吸気筋　3
急性喉頭炎　65
吸息相　3
球麻痺　35
胸郭　2
狭帯域光観察　78

協調運動性障害　134
胸膜　3
胸膜腔　3
共鳴周波数　50
気流阻止法　89
筋萎縮性側索硬化症　180
筋強直性ジストロフィー　181
筋緊張性発声障害　78
筋細胞　27
筋ジストロフィー　35
筋制御不全　137
筋線維　27
筋電図検査　32

く

クーイング音　54
空気力学的検査　88
工夫・回避, 吃音　247, 266
クラタリング　248, 303
クラタリング-スタタリング　305
クルーゾン病　24
グループ指導　287
クレチン症　74

け

頸静脈孔症候群　35
痙性麻痺　30
痙性麻痺性障害　34, 35, 141
携帯型音声出力装置　224
形態素　42
痙直型, 脳性麻痺　226
系統的構音訓練　163
茎突舌筋　16
軽度難聴　134
経鼻軟性内視鏡検査　10, 14
頸部リンパ節郭清術　213
痙攣性発声障害　37, 67, 80, 90
ケースフォーミュレーション　295
言語機能　27
言語習得前失聴　72
言語的随伴刺激　284
言語発達, 口唇口蓋裂　151
言語発達遅滞　157
原発性進行性発語失行　204
言友会　302

こ

口音　11
構音
　──-運動学的アプローチ　210
　──の誤り, 発達途上にみられる
　　　　　　　　　　　145
　──の加齢変化　55

構音器官の軽い接触　290
構音検査法, 新版　157
構音障害　128, 144
　──, 吃音　288
　──, 口唇口蓋裂　152
構音点　22, 41
構音様式　41
口蓋咽頭筋　13
口蓋化　47
口蓋化構音　148, 168
口蓋形成術　13, 151, 169
口蓋舌筋　13
口蓋帆挙筋　13
口蓋閉鎖床　219
口蓋裂　22, 135
口蓋裂二次手術　172
口蓋瘻孔　146, 153
口角下制筋　16
咬筋　15
口腔　14
口腔音　11
口腔がん　142, 211
口腔乾燥　218
口腔機能低下症　56
口腔筋機能療法　167
口腔ケア　218
口腔囁語　121
口腔底の筋群　16
口腔内圧　160
硬口蓋　15
硬口蓋化　47
咬合不正　153
甲状舌骨靱帯　7
甲状腺機能亢進症　66, 74
甲状腺機能低下症　66, 74
甲状軟骨　6
甲状披裂筋　7
口唇口蓋裂　151, 169
口唇トリル　105
硬性鏡　78
口舌ジストニア　37
拘束性換気障害　72
拘束性肺疾患　19
喉頭　6
　──の神経支配　8
　──の枠組み　6
喉頭横隔膜症　64
喉頭外傷　66
喉頭蓋軟骨　6
喉頭画像検査　80
喉頭がん　26, 59, 65
喉頭筋　7
喉頭筋電図　80

喉頭結核 66
行動実験 296
喉頭ストロボスコピー 10, 78
喉頭全摘出術 59
喉頭調節の障害 20
喉頭摘出者の会 117
喉頭軟弱症 64
喉頭肉芽腫 63
喉頭乳頭腫 65
喉頭白板症 64
喉頭部分切除 26
喉頭マッサージ 110
喉頭麻痺 20
行動療法 293
高度難聴 134
後鼻孔 12
後鼻孔閉鎖症 24
口部顔面失行 142
合理的配慮 271
口輪筋 16
後輪状披裂筋 8
高齢者の発話と嚥下の運動機能向上プログラム 196
声
  ―― の衛生指導 98
  ―― の高さの調節障害 20
  ―― の能率の低下 21
  ―― の配置法 104
  ―― のふるえ 59
  ―― の翻転 70
コーケンネオブレス 114
呼気筋 3
呼気保持 5
呼吸 18
呼吸機能 5
呼吸筋 2
呼吸障害 71
呼吸調節 5
呼吸瞑想法 296
国際音声記号 43
国際音声字母 158
国際生活機能分類 92
黒質 31
固縮 37
語性錯語 202
呼息相 3
古典的条件づけ 293
子どもの強さと困難さアンケート 272
コミュニケーション態度テスト 262, 268
固有鼻腔 12
コラム表 295

混合型痙攣性発声障害 68
混合性構音障害 34, 142
混合性鼻声 152

さ
再口蓋後方移動術 172
最小対 43
最大吸気位 5
最大呼気位 5
最長発声持続時間 88
嗄声 21
  ―― , 口唇口蓋裂 152
残遺孔 151

し
指圧法 112
子音 45
歯科補綴装置 218, 219
歯間音化 135, 136
弛緩性麻痺性障害 34, 141
軸索 28
試験的音声治療 79, 90
篩骨洞 12
自己フィードバック 145
視床下核 31
歯状核赤核淡蒼球ルイ体萎縮症 180
自助グループ 301
視診 14
視神経脊髄炎 181
ジストニア 37
  ―― , 局所性の 67
自然で無意識な発話への遡及的アプローチ 279, 297
持続的鼻腔内陽圧負荷 173
失構音 201
失声症 69
失調型, 脳性麻痺 226
失調性障害 34, 37, 141
自動思考 295
シナプス 28
自閉症スペクトラム障害, 吃音 288
社会学 253
社会言語学 253
社交不安症 83
シャドーイング 292
シャント発声 61, 121
自由異音 43
周期変動指数 89
重症筋無力症 182
重度難聴 134
受動的な誤り 146
腫瘍 25
腫瘤 25

順行同化 50
準備的構え 285, 292
上咽頭 12
小顎症 24
上顎前突 136
上顎洞 12
上顎補綴 219
上気道 2
笑筋 16
条件異音 43
症候性吃音 247
上喉頭神経 9
上縦舌筋 17
症状対処的訓練, 音声障害 95
情緒性反応 266
小児発語失行 227
小児版流暢性形成訓練 281
小脳 29, 31
小脳核 31
小脳脚 32
小脳性運動失調 37
省略, 構音障害 141
食道入口部 6
食道発声 61, 120
自律性増殖 25
自立モーラ 44
心因性吃音 248
心因性失声症 74
心因性発声障害 68
神経筋接合部 28
神経筋単位 28
神経原性吃音 247
神経伝達物質 32
神経伝導速度 33
進行性核上性麻痺 179
人工内耳 134
人工鼻 119
滲出性中耳炎 134, 152
浸潤 25
新声門 120
振戦 37
身体障害者手帳 122
診断起因説 250
診断的治療 259
進展段階 272
伸発 246
新版構音検査法 157
振幅変動指数 90
深部脳刺激術 178

す
随意吃 291
錐体外路系 30

錐体外路障害　31, 34, 36
錐体路系　28, 30
錐体路障害　34
錐体路症候群　30
錐体路徴候　35
垂直舌筋　17
随伴症状　246, 266
水分摂取，声の衛生指導　99
スキーマ　295
スピーチカニューレ　116
スピーチの機能　27
スラー様発話　141

せ

生活機能障害度分類　178
正常範囲の非流暢性
　　　　　　　246, 250, 259, 304
声帯筋　39
声帯結節　61
声帯溝症　63
声帯振動障害　21
声帯嚢胞　62, 90
声帯の層構造　21, 40
声帯瘢痕　64
声帯ひだ　9
声帯ポリープ　62
声帯麻痺　66
成長ホルモン分泌亢進症　66
声道　2, 11, 39
　——の発達　54
性同一性障害　71, 75
斉読法　286
性ホルモン障害　66
精密表記　45
声門破裂音　147, 168
声門閉鎖不全　20, 58
整容上の問題，口唇口蓋裂　152
生理音声学　42
赤核脊髄路　30
脊髄小脳　32
脊髄小脳変性症　179, 180
舌圧　216
舌がん　26
舌骨　6
舌骨下筋群　8
舌骨上筋群　8
舌骨舌筋　17
舌小帯短縮症　135, 154, 176
摂食嚥下障害　218
舌接触補助床　220
絶対安静，声の衛生指導　99
舌突出症　37
舌トリル　106

セファログラム　14, 160
セルフヘルプグループ　301
潜在的修復仮説　252
線条体　31
全身性ジストニア　37
先端巨大症　74
前庭小脳　32
先天性難聴　134
先天性鼻咽腔閉鎖機能不全症　135
前頭洞　12

そ

素因論　250
臓器不全　25
双極性障害　75
層構造，声帯の　21, 40
相対的な安静，声の衛生指導　99
促音　48
側音化構音　150, 168
速度／リズム調整アプローチ　210
側面頭部 X 線規格写真　14, 160
阻止　246
粗糙性嗄声　21, 58
その他の非流暢性，吃音　265

た

代償構音　217, 222
対乳児向け音声　52
大脳基底核　29, 31
大脳基底核疾患　36
大脳小脳　32
大脳半球優位説　249
大脳皮質運動野　29
大脳皮質-大脳基底核ループ　31
体部位局在性　29
代用音声　118
多因子ダイナミック経路理論　252
多系統萎縮症　179
脱分極　28, 32
多発性硬化症　181
多要因型モデル　257
単音　42
段階的エクスポージャー　293
単語明瞭度検査　189
淡蒼球内節　31
断続性発話　38, 141
短母音　46

ち

遅延聴覚フィードバック
　　　　　　　247, 251, 292
知覚音声学　42, 50
知覚バイアス　50

知的障害　136
注意欠如・多動性障害，吃音　288
中咽頭　12
中咽頭がん　142, 211
中舌化　47
中等度難聴　134
虫部　31
チューブ発声法　107
長音　48
調音　42
調音音声学　42
調音結合　49
聴覚音声学　42
聴覚ゲーティング　251
聴覚障害　72
聴覚心理学的評価，運動障害性構音障害　184
聴覚心理的評価，音声障害　81
聴覚走査法　223
蝶形骨洞　12
調波成分と雑音成分の音響エネルギー比　90
超分節音　45
超分節的特徴　38
直接訓練，音声障害　102
直接訓練，吃音　281, 288

つ・て

使い分け練習　109
低緊張型，脳性麻痺　226
低緊張性発声障害　69
ディサースリア　34
停止，筋肉　27
適応性効果　247
デクレッセンド発声　37
デシベル　88
伝音性難聴　144
転換性障害　75
電気式人工喉頭　120
電子内視鏡検査　10, 14

と

同化，音　50
頭蓋骨早期癒合症　24
道具的条件づけ　293
頭頸部がん　211
　——術後の組織欠損　23
　——切除後の再建　26
統合失調症　75
統合的アプローチ，吃音　286, 292
逃避行動，吃音　266
透明文字盤　224
ドーパミン作動性ニューロン　31

特異的言語発達障害　136
特異な構音操作の誤り　146
トリーチャー・コリンズ症候群　24
取り消し法　285, 292
努力性嗄声　58, 226
トリル　105

な

内喉頭筋　7
内視鏡検査　78
内舌筋　17
内側翼突筋　15
内的語音弁別能　145
内転型痙攣性発声障害　67
内分泌異常，音声障害　66, 73
ナゾメータ検査　160
軟起声　289
軟口蓋挙上装置　172, 220
軟性鏡　78

に

二重声　59
二重調音　50
二重の非一貫性　205
二重母音　46
日本語版 OASES　262, 269
日本版クラタリングチェックリスト
　　305
二要因理論　250
認知行動療法　293
認知再構成法　295

ね

粘液水腫　74
粘膜下口蓋裂　135
粘膜波動　22, 39

の

脳梗塞　177
脳出血　178
脳性麻痺　134, 225
能動的な誤り　146
喉詰め発声　69

は

パーキンソニズム　36, 142
パーキンソン病　31, 36, 68, 142, 178
媒介信念　295
肺活量　5
肺気流音　45
肺気量　4
ハイスピードカメラ　10
バセドウ病　74

ハチドリ徴候　179
撥音　48
発語器官失行症　142
発語失行　129, 137, 142, 201
発語明瞭度検査　189
発声機能　6
発声機能拡張訓練　106
発声機能検査　85
発声障害　19
発声発語協調障害　20
発達性吃音　246, 259
発達性協調運動障害　155
発達性発語失行　132
発話運動のプランニング　133
発話運動のプログラミング　133
発話障害　71, 128
発話速度の低下　290
発話特徴抽出検査　187
話しことばの機能　27
歯の欠損，口唇口蓋裂　153
ハミング　104
場面回避　247
早口言語症　248, 303
反回神経　9
反回神経麻痺　88
半球　31
反共鳴　12, 22
反対咬合　136, 153
ハンチントン病　182
反復性中耳炎　134

ひ

ピアサポート　301
鼻咽腔構音　150, 169
鼻咽腔ファイバースコープ　162
鼻咽腔閉鎖　11
鼻咽腔閉鎖機能不全
　　22, 135, 146, **152**, 172, 173, 220, 226
ピエール・ロバン症候群　24
鼻炎　153
鼻音　11
鼻音化した母音　46
引き抜き法　285, 292
非共鳴性子音　22
鼻腔共鳴　12
鼻甲介　12
鼻雑音　146
皮質核路　30
皮質性小脳萎縮症　180
皮質脊髄路　30
ヒステリー性失声症　68
歪み，構音障害　141
鼻前庭　12

鼻息鏡　150, 160, 171
鼻道　12
非肺気流音　45
皮弁　26
標準失語症検査補助テスト　187
標準ディサースリア検査　187
標準的口蓋裂言語評価　160
披裂筋　8
披裂喉頭蓋ひだ　9
披裂軟骨　6
披裂軟骨脱臼症　67, 90

ふ

ファイバースコープ検査　10, 14
不安階層表　293
笛式人工喉頭　120
フォルマント　41, 50
フォルマント遷移　52
副次的調音　50
副腎性器症候群　74
副鼻腔　12
付属モーラ　44
フット　44
部分同化　50
フラッディング法　293
ブローイング　192
プロソディ　38, **44**, 142, 184, 227
ブロック　246
分節音　45
分節化　42
分節レベルの単位　42

へ

閉音節　44
平均呼気流率　88
閉塞性換気障害　72
閉塞性肺疾患　19
閉鼻声　22, 152
ベックのうつ病自己評価尺度　83
ヘルツ　85
変声障害　70
片葉小節葉　31

ほ

ボイスプロステーシス　121
母音　45
　── の正規化　51
　── の無声化　46
母音連続　46
包括的訓練，音声障害　95
放射線療法　213
ホーン-ヤール重症度分類　178
母語　45, 52

ポジトロンCT　33
補足運動野　29
保存的治療　94
ホッツ床　170
ボツリヌストキシン局所注入療法　80
補綴治療　172
哺乳　154
哺乳指導　170
ポリープ様声帯　62
本態性音声振戦症　68

ま
マインドフルネス　296
マガーク効果　51
膜電位　32
マシャドージョセフ病　180
末端肥大症　74
麻痺性構音障害　34
慢性閉塞性肺疾患　72

み
ミオトニア　181
ミニマルペア　43

む
無喉頭音声　59, 116, 118
無言症　71
無動　37
無力性嗄声　58

め
メッサ・ディ・ヴォーチェ　109
メンタルリハーサル法　298

も
網様体脊髄路　30
モーラ　44
モバイル型PLP　220

ゆ
有茎筋皮弁　26
誘発筋電図　33
遊離空腸　26, 61
遊離前腕皮弁　26
遊離腹直筋皮弁　26

よ
要求-能力モデル　252, 279
予期不安　246, 268, 286

ら
ラインケ腔　39
ラインケ浮腫　62
楽などもり方　285, 291

楽な発話モデル　279, 281

り
リー・シルバーマン音声治療　196
梨状窩　12
リッカムプログラム　284
流暢性形成訓練　281, 289
流暢性障害　246
良性腫瘍　25
輪状甲状関節　6
輪状甲状筋　7
輪状軟骨　6

る・れ
類宦官症　73
レサック-マドソン共鳴強調訓練　108
レスポンデント条件づけ　293
レティナ　116
練習タイム　284
連発　246
連母音　46

ろ
瘻孔　151
老人性難聴　55
肋間筋　3